rowohlts deutsche
enzyklopädie

Das Wissen
des 20. Jahrhunderts
im Taschenbuch
mit
enzyklopädischem
Stichwort

★

Herausgeber
Prof. Ernesto Grassi
Universität München

Sachgebiet
KIRCHENGESCHICHTE

Ptolemeus · Marinus · Strabo · Aratus · Polibius · Hipparchus · Astronomia · Geometria · Musica · Arithmetica · Mercvrivs · VIRESCIT VVLNERE VERITAS

JOHANNES HALLER

Das Papsttum

Idee und Wirklichkeit

In fünf Bänden

IV

Die Krönung

ROWOHLT

Veröffentlicht im Juni 1965
Copyright by Port Verlag, Urach, 1950
Gesetzt nach der im Jahre 1962 erschienenen
verbesserten und ergänzten Ausgabe
Printed in Germany

INHALTSVERZEICHNIS

ÜBERWINDUNG DES KAISERTUMS   7

NACHWEISE UND ERLÄUTERUNGEN   276

VERZEICHNIS DER PÄPSTE   343

ÜBER DEN VERFASSER
(siehe Bd. I rde 221/22, Seite 411)

I

Kampfpause

Wie leicht kann im gewöhnlichen Verlauf der Platz ausgefüllt werden, den ein Größter geräumt hat! Innozenz III. war am 16. Juli 1216 in Perugia gestorben, und schon nach zwei Tagen war der Nachfolger gefunden. Die Kardinäle hatten vorher nach Rom zurückzukehren gewünscht, aber die Leute von Perugia wollten sich die klingenden Vorteile einer Papstwahl nicht entgehen lassen und erzwangen ihre sofortige Vornahme. Man fügte sich und wählte nach dem Spruch von zwei Vertrauensmännern den Kardinal Cencius aus dem römischen Hause der Savelli, der sich Honorius III. nannte. Er wartete die günstige Jahreszeit ab und hielt in den ersten Septembertagen seinen Einzug in Rom.

Wir kennen Cencius als Kämmerer Coelestins III. Da er zu dessen Familie, den Bobo, hielt, hatte er sich von Innozenz, der mit ihnen in Fehde lebte, dauernd beiseite geschoben gesehen. Aber nicht als Vertreter einer unterdrückten Gegenpartei ist Honorius III. erhoben worden. Einer der beiden Vertrauensmänner, denen er seine Wahl verdankte, war Ugolin von Ostia, der Vetter Innozenz' III., ihm hat er dauernd großen Einfluß eingeräumt, auch als die Verwandten des Kardinals, die ‹Grafen›, einen Aufstand in Rom erregten, der den Papst nötigte, zeitweilig die Stadt zu verlassen. Noch einen andern Verwandten des Vorgängers, den Marschall Jakob, finden wir unter Honorius in seiner früheren Stellung. So deutet alles darauf hin, daß man im Kardinal Cencius, wenn es damals überhaupt Parteien unter den Wählern gab, nicht den Mann der einen, sondern eine beiden genehme vermittelnde Persönlichkeit hat erheben wollen. Als solche hat Honorius sich in seiner ganzen Regierung bewährt. Er war nicht mehr jung, auch von schwacher Gesundheit, aber mit dem kirchlichen Recht und der Verwaltung, insbesondere den Finanzen des Hofes, vertraut, dabei ein eifriger Prediger. Eine Sammlung der geistlichen Ansprachen, die er als Papst gehalten, hat er selbst veröffentlicht, vielleicht in bewußter Nachahmung seines großen Vorgängers. Wie sehr er sich gleichwohl von diesem unterschied, lehrt schon der Stil seiner Briefe. Da ist nichts mehr zu hören von dem breiten Pathos, der wuchernden Gelehrsamkeit und den kunstvollen Redeblumen, in denen Innozenz sich so gern gehen ließ. Ruhig und klar, schlicht und sachlich fließen die Sätze dahin, nicht ohne Wärme, wo es am Platze ist, aber ohne Schwung. Es ist gewiß kein Zufall, daß Honorius sich nie, was doch so nahegelegen hätte, auf seinen nächsten Vorgänger berufen, dagegen einmal ausdrücklich erklärt hat, er wolle ‹den Spuren Coelestins, seines Vaters, in aller Demut folgen›. Das bedeutete indes keine Verleugnung der letzten Regierung, keinen Wechsel des Kurses. Im Gegenteil, was Innozenz begonnen, hat

7

Honorius fortgeführt, seine Ziele sind die gleichen, nur verfolgte er sie in anderer Weise. Der Reiter ist vom hohen Roß herabgestiegen und setzt seinen Weg zu Fuß fort, die Richtung ändert er nicht.

Über sein Amt und dessen Grenzen hat er genauso gedacht wie Innozenz, aber er hat es nicht alle Tage hören lassen. Auch er hat einmal eine politische Forderung gegenüber dem französischen König mit seinem Recht und seiner Pflicht begründet, über jede Sünde zu richten, hat auch wie Innozenz eine Sammlung seiner Urteile als Richtschnur für die kirchliche Rechtsprechung herausgegeben, aber die häufigen Berufungen auf die *plenitudo potestatis* hören unter ihm auf. Seine Regierung, in der nun wieder wie vor 1198 die Kardinäle als Mitbeteiligte stark hervortreten, so daß man von einem ‹konstitutionellen Regiment› sprechen darf, hat nichts von dem Glanz, mit dem Innozenz Zeitgenossen und Nachwelt zu blenden wußte, und im Vergleich mit diesem mag er wohl schwach erscheinen. Wer aber näher zusieht und billig genug ist, ihn nicht mit dem Maßstab des Genies zu messen, kann ihm das Zeugnis nicht vorenthalten, bei aller geduldigen Mäßigung und Vorsicht seine Absichten zwar ruhig, aber unbeirrbar fest verfolgt zu haben. Wenn auch Epigone, ist er doch ein getreuer Haushalter des überkommenen Erbes gewesen.

Nur einmal hat er ein kühnes Unternehmen aus eigenem Antrieb gewagt, das Innozenz nicht gebilligt hatte, dabei freilich eine vollständige Niederlage erlitten. Es war im neunten Jahr seiner Regierung, daß er den Gedanken wieder aufnahm, der bis in die Tage Viktors IV. zurückreichte und zuletzt von Kaiser Heinrich VI. verfolgt worden war, Papst und Kurie mit regelmäßigen festen Einkünften aus dem Pfründenbesitz der abendländischen Kirche zu versorgen.[1] Für diesen Plan, der in der Zwischenzeit nicht vergessen worden war, hatten auf dem Konzil 1215 einige angesehene Prälaten sich nachdrücklich eingesetzt, Innozenz aber war nicht darauf eingegangen. Jetzt kam Honorius auf ihn zurück. An Frankreich und England zugleich wandte er sich mit dem Antrag, ihm an jeder Bischofs- und Stiftskirche eine Pfründe und eine dementsprechende Summe aus den laufenden Einkünften der Bischöfe und Kapitel für immer zu überlassen. Dafür sollten am römischen Hof keinerlei Abgaben mehr erhoben, auch keine Pfründen mehr an Auswärtige verliehen werden. So würde die Geldnot der Kurie und würden auch die Beschwerden über ihre Begehrlichkeit aufhören.

Die gute Absicht des Papstes, der sich auf die einstimmige Billigung der Kardinäle berief, fand nirgends Gegenliebe. In Frankreich äußerte sich eine in Bourges tagende Landessynode so schroff ablehnend, daß der eingeschüchterte Kardinallegat sich veranlaßt sah, den Antrag, an dem er keinen Anteil habe, zu verleugnen. Die geltend gemachten Einwände waren ziemlich bunter Art. Geradezu von einem Skandal sprachen die Vertreter der Domkapitel, der Erzbischof von Lyon ließ erklären, er wolle unter keinen Umständen auf seine be-

---

1 Siehe Bd. 3, S. 126 und 214.

zahlten Freunde an der Kurie verzichten. Andere behaupteten, die Ausbeutung der Landeskirchen werde nur zunehmen, wenn in jeder Diözese oder doch in jeder Provinz ein ständiger Vertreter des Papstes säße, den Legaten spielte und der Kurie die Möglichkeit verschaffte, die Wahlen an sich zu ziehen und überall Römer oder ergebene Diener einzusetzen. Prälaten und Fürsten würden dabei leer ausgehen, denn zahlreich seien die Geistlichen, die mehr an den Papsthof als an König und Königreich dächten. Die Kurie aber würde dadurch nur noch hochmütiger und begehrlicher werden, die Geschäfte noch mehr verschleppen und die Rechtsuchenden würden vor den Türen der schrankenlos gebietenden Römer sterben müssen. Die Bürger von Rom endlich würden durch diese Bereicherung frecher werden und mit ihren Fehden die Stadt zugrunde richten. Sogar die Drohung mit allgemeinem Abfall von Rom wurde laut. In England ging es nicht viel besser. Der Gesandte, der hier das Begehren des Papstes vertreten sollte, hatte das Unglück, mit einem andern Geschäft bei der Regierung so anzustoßen, daß er des Landes verwiesen wurde. Erst nach seiner Abreise kam auf einem Reichstag in Westminster die Frage zur Sprache. Sie wurde mit allgemeiner Heiterkeit aufgenommen, und der Beschluß lautete, man wolle abwarten, was die andern Länder täten. Damit war der Plan, für den einst mancher Wohlgesinnte in ehrlicher Freude sich begeistert hatte, für immer begraben. Hätten die englischen und französischen Prälaten, die das bewirkten, geahnt, wie es hundert Jahre später bei ihnen aussah, sie hätten vielleicht anders gehandelt.

Das dringendste der großen Geschäfte, die Honorius vorfand, war die Lösung der englisch-französischen Verwicklung. Wir erinnern uns, daß Innozenz gegen den Kronprinzen von Frankreich und alle, die ihn bei der Eroberung Englands unterstützen, die Kirchenstrafen zu verhängen befohlen, die französischen Bischöfe aber sich diesem Auftrag entzogen hatten.[1] Auf einer Synode in Melun hatten sie sich geeinigt, den Befehl als nicht ergangen zu betrachten, bis ihnen darüber unzweideutige Belehrung gegeben würde. Darauf zu antworten hatte Innozenz, falls er es noch erfahren hat, keine Zeit mehr gehabt, wie er geantwortet haben würde, kann niemand erraten. Honorius wiegelte sogleich ab. Von Ausschluß war nicht mehr die Rede, den Bischöfen spendete er sogar Lob wegen der Klugheit, mit der sie den Umständen Rechnung getragen hätten. War das ein Rückzug, so wurde das Ziel doch keineswegs aufgegeben: die französische Eroberung Englands sollte verhindert werden. Dazu setzte Honorius sogleich alles in Bewegung, bestätigte dem Kardinallegaten Guala seinen Auftrag, sprach ihm Mut zu – der Sturm richte sich vor allem gegen die römische Kirche, die von den Pforten der Hölle nicht überwunden werde – und erweiterte seine Vollmachten, schärfte ihm freilich zugleich ein, mannhaft, aber mit Vorsicht zu Werke zu gehen ‹als ein zweiter Odysseus›. Seine

---

1 Siehe Bd. 3, S. 313.

Mahnungen gingen nach allen Seiten, an die Könige von Frankreich und Schottland, an den Fürsten der Walliser, an Bischöfe und Vasallen der Gascogne, an die englischen Barone. Denen, die für den König kämpften, wurde der Ablaß der Kreuzfahrer erteilt. Die Wirkung blieb auch nicht aus. Daß Johann im Oktober 1216 starb, nachdem er sterbend dem Papst seinen Sohn ans Herz gelegt und die Schenkung des Königreichs an die Kirche wiederholt hatte, machte den Weg freier, da nun all die Feindschaft erlosch, die nur ihm persönlich gegolten hatte. In Frankreich blieben des Papstes Mahnungen nicht ohne Wirkung, Philipp II. verzichtete auf Unterstützung seines Sohnes und verdiente sich damit wärmstes Lob. Als der rechte Mann am rechten Platz bewährte sich Kardinal Guala, der sogleich den zehnjährigen Sohn des Verstorbenen zum König krönte, die Freunde zusammenhielt, gegen die Gegner entschlossen einschritt. Der Ausschluß, den er gegen den Prinzen Ludwig und alle seine Anhänger öffentlich verkündigte, hätte allein wohl nicht die Entscheidung gebracht, aber die Franzosen taten selbst das übrige, ihre Sache zu verderben. Die Rücksichtslosigkeit, mit der sie als Herren auftraten, die Gier, mit der sie alle fetten Posten an sich rissen, schreckte allgemein ab, der Abfall von ihren Fahnen nahm zu, und als der Nachschub aus Frankreich von den Königstreuen bei der Überfahrt abgefaßt und vernichtet wurde, sah Ludwig, in London eingeschlossen, keinen andern Ausweg als Kapitulation auf freien Abzug, Verzicht und Urfehde. Johann war noch kein Jahr tot, da war im September 1217 der Friede geschlossen und sein zehnjähriger Sohn, Heinrich III., allgemein anerkannter König von England. Honorius hatte die Genugtuung, den Frieden zu bestätigen und Ludwig gnädig von allen Strafen zu befreien. Im Kampf um die englische Krone hatte der Papst über Frankreich gesiegt. Der Dank, den ihm die Regentschaft dafür aussprach, war wohlverdient.

England, das päpstliche Lehnreich, ist in den folgenden Jahren, während der Minderjährigkeit Heinrichs III. im Namen und Auftrag des Papstes als des Vormunds regiert worden. Sein Vertreter war nach der Rückkehr Gualas Bischof Pandulf von Norwich, derselbe, der als Bote Innozenz' III. die Huldigung Johanns entgegengenommen hatte. Des Papstes Fürsorge ging so weit, daß er dem Kanzler Vorschriften machte, wie er seine Ämter — er war zugleich Schatzmeister — verwalten, wo er die Gelder der Krone und das Staatssiegel hinterlegen sollte. Auch nachdem Heinrich III. im April 1223 durch den Papst für mündig erklärt war, hatte er sich römischer Gunst und Unterstützung dauernd zu erfreuen, gelegentlich auch strafende Vermahnungen, sogar Drohungen zu ertragen, wenn er den päpstlichen Wünschen — sie griffen tief in die inneren Verhältnisse ein — nicht bereitwillig genug nachkam. Den Frieden zwischen England und Frankreich zu erhalten, ist Honorius freilich auf die Dauer ebensowenig wie seinen Vorgängern gelungen. Ungeachtet aller Mahnungen und Verbote eröffnete Ludwig VIII., der seinem Vater im Jahr 1223 auf dem Thron gefolgt war, im nächsten Sommer den Krieg zur Eroberung der Reste englischer Herrschaft auf dem Festland, konnte sich auch mühelos des ganzen Poitou und eines Teiles der Gascogne bemächtigen. Die Rückeroberung, von englischer Seite im folgenden Jahr unternommen, kam nicht weit über die Grenzen der Gascogne hinaus.

Den französischen König von diesem Unternehmen abzulenken, hatte der Papst einen besonderen Grund: er wünschte seine Kraft zur Erledigung einer andern Frage zu benutzen, die Innozenz III. ungelöst hinterlassen hatte. In Languedoc und Provence war nach der päpstlichen Entscheidung von 1215 der Krieg mit erneuter Stärke ausgebrochen. Daß der Kampf gegen die Ketzer nur noch den Vorwand für die Eroberung des Landes durch einen nordfranzösischen Abenteurer abgab, war jetzt aller Welt klar, und dagegen setzte sich die Bevölkerung mit Entschiedenheit zur Wehr. Im jungen Grafen Raimund VII. fand sie einen kühnen und tapferen Führer, auch der König von Aragon mischte sich wieder ein und mußte durch die Drohung, daß sein Reich fremden Völkern preisgegeben werden könnte, abgeschreckt werden. Wohl war zunächst der Erfolg auf seiten Simons von Montfort, begleitet von einem Kardinal unterwarf er fast das ganze Land rechts der Rhone. Um so zäheren Widerstand fand er auf dem linken Ufer, im Gebiet des Kaiserreichs, und als er am 25. Juni 1218 bei der Belagerung des wieder abgefallenen Toulouse durch einen Steinwurf den Tod fand, schienen alle Errungenschaften mit einem Schlage verloren. Gegenüber seinem Sohne Amalrich hatte Raimund VII. sogleich ein Übergewicht, das beständig zunahm. Honorius III. ließ es dabei an nichts fehlen, erneuerte den Befehl zur Kreuzpredigt, sandte Legaten aus, bestätigte Amalrich das Erbe seines Vaters, verhängte die Strafen der Kirche über alle, die ihm entgegentraten, rief in Frankreich und Deutschland zur Unterstützung des ‹Vorkämpfers Christi› auf, stellte Geldmittel aus den Kreuzzugssteuern zur Verfügung, erklärte jedes Verbrechen durch Teilnahme am Krieg gegen die Ketzer für gesühnt – es nützte nichts. Auch das Eingreifen des französischen Kronprinzen, der im Jahr 1219 auf lebhaftes Drängen des Papstes zum zweitenmal gegen die Ketzer auszog, brachte keine Entscheidung. Nach furchtbaren Greueln – die Ausmordung der ganzen Einwohnerschaft des Städtchens Marmande übertraf an Scheußlichkeit sogar das Blutbad von Béziers [1] – kehrte das Kreuzheer im folgenden Jahr heim, ohne Wesentliches erreicht zu haben. Der Montforter war jetzt so entmutigt, daß er sich bereit erklärte, seine Ansprüche dem französischen König abzutreten. Philipp II. aber lehnte, ungeachtet der Mahnung des Papstes, ab, da er des Friedens mit England nicht sicher war. Honorius gab die Sache dennoch nicht auf, erließ neue Aufrufe und Mahnungen und schrieb in ganz Nordfrankreich einen dreijährigen Zwanzigsten von allem kirchlichen Einkommen aus, was zu Beschwerden Anlaß gab und den Papst nötigte, beruhigende Versicherungen für die Zukunft zu geben. Immerhin ist er schon damals (1222) bereit gewesen, mit Raimund VII. zu verhandeln.

---

1 Siehe Bd. 3, S. 332.

Eine Wendung brachte der Tod Philipps II. (1223). Der neue König Ludwig VIII., dem Großvater ähnlich und kirchlichen Einflüssen zugänglicher als der Vater, durch zwei Kreuzzüge nach dem Süden vorbereitet, stand dem Auftrag zur endgültigen Niederwerfung der ‹Ketzer› nicht mehr so ablehnend gegenüber, als Amalrich von Montfort, an seinem Glück verzweifelnd, ohne Truppen, ohne Geld, von allen verlassen, Ende 1223 ‹traurig und schmerzerfüllt› abzog. ‹Die Bundeslade ist in die Hände der Philister gefallen, mit dem Lande steht es schlimmer als zuvor›, klagten die Bischöfe dem Papst, den sie ‹mit schluchzenden Tränen› um Hilfe anflehten. Ihr Bericht kreuzte sich mit dem Auftrag an den Legaten einen Versuch beim jungen König zu machen. Ludwig VIII. war denn auch bereit, stellte aber seine Bedingungen. Außer anderen Vorteilen forderte er zehnjährige Waffenruhe mit England und für die gleiche Zeit eine Abgabe von jährlich 60 000 Pfund aus kirchlichen Einkünften. Das schien dem Papst denn doch zu viel, zumal eben jetzt sich die Aussicht auf einen allgemeinen Kreuzzug nach Palästina unter der Führung Friedrichs II. eröffnete. Er gab einer Verständigung mit Raimund den Vorzug. Ludwig VIII. sah die Aussichten auf Eroberung des Languedoc schwinden, erklärte höchstlich erzürnt, von der Sache nichts mehr hören zu wollen, und unternahm vorerst den oben erwähnten Krieg gegen England, der ihn zum Herrn des Poitou machte. Zwei Jahre vergingen unter Verhandlungen mit Raimund, die zu nichts führten. Vertreten war die Kurie dabei durch den Kardinallegaten Romanus, einen Staatsmann, dem man die Schule Innozenz' III. anmerkt. Der junge Graf wiederum, der sich bisher als tapferer und erfolgreicher Kriegsmann bewährt hatte, entwickelte jetzt eine Biegsamkeit und Verschlagenheit als Politiker, die an die Eigenschaften seines Großvaters, Heinrich II. von England, erinnert. Um sein Erbland zu behaupten, war ihm schließlich jedes Mittel recht, in erster Linie die scheinbar blinde Unterwerfung unter die Kirche. Der Kirche aber war damit nicht gedient, sie verfolgte andere Ziele und hat sie schließlich auch erreicht, da Ludwig VIII. sich am Ende doch gewinnen ließ. Seine Ansprüche wurden durch einen fünfjährigen Zehnten von allem kirchlichen Einkommen im Amtsbereich des Legaten befriedigt. In Bourges versammelte dieser die französischen Bischöfe, versagte Raimund, der selbst erschienen war und volle Unterwerfung und jede Buße anbot, das Gehör und erließ noch einmal ein letztes Aufgebot zum Kreuzzug gegen die ‹Ketzer›, dem nun der König nachkam, nachdem auch ein Reichstag sich dafür ausgesprochen hatte. Viele Prälaten und Barone nahmen das Kreuz, freilich, wie ein englischer Chronist behauptet, ‹mehr aus Furcht vor dem König und Legaten als aus Eifer für die Gerechtigkeit; denn vielen schien es ein Mißbrauch, einen gläubigen Christen zu bekämpfen›.

In Lyon versammelte sich zu Himmelfahrt 1226 das französische Heer und trat den Vormarsch die Rhone abwärts an, im Rücken gedeckt durch die Drohung des Legaten mit Ausschluß gegen alle, die den Feldzug stören würden, und durch ein entschiedenes Verbot des Papstes an die Engländer, Frankreich anzugreifen, solange der Krieg im Süden währe. Heinrich III. versuchte zwar, dagegen zu verstoßen, aber als er im August das Bündnis mit Raimund abschloß, war es schon zu spät. Vor der französischen Übermacht war der Widerstand allenthalben zusammengebrochen, nachdem das feste Avignon nach fast dreimonatiger Belagerung Ende August sich ergeben hatte. Nur Toulouse, wo Graf Raimund persönlich die Verteidigung leitete, war nicht zu bezwingen. Im französischen Heer entstand infolge von Mangel an Verpflegung eine Seuche, Vornehme und Gemeine starben in Menge, der Rückzug ließ sich nicht mehr aufschieben, und unterwegs erkrankte der König und starb. Seine Aufgabe hatte er nicht ganz erfüllt. Raimund VII. behauptete sich in der Hauptstadt und einem Teil des Landes. Ihn zu Fall zu bringen, gelang erst der Bedenkenlosen diplomatischen Kunst des Kardinals Romanus, nachdem der Krieg sich noch drei Jahre hingeschleppt hatte. In den schwierigen Anfängen der vormundschaftlichen Regierung, die die Königinwitwe Blanca von Kastilien für den zehnjährigen Ludwig IX. führte, hatte Romanus wertvolle Dienste geleistet und sich als vertrauter Ratgeber der Krone eine einflußreiche Stellung erworben. Daß der Klerus ihn wegen rücksichtsloser Eintreibung der Kreuzzugssteuern beim Papst verklagte, stärkte nur seinen Einfluß, und im April 1229 hatte er die Genugtuung, dem Krieg im Süden durch Vertrag ein Ende zu machen. Raimund VII. unterwarf sich der Kirche, leistete Buße, verpflichtete sich, zur Ausrottung der Ketzer in seinem Lande in jeder Weise behilflich zu sein, verlobte einem Bruder des französischen Königs eine Erbtochter und verschrieb dieser als Mitgift den größeren Teil der Grafschaft Toulouse unter Vorbehalt lebenslänglicher Nutznießung. Von seinen übrigen Besitzungen rechts der Rhone trat er das meiste sogleich dem König ab, seine Herrschaft in der Provence, das Venaissin, das zum Kaiserreich gehörte [1], überließ er der römischen Kirche, die das Land aber zunächst gleichfalls durch Frankreich verwalten ließ. Das Weitere blieb der Arbeit päpstlicher Legaten und Glaubensrichter überlassen, die nun darangehen konnten, Südfrankreich von Ketzern zu säubern. Das hat noch manches Jahr gedauert, in der Hauptsache aber war der blutigste, greuelvollste Kampf mit dem Siege der Kirche beendet, zum Vorteil Frankreichs, wie es Innozenz III. von Anfang an erstrebt hatte. Durch die Kirche war der französische König zum Herrn gemacht in einem Lande, das bis dahin nur dem Namen nach zu seinem Reich gehört hatte. Das Schlußwort dürfen wir wohl dem englischen Chronisten überlassen, dem die schweren Verluste des Feldzugs von 1226 – er spricht von 22 000 Toten – Anlaß zu der Bemerkung geben: ‹Da scheint es augenfällig klar, daß ein Krieg ungerechterweise unternommen war, bei dem die Habgier stärker beteiligt war als die Ausrottung der Ketzer.›

---

[1] Nur dieser Teil der Provence, die Markgrafschaft, war Lehnsbesitz der Grafen von Toulouse, alles übrige, die eigentliche Grafschaft, gehörte einem Zweig des Königshauses von Aragon.

Anscheinend wohlgeordnet hatte Innozenz das Verhältnis zu Friedrich II. hinterlassen. Er hatte von diesem gefordert, daß er nach Empfang der Kaiserkrone zugunsten seines Sohnes auf Sizilien verzichte, und Friedrich hatte dem entsprochen; am 1. Juli 1216 war hierüber die Urkunde ausgestellt worden. Bevor er sie erhalten konnte, war Innozenz gestorben, seinem Nachfolger fiel die Aufgabe zu, für Erfüllung des Versprechens zu sorgen. Honorius hat nicht darauf bestanden. Seine Beziehungen zu Friedrich waren von Anfang an die besten. Die Gesandtschaft des Königs, die ihn begrüßte, erwiderte er durch Befehl an die deutschen Fürsten, Friedrich kräftig zu unterstützen, wie er selbst es tun wolle. Als durch Ottos IV. Tod (19. Mai 1218) das Doppelkönigtum erloschen war, half Honorius zur letzten Abwicklung durch einen Befehl an Ottos Bruder, die Reichskleinodien auszuliefern, und nahm Friedrich mit Weib und Kind und Reich in den apostolischen Schutz. Noch kein deutscher König hatte sich solcher Gnade zu erfreuen gehabt. Friedrich wiederum kargte nicht mit Worten des Dankes. Das genügte freilich nicht, den Argwohn ganz zu bannen, ob Friedrich wohl seine Versprechungen halten werde. Er mußte sich gegen Vorwürfe verteidigen, das Mißtrauen durch wiederholte Erklärungen zerstreuen, die Abtretungen von Spoleto, Mark und Mathildischem Gut erneuern, desgleichen unter Bürgschaft der Reichsfürsten in feierlichster Form das Versprechen des Verzichtes auf Sizilien wiederholen. Inzwischen aber hatte er schon Schritte getan, die damit nicht im Einklang standen. Seinen Sohn, den fünfjährigen Heinrich, ließ er bereits 1216 nach Deutschland bringen, verlieh ihm das Herzogtum Schwaben, entzog ihm den sizilischen Königstitel und bereitete seine Wahl zum römischen König vor. Auf die Vorstellungen, die der Papst deswegen erhob, konnte er erwidern, das Reich dürfe nicht ohne Herrscher sein, wenn er selbst es verlassen müßte, etwa zum Kreuzzug aufbräche. Honorius ließ das gelten, soll sogar mündlich geäußert haben, die deutsche Königswahl gehe ihn nichts an. Die Lehre Innozenz' III., daß die Wahl des künftigen Kaisers eine Angelegenheit der Kirche sei, würde er damit allerdings verleugnet haben. Als der neunjährige Heinrich im April 1220 wirklich gewählt wurde, war der Papst zwar ungehalten, daß man ihn nicht vorher verständigt hatte, ließ sich aber leicht beschwichtigen. Es war ihm offenbar darum zu tun, mit dem König in gutem Einvernehmen zu bleiben, und einer Trennung Siziliens vom Kaisertum stand der römische Königstitel des kleinen Heinrich nicht im Wege, zumal Friedrich aufgehört hatte, ihn König von Sizilien zu nennen. Friedrich wiederum erhob keinen Einwand, als der Papst, indem er für ihn eintrat, ihm zugleich die Regierung Italiens [1] aus der Hand nahm.

Gelegenheit dazu bot sich reichlich. Während in Deutschland um die Krone gekämpft wurde, waren in Italien die alten Gegensätze zu offenem Bürgerkrieg erwacht. Mit den Namen der beiden Kronanwärter, des Welfen und des Waib-

---

1 Wir gebrauchen hier wie auch weiterhin den Namen Italien in dem Sinn, wie er damals verstanden wurde, für Ober- und Mittelitalien ohne den Kirchenstaat, d. h. das alte langobardische Königreich.

lingers — aus dem schwäbischen Waiblingen leiteten die Staufer ihre Abkunft her — deckten jetzt die Städte Toskanas und der Lombardei ihren örtlichen Kirchturmstreit. Ottos IV. Tod änderte daran nichts, nach wie vor bekämpften einander die Nachbarn als angebliche Parteigänger des Guelfen und des Gibellinen, und jene bekundeten ihre Treue gegen den toten Kaiser, indem sie dem Staufer die Anerkennung verweigerten. Wenn der Papst die Friedensstiftung übernahm und seinen Legaten Ugolin von Ostia Toskana und die Lombardei schlichtend und richtend bereisen ließ, so konnte er das wohl mit dem Nutzen Friedrichs entschuldigen, aber die Tatsache nicht beseitigen, daß die Kirche sich an die Stelle schob, die eigentlich dem Kaisertum zukam. Friedrich hatte nichts dagegen eingewandt, als hätte er jenen Satz aus Ottos IV. erstem Versprechen (1201) sich zu eigen gemacht, daß er seine Beziehungen zu Toskana und der Lombardei nach dem Willen des Papstes einrichten wolle.

Noch näher lag Honorius die Sorge um den Besitz der Gebiete, die sein Vorgänger dem Kirchenstaat hinzugefügt hatte. Wir wissen, wie vieles da noch zu wünschen übrig war, als Innozenz die Augen schloß: das Herzogtum Spoleto war ihm wieder entglitten, die Mathildische Erbschaft noch nie in seiner Hand gewesen. Hätte Friedrich in die Fußtapfen Ottos IV. treten oder auch nur unter der Hand Schwierigkeiten machen wollen, die Besitzergreifung wäre dem Papste kaum geglückt. Friedrich dachte nicht daran. Die neue Grenze des Kirchenstaats achtete er streng, machte Übergriffe seiner Beamten rückgängig und entschuldigte sich, mahnte die Stadt Rom zum Gehorsam, ordnete die Herausgabe der Mathildischen Güter an. Ein scharfer Befehl des Königs unter Androhung der Reichsacht kam dem Papst gegen die widerstrebenden Städte im Herzogtum zu Hilfe, Friedrichs Verdienst war es, daß Honorius im Sommer 1220 die gelungene Unterwerfung des ganzen Kirchenstaats verkünden konnte. Nach dem Beispiel seines Vorgängers ließ er die nähergelegenen Teile — Patrimonium, römisches Toskana und Herzogtum — durch Rektoren verwalten, die Mark Ancona gab er aufs neue dem Markgrafen von Este und die einzelnen Stücke der Mathildischen Erbschaft den benachbarten Anwärtern zu Lehen gegen Jahreszins; für die Mark betrug er 100 Pfund und Dienst mit bewaffneter Mannschaft.

Als Lohn seiner Willfährigkeit erwartete Friedrich die Kaiserkrönung. Auf sie hatte er einen vollgültigen Anspruch, den die Päpste, sowohl Innozenz wie Honorius, anerkannten, indem sie ihm den Titel eines ‹zum Kaiser Erwählten› gaben. Aber er wollte mehr, wollte zugleich König von Sizilien bleiben. Die Gründe mögen ebensosehr persönlich wie politisch gewesen sein. Friedrich hat sich zeitlebens als Sizilianer gefühlt, in dem Lande seiner väterlichen Ahnen ist er trotz jahrelangen Aufenthalts nicht heimisch geworden, wohl aber hatte er sich überzeugen müssen, daß hier für eine königliche Regierung nach seinem Sinn die Möglichkeiten fehlten, die Sizilien bot. Von dem Versprechen des Verzichts auf dies sein Erbland entbunden zu werden, war darum das Ziel seiner Wünsche.

Die Aussichten dafür waren nicht die besten. Nichts konnte ein Papst mehr fürchten, als daß die Lage sich wiederholte, die unter Heinrich VI. bestanden hatte, daß derselbe Herrscher zugleich im Süden und im Norden Italiens gebot. Dagegen bot auch die Vergrößerung des Kirchenstaats, die Innozenz III. vollzogen hatte, keinen sicheren Schutz. Ein König von Sizilien, der als Kaiser in Toskana, Lombardei und Romagna regierte, konnte dem Papst schon die Unabhängigkeit rauben, er mußte ihm überdies die Sorge einflößen, daß er eines Tages versuchen würde, die räumliche Trennung seiner beiden Reiche durch Zurücknahme seiner früheren Zugeständnisse zu beseitigen, dem Kirchenstaat die Erwerbungen Innozenz' III., Spoleto und die Mark, wieder zu entreißen. Trennung Siziliens vom Kaisertum, des *regnum* vom *imperium*, schien eine unabänderliche Forderung der päpstlichen Politik zu sein. Friedrich II. hat dennoch geglaubt, zum Ziel gelangen zu können.

Ohne rechten Grund hat man die diplomatische Kunst gerühmt, die er dabei bewiesen habe. Es ist wenig davon zu bemerken, bedurfte auch keiner besondern Fertigkeit, die belagerte Festung hat sich kaum gewehrt. Als Friedrich zu Anfang des Jahres 1220 wegen der demnächstigen Kaiserkrönung mit dem Papst in Verhandlung trat, sprach er die Bitte aus, daß ihm für seine Lebenszeit gestattet werde, das sizilische Reich zu behalten. Honorius lehnte ab, und Friedrich zögerte nicht, das geforderte wiederholte Versprechen des Verzichts ausfertigen zu lassen. Er wurde daraufhin zur Krönung eingeladen. Als er sie jedoch am 22. November empfing, hatte er auch die früher versagte Erlaubnis in der Hand, er durfte lebenslänglich König von Sizilien bleiben. Eine Verschmelzung dieses Reiches mit dem Kaisertum sollte nicht stattfinden, und auch die Vereinigung beider Kronen auf einem Haupt mit Friedrichs Tode aufhören.

Was Honorius zum Nachgeben bewogen hat, ist nicht schwer zu erraten. Friedrichs Überredungen erleichterten es ihm gewiß. Noch nie hatte ein römischer Kaiser, oder der es werden wollte, solche Töne hören lassen, wie Friedrich in seinen Briefen sie anzuschlagen nicht müde wurde. Immer wieder sprach er von seiner Dankbarkeit für die Wohltaten, die ihm die Kirche von der Wiege an erwiesen, bekannte sich als ihren ewigen Schuldner, ihr Geschöpf und unverbrüchlichen Getreuen, nannte den Papst seinen gütigen Vater und sich selbst den Baum, den die Kirche nicht umsonst gepflanzt und gehütet haben sollte. Aber Worte allein würden den Entschluß des Papstes kaum bestimmt haben, anderes wog schwerer. Einmal die längst versprochene Herausgabe gewisser Teile der Mathildischen Erbschaft, auf die der Papst die ganze Zeit gedrängt hatte, und die Friedrich auf dem Wege zur Krönung ausführen ließ. Dazu kam, daß er jeden Schritt vermied — und dies gegenüber dem Papst betonte —, der die Absicht hätte verraten können, kaiserliche Rechte in der Lombardei in größerem Umfang als bisher geltend zu machen. Zufrieden, daß ihm überall, auch in den soeben noch widerstrebenden Städten, gehuldigt wurde, machte er keinen Versuch, an den Verhältnissen, wie sie sich in den letzten kaiserlosen Jahren gestaltet hatten, etwas zu ändern. Das konnte dem Papst vorläufig genügen. Wenn das Kaisertum darauf verzichtete, in Oberitalien regierende Macht zu sein, so war die Personalunion mit Sizilien nicht gefährlich. Sollte es aber in Zukunft größere Ansprüche machen, etwa auf die Politik Friedrichs I. zurückkommen, so durfte man nach den Erfahrungen der jüngsten Zeit hoffen, daß die Kirche imstande sein würde, es daran zu hindern. Bei seiner Tätigkeit in Toskana und der Lombardei hatte Kardinal Ugolin sich überzeugen können, daß die Kirche dort stärker war als der Kaiser. Sie konnte es mit der Zeit nur noch mehr werden, unverkennbar bewegte sich die Entwicklung der Dinge in dieser Richtung; den Wettbewerb um die Führung brauchte der Papst also nicht zu scheuen.

Dies mögen etwa die Erwägungen gewesen sein, die Honorius veranlaßten, dem Verlangen Friedrichs sich nicht zu versagen. Es kam hinzu, daß Friedrich in der Lage war, dem Papst einen für den Augenblick wertvollen Dienst zu leisten. Seit dem Sommer 1219 hatte Honorius sich genötigt gesehen, das unbotmäßige Rom zu meiden. Jetzt machte der Einfluß Friedrichs seinem fast anderthalbjährigen Exil ein Ende, unter dem Schutz deutscher Waffen konnte er im Oktober 1220 in seine Hauptstadt zurückkehren. Ganz frei von Mißtrauen war er zwar nicht. Noch zwölf Tage vor der Krönung beauftragte er die Legaten, die er zur Begrüßung entgegenschickte, des Königs Sinn zu erforschen, wie er die Vereinigung des Königreichs mit dem Kaisertum zu verhüten gedenke; ihm vorzustellen, daß er mit der Wahl seines Sohnes zum römischen König sein Versprechen schon gebrochen und daß das Aufgebot von sizilischen Großen zur Kaiserkrönung Verdacht erregt habe. Aber Friedrich verstand alle Zweifel zu beseitigen. Aufs neue versicherte er, als Kaiser keinen Anspruch auf das Königreich zu erheben, das er nur als mütterliches Erbe besitze; die Oberhoheit der Kirche nicht in Frage zu stellen und den Lehnszins zu zahlen wie seine normännischen Vorfahren; auch nichts zur Einverleibung des Königreichs in das Kaisertum zu unternehmen. Das zerstreute die letzten Bedenken, und mit großem Gepränge vollzog Honorius am 22. November 1220 in St. Peter die Krönung Friedrichs zum römischen Kaiser.

Als den Mann nach seinem Herzen hatte Innozenz III. einst Otto IV. begrüßt. Mit mehr Recht hätte Honorius III. dies von Friedrich II. sagen können, der sich in Wort und Tat so ganz als gehorsamer Diener der Kirche zu erkennen gab. Den stärksten Beweis hierfür lieferten die Gesetze, die er noch am Tage seiner Krönung erließ und, dem Beispiel Innozenz' III. folgend, der Rechtsschule in Bologna als dauernde Richtschnur für Unterricht und Rechtsprechung mitteilte. Längst hatte die Kirche um ihre Stellung im öffentlichen Leben der italischen Städte zu kämpfen. Die Vorrechte, die sie für sich und ihre Diener in Anspruch nahm – Freiheit von Steuern und Abgaben und vom weltlichen Gericht – wurden dort nicht anerkannt. Zudem war die Ketzerei, besonders in der Lombardei, trotz allem noch sehr verbreitet, da die städtischen Behörden sich zur Ausführung kirchlicher Gesetze nicht zwingen ließen. Hier war es, wo Friedrich der Kirche den wertvollsten Dienst leisten konnte. Mit einem Federstrich hob er alle städtischen Satzungen und Gewohnheiten auf, die den Bestimmungen des kanonischen Rechts über Freiheit von Kirchen und Geistlichen widersprachen. Verboten wurde es, kirchliche Anstalten und geistliche Personen zur Steuer heranzuziehen oder vor weltliches Gericht zu laden. Wer wegen Verletzung kirchlicher Vorrechte ein Jahr lang aus der Kirche ausgeschlossen bliebe, sollte ohne weiteres der Reichsacht verfallen. Die Verfügungen des römischen Konzils von 1215 gegen die Ketzer werden zu Reichsgesetzen erhoben und das Ganze mit der Erklärung eingeführt: die Kirche will nichts, was nicht auch dem Kaiser ‹im Gleichschritt des Wollens› gefiele. Es war ein klares Bekenntnis, daß Kirche und Kaisertum Hand in Hand gehen sollten, und die Kirche war es, die dabei dem Kaisertum den Weg wies.

Es liegt kein Grund vor, zu bezweifeln, daß Friedrich damals so gedacht hat, wie er schreiben ließ, und man kann sich vorstellen, daß er mündlich seine Gesinnung wohl noch eindrücklicher zu erkennen gegeben hat. Sein ganzes Verhalten würde genügen, das Entgegenkommen zu erklären, das Honorius ihm bewies. Es war nicht die Schwäche eines milden Greises, der sich übrigens in diesem Fall so wenig wie sonst von dem Rat seiner Kardinäle hätte unabhängig machen können, es war wohlüberlegte und wohlbegründete Politik, die in dem jungen Kaiser den Verbündeten der Kirche sah und seine Dienste mit Gegendiensten erwiderte. Dazu kam jedoch, daß Honorius damals stärkste Veranlassung hatte, sich die Willfährigkeit Friedrichs zu sichern, denn er bedurfte seiner dringend für das, was seine vornehmste Sorge war, den Kreuzzug.

Honorius hat diesen Teil der Erbschaft seines Vorgängers mit besonderem Eifer übernommen. Das erste Schreiben, das seine Kanzlei verließ, war an den König von Jerusalem gerichtet, um ihm zu versichern, daß er vom neuen Papst nicht weniger zu erwarten habe als vom verstorbenen. Die Hilfe versprach ausgiebig zu werden, denn nach den Verfügungen, die Innozenz auf dem römischen Konzil erlassen hatte, sollte dieser Kreuzzug die gewaltigste Anstrengung des ganzen Abendlandes sein. Allerdings waren die Schwierigkeiten schon hervorgetreten. Kaum ein Jahr hatte man noch Zeit bis zum vorgeschriebenen Zeitpunkt des Aufbruchs. Aber was bisher von den Vorbereitungen verlautete, war nicht ermutigend. In Frankreich, auf das man auch dieses Mal am meisten zählte, hatte zwar eine Anzahl großer Herren, Herzöge, Grafen und Barone, dazu drei Erzbischöfe und ebenso viele Bischöfe, das Kreuz genommen, aber von ihren Zurüstungen zur Überfahrt war nichts zu merken. Honorius mußte ihnen eine tadelnde Mahnung zukommen lassen. Sie erwiderten mit der Bitte um ein ganzes Jahr Aufschub. Dann kam ein Bericht des Abtes von Prémontré, der große Verwirrung enthüllte. Ritter und einfache Leute murrten über Vernachlässigung, die Geldsammlung ging unregelmäßig vonstatten und stieß auf laute Äußerungen des Mißtrauens, an einigen Orten waren die Opferstöcke umgestürzt worden. Der Abt machte Vorschläge zur Abhilfe und wünschte vor allem, daß ein Legat komme, um Ordnung in die Sache zu bringen. Honorius entsprach dem, sandte den Erzbischof von Tyrus und mahnte zugleich Deutsche und Franzosen zu beschleunigtem Aufbruch. Die Mahnungen wiederholten sich, Prediger mit besonderen Vollmachten wurden ausgesandt. In Deutschland wirkten nebeneinander zwei Domschulmeister, der Mainzer Konrad, ein angesehener Pariser Theologe, und der Paderborner Oliver, der selbst mit hinauszog und der Geschichtsschreiber dieses Kreuzzugs wurde. Beide sind Bischöfe geworden und als Kardinäle gestorben. In Italien hatte Ugolin von Ostia neben seiner politischen Legation den Auftrag, bei Städten und Herren für den Kreuzzug zu werben. Es fehlte auch nicht an Erfolgen, die Meldungen waren zahlreich, aber damit wuchs die Schwierigkeit, diese Massen verschiedenster Herkunft nach einheitlichem Plan zu leiten. Nicht geringer waren die Schwierigkeiten der Geldsammlung, für die es an Erfahrung und geeigneten Werkzeugen fehlte. Die Kurie hatte ursprünglich die Verwaltung der einlaufenden Summen, sowohl des Zwanzigsten wie der Loskaufgelder und freiwilligen Beisteuern, den örtlichen Prälaten überlassen, sah sich aber bald veranlaßt, das Geschäft selbst in die Hand zu nehmen. Seitdem begegnen päpstliche Kapläne als Sammler in Spanien wie in Deutschland und Ungarn. Dabei handelte es sich um Summen, an die man nicht gewöhnt war. Eine Abrechnung vom Sommer 1220, die noch nicht die letzte gewesen sein kann, weist bereits Zahlungen in Höhe von etwa einer Million Mark Silber aus.

Mit solchen Mitteln hätte man den Erfolg für gesichert halten können, wäre es möglich gewesen, sie auf einmal wirksam zu machen. Daran war indes nicht zu denken. Die Besteuerung erstreckte sich über drei Jahre, ihr Ergebnis war unsicher und schon darum nicht durch eine Anleihe im voraus flüssig zu machen, selbst wenn es eine Stelle gab, die eine solche Summe vorzuschießen fähig gewesen wäre. Auch die verfügbaren militärischen Kräfte auf einen Schlag einzusetzen gelang nicht. Den vorgeschriebenen Aufbruchstermin, Ende Juni 1217, hielten nur wenige ein. Der erste war der König von Ungarn, der im Herbst 1217 mit einigen süddeutschen Fürsten und Grafen in Akka landete. Von ihm erwartete man große Dinge. Der Papst ordnete Bittgänge für den Sieg seiner Waffen an, pilgerte selbst barfuß mit Klerus und Volk von Rom vom Lateran nach Santa Maria Maggiore. Aber der Ungar enttäuschte gründlich. Nachdem er einige Monate in nutzlosen Kämpfen sich umgetan, brach er schon im Januar 1218 zur Heimfahrt auf, unbekümmert um den Fluch, den ihm der Patriarch nachsandte. Die Deutschen seiner Begleitung blieben zurück. Zu ihnen gesellte sich Ende Mai eine Schar von Rheinländern, Westfalen und Friesen. Sie waren schon vor einem Jahr aufgebrochen, hatten aber auf der Fahrt um Europa herum teils in Portugal, wo sie den Kampf gegen die Mauren erfolgreich unterstützten, teils in italienischen Häfen überwintert. Sie wandten sich gegen Ägypten und griffen noch Ende Mai 1218 die nächstbenachbarte Hafenstadt Damiette an.

Es war keine Eigenmächtigkeit, noch weniger ein sinnloses Abenteuer. Wir wissen, daß man schon im Jahre 1204 daran gedacht hat, den Feldzug gegen Ägypten zu richten, mit dessen Wegnahme man die Beherrschung des östlichen Mittelmeers vollendet und für die Eroberung Palästinas die sicherste Grundlage gewonnen haben würde. Innozenz III. hatte denn auch bereits Ägypten zum Ziel des nächsten Kreuzzugs bestimmt. In seinem Sinn handelten die niederdeutschen Kreuzfahrer, als sie sich gegen Damiette wandten. Sie waren auch bald erfolgreich: am 24. August glückte ihnen die Einnahme des Festungsturms, der die Einfahrt des Hafens sperrte. Die Belagerung der Stadt konnte beginnen, als gleich darauf die Hauptmasse der Kreuzfahrer eintraf, Italiener, Franzosen und Engländer. Mit ihnen kam der Legat, dem Honorius die Führung übertragen hatte, Kardinal Pelagius von Albano, ein Spanier, der unter Innozenz als Legat in Konstantinopel gewirkt und sich durch schroffes, gewaltsames Vorgehen gegen den griechischen Klerus ausgezeichnet hatte. Nun erschienen auch die Streitkräfte aus Syrien, König Johann von Jerusalem mit Gefolgschaft, die Ritter der drei Orden, Templer, Johanniter und Deutschherren. Die Lage war nicht einfach. Zwar konnte die Einschließung Damiettes mit einiger Mühe bewerkstelligt werden, bald aber mußte man sich gegen Angriffe der Ägypter wehren, die unter ihrem Sultan Al-Kâmil zum Entsatz anrückten. Der Abzug des Sultans, in dessen Heer eine Meuterei ausgebrochen war, zu Anfang Februar 1219 beseitigte die Gefahr, aber zum Vormarsch ins Innere mit dem zäh verteidigten Damiette im Rücken war das Kreuzheer zu schwach, zumal jetzt der Rückstrom der Pilger begann, die ihr Jahr abgedient und damit ihr Gelübde erfüllt hatten. Mittlerweile erhielt der Sultan Hilfe aus Damaskus, die ihm erlaubte, die Christen vom Lande her abzusperren. Wenn ihnen der Wasserweg auch offen blieb, so waren die Belagerer doch jetzt selbst belagert. Wollte man vorwärtskommen, so mußte für starken Nachschub gesorgt werden.

Das war es, worum der Papst sich nun eifrig bemühte. Durch Verbreitung der Nachrichten, die ihm aus dem Lager vor Damiette zugingen – er fand, sie müßten ‹ein steinernes Herz erweichen› –, suchte er die Kampflust zu steigern, drängte die Bereitwilligen zur Eile, sorgte dafür, daß der Legat mit Geld versehen wurde, und schonte dabei weder sich noch seinen Hof. Zu Ende des Jahres 1218 durfte er darauf verweisen, daß seine und der Seinen Beisteuern zusammen mit dem, was Innozenz für diesen Zweck bestimmt hatte, schon gegen 100 000 Mark Silber ausmachten. Franzosen und Engländer sollten unbedingt noch im Frühling aufbrechen. Aber das genügte schwerlich. Die Trupps von Herren und Rittern, die regelmäßig zweimal jährlich, meist im März und August, hinüberzufahren pflegten, diese verzettelten Kräfte waren nicht imstande, die Lage zu ändern. Es bedurfte eines einmaligen, starken Nachschubs unter der Führung eines Fürsten von gebietendem Ansehen. Das konnte, wie die Dinge lagen, da Frankreich erschöpft und durch den Krieg um Toulouse beschäftigt war, in England ein Kind unter Vormundschaft regierte, nur einer sein, der König von Sizilien und künftige Kaiser. Auf ihn richtete Honorius seit Anfang 1219 sein Augenmerk.

Friedrich hatte schon im Juli 1215 bei seiner Krönung in Aachen aus eigenem Antrieb das Kreuz genommen. Er kann mit diesem Schritt damals, wo er kaum begonnen hatte, sich in Deutschland Anerkennung zu verschaffen, nichts weiter bezweckt haben, als das Vorrecht der Unangreifbarkeit zu erlangen, das jeder Kreuzträger besaß. An Ausführung des Gelübdes war vorläufig nicht zu denken, und eine Frist hatte er sich nicht gesetzt. Vom Aufbruch war denn auch in seinen Verhandlungen mit der Kurie vorerst nicht die Rede. Da erhielt er — es muß Anfang März 1219 gewesen sein — ein Schreiben des Papstes, das ihm und allen kreuztragenden Deutschen kurzweg befahl, bis zum 24. Juni spätestens auszurücken, widrigenfalls sie ohne weiteres dem Ausschluß aus der Kirche verfallen sein sollten. Die Frist konnte nicht eingehalten werden, zu vieles fesselte den König noch an Deutschland, wo seine Regierung eben erst begonnen hatte, sich zu festigen. Ohne ihn aber wollten die Deutschen nicht ausziehen. Honorius sah das ein und erstreckte die Frist bis zum 29. September. Auch das war noch zu früh, und Honorius, obwohl murrend und unter Vorwürfen, bewilligte nochmals Aufschub bis zum 21. März 1220.

Inzwischen war auf dem Kriegsschauplatz allerlei vorgefallen. Der Sommer war vergangen unter vergeblichen Versuchen der Christen, Damiette im Sturm zu nehmen, und ebenso vergeblichen Angriffen des Sultans auf das Lager der Kreuzfahrer. Deren Lage wurde schwieriger, schlechte Verpflegung und Unbilden des Wetters erzeugten Krankheiten, die Truppe wurde ungeduldig. Ein Angriff auf das ägyptische Heer, den der Legat gegen den Rat kriegserfahrener Führer durchsetzte, brachte am 29. August eine verlustreiche Schlappe. Aber auch der Sultan war kriegsmüde und bot Frieden an. Das ganze Königreich Jerusalem, ausgenommen zwei wichtige Burgen, wollte er herausgeben, wenn die Kreuzfahrer abzögen. Das wurde abgelehnt, die Aussicht auf den Besitz von Damiette, mit dem man Ägypten den Daumen aufs Auge setzte, war zu verlockend. Und wirklich, am 5. November glückte es, die völlig ausgehungerte, fast ausgestorbene Stadt in nächtlichem Handstreich zu erobern, worauf bald auch ein zweiter Hafen, Tanis, das heutige Port Said, genommen wurde. Das Ansehen des Legaten, der diese Erfolge durchgesetzt hatte, stieg dadurch und erlaubte ihm, die militärische Führung mehr als bisher an sich zu reißen, zumal König Johann, sein steter Widerpart, bald darauf das Heer verließ, um trotz päpstlichen Verbots seine Ansprüche auf den erledigten Thron von Kleinarmenien wahrzunehmen. Aber eine wesentliche Veränderung in der Kriegslage trat auch nach der Einnahme von Damiette und Tanis nicht ein. Das Jahr 1220 verging ohne entscheidende Ereignisse. Die Übelstände im Lager der Christen dauerten an, auch das Geld war zeitweise knapp. Die Franzosen warfen dem Legaten vor, er begünstige bei der Soldverteilung die Italiener, und die Uneinigkeit in der Führung nahm zu. Um den Besitz von Damiette war der Legat in Streit mit dem König geraten, der eine Teilung der Stadt durchsetzte, zum großen Ärger der Genuesen, die sich Hoffnungen auf den wichtigen Handelsplatz gemacht hatten. Sie beschwerten sich beim Papst, der sie nur damit trösten konnte, er habe selber noch mehr verloren. Im Heer standen sich dauernd zwei Parteien gegenüber: die Masse der einfachen Krieger, geführt vom Legaten, drängte zum Angriff, dem die meisten Herren und Ritter widersprachen. Es gab heftige Auseinandersetzungen, der Graf von Arundel drohte einmal gegen den Kardinal tätlich zu werden, und in der Truppe kam es sogar zu richtigem Gefecht zwischen Italienern und Franzosen. Allmählich wurde auch die Verbindung mit dem Westen unsicher, da die Ägypter eine Flotte von einigen dreißig Kriegsschiffen gebaut hatten, die den Nachschub und die Verpflegung störte und viel Schaden anrichtete. Trotzdem wurde ein erneuter Friedensvertrag abgelehnt, obgleich der Sultan sein Angebot steigerte. Die Ritterorden vor allem waren es, die auf Auslieferung der beiden Grenzburgen bestanden, und darauf ging der Sultan nicht ein. Der Kreuzzug hatte sich festgefahren. Um so stärker wurde das Bedürfnis nach helfendem Eingreifen des Kaisers.

Friedrich hatte auch die letzte vom Papst gesetzte Frist für den Aufbruch verstreichen lassen: am 21. März 1220, wo er die Fahrt hätte antreten sollen, war er noch in Deutschland. Er verhandelte damals schon wegen der Kaiserkrönung, und in der Erwartung, ihn demnächst zu sehen und zu sprechen, auch wohl durch die Nachricht von der geglückten Einnahme Damiettes zuversichtlicher gestimmt, kam Honorius noch einmal weit entgegen, unterließ die Verkündigung der verwirkten Strafe, verzichtete auch darauf, die Drohung zu erneuern, und behielt sich nur vor, die Zeit des Aufbruchs zu bestimmen. Sie wurde bei der Kaiserkrönung auf August 1221 festgesetzt, aber schon im Sommer wußte man, daß vor dem März 1222 überhaupt nicht und auch zu diesem Termin nicht mit Sicherheit auf den Kaiser zu rechnen sei. Statt seiner sollte der Markgraf von Monferrat als Feldherr der Kirche mit der Fahne Sankt Peters die Führung der Truppen übernehmen, die Ugolin von Ostia mit Vollmacht vom Kaiser in Oberitalien anwarb. Honorius wurde ungehalten, rückte dem Kaiser sein so oft gebrochenes Versprechen ernstlich vor und ließ ihn wissen, daß sie beide, Friedrich wegen seiner Unzuverlässigkeit, er selbst wegen zu großer Nachsicht, schon vielfach getadelt würden. Aber was konnte er mehr tun als mahnen und drängen? Dreinfahren mit kirchlichen Strafen hätte der Sache wenig genützt. So mußte er froh sein, daß wenigstens einige deutsche Fürsten, geführt vom Herzog von Baiern, für den der Kaiser die Kosten übernahm, im März 1221 nach Damiette segelten und Friedrich im Juli seine Flotte, 40 Schiffe stark, dem Kreuzheer zu Hilfe sandte. Aber ehe diese eintraf, war die Entscheidung gefallen, der Kreuzzug elendiglich gescheitert.

Zu Anfang des Jahres hatte man geglaubt dem Siege nahe zu sein. Der Legat hatte von einem unbekannten Reitervolk berichtet, das unter einem gewaltigen Führer, von Indien kommend, über das Reich von Bagdad hergefallen war. Die abergläubische Phantasie der Zeitgenossen glaubte bereits den indischen Priesterkönig David-Johannes zu sehen, der nach einer verbreiteten Weissagung eines Tages das Heidentum ausrotten werde. Daß es in Wirklichkeit die Mongolen Dschingis Chans waren, die für das christliche Abendland eine viel furchtbarere Gefahr bedeuteten als alle Völker der Moslim, hat man erst später erfahren. Zunächst wurde es als ein Glück begrüßt, daß dieser neue Feind den Sultan von Aleppo nötigte, seine für Ägypten bestimmten Hilfstruppen zurückzuhalten. Käme den Kreuzfahrern rechtzeitig Zuzug, so meinte der Legat Ägypten noch im Sommer erobern zu können. Honorius benutzte diese Nachricht, um die deutschen Kreuzfahrer zum Aufbruch zu treiben. Den Legaten hatte er früher gemahnt, einen Frieden, der die Abtretung Jerusalems enthielte, nicht zu verschmähen, aber ohne Rückfrage keine Entscheidung zu treffen. Jetzt widerriet er im Hinblick auf den in Aussicht stehenden starken Nachschub den Abschluß des Friedens, stellte übrigens dem Legaten anheim, nach dem Rat der kundigen Führer des Heeres den Umständen gemäß zu handeln.

Dieses Schreiben ist wichtig, weil es den Papst von der Verantwortung für die folgenden Ereignisse entlastet, eingewirkt hat es nicht, denn es kam zu spät. Schon vor seinem Eintreffen war der entscheidende Beschluß gefaßt worden. Kardinal Pelagius war immer für Angriff und Vorrücken gewesen, aber bisher gegen den Widerspruch der französischen Führer nicht durchgedrungen. Jetzt kam ihm der Herzog von Baiern zu Hilfe, der ungeduldig erklärte, er sei nicht gekommen, um in Trägheit zu versinken. Auch die Ordensmeister, mindestens der Templer, waren gegen längeres Abwarten. Andere widersprachen, der Kardinal trat ihnen drohend mit der offenbar wahrheitswidrigen Behauptung entgegen, er handle im Sinne des Papstes. Nach Beweisen hierfür wurde er nicht gefragt, und der Beschluß ging durch, nicht länger auf Zuzug zu warten, sondern den Feldzug gegen Kairo zu eröffnen. Anfang Juli traf der eilig herbeigerufene König von Jerusalem ein. Der kriegserfahrene Herr mißbilligte den Plan durchaus, konnte aber den Entschluß nicht mehr rückgängig machen und schloß sich an, um das Heer nicht ohne sachkundige Führung zu lassen. Was den Kardinal betrifft, so haben schon Zeitgenossen den Verdacht geäußert, daß er die Ankunft des Kaisers nicht habe abwarten mögen, weil er ihm den Ruhm des Sieges nicht gönnte. Sollte dieser Vorwurf zu weit gehen, so wäre es doch nur natürlich, wenn der bisherige Führer nicht gewünscht hätte, die Leitung des Unternehmens dem Kaiser oder seinem Stellvertreter zu lassen.

Daß man nicht einmal die Ankunft der angekündigten sizilischen Flotte abwartete, hatte einen guten Grund: wollte man noch im Sommer den Feldzug unternehmen, so drängte die Zeit, da für den August die Überschwemmung des Nils bevorstand, die jede Operation im Deltaland unmöglich machte. In wohlgeordnetem Marsch rückte also das Heer den Strom entlang, begleitet von den Schiffen, die das Gerät und die Verpflegung führten. Man gedachte offenbar bis zum 1. August in Kairo zu sein, nachdem man das ägyptische Heer zur Schlacht gezwungen und überwältigt haben würde. Aber schon als man an die Gabelung gelangte, wo der Arm des Stromes sich abzweigt, der bei Port Said mündet, stockte der Marsch. Man stieß hier auf die Lagerfestung der Ägypter, aus der die heutige Stadt Mansura entstanden ist. Jenseits des eben erwähnten Stromarmes gelegen, war sie weder zu nehmen noch zu umgehen. Und nun begann das Verhängnis. Die Überschwemmung setzte ein, stärker als gewöhnlich; sie erlaubte den ägyptischen Kriegsschiffen, durch einen verödeten Kanal in den Nilarm einzufahren und den Christen die Verbindung mit Damiette abzuschneiden, so daß die Verpflegung des Heeres stockte. In dessen Flanke und Rücken erschienen jetzt ägyptische Truppen, verstärkt durch Zuzug aus Syrien, den man für unmöglich gehalten hatte. Man konnte nicht vorwärts, und als man sich nach längerem Zögern, und nachdem die Reihen durch Fahnenflucht schon gelichtet waren, zum Rückzug entschloß, brachen die Fluten des Stromes von allen Seiten durch die durchstochenen Dämme. Man sah sich eingeschlossen ‹gleich dem Fisch im Netz›, wie ein Bericht sich ausdrückt, in Gefahr zu ertrinken oder zu verhungern. Es blieb nichts übrig als die Waffenstreckung. Klug verzichtete der Sultan auf die Vernichtung der Gegner – er wollte, sagte er, die Christenheit nicht zum Rachedurst entflammen – und verlangte nur Abzug und Auslieferung von Damiette. Als Bürgen hierfür mußten sämtliche Führer, König, Kardinal, Baiernherzog, Ordensmeister und viele andere, sich gefangengeben. Das geschah am 30. August 1221. Zehn Tage danach wurde Damiette dem Sultan ausgeliefert. Zu spät war die Flotte von Sizilien eingetroffen, sie hatte das Schicksal nicht mehr wenden können. Umsonst war auch der Widerspruch der Kaiserlichen, insbesondere der Italiener, gegen die Preisgabe von Damiette. Sie griffen zu den Waffen, mußten sich jedoch überzeugen, daß die Stadt, auch wenn man die gefangenen Führer opferte, wegen Mangels an Lebensmitteln nicht zu halten war. Die Ägypter rückten ein, die Christen zogen ab und wurden nach Syrien geleitet. Großmütig hatte der Sultan das gefangene Heer zwei Wochen lang verpflegt.

Erschütternd war der Eindruck im ganzen Abendland, als das Geschehene bekannt wurde. Solch ein Ausgang nach so großen jahrelangen Anstrengungen! Man mag schon damals geahnt haben, was wir wissen: daß dies mehr als ein einmaliger Mißerfolg, der wieder gutgemacht werden konnte, daß es der Anfang vom Ende der Kreuzzugsbewegung war. Mit dem Unternehmen gegen Damiette hatte das Abendland sein Äußerstes geleistet, und wenn trotzdem das Ergebnis nur eine schimpfliche Niederlage war, so mußte das Ziel wohl unerreichbar sein. Die Enttäuschung nach so großen Erwartungen konnte nur abschreckend wirken. In der Tat ist es trotz fortgesetzter Bemühungen nie wieder zu einem Versuch auf ähnlich breiter Grundlage gekommen. Nur von Teilunternehmungen weiß die Folgezeit noch zu berichten, ein Kreuzzug des gesamten Abendlandes ist erst nach mehr als fünfzig Jahren wieder ins Auge gefaßt worden und auch dann nicht mehr zustande gekommen.

Wie immer in solchen Fällen suchte die Welt nach dem Schuldigen. Es fehlte nicht an Stimmen, die das Unternehmen selbst verurteilten und in seinem Scheitern die gerechte Strafe für ein verfehltes Beginnen sehen wollten. ‹So zeigte sich handgreiflich, daß erzwungene Dienste und erpreßtes Geld niemals Gott gefallen› – mit diesen Worten beendet der höfische Geschichtsschreiber Frankreichs seinen Bericht. Andere wurden deutlicher und nannten offen die römische Kirche als Hauptschuldige. Wir haben lateinische Verse aus Unteritalien und Lieder von südfranzösischen Troubadours, in denen sie nicht geschont wird. Durch sie sei dieses Unheil gekommen, das die ganze Welt beweine, sie sei Ursache des Christengemetzels und des höhnenden Jubels der Söhne Hagars; ihre Falschheit und Torheit habe zum Verlust von Damiette geführt. So hat man noch nach Jahren gesungen und gesagt. Im besonderen war es natürlich der Legat, auf den die meisten Vorwürfe gehäuft wurden. Nicht mit Unrecht; er war der Urheber des verfehlten Entschlusses zum Angriff, er hatte die Verantwortung gehabt und mußte die Schuld tragen.

Aber auch der Papst war nicht freizusprechen, insofern er mit der Leitung des Feldzugs nicht den rechten Mann betraut hatte. Das soll Honorius selbst dem König von Jerusalem zugegeben haben, der sich bei ihm über die Fehler des Legaten beklagte. Um so ungerechter war es, daß er sich beeilte, alle Schuld auf den Kaiser abzuwälzen. In einem Schriftstück voll bitteren Schmerzes und herber Enttäuschung warf er ihm vor, jahrelang den Kreuzzug gehindert und durch wiederholten Wortbruch den Verlust aller Unkosten und Mühen von fünf Jahren verursacht zu haben. Die Aussicht auf sein Kommen habe zur Verwerfung des Friedensvertrags geführt, durch den man in den Besitz der heiligen Stätten gelangt wäre. Mochte das letzte auch zutreffen, so entschuldigte es doch nicht den verfehlten Vormarsch, der zur Katastrophe geführt hatte. Aber in den Augen von weniger genau Unterrichteten blieb auf dem Kaiser der Makel haften, und schuldlos durfte er sich auch nicht nennen. Mit seinen wiederholten Zusicherungen, die nie gehalten wurden, hatte er die ohnehin nur zu schwierige Führung des Unternehmens unstreitig noch mehr erschwert. Es war wohl nur Mangel an Augenmaß – eine Eigenschaft, die Friedrich auch später wiederholt verraten hat –, was ihn immer wieder Termine stellen ließ, die nicht einzuhalten waren, aber man konnte sich nicht wundern, daß die Welt an den Ernst seiner Absichten nicht glaubte. Sein guter Name hat dabei in vieler Augen einen Flecken erhalten, der durch keine Beteuerungen, nicht einmal durch spätere Taten zu beseitigen war. Etwas davon muß er selbst gefühlt haben, denn er ließ nicht nur die ganz unschuldigen Führer der zu spät gekommenen Flotte seinen Zorn fühlen – der Admiral, Graf Heinrich von Malta, verlor zeitweilig seinen Posten, der Kanzler, der ihn begleitet hatte, wagte sich gar nicht nach Hause, ging nach Venedig und ist dort in Armut gestorben –, er traf auch sogleich Anordnungen für eilige Hilfe. Dies verlangte auch der Papst von ihm bei Strafe öffentlichen Kirchenausschlusses wegen gebrochenen Gelübdes. Das Unglück – darin waren also beide einig – sollte so bald wie möglich gutgemacht werden.

Aus anderem Grunde waren damals die Beziehungen zwischen Papst und Kaiser nicht mehr ungetrübt, zwischen ihnen stand die Frage der Stellung der sizilischen Kirche zum Staat. Grundsätzlich sollte sie geregelt sein durch das Konkordat, zu dem Innozenz III. nach dem Tode Heinrichs VI. die Kaiserin Konstanze gezwungen und das Friedrich anerkannt hatte: freie Wahl der Bischöfe mit Zustimmung des Königs und Bestätigung durch den Papst [1]. Daß die Krone

---

1 Siehe Bd. 3, S. 347 f.

einmal viel größere Rechte besessen, der König sich als das tatsächliche Oberhaupt der Landeskirche hatte betrachten dürfen, konnte noch nicht vergessen sein, und Friedrich II. verriet bald, daß er mit dem wenigen, was ihm der Papst gelassen, sich nicht begnügen wollte. Unter formeller Achtung der Grenzen des Konkordats suchte er die Wahlen durch Empfehlung und Einfluß nach seinen Wünschen zu lenken und versagte ihnen, wo das nicht gelang, die Zustimmung. Schon vor dem Eintreffen der Hiobspost aus dem Osten hatte Honorius dem Kaiser deswegen bittere Vorwürfe gemacht, ihn an seine beschworenen Versprechungen gemahnt und ihn mit kaum verhüllter Drohung daran erinnert, wie sehr seine Regierung in Deutschland, Italien und Sizilien vom guten Willen der Kirche abhängig sei. Die Bischofswahlen bildeten nicht den alleinigen Beschwerdepunkt. Man klagte im Königreich, die Vorrechte der Geistlichen würden nicht geachtet, sie müßten Steuern zahlen und sich vor weltlichem Gericht verantworten. Honorius konnte auch das nicht überhören. Damit war bereits das zweite Thema angestimmt, das von da an das Verhältnis des Kaisers zur Kirche in immer erneuten Mißklängen durchziehen sollte. Kreuzzug und sizilische Kirchenfrage bilden in den nächsten Jahren den Gegenstand schwieriger und nur selten erfreulicher Verhandlungen, sie haben schließlich mit zum offenen Bruch geführt.

Zunächst wußten beide Teile, daß sie aufeinander angewiesen waren. Friedrich hatte erst begonnen, die Verhältnisse in seinem Königreich neu zu ordnen, die in den langen Jahren der Vormundschaft in Auflösung geraten waren. Abhanden gekommene Machtmittel der Krone, Besitzungen und Rechte wollten wieder herbeigeschafft, der Adel wieder zum Gehorsam gebracht werden, ein weit ausschauendes und schwieriges Werk, bei dem mancherlei Gegnerschaften und Widerstände zu überwinden waren. Daß er es in dieser Lage nicht auf einen Bruch mit der Kirche ankommen lassen durfte, wird Friedrich auch ohne die drohende Warnung des Papstes klar gewesen sein. Honorius wiederum brauchte den Kaiser für den Kreuzzug. Durch das Unglück in Ägypten wollte er sich nicht in dem Glauben erschüttern lassen, daß es gelingen müsse, mit gesammelten Kräften des Abendlandes das Heilige Land den Ungläubigen zu entreißen, ja er hatte den Mut, sogleich nach dem Scheitern des früheren Planes an die Wiederholung heranzutreten. Noch war das Jahr nicht um, da erließ er an alle Bischöfe des Abendlands die Weisung, ihre Völker zur Unterstützung des demnächst anzutretenden Kreuzzugs anzufeuern. Für dessen Ausführung aber – das verschwieg er nicht – rechnete er vor allem auf den Kaiser. Mit ihm hatte er sogleich Verhandlungen angeknüpft, die im April 1222 auf einer längeren persönlichen Zusammenkunft an der Südgrenze des Kirchenstaats, in Veroli, ihren Abschluß fanden. Das ganze gegenseitige Verhältnis wurde hier in neuen Abmachungen geordnet. Was den Kreuzzug, die vornehmste Sorge, betraf, so sollte noch im November auf einem Kongreß aller Beteiligten in Verona über Zeit und Umfang des Unternehmens beschlossen werden. Diesem Beschluß oder einer an dessen Stelle tretenden Anordnung des Papstes verpflichtete sich der

Kaiser durch öffentlichen Schwur zu gehorchen. Dafür nahm Honorius ihn und sein Reich bis zu seiner Rückkehr aus dem Heiligen Lande in den apostolischen Schutz. Zugleich genehmigte er, daß Bischofswahlen im Königreich, gegen die der Kaiser Einspruch erheben würde, durch die Erzbischöfe der Provinz entschieden, die Erwählten von den zuständigen Metropoliten bestätigt und geweiht werden sollten. Auch diese Verordnung galt bis zu des Kaisers Heimkehr vom Kreuzzug. Einstweilen war damit der Einfluß des Papstes auf die Besetzung der Erzbistümer beschränkt, die nun allein seiner Bestätigung unterlagen. Friedrich erwiderte dieses große Zugeständnis, indem er alle Freiheiten der Geistlichkeit, die bis 1189 bestanden hatten, wieder in Kraft setzte. Besteuerung und Ladung vor weltliches Gericht hörten damit auf.

Der Kongreß in Verona ist nicht zustande gekommen. Erschienen waren auf Einladung des Papstes der Kardinal Pelagius, der noch als Legat in Syrien geweilt hatte, der Patriarch und der König von Jerusalem, für den der Kaiser die Reisekosten bezahlte, denn er war mittellos, ferner eine Anzahl deutscher Fürsten, die der Kaiser aufgeboten hatte; dieser selbst und der Papst blieben aus. Friedrich wurde festgehalten durch einen Aufstand der arabischen Bevölkerung Siziliens, der im Sommer 1222 ausbrach und seine Kräfte während zweier Jahre stark in Anspruch genommen hat. Zugleich erlitt sein Verhältnis zum Papst eine empfindliche Störung. In Veroli hatte Friedrich eine Forderung erhoben, die wieder seinen Mangel an Augenmaß verriet: er forderte die Rückgabe des Herzogtums Spoleto an das Reich. Wie vorauszusehen, hatte Honorius das abgelehnt und Friedrich nach einigem Drängen nicht darauf bestanden. Aber der bloße Wunsch war geeignet, an der Kurie das stärkste Mißtrauen zu wecken. Was konnte man nicht mit der Zeit von einem Kaiser erwarten, der solche Absichten im Schilde führte? Und nun geschah es, daß ein Beamter der italischen Reichsverwaltung, der Reichstruchseß Gunzelin von Wolfenbüttel, im Auftrag des Statthalters von Toskana, Reinolds von Irslingen, der als Sohn des letzten Reichsherzogs von Spoleto diesen Herzogstitel weiterführte, in das Spoletinische und die Mark einrückte, die Beamten des Papstes vertrieb und die Städte für den Kaiser in Eid und Pflicht nahm. Man kann sich den Aufruhr denken, der darob am päpstlichen Hof entstand. Friedrich beeilte sich, auf die Beschwerde des Papstes den Truchseß zurückzurufen, dessen Maßregeln aufzuheben und dem Papst zu versichern, alles sei ohne seinen Befehl und Wissen und ganz gegen seinen Willen geschehen. Das wird man ihm gern glauben, obwohl seine Beteuerungen etwas zu pathetisch klangen — nie werde er der römischen Kirche wehe tun, auch wenn sie ihn dazu reizen sollte —, um ganz zu überzeugen. Es wäre denn doch ein zu starkes Stück gewesen, die eben getroffenen Abmachungen einfach über den Haufen zu werfen und in dem Augenblick, wo alles auf einträchtiges Zusammenwirken angelegt war, den offenen Bruch herbeizuführen. Das kann Friedrich nicht bezweckt haben; der Statthalter, den es nach dem Herzogtum seines Vaters gelüstete, muß des Kaisers Wünschen vorausgeeilt sein, vielleicht ohne zu wissen, daß diese inzwischen aufgegeben waren. Aber der Verdacht, daß Friedrich seine Abtretungen an die Kirche nicht immer aufrechthalten werde, schien jetzt fast Gewißheit, um so mehr, als Friedrich sich zur gleichen Zeit an anderer Stelle einen unzweifelhaften Eingriff in den Kirchenstaat erlaubt hatte. In einer Fehde zwischen den Städten Rom und Viterbo hatte er für Viterbo Partei ergriffen, das daraufhin den vom Papst betriebenen Frieden ablehnte. An der Kurie fraß das Mißtrauen sich ein, zumal weder der Irslinger noch der Wolfenbüttler eine Strafe erhielt: beide blieben im Amt.

Aber stärker war immer noch das Bedürfnis, die guten Beziehungen wiederherzustellen, um der Dienste des Kaisers für den Kreuzzug nicht verlustig zu gehen. Als Ersatz für den gescheiterten Kongreß wurde eine erneute Zusammenkunft von Papst und Kaiser verabredet, zu der auch König und Patriarch von Jerusalem nebst den Meistern der drei Ritterorden sich einfanden. Sie verzögerte sich infolge einer schweren Erkrankung, in die der Papst um die Jahreswende verfiel, erst Ende März 1223 fand sie in Ferentino statt. Um so bedeutungsvoller waren die Beschlüsse; sie gingen über den gewohnten Rahmen weit hinaus. Wiederum, nun schon zum drittenmal, wiederholte der Kaiser sein Kreuzzugsgelübde, er schwor, im Sommer über zwei Jahre aufzubrechen. Um ihn an die Erfüllung seines Versprechens zu binden, war man darauf verfallen, ihm selbst die Krone von Jerusalem anzubieten. Er, der seit dem Vorjahr Witwer war, sollte die Erbin des Königreichs, Isabella, heiraten. Der Gedanke scheint vom König und Patriarchen ausgegangen zu sein und Friedrich sich nicht leicht dazu entschlossen zu haben. Denn ob die Last dieser Krone durch ihren Nutzen aufgewogen wurde, konnte man wohl fragen. Es war wohl mindestens übertrieben, wenn später an der Kurie behauptet worden ist, der Kaiser sei durch diese Heirat in den Dienst des Heiligen Landes getreten wie Templer und Johanniter. Aber daß die Übernahme der Krone von Jerusalem ihm als Herrscher des Landes dauernde Verpflichtungen auferlegte, war ebenso klar, wie es zweifelhaft war, ob seine Macht durch dieses Königreich, das er erst erobern sollte, einen Zuwachs erhielt. Zunächst war unstreitig das Gegenteil der Fall; erst wenn die Eroberung geglückt war und sich behaupten ließ, konnte die Orientpolitik des Königs von Sizilien daraus Nutzen ziehen. Vorerst gewann nur der Papst. Er durfte erwarten, daß der Kaiser die Erfüllung seines Gelübdes nunmehr mit größerem Eifer betreiben werde, da es sich um seine eigene Angelegenheit handelte.

Ohne Säumen ging Honorius an die Werbung, schrieb nach Frankreich, England, Deutschland, Ungarn und Burgund, an die italienischen Seestädte, an alle Könige und Fürsten, machte die Vereinbarung mit dem Kaiser bekannt und forderte zu Teilnahme und Beisteuer auf. Ein neues Verfahren hatte er hierfür ersonnen. Durch die Abgaben für den letzten Kreuzzug war der Klerus erschöpft und mußte geschont werden, aber die Laien sollten von jedem Hause während dreier Jahre monatlich einen Pfennig beitragen, den Geistlichen wurde mindestens das gleiche empfohlen. Mit der Einsammlung wurden die Kreuzprediger beauftragt. Nach Deutschland brach eine Wolke von Predigern auf, an der Spitze der Kardinal von Porto, Graf Konrad von Urach; hier und in Frankreich, England, Spanien reiste als Werber der König Johann von Jerusalem in Person. So bestimmt rechnete der Papst mit einem Erfolg, daß er schon im voraus den Patriarchen von Jerusalem zum Legaten bestellte.

Er erlebte eine tiefe Enttäuschung. In Frankreich starb eben damals König Philipp II.; er hinterließ für den Kreuzzug ein beträchtliches Vermächtnis, etwas über 150 000 Mark Silber. Das war aber auch alles; nicht einmal den Friedensschluß mit England konnte Honorius trotz wiederholter Mahnung erreichen – im März 1220 war der Waffenstillstand nur auf weitere vier Jahre erstreckt worden –, statt dessen unternahm der neue König, Ludwig VIII., die Eroberung Aquitaniens, von der wir schon gehört haben.[1] Umsonst erinnerte der Papst daran, daß Frankreich gewohnt sei, die Schlachten der Kirche zu schlagen; er selbst hatte seinen Absichten geschadet durch das Drängen zum Krieg gegen Toulouse. Die Kräfte des Königreichs waren vollauf beschäftigt von französischer Teilnahme am Kreuzzug konnte nicht die Rede sein. Nicht anders ging es in England. Der König schrieb eine Steuer aus – ob sie wirklich dem Kreuzzug zugute gekommen ist, bleibt fraglich –, mehr ließ sich angesichts des Krieges mit Frankreich nicht versprechen. In Ungarn herrschte Thronstreit zwischen Vater und Sohn, in Dänemark war der König in Gefangenschaft geraten – von irgendwelchem Ertrag der Haussteuer ist nirgends etwas zu hören. Es war vorauszusehen, daß der Kaiser und die Deutschen allein die Last des Unternehmens würden tragen müssen. Dazu traf Friedrich auch schon Anstalten. Im März 1224, fünf Vierteljahr vor dem Aufbruchstag, rühmte er sich öffentlich, die Schiffe für die Überfahrt lägen bereit, und bedauerte, daß die Niederwerfung eines Aufstands der sizilischen Sarazenen ihn noch verhindere, selbst nach Deutschland zu eilen, um der Werbung stärkeren Auftrieb zu geben. Gegen die Kirche erhob er den Vorwurf, sie lasse es am erforderlichen Eifer fehlen. Honorius war hocherfreut, überhörte den Vorwurf und pries in einem Aufruf nach Deutschland des Kaisers ‹erstaunliche, ja fast unglaubliche Anstrengungen›.

Dennoch ist der Tag des Aufbruchs auch dieses Mal nicht eingehalten worden. Es war bereits verstrichen, als Gesandte des Kaisers an der Kurie erschienen, um nochmals einen Aufschub zu erwirken. Es waren, bezeichnend genug, keine kaiserlichen Beamten, sondern König und Patriarch von Jerusalem und der Meister des Deutschen Ordens, Hermann von Salza, der, obwohl zu den Vertrauten des Kaisers gehörend, doch diesem gegenüber eine unabhängige Stellung einnahm. Die Herren, deren jedem am Zustandekommen des Kreuzzugs das meiste gelegen war, erschienen gleichsam als Fürsprecher des Kaisers. Welche Gründe sie angeführt haben, wissen wir nicht, aber man kann sich denken, daß sie den triftigsten von allen gebührend geltend gemacht haben werden, daß nämlich der große Kreuzzug des Abendlandes, den der Kaiser führen sollte, nicht zustande gekommen war. Wo waren denn die Scharen der Streiter Christi,

1 Siehe oben S. 10 f.

die zum Johannistag 1225 in den unteritalischen Häfen hätten versammelt sein müssen? Es war nichts von ihnen zu sehen, und daß er allein mit seinen Truppen ausrücke, konnte man vom Kaiser nicht verlangen, es hätte den gewünschten Erfolg auch schwerlich verbürgt. Friedrich scheint gleichwohl damit gerechnet zu haben, daß sein Gesuch würde abgeschlagen werden, denn während die Gesandten an der Kurie verhandelten, versammelte er die Bischöfe des Königreichs an seinem Hof in Foggia und hielt sie fest, bis der Bescheid des Papstes eingetroffen war. Sie sollten ihm offenbar als Deckung dienen für den Fall, daß der Papst Kirchenstrafen über ihn und sein Land verhängte. Das erwies sich als unnötig, Honorius machte keine Schwierigkeiten. Ob des Kaisers Vorsichtsmaßregel Eindruck auf ihn gemacht hat? Er hatte ohnedies Grund genug, den Bogen nicht zu straff zu spannen, denn er befand sich selbst nicht in der besten Lage: er hatte aus seiner Hauptstadt flüchten müssen.

Die Herrschaft über Rom, die Innozenz III. besessen, hat Honorius nicht in gleichem Maß ausgeübt. Friedrichs II. früher erwähnte Mahnung an die Stadt, dem Papst als ihrem Herrn gehorsam zu sein, war nicht grundlos gewesen. An ihrer Spitze stand damals (1220) ein Senator namens Parenzo, der, ohne Rücksicht auf den Papst erhoben, sich ‹von Gottes Gnaden› nannte und ein ausgesprochener Feind der Geistlichen gewesen sein muß. Er hat sich zwar nicht dauernd halten können, aber das Verhältnis der Stadt zum Papst blieb gespannt. Ihr Streben nach Unabhängigkeit ging wieder wie in den Jahren vor Innozenz dahin, sich die Umgegend zu unterwerfen, nur war es jetzt nicht das Landgebiet, man griff weiter und suchte die Nachbarstädte in Abhängigkeit zu bringen. Es ist derselbe Vorgang, der schon früher in Oberitalien eingesetzt und dort den dauernden Bürgerkrieg erzeugt hatte: indem die Stadt sich die Herrschaft über die Verkehrsstraßen ihrer Umgebung auf möglichst weite Entfernung zu sichern sucht, stößt sie bei andern Städten aus der gleichen Ursache auf Widerstand, der durch Unterwerfung oder Zerstörung gebrochen werden soll. Diesem Schicksal waren gegenüber Rom schon früher erst Tivoli, dann Tuskulum verfallen, jetzt war Viterbo die Gegnerin, die bekämpft wurde, eine ungleich stärkere und gefährlichere Gegnerin. Die volkreiche, stark befestigte Stadt, die von Norden nach Rom führende Hauptstraße beherrschend, hatte bereits in den Anfängen Innozenz' III. begonnen, sich ihre nähere Umgebung zu unterwerfen, und war darüber mit Rom in Fehde geraten. Unter Honorius gelang es ihr, den wichtigen Hafen Centumcellae, das heutige Civitavecchia, durch Kauf zu erwerben und den Papst zur Überlassung der nördlichen Grenzstädte des Kirchenstaats, Acquapendente und Radicofani, zu vermögen. In dem Kriege, der deswegen mit Rom entstand, zog Viterbo trotz Unterstützung durch den Kaiser den kürzeren und sah sich (1223) genötigt, den Frieden anzunehmen, den ihr Honorius vermittelte. Für die Herausgabe von Civitavecchia wurde es durch den Papst entschädigt, die Oberhoheit von Rom mußte es anerkennen. Aber schon nach zwei Jahren schüttelte es das Joch wieder ab. Daß Honorius nicht nachdrücklich genug dagegen einschritt, muß ihm bei den Römern ernstlich geschadet haben. Unter ihnen hatte er ohnehin Feinde an den Verwandten seines Vorgängers. Deren Familienhaupt, Richard Conti, grollte ihm seit Jahren, weil er nichts für ihn getan hatte, als Friedrich II. gleich nach seiner Kaiserkrönung ihm die früher verliehene Grafschaft Sora entzog. Der Ärger darob wandte sich auch gegen die Verwandten des Papstes, im Frühjahr 1225 ergriff ihre Fehde die Stadt, ein Aufstand brach aus, der den Papst nötigte, Rom zu verlassen und seinen Sitz zunächst nach Tivoli zu verlegen. Hier empfing er im Juli die Gesandten des Kaisers. Seine Lage widerriet ihm, es auf einen Bruch ankommen zu lassen, und Friedrich erleichterte die Verständigung. Er wünschte für sich Aufschub bis zum August 1227, erbot sich aber, inzwischen jährlich 1000 Ritter in Syrien zu unterhalten, für ihre Überfahrt den Schiffsraum in bestimmtem Umfang bereitzustellen und im voraus 100 000 Unzen Gold beim Patriarchen zu hinterlegen, die nach seinem Eintreffen für den Krieg zu verwenden wären. Das fand den Beifall des Papstes, zwei Kardinäle begaben sich in seiner Vertretung nach San Germano zum Kaiser und schlossen auf der angegebenen Grundlage mit ihm ab. Nur eine Bedingung mußte Friedrich sich gefallen lassen, die er schwerlich selbst beantragt haben kann: er mußte in seinem Namen schwören lassen, daß er als ausgeschlossen aus der Kirche gelten solle, wenn er sein Versprechen nicht erfüllte.

Papst und Kaiser hatten sich noch einmal zusammengefunden, aber an die Stelle des herzlichen Einvernehmens, das einst zwischen ihnen bestand, war eine nur mühsam verdeckte Gegnerschaft getreten. Durch das Abkommen von Veroli waren die Reibungen wegen der sizilischen Kirchen nicht beseitigt worden. Hatte Honorius dort auf Bestätigung der Bischöfe vorläufig verzichtet, so lag ihm um so mehr daran, seinen Einfluß auf die Erzbischöfe zu behalten, womöglich zu stärken, um die Kirche des Reiches nicht ganz dem Staat preiszugeben. Wo immer in diesen Jahren ein Erzbistum zu besetzen war, versagte er dem unter des Kaisers Einfluß Gewählten die Bestätigung. Daß er dazu formell berechtigt war, konnte Friedrich nicht bestreiten, aber er glaubte Entgegenkommen fordern zu dürfen und empfand das Verfahren des Papstes als unfreundlich. Im Sommer 1223 standen infolgedessen schon vier Erzstühle seit ein, zwei Jahren leer. Schon damals war es deswegen zu scharfen Auseinandersetzungen gekommen, ein Gesandter des Kaisers hatte vor Papst und Kardinälen eine Sprache geführt, die Honorius sich verbitten mußte. Erneute Beschwerden im Mai des nächsten Jahres hatten keinen Erfolg, wohl aber machte jetzt der Papst bittere Gegenvorstellungen, weil ihm in seinem Lehnreich nicht erlaubt sein solle, was er anderswo unwidersprochen ausübe. Warnend verwies er dem Kaiser sein Eingreifen in kirchliche Angelegenheiten. An dieser Lage der Dinge änderte das Abkommen von San Germano nichts, jeder Teil blieb auf seinem Standpunkt, und schon warteten zwei weitere Erzbistümer auf Besetzung, die Zahl der verwaisten betrug bereits ein halbes Dutzend.[1] Dem Papst ging die

---

1 Das Königreich zählte damals 21 Erzbistümer.

Geduld aus; am 25. September 1225 teilte er dem Kaiser mit geschäftlicher Kürze mit, er habe die jahrelange Schädigung so vieler Kirchen nicht länger ansehen können und in fünf Fällen von seinem Recht, den Erzbischof zu ernennen, Gebrauch gemacht. Im Dezember verfuhr er ebenso im letzten noch ausstehenden Fall. Schon vorher hatte er sich über die Abmachung von Veroli hinweggesetzt, indem er den Streit um ein Bistum dem zuständigen Erzbischof entzog. Friedrich erwiderte, indem er die vom Papst Ernannten an der Besitzergreifung hinderte.

Zu diesen kirchlichen Streitigkeiten kamen andere. Friedrich hatte einigen unbotmäßigen Grafen, die er zur Unterwerfung zwang, ihre Lehen unter Bürgschaft des Papstes zu gewissen Bedingungen gelassen und, als sie diese nicht einhielten, sie ihnen genommen. Die Verwendung des Papstes wies er ab. Eine weitere Mißhelligkeit ergab sich aus seiner Heirat mit Isabella von Jerusalem, die im August 1225 in Bari gefeiert wurde. Friedrich war durchaus im Recht, als er den Titel und alle Befugnisse eines Königs von Jerusalem sogleich für sich in Anspruch nahm, denn Johann von Brienne war seit dem Tode seiner Gemahlin, durch deren Hand er die Krone erhalten hatte, nur noch als Vormund seiner Tochter Regent des Reiches gewesen und mußte bei ihrer Verheiratung diesen Platz dem Gemahl einräumen. Aber er hatte sich, sei es auf ein Vizekönigtum oder auf eine Entschädigung, Hoffnungen gemacht, die der Kaiser nicht erfüllte, verließ den Hof in hellem Zorn und wandte sich, wie vor ihm die gestürzten Grafen, an den Papst, der dem Mittellosen eine Versorgung als Verwalter im Kirchenstaat bot. Die Kurie war förmlich zum Sammelplatz aller Feinde des Kaisers geworden.

Hinter diesen offenkundigen Reibungen stand etwas Größeres, wovon man nicht sprach. Friedrich hatte seit seiner Rückkehr aus Deutschland den Wiederaufbau seines verfallenen Königreichs mit einer Kraft und Geschicklichkeit durchgeführt, die in ihm ein wahres Genie der Staatsverwaltung erkennen ließ. Die Macht der Krone, schon unter seinen normännischen Vorgängern nicht gering, hatte er nicht nur wiederhergestellt, er hatte sie gewaltig gesteigert und sich zum alleinigen Herrn des Landes und aller seiner Kräfte gemacht in einem Umfang, der zu jener Zeit im ganzen Abendland einzig dastand. Am pästlichen Hof konnte man darüber keine Freude empfinden. Seit die römische Kirche begonnen hatte, die Leitung der Staatenwelt in die Hand zu nehmen, war nichts natürlicher, als daß sie die Stärkung der Staatsgewalt nirgends als ihren Vorteil betrachtete. Welchen Nutzen sie aus Aufständen und Spaltungen der Königreiche schon gezogen hatte, stand mit blutigen Lettern in der Geschichte des deutschen Reiches unter Heinrich IV. und Heinrich V., Philipp von Schwaben und Otto IV., in der Geschichte Englands unter König Johann verzeichnet. Niemals wären ihr solche Erfolge unter anderen Bedingungen zuteil geworden, nie wäre ihr ganzes Emporsteigen zur Vormacht des Abendlands ohne diese Voraussetzungen möglich gewesen. Sie lebte — so darf man wohl sagen — zu einem guten Teil von der Schwäche der Staatsgewalt. Auch die wiederhergestellte

Oberhoheit über das Königreich Sizilien war wesentlich der Ohnmacht zu verdanken, in die die Krone dieses Reiches nach dem Tode Heinrichs VI. versunken war. Nun hatte sie sich wieder erhoben, stärker, glänzender als jemals früher, unter einem Herrscher, dessen Selbstbewußtsein und Ehrgeiz, wie man täglich bemerkte, nicht geringer war als seine außerordentlichen Fähigkeiten. Schon hatte der Vasall begonnen, dem Lehnsherrn über den Kopf zu wachsen, was konnte man von ihm nicht noch erwarten, wenn er seine Machtmittel dazu gebrauchte, auch dem Kaisertum neues Leben einzuflößen? Und eben dies war es, woran man jetzt Friedrich II. Hand anlegen sah.

In den Ländern, die man damals Imperium, Kaiserreich nannte, das heißt Deutschland und Burgund, Piemont, Lombardei, Venetien, Romagna und Toskana, hatte Friedrich II. seit seiner Kaiserkrönung tatsächlich nicht mehr regiert. In Deutschland waltete sehr selbständig als Regent für den unmündigen König Heinrich der Erzbischof Engelbert von Köln, in Italien waren Reichslegaten und Vikare in den Provinzen vom Kaiser eingesetzt, ohne jedoch nennenswerten Einfluß ausüben zu können. Gelegentliche Erlasse des Kaisers änderten nichts daran, daß Dynastien und Städte allenthalben eigene Wege gingen und einander dauernd bekriegten. In Toskana dehnte Florenz im Kampf gegen Siena seine Herrschaft in der Umgegend aus, ohne sich um die Reichsacht zu kümmern, in die es schon 1221 verfallen war, während Siena sich durch Unterwerfung der Hafenstadt Grosseto schadlos hielt. Um Ferrara kämpfte das Haus Este, in der Romagna wurde Imola trotz Drohung mit der Reichsacht durch Bologna und Faenza überwältigt, in Verona und Vicenza rangen die Grafen von San Bonifazio mit denen von Romano um die Herrschaft. In der Lombardei bestand der alte Gegensatz zwischen Mailand, Brescia, Piacenza auf der einen, Cremona und Pavia auf der anderen Seite fort, während Cremona, Mantua, Reggio einander die Wasserstraßen streitig machten, ohne daß die Befehle, die der Kaiser jeweils erließ, die Strafen, die er verhängte, die mindeste Wirkung hatten. Der Kaiser regierte tatsächlich nicht mehr, das Kaisertum setzte aus, sein Ansehen war erloschen, nur der Name noch lebendig, mit dem sich hier die eine, dort die andere Partei zu decken suchte. Gleichzeitig damit ging in den einzelnen Städten der ständige Kampf der Adelsparteien untereinander und des ‹Volkes›, das heißt der Kaufleute und Handwerker, gegen die Edelleute weiter, er kreuzte und verwickelte sich mit den auswärtigen Fehden.

War der Kaiser gegenüber diesen Verhältnissen anscheinend machtlos, so befand sich der Papst in keiner besseren Lage. Daß er in einem Besitzstreit zwischen Cremona und dem Kloster San Sisto bei Piacenza über die Stadt den Ausschluß und die Kirchensperre verhängte und den Nachbarn jeden Verkehr mit ihr untersagte, erwies nur seine Hilflosigkeit; niemand kümmerte sich darum, es machte auch keinen Eindruck, als die Strafe wegen Mißachtung auf einige andere Städte und bis nach Venedig ausgedehnt wurde. Schlimmer noch war, daß in der Lombardei die Ausrottung der Ketzer nicht gelingen wollte. Die

Sonderlegaten des Papstes stießen in Brescia auf bewaffneten Widerstand, in Mailand nahm die Volksgemeinde offen gegen die Geistlichkeit Stellung, vertrieb mit dem Adel zugleich Erzbischof und Kapitel, und der Podestà scheute sich nicht einmal, durch Vornahme von Ehescheidungen in die anerkannte Rechtssphäre der Kirche einzugreifen. Die Strafen, die der Papst und seine Werkzeuge deswegen verhängten, prallten wirkungslos ab. Gegenüber diesen Erscheinungen hätten Kaiser und Papst natürliche Bundesgenossen sein sollen. So hatte es Friedrich von Anfang an beurteilt, wie die Ketzergesetze bei seiner Krönung bewiesen. Er hat auch nicht gezögert, sie zu verschärfen, als ihre ungenügende Wirkung offenbar wurde. Im Mai 1224 hat er, veranlaßt durch den Widerstand, auf den die Legaten in der Lombardei stießen, auf hartnäckiges Ketzertum die Todesstrafe gesetzt. Aber solange er nicht in der Lage war, mit eigenen Machtwerkzeugen durchzugreifen, hing die Anwendung dieses Gesetzes ebenso wie der früheren von den städtischen Behörden ab, die mitunter selbst von ihm betroffen waren. Was hätte da nähergelegen, als daß die Kirche nach Wiederherstellung des kaiserlichen Ansehens verlangte! Aber in den Briefen Honorius' III. findet sich kein Wort, das diesen Wunsch verriete, ihm erschien das Fortwuchern ketzerischer Sekten offenbar erträglicher, als daß der Kaiser die wirkliche Regierung in Oberitalien wieder ergriffe. Er begnügte sich damit, daß in Mailand beim Friedensschluß zwischen Volk und Adel im Juni 1225 die Gesetze der Kirche äußerlich anerkannt wurden, und drückte beide Augen zu, als im folgenden Monat Brescia, das er selbst den ‹Sitz der Ketzerei› nannte, eine ebenso äußerliche Unterwerfung vollzog.

Fast möchte man vermuten, zu dieser Nachsicht und zu dem Wunsch, sich die alte Verbindung zwischen Rom und den oberitalischen Städten zu sichern, die schon zur Zeit Friedrichs I. in der vordersten Reihe der Reichsfeinde gestanden hatten, sei er bestimmt worden durch Absichten des Kaisers, die an der Kurie nicht mehr unbekannt sein konnten. Das Jahr 1225 hatte Friedrich den Abschluß seiner Bemühungen um Wiederaufbau und Neuordnung des sizilischen Königtums gebracht, er glaubte jetzt am Kaisertum das gleiche Werk vollbringen zu können. Am 30. Juli 1225, zwei Tage nach Verabschiedung der Kardinäle, die den Vertrag in San Germano abgeschlossen hatten, erschien ein kaiserlicher Erlaß, der die lombardischen Herren und Städte und die deutschen Fürsten ‹mit angemessener Bewaffnung› auf nächste Ostern (19. April) zum Reichstag nach Cremona aufbot. Als Gegenstände der Beratung waren angegeben Kreuzzug, Bekämpfung der Ketzer und ‹Ehre und Wiederherstellung des Reiches›.

Die Wendung war vielsagend. Nicht so pathetisch wie einst die entsprechenden Erklärungen des Großvaters, konnte sie doch kaum etwas anderes besagen. Das mindeste, was man in ihnen finden durfte, war die Absicht, die in Vergessenheit geratenen Bestimmungen des Konstanzer Friedens wieder in Kraft zu setzen. Indessen mußte man nach den Proben, die Friedrich in seinem Königreich gegeben hatte, auch auf mehr gefaßt sein. Darauf deutete die Aufforderung an die Deutschen, mit bewaffnetem Gefolge zu erscheinen, nicht weniger das Aufgebot der Vasallen des sizilischen Reiches, die den Kaiser begleiten sollten. Es schien auf Unterwerfung der Lombardei durch deutsche und sizilische Truppen abgesehen zu sein. Die Wirkung blieb nicht aus. Bis dahin hatte es in der Lombardei wohl Feindschaften und Bündnisse, aber noch keine umfassende Parteibildung gegeben. Erst auf Friedrichs Ankündigung hin kam sie zustande. Den Ausschlag gab, daß der Kaiser sich zugleich offen auf die Seite Cremonas stellte, die recht weitgehenden Ansprüche dieser Stadt anerkannte und den Reichstag in ihre Mauern berief. Nicht als Richter über den Parteien sah man ihn kommen, sondern als Bundesgenossen einer Stadt gegen deren Feinde. Bald hieß es, die Cremonesen hätten ihn gerufen, auf ihr Betreiben sei der Reichstag ausgeschrieben. Kein Wunder, daß die Gegner sich zur Wehr setzten. In Verhandlungen vergingen Herbst und Winter, am 6. März 1226 fanden sich die Vertreter von Mailand, Brescia, Bologna und vier andern Städten zusammen und erneuerten den alten Bund, die Liga, die einst gegen Friedrich I. gekämpft hatte, auf 25 Jahre. Weitere Beitritte folgten bald, bis Ende April zählte der Bund schon über ein Dutzend Mitglieder von Turin bis Treviso und Faenza. Es war noch keine Auflehnung gegen den Kaiser, die Städte hatten recht, sich auf den Konstanzer Frieden zu berufen, der ihnen solche Verbindungen ausdrücklich gestattete. In Wirklichkeit aber kehrte die erneuerte Liga von Anfang an ihre Front gegen den Kaiser. Das wurde offenbar, als dieser in denselben Tagen, wo ihr Zusammenschluß erfolgte, mit seinem Heer die adriatische Küste entlang nach Ravenna und von da im Mai in die Lombardei einrückte, während ihm aus Deutschland sein Sohn König Heinrich und zahlreiche deutsche Fürsten ein starkes Heer über den Brenner entgegenführten. Sie kamen nur bis Trient, denn Verona, das soeben (11. April) der Liga beigetreten war, sperrte das Etschtal. Nachdem sie hier einige Wochen gewartet und vergeblich versucht hatten, die Sperre zu umgehen, kehrten sie heim. Nur wenige Fürsten, die wohl rechtzeitig von dem Hindernis erfahren hatten, gelangten durch Kärnten und Friaul zum Kaiser, der inzwischen sein Lager in und bei Parma aufgeschlagen hatte.

Der geplante Reichstag war gescheitert, an friedliche Wiederherstellung kaiserlicher Herrschaft nicht zu denken. Friedrich hätte Gewalt brauchen müssen, und dazu hatte er keine Mittel, da das deutsche Heer nicht zu ihm gelangt war und die mitgebrachten sizilischen Truppen nicht genügten. Zudem mußte er sich sagen, daß, wenn er an seiner Absicht festhielt, ein voraussichtlich langwieriger Krieg bevorstand, für den es umfassender politischer und militärischer Vorbereitungen bedurfte. Für diese aber fehlte die Zeit, übers Jahr schon mußte er ja den Kreuzzug antreten, wenn er nicht dem Ausschluß aus der Kirche verfallen wollte. Mit dem unüberlegten Entschluß, die Wiederherstellung der Reichsgewalt vorher durchzuführen, hatte er sich selbst in größte Verlegenheit gebracht. Umsonst versuchte er auf friedlichem Wege wenigstens den äußeren Anschein zu retten. Die Verhandlungen, die eine Anzahl deutscher und italischer Prälaten, darunter ein deutscher Kardinal als päpstlicher Legat, in seinem

Auftrag eröffneten, führten zu keinem Ergebnis und bewiesen nur, was die Städte der Liga sich glaubten herausnehmen zu dürfen. Zur Unterwerfung wollten sie sich nur verstehen, wenn die Kirche sich dafür verbürgte, daß der Kaiser sein Heer entlasse, keine Truppen aus Deutschland heranziehe und keine Achtstrafe verhänge. Zugleich schlossen sie sich fester als bisher zusammen, verboten ihren Mitgliedern jeglichen Verkehr mit dem Kaiser und seinen Anhängern und erklärten den Austritt aus ihrem Verband für Rebellion, als wäre die Liga und nicht das Reich der rechtmäßige Staat in Oberitalien. Aus ihrer offenen Auflehnung gegen die Reichsgewalt machten sie kein Hehl mehr. Friedrich antwortete mit einer feierlichen Verurteilung. Am 11. Juli 1226 versammelte er an seinem Hof eine Anzahl italischer und deutscher Bischöfe unter dem Vorsitz des Patriarchen von Jerusalem und erhob Klage gegen die rebellischen Städte wegen Störung des Kreuzzugs. Die Versammlung gab ihm recht und sprach über die Angeklagten Ausschluß und Kirchensperre aus, worauf der Kaiser seinerseits über alle Mitglieder der Liga die Reichsacht verhängte. Dann wandte er sich zur Heimkehr in sein Königreich, die Ausführung des Urteils seinen Anhängern überlassend. Er war es, der damit dem Bürgerkrieg der Parteien in der Lombardei die Ermächtigung gab. Seine Politik hatte vollständig Schiffbruch gelitten. Jeden Zweifel hieran beseitigte er selbst: um sich aus seiner unmöglichen Lage zu befreien, sah er sich genötigt, die Hilfe der Kirche anzurufen.

Zu ihr hatten seine Beziehungen inzwischen einen Grad der Spannung erreicht, daß zum förmlichen Bruch nur wenig zu fehlen schien. Das Verfahren, das er seit dem Herbst 1225 eingeschlagen hatte, kann man nicht anders als herausfordernd nennen. Es ließ die Deutung zu, daß er den Bruch wenn nicht geradezu wollte, so doch nicht fürchtete. Zum Zug in die Lombardei hatte er sich nicht gescheut, bewaffnete Mannschaft aus dem Kirchenstaat, dem Herzogtum Spoleto und der Mark Ancona, aufzubieten. Den deutschen Kardinal – es war der ehemalige Kreuzprediger Oliver von Paderborn –, der ihn deswegen zur Rede stellen sollte, ließ er ohne Antwort abziehen. Umsonst hielt ihm der Papst in ernstem Tone vor, was alles er sich schon gegenüber der Kirche habe zuschulden kommen lassen, mit welchem Undank er die Verdienste vergelte, die sie sich um ihn in seiner Jugend erworben, wie er ihr in der Behandlung der sizilischen Kirche seine Mißachtung bewiesen, wie er in Sachen des Kreuzzugs ihre Langmut auf die Probe gestellt habe. Er möge nicht meinen, daß ihre Geduld unerschöpflich sei und er sich alles herausnehmen dürfe. Friedrichs Antwort war nur geeignet, die Kluft zu vertiefen. Daß er von den Tatsachen ein anderes Bild entwarf, war natürlich. Aber auch über Fragen des Rechts setzte er sich mit einer Willkür hinweg, die schon an Unverfrorenheit grenzte. Die Bischofswahlen im Königreich zu beherrschen, sei sein Recht, wie seine Vorgänger es geübt hätten. Daß schon seine Mutter darauf verzichtet und er selbst den Verzicht wiederholt hatte, störte ihn nicht. Auch zum Aufgebot im Kirchenstaat nach dem Vorbild früherer Kaiser wollte er kraft seines Amtes als Vogt der römischen Kirche berechtigt sein, als hätte er niemals die Abtretungen vollzogen, mit denen er jedem Hoheitsrecht in den bewußten Gebieten feierlich und wiederholt entsagte. Die vielfachen Verletzungen kirchlicher Vorrechte – Gerichtsverfahren und Einkerkerungen gegen Bischöfe und Geistliche – rechtfertigte er durch Hinweis auf die Verfehlungen der Schuldigen, Versündigungen gegen den Staat und gemeine Verbrechen, sprach von 180 Mordtaten von Geistlichen, die nicht ungestraft hätten bleiben dürfen, und erklärte die vom Papst verhängte Ausschließung seiner Untertanen wegen nicht bezahlter Schulden an römische Banken für eine Verkürzung seiner königlichen Gerichtsbarkeit. Galt denn das Recht von Kirche und Geistlichkeit, das er bei seiner Kaiserkrönung zum Staatsgesetz für das Imperium erhoben hatte, im Königreich Sizilien nicht mehr? Hatte Friedrich selbst es nicht vor vier Jahren in Veroli ausdrücklich anerkannt? Auch von einer Pflicht der Dankbarkeit gegenüber der römischen Kirche, zu der er doch bisher immer in stärksten Ausdrücken sich bekannt hatte, wollte er jetzt nichts mehr wissen, ja er verstieg sich zu dem Vorwurf, die Kirche als Vormünderin habe ihn durch Übertragung der Kaiserkrone auf Otto IV. um sein väterliches Erbe betrogen und ihm unter dem Deckmantel der Verteidigung die Feinde auf den Hals geschickt.

Friedrich muß, als er so schrieb, sich seiner Sache im Hinblick auf das aus Deutschland anrückende Heer außerordentlich sicher gefühlt haben, denn er erhob seine Anklage nicht in vertraulichem Schriftwechsel, sondern vor der ganzen Welt. Die breiteste Öffentlichkeit rief auch der Papst zu Zeugen auf, als er dem Kaiser die Antwort erteilte. Sie ist nach Inhalt und Form ein Aktenstück von ungewöhnlicher Bedeutung und mit Recht noch lange als das Meisterwerk eines der besten Stilisten der Zeit, des Kardinals Thomas von Capua, bewundert worden. Niemals hat die vornehme Beredsamkeit der päpstlichen Kanzlei mehr auf der Höhe ihrer Aufgabe gestanden. In ebenso bestimmtem wie würdigem Ton wurden hier die falschen Behauptungen des Kaisers Punkt für Punkt widerlegt, die Vorwürfe entkräftet und in ausführlichem Rückblick auf Friedrichs Jugendgeschichte das Maß des Undanks festgestellt, dessen der Kaiser sich schuldig mache, indem er sich gegen die römische Kirche, seine Wohltäterin und Vormünderin, bis zur Verleumdung versteige. Das Bild, das diese sachlich strenge, aber jedes scharfe Wort vermeidende Darstellung von ihm enthüllte, war wenig schmeichelhaft: rücksichtslos, gewaltsam, über fremdes Recht hinwegschreitend, das eigene Wort nicht achtend, so stand der Kaiser da. Der Eindruck war um so stärker, da der Papst sich jeder Drohung enthielt. Väterlich milde und versöhnlich schloß die Auseinandersetzung mit der Mahnung, Friedrich möge sich durch das Glück nicht verleiten lassen, da er aus dem Unglück hätte lernen sollen. Nur gezwungen werde der apostolische Stuhl seine Hand von dem abziehen, dessen Kindheit er mit vieler Mühe gehütet, den er als Erwachsenen mit großer Sorgfalt gefördert habe.

Als Friedrich dieses Schreiben erhielt – es muß im Laufe des Mai gewesen sein –, das ihn vor der Welt so gründlich ins Unrecht setzte, da wußte er schon, auf wie große Schwierigkeiten und Widerstände sein Plan der Wiederherstellung der Reichsgewalt stieß. Daraus ergab sich von selbst die Notwendigkeit, offenen Zwist mit dem Papst zu vermeiden. Er brach also das Federgefecht mit der ironischen Wendung ab, als gehorsamer Sohn weiche er dem scheltenden Vater, der über eine größere Menge von Gelehrten und Schreibern verfüge, und beteuerte dem Papst seine innige, unerschütterliche Anhänglichkeit.

Man wußte an der Kurie wohl ebensogut, was von solchen Versicherungen zu halten sei, wie man sich am Kaiserhof über die unausgesprochenen Ziele der päpstlichen Politik im klaren war. So verbreitet war der Argwohn, die Lombarden würden in ihrem Widerstand gegen den Kaiser von Rom aus bestärkt, daß deutsche Chronisten kurzweg den Papst als Urheber der Auflehnung bezeichnen. Friedrich teilte zum mindesten den Argwohn, denn er ließ die Boten der Lombarden, die sich an die Kurie begaben, unterwegs in Toskana abfangen und schenkte der Klage, die der Papst darüber erhob, keine Beachtung. Ob er die erwünschten Beweise erhalten hat, wissen wir nicht, wie denn überhaupt in dieser Hinsicht alles Vermutung bleibt. Sicher jedoch haben die Lombarden gewußt, daß sie vom Papst nichts zu fürchten hatten. Auch dem Kaiser wird man nicht zutrauen, daß er sich darüber getäuscht habe. Nichts beleuchtet darum seine Lage heller, als daß er sich trotzdem an Honorius mit dem Antrag wandte, als Schiedsrichter zwischen ihm und den Lombarden zu entscheiden. Mit einer jener plötzlichen Wendungen, die für seine Staatskunst bezeichnend sind, unterwarf er sich dem Spruch des Papstes, bekannte sein unbedingtes Vertrauen zu ihm, wies ihn jedoch zugleich darauf hin, daß es sich um der Kirche eigene Sache handle, wenn durch die Widersetzlichkeit der Lombardei die Sache Gottes, der Kreuzzug, gehindert werde.

Honorius hatte wenig Neigung, den Schiedsrichter zu spielen. Er lehnte den Antrag ab mit der Begründung, die Last sei ihm und der Kirche zu schwer. Dann hat er sich doch dazu bewegen lassen, weniger wohl durch des Kaisers wiederholte Bitte und seine nachdrückliche Versicherung, sich allem unterwerfen und alles erfüllen zu wollen, als durch einen Schritt großen und wertvollen Entgegenkommens, zu dem Friedrich sich bequemte: er ließ die vom Papst im vergangenen Jahr ernannten Erzbischöfe in seinem Königreich ihre Sitze einnehmen. Daraufhin wurden die Städte der Liga ersucht, zum 1. November ihre Vertreter behufs Entgegennahme des päpstlichen Friedensvorschlages an die Kurie zu schicken. Sie kamen dem nur zögernd nach, obgleich Honorius nach der Sprache, deren er sich ihnen gegenüber bediente, nicht so sehr als Schiedsrichter wie als Vermittler auftrat. Den Dezember hindurch wurde mit ihnen verhandelt, am 5. Januar 1227 fällte Honorius seinen Spruch. Der Kaiser sollte die geächteten Städte rückhaltlos begnadigen, diese ihm zum Kreuzzug 400 Ritter auf zwei Jahre stellen, mit ihren Gegnern Frieden schließen und die Gesetze gegen die Ketzer in Kraft setzen.

In der Einleitung gab der Papst sich den Anschein, einen Streit, der mit der Zeit gefährlichen Umfang anzunehmen drohte, im Entstehen zu ersticken; in Wirklichkeit hatte er ihn lediglich vertagt, es sei denn, daß Friedrich auf Wiederherstellung der Reichsgewalt in der Lombardei für immer verzichtete. Der Verlierende in diesem Prozeß war also der Kaiser, das Urteil des Schiedsrichters bot ihm außer der kleinen Truppe für den Kreuzzug nichts, mutete ihm dagegen zu, die Entwicklung, die die Verhältnisse in der Lombardei auf Kosten der Reichsgewalt genommen hatten, gutzuheißen, indem er die Auflehnung der Städte ohne Strafe und Genugtuung hingehen ließ. Die Liga hätte ein günstigeres Urteil nicht erwarten können. Abgesehen davon, daß sie der Friedensschluß so gut wie nichts kostete – 400 Ritter während zweier Jahre zu besolden, war für die Städte eine Kleinigkeit –, wußten sie jetzt, daß sie auf den Beistand der Kirche zählen durften, wenn sie sich künftig gegen Geltendmachung kaiserlicher Hoheitsrechte mit den Waffen zur Wehr setzten. Trotzdem ließen sie sich mit der Annahme des päpstlichen Spruches so viel Zeit, daß sie gemahnt werden mußten, während der Kaiser sich beeilt hatte, die geforderte Urkunde sogleich ausfertigen zu lassen. Zum Lohn erhielt er für sich und seine Reiche einen erneuten Schutzbrief.

Der Friede war also wiederhergestellt, aber an seine Dauer war schwer zu glauben. Ungelöst blieb die Frage, um die der Streit entstanden war, ein Zündstoff, den ein Funken zur Feuersbrunst entfachen konnte, wenn Friedrich auf Wiederherstellung seiner Herrschaft in Reichsitalien nicht verzichtete. Daß er das nicht tun werde, mußte jeder wissen, der ihn kannte, und hatte er deutlich durchblicken lassen, als er mit bitteren Worten die Kirche beschuldigte, ihm sein kaiserliches Ahnenerbe geraubt zu haben. Da hatte er in plötzlichem Ausbruch der Leidenschaft verraten, wie tief es ihn wurmte, daß er die Macht nicht besaß, die den Inhalt seines kaiserlichen Titels hätte bilden sollen. Zugleich hatte er, unbesonnen genug, verraten, wie er in Wahrheit gegenüber der Kirche empfand, als deren getreuesten Sohn er sich zu geben liebte. Für einen Augenblick hatte die Maske sich verschoben, und das wahre Antlitz war sichtbar geworden. An der Kurie wußte man nun, daß man im Kaiser einen Feind zu sehen habe, es sei denn, die Kirche hätte fallengelassen, was seit Innozenz III. ihr Programm in den italienischen Angelegenheiten war, daß nämlich sie es sei, die die Beziehungen des Kaisers zu den Städten Reichsitaliens zu regeln habe. Wer aber konnte erwarten, daß sie diesen Leitgedanken aufgegeben und sich freiwillig unter ein Kaisertum beugen werde, das die ganze Halbinsel beherrschte? Zwischen dem, was sie behauptete, und dem, was der Kaiser erstrebte, gab es, wenn keines von beiden sein Ziel aufgab, keinen Ausgleich; sollte eine Entscheidung fallen, so konnte sie nur im Kampfe gesucht werden. Für den Augenblick war er vermieden worden, aber sein Ausbruch in einem künftigen Zeitpunkt immer möglich. Das war es, was die Ereignisse des Jahres 1226 gezeigt hatten.

Honorius hat das Inkrafttreten des von ihm gestifteten Friedens nicht mehr erlebt, am 18. März 1227 ist er gestorben. Seine letzten Sorgen hatten dem Kreuzzug gegolten, dessen Zustandekommen nach der Aussöhnung mit dem Kaiser die besten Aussichten bot. Den schlimmen Makel zu löschen, den seine fast vierzehnjährige Regierung durch das Unglück von Damiette erhalten hatte, ist ihm versagt geblieben, im übrigen durfte er auf sie im ganzen mit Genugtuung zurückblicken. In den neuerworbenen Gebieten des Kirchenstaats war die Besitzergreifung durchgeführt, die Ausdehnung der Macht des Königs von Sizilien auf Reichsitalien war verhindert, der Kreuzzug, der die Niederlage in Ägypten vergessen machen sollte, nach menschlichem Ermessen noch für das laufende Jahr gesichert. Auch in weiterer Entfernung standen die Angelegenheiten der Kirche günstig. In England war die französische Eroberung abgewehrt, das Königreich der römischen Kirche gehorsam, in Languedoc und Provence die Macht der Ketzerei gebrochen, in Preußen und Livland das Bekehrungswerk in gutem Fortschreiten. Eben noch hatte dort der Bischof Wilhelm von Modena als päpstlicher Legat die Verhältnisse geregelt – es war keine schlechte Erbschaft, die Honorius seinem Nachfolger hinterließ.

2

Vorgefechte

Die Regierung Honorius' III. hatte sich auf die Kardinäle gestützt, unter denen es zu seiner Zeit, soviel wir hören, Spaltungen nicht gab. Auch die Wahl des Nachfolgers ging schnell und reibungslos vor sich. Am 19. März 1227, einen Tag nach Honorius' Tode, war Ugolin von Ostia Papst. Nicht an ihn hatte man in erster Linie gedacht. Von den drei Vertrauensmännern, denen die Wahl übertragen war, hatten zwei dem dritten, Kardinalbischof Konrad von Porto aus dem schwäbischen Hause der Grafen von Urach, ihre Stimmen gegeben. Der aber lehnte ab, weil er nicht sich selber gewählt haben wollte.

Ugolin, in der gleichen Lage, hatte dieses Bedenken nicht, nahm an und nannte sich Gregor IX. Von Konrad wissen wir zu wenig, um sagen zu können, wie er als Papst regiert haben würde. Er ist auch schon bald darauf gestorben. Immerhin ist es nicht unwesentlich, festzustellen, daß Gregor IX. nur durch das Zurücktreten des eigentlichen Kandidaten Papst geworden ist; denn in ihm kann man nicht einen Träger des Amtes sehen, wie es auch ein anderer ähnlich verwaltet haben würde. Er hat der päpstlichen Politik in höchst persönlicher Weise schon nach wenigen Monaten eine neue, entscheidende Wendung gegeben.

Der Bischof von Ostia ist uns in wichtigen politischen Sendungen unter seinen beiden Vorgängern schon begegnet. Was wir sonst von dem leiblichen Vetter Innozenz' III. wissen, läßt in seinem Wesen gegensätzliche Züge in schärfster Ausprägung erkennen. Von der pietistischen Bewegung seiner Zeit zeigt er sich tief ergriffen, zunächst als Gönner des Ordens Joachims von Fiore, dem er auf seinem Grund und Boden in der römischen Campagna zwei Klöster errichtete. Wenn auf dem Konzil 1215 ein Angriff auf die Rechtgläubigkeit Joachims sein Ziel nicht erreichte, insofern nur eine seiner Behauptungen als Irrtum getadelt wurde, seine Person aber unangetastet blieb, so ist das kaum ohne Teilnahme des Kardinals geschehen. Später sind es die neuen Apostel der evangelischen Armut, Dominikus und Franziskus, denen er persönlich nahetritt und seine Gunst zuwendet. Sein Einfluß wird es gewesen sein, der Honorius bewog, der Genossenschaft des Dominikus schon im Dezember 1216 die Anerkennung als Orden der Prediger zu gewähren, die Innozenz verweigert hatte. Dem Stifter, dessen letztes Erlebnis eine Begegnung mit dem Kardinal gewesen war, hat dieser persönlich die Ehre der Bestattung erwiesen. Noch enger und folgenreicher war seine Verbindung mit Franziskus und den Seinen. Er hat sie, nach dem Ausdruck eines von ihnen, ‹in ihren ersten Anfängen gehegt wie eine Henne ihre Küchlein›. Daß aus der Gesellschaft von Geistlichen und Laien, die der Arme von Assisi gegründet hatte, schon so bald (seit 1220) der Mönchsorden der Minderen Brüder wurde, war das Werk Ugolins. Mit dem Amt des Protektors übernahm er die tatsächliche Oberhoheit und hat als Papst die Beziehungen weiter gepflegt, an den Hauptversammlungen des Ordens gelegentlich teilgenommen, wiederholt in Assisi geweilt, wo er für sich einen stattlichen Palast errichten ließ, hat Franziskus ebenso wie Dominikus unter die Heiligen aufgenommen und die Grundsteinlegung der ihm geweihten Kirche durch Gegenwart und Predigt verherrlicht. Nach Franziskus wurde schon bald einem seiner Jünger, Antonius von Padua, die Ehre der Heiligsprechung zuteil. Daß er aus dem Orden etwas ganz anderes machte, als was der Gründer gewollt hatte, kann Gregor nicht entgangen sein. In seinem Verfahren war Absicht und Überlegung. Wenn er die neuen Orden, Prediger ebenso wie Minderbrüder, auf jede Art an sich zog, förderte und bevorzugte, so befolgte er einen weitausschauenden Plan. Er erkannte, was insbesondere die Minoriten mit ihrem märchenhaft schnellen Anwachsen für Kirche und Welt bedeuteten, was sie zumal für die römische Kirche bedeuten konnten, wenn sie fest geordnet und klug geleitet waren. Mit ihrer Volkstümlichkeit und ihrem weitreichenden Einfluß auf die Laien boten sich die Apostel der Armut als ein unvergleichliches Werkzeug zur Beherrschung der Völker jedem dar, der sich ihrer zu bedienen verstand. Das hat Gregor IX. als Kardinal klug vorbereitet, als Papst entschlossen und erfolgreich durchgeführt. Indem er über beide Orden ein ganzes Füllhorn von Vorrechten – Befreiung von der bischöflichen Gewalt, weitgehende Befugnisse für Gottesdienst und Beichtstuhl – ausschüttete, band er sie an den Papst und schuf diesem eine zahlreiche, allzeit verfügbare, überall einsatzbereite Schar von Vorkämpfern, mit der sich niemand und nichts messen konnte, die sich ebenso gegen die Staatsgewalt wirksam verwenden ließ, wie sie unter Umständen auch die Unterstützung durch Prälaten, Pfarrklerus und Klöster entbehrlich machte.

Wir wissen, welcher Anteil an der Erhebung des Papsttums seit der Mitte des 11. Jahrhunderts mönchischen Kräften und mönchischem Geiste zukommt. Von den burgundisch-lothringischen Reformklöstern, von Cluny und Cîteaux, war es emporgehoben und getragen worden, ohne sie ist es nicht zu denken. Aber die Zeiten waren andere geworden. Die alten Klöster, aus einer aristokratischen

Welt hervorgegangen, waren fähig gewesen, in dieser Welt von Fürsten, Herren und Rittern offen und noch mehr im stillen eine geistige Leitung auszuüben. Gegenüber dem dritten Stande, der sich seit der Jahrhundertwende in den Vordergrund drängte, gegenüber den Massen des städtischen Bürgertums, mußten sie in ihrer aristokratischen Abgeschlossenheit versagen. Man kann sich schwer vorstellen, wie das Papsttum seinen Platz hätte behaupten können, hätte es nicht in den neuen Orden genau den Ersatz für die unwirksam gewordenen Kräfte des alten Mönchtums gefunden, den die Zeit verlangte: volkstümliche, im Volke wurzelnde, in steter Berührung mit ihm lebende, vom Volk unmittelbar mit täglichen Gaben unterhaltene Diener des Evangeliums in reinster, ursprünglicher Gestalt, wandernde Prediger, die der Kirche Botschaft und Befehl von Ort zu Ort trugen, in Hütten und Paläste, in Dörfer und Städte, auf Straßen und Märkte, gleichsam die allgegenwärtigen Augen und Ohren und die bis in den fernsten Winkel hörbare Stimme des Oberhauptes. Gerade dessen bedurfte es in den Zeiten, die nun kamen. Es ist nicht zuviel gesagt: daß es die Stürme des 13. Jahrhunderts unverändert überdauert hat, dankt das Papsttum den Bettelmönchen. Wer darin ein Glück sieht, wird das Verdienst Gregors IX. nicht hoch genug anschlagen können, der dem Gedanken seines großen Vorgängers zu so lebensvoller Wirksamkeit verhalf.

Gregors Anteilnahme am Mönchtum beschränkte sich nicht auf die neuen Orden, den Klöstern der Benediktiner hat er gleichfalls seine Aufmerksamkeit geschenkt. Eine Untersuchung durch Bischöfe und besondere Beauftragte, die er (1232) anordnete, führte drei Jahre später zum Erlaß einer neuen Lebensordnung, die nach zwei weiteren Jahren, leicht abgeändert und stellenweise gemildert, wiederholt wurde, von den Betroffenen mit lebhaftem Unwillen begrüßt, aber schließlich doch ertragen. Als Ergänzung der alten Regel ist sie in Geltung geblieben. Gregor folgte auch hier den Spuren Innozenz' III., der die Neuordnung des Klosterlebens begonnen, aber nicht weit geführt hatte. Als Erben der Gedanken Innozenzens, gewissermaßen als seinen Testamentsvollstrecker hat Gregor sich überhaupt betrachtet, von ihm übernahm er als Wahlspruch das Psalmwort ‹Herr, tue an mir ein Zeichen zum Guten›, den Jahrestag seines Todes feierte er an seinem Grabe in Perugia in festlicher Weise.

Wie bei Innozenz, so paart sich auch bei Gregor mit dem Pietisten der Hierarch, der herrschende und herrische Hohepriester, für den die Kirche Gottes eine Rechtsordnung ist, die mit Befehlen und Strafen gehandhabt und mit allen Mitteln, wenn nötig mit List und Gewalt, mit Feuer und Schwert und Strömen von Blut erhalten und verteidigt werden muß. Diese Seite tritt bei dem Epigonen bei weitem schärfer, härter und verletzender hervor.

Daß Gregor über Natur und Grenzen seines Amtes ebenso dachte wie Innozenz, versteht sich von selbst. Lehrhafter Auseinandersetzungen bedurfte es für ihn nicht mehr, die Lehre hatte Innozenz ein für allemal festgestellt, den Nachfolgern genügte ihre Behauptung. Für Gregor ist es ausgemachte Sache, daß der römische Bischof beide Schwerter empfangen hat, das geistliche, um es mit eigener Hand zu führen, das weltliche, damit es auf seinen Wink der weltliche Herr-scher zücke. Ihm ist die weltliche Gewalt schlechthin die Dienerin der Kirche. Er spricht es unumwunden aus: der Herr hat dem Papst das Reich der Erde zu-gleich mit dem des Himmels anvertraut. Ein Papst hat das Kaisertum auf Karl, den eifrigen Verteidiger der Kirche, die die Griechen schutzlos ließen, zum Lohn für seine treuen Dienste übertragen, wie schon Karls Vater Pippin von einem an-deren Papste auf den Königsthron erhoben war. Im Bewußtsein dieser Herr-schaft über Könige und Völker schwelgte Gregor. Den Glanz der äußeren Dar-stellung päpstlicher Würde, von jeher nicht gering, suchte er zu steigern. Die herkömmlichen Feiern der Besitzergreifung und Krönung genügten ihm nicht, er ließ ihnen acht Tage später einen prunkenden Umzug von St. Peter zum La-teran folgen. Bei Tisch – anders als der frugale Innozenz war er ein Freund der Tafelfreuden und des Bechers – liebte er es, sich seiner Macht in mancherlei Sprachen zu rühmen, wie ihm das Kaisertum untertan sei, die Könige ihm ihre Gaben darbrächten und alle Völker dienen müßten. Dann – so schildert ihn ein Gegner – schien er wie auf Windesflügeln zu schweben, verzückt bis in den dritten Himmel. Gregor bietet das Bild eines Menschen, der im Vollbewußtsein höherer Sendung seiner leidenschaftlichen Natur die Zügel schießen läßt. Gleicht er Innozenz in der hohen Auffassung der eigenen Würde, so fehlt ihm die Ge-schmeidigkeit und der Sinn für das jeweils Mögliche, die jenen auszeichneten. Heißblütig, überstürzt und unbesonnen, dabei hartnäckig und schroff hat er mehr als einmal in entscheidender Stunde den rechten Weg verfehlt und am Ende sich selbst in Gefahren gestürzt, aus denen ihn eben noch der Tod retten konnte. Das Papsttum aber hat er in einen Kampf verwickelt, der erst ein Men-schenalter nach ihm ein zwar siegreiches, aber auch verlustreiches Ende finden sollte und in Wahrheit schon die Anzeichen des beginnenden Abstiegs von dem erklommenen Gipfel erkennen läßt.

Die Rechtsordnung der Kirche zu festigen, hatten Innozenz und Honorius sich begnügt, Sammlungen päpstlicher Entscheidungen herauszugeben, an die sich die kirchlichen Gerichte halten konnten. Gregor IX. ging weiter. Selbst nicht Jurist, wahrscheinlich überhaupt kein Studierter, ließ er durch einen seiner Ka-pläne, den katalanischen Dominikaner Raimund von Peñaforte, aus den zahl-reichen vorhandenen Sammlungen päpstlicher Dekretalen eine einzige herstel-len, vermehrt um annähernd zweihundert seiner eigenen Erlasse, und veröffent-lichte sie mit der Vorschrift, sich ihrer stets und ihrer allein, unter Ausschluß aller früheren, zu bedienen. Damit war der Papst aus dem obersten Richter, dessen Sprüche wegweisend für andere sind, zum alleinigen Gesetzgeber der Kirche und die Mustersammlung von Urteilen des höchsten Gerichtshofs zum unbedingt verbindlichen Gesetzbuch der Kirche geworden. Als solches haben sich die ‹Fünf Bücher der Dekretalen Gregors IX.› durch fast sieben Jahrhun-derte behauptet, bis die Weisheit eines Papstes in unsern Tagen (1916) das längst veraltete Werk durch ein neues, den veränderten Zeiten angepaßtes, ersetzte.

Als eine vornehmste Aufgabe hatte Gregor die Verteidigung des Glaubens gegen die Gefahren der Ketzerei geerbt. Ihrer Bekämpfung, ihrer Ausrottung hat er seine besondere Aufmerksamkeit gewidmet. Darauf bezieht es sich, wenn der Lobredner, der seine Geschichte schrieb, sein Auftreten mit dem Erscheinen der strahlenden Mittagssonne vergleicht, die die Finsternis durch ihren Glanz vertreibt. Die Vorschriften hatte Innozenz aufgestellt, sie brauchten nur angewandt zu werden. Das war bisher den ordentlichen Gerichten der Bischöfe und ihrer Werkzeuge überlassen. Gregor IX. fand das nicht ausreichend. Sein Werk war die Einleitung besonderer Maßnahmen zur Aufspürung und Verurteilung der Ketzer, Maßnahmen, aus denen sich rasch das kirchliche Sondergericht der Inquisition entwickelt hat.

Ihr Ursprung liegt in Südfrankreich. Wir wissen, wie dort die Unterwerfung des Grafen von Toulouse (1229) die Möglichkeit zu gründlicher Ausrottung der Ketzerei auf dem Wege der kirchlichen Gerichtsbarkeit eröffnet hatte. Die dabei gemachten Erfahrungen bewogen Gregor vier Jahre später, die Aufgabe den Bischöfen aus der Hand zu nehmen und sie den Mönchen des Predigerordens anzuvertrauen. Im Namen und Auftrag des Papstes, unabhängig von den Bischöfen, sollten sie ihr Amt ausüben. Gleichzeitig wurde ihnen derselbe Auftrag für das übrige Frankreich erteilt. Wie sie ihn ausgeführt haben, bezeugt eine fast unabsehbare Reihe von Prozessen, Hinrichtungen und anderen Strafen aus vielen Teilen des Landes. Einen traurigen Ruhm erwarb sich dabei der Mönch Robert, genannt der Ketzer, weil er selbst ein bekehrter Waldenser war. In seinem Wirkungskreis, in Flandern und der Champagne, hat er in wenigen Jahren Hunderte von Männern und Frauen, an einem Tag allein 187, auf den Scheiterhaufen gebracht. Umsonst machten die Bischöfe dem Papst Vorstellungen gegen das blinde Wüten des Fanatikers, der in seinem Eifer zwischen Schuldigen und Unschuldigen keinen Unterschied kannte. Gregor nahm ihn in Schutz und ermutigte ihn, fortzufahren, bis ihm über den Verbrecher die Augen aufgingen und er seine lebenslängliche Einkerkerung anordnen mußte. Dramatischer verlief die Sache in Deutschland. Dort wirkte seit einigen Jahren der Dominikaner Konrad von Marburg, anfangs als Kreuzprediger, dann – es scheint aus eigenem Antrieb – als Verfolger von Ketzern. Uns geht sein blutrünstiges Treiben nur so weit an, wie der Papst daran beteiligt ist. Konrads freiwillige und allzu eifrige Tätigkeit muß bei den Bischöfen auf Widerstand gestoßen sein, er wandte sich deswegen nach Rom, und Gregor zögerte nicht, ihn mit seiner Autorität zu decken. Im Juni 1227 erteilte er ihm mit lobenden Worten den Auftrag, unter Zuziehung von Gehilfen in der Aufspürung von Ketzern fortzufahren. Er hat dem Wüterich sein volles Vertrauen geschenkt, dem offenbar geistesgestörten Menschen die albernsten Märchen geglaubt, die jener über Lehren und Bräuche der Ketzer zu erzählen wußte, ihm auch freie Hand gelassen, als er eigenmächtig von der Aufspürung seiner Opfer zu ihrer Ausrottung überging und Hunderte auf bloße Anklage hin ohne regelrechtes Verfahren, ohne Rechtsmittel und Beweise dem Scheiterhaufen überlieferte. Als er dazu überging, die Volksmassen aufzubieten, auch Mitglieder des Herrenstandes nicht schonte, erfolgte beim heiligen Stuhl ein Protest von König und Prälaten, den die Kardinäle unterstützten, so daß Gregor sich zu dem Entschluß gedrängt sah, dem Verfahren Einhalt zu gebieten. Da kam die Nachricht, daß Konrad von Edelleuten, die er beschuldigt hatte, auf der Reise überfallen und erschlagen war. Gregor geriet in heftigen Zorn, zerriß das Schreiben und ließ den Dingen ihren Lauf, indem er dem deutschen Provinzial der Prediger Auftrag gab, das Werk des Ermordeten fortzusetzen und in Deutschland den Kreuzzug gegen die Ketzer zu predigen. Der ist zwar nicht in Gang gekommen, gehemmt durch den eben damals ausbrechenden Aufstand des jungen Königs gegen seinen kaiserlichen Vater. Aber bei den erteilten Anweisungen blieb es, die Inquisition der Dominikaner nahm ihren Fortgang und bürgerte sich ein. Nicht nur in Deutschland, sie wurde ein dauernder Bestandteil der kirchlichen Verfassung und Verwaltung, in Aragon (1234) sogar zum Staatsgesetz erhoben.

Aus dem Eifer, mit dem Gregor an der Tätigkeit der Ketzerrichter teilnahm, spricht mit voller Deutlichkeit seine leidenschaftliche, zum Äußersten geneigte Natur und die mitleidlose Härte, mit der er gegen jeden einschritt, den er als seinen Feind erkannte. Die Ketzer, die er bekämpfen wollte, brauchte er nicht weit zu suchen. Italien, zumal die Lombardei, wimmelte von ihnen. Es hat den Anschein, daß nach ihrer Unterdrückung in der Provence und Languedoc die Waldenser sich vorzugsweise nach Oberitalien verzogen haben. Mailand galt als ihre Hauptstadt, dort sollte das Oberhaupt seinen Sitz haben, dorthin flossen die Abgaben der auswärtigen Gemeinden. Offen traten ihre Prediger auf, Bischöfe nannten sich die Führer. Die städtischen Behörden aber duldeten es, verhängten wohl nur zum Schein Ausweisung oder Geldstrafe und sahen durch die Finger, wenn die Zahlung nicht geleistet wurde und die Ausgewiesenen binnen kurzem zurückkehrten. Gregor regierte kaum sechs Wochen, da schickte er den lombardischen Städten eine drohende Vermahnung wegen lässiger und unehrlicher Anwendung der Gesetze. Es dauerte nicht lange, so hatte er Anlaß, auf Rom selbst sein Augenmerk zu richten. Ein Aufstand, vor dem er für längere Zeit aus der Stadt gewichen war, hatte den Ketzern Eingang und Einfluß verschafft. Gregor bewog nach seiner Rückkehr im Jahre 1230 den ihm ergebenen Senator, die Verordnungen des letzten Konzils in Kraft zu setzen mit einer bezeichnenden Verschärfung: jedermann sollte bei Gefahr des Ausschlusses aus der Kirche und hoher Geldbuße verpflichtet sein, Verdächtige anzuzeigen, gegen die der Senator durch eigens dazu bestellte Untersuchungsrichter mit sofortiger Verhaftung einschreiten würde. Diese Verordnungen sandte Gregor ein Jahr später als allgemein verbindliche Vorschriften nach auswärts, die Städte Italiens wurden verpflichtet, sie ihren Satzungen einzuverleiben, die Bischöfe, ihre Ausführung zu überwachen und mit Strafen zu erzwingen. Auch hier ist Gregor bald dazu übergegangen, die Aufgabe den Predigermönchen zu übertragen, bei denen er auf größeren Eifer als bei den Weltgeistlichen zählen konnte.

Wie in der Bekämpfung der Ketzerei, so hat Gregor in den Beziehungen zu weltlichen Mächten fortgesetzt, was seine Vorgänger begonnen hatten, und vor allem zu England das nahe Verhältnis aufrechterhalten, das seit Innozenz III. bestand. In dem Bemühen, das erneute Ausbrechen des Krieges mit Frankreich zu verhindern, hat Gregor sich sogar offen auf die englische Seite gestellt, hat den König vor kirchlichen Strafen geschützt, die etwa zum Nutzen Frankreichs über ihn verhängt werden konnten, und sich nicht gescheut, den Franzosen die Herausgabe der ehemals englischen Provinzen zuzumuten. Als England den Krieg (1230) für kurze Zeit wieder eröffnete, hat Gregor zwar vermittelnd eingegriffen, den Friedensbrecher jedoch seinen Zorn nicht fühlen lassen, dagegen bald den Franzosen, falls er die Waffen wieder erhöbe, mit Ausschluß bedroht. Aufs nachdrücklichste hat er die Regierung Heinrichs III. im Innern unterstützt, auch darin den Spuren Honorius' III. folgend. Er hat die königlichen Beamten vor kirchlicher Maßregelung sichergestellt, hat dem König gegen Empörer die Strafen der Kirche zur Verfügung gestellt und Heinrich in der kaum verhüllten Absicht, sich der Fessel der Magna Charta zu entledigen, nach Kräften ermutigt, indem er ihm bescheinigte, daß der Eid auf sie ihn nicht binde, weil er dem Krönungseid widerspreche. Es fragt sich wohl, ob Heinrich III. in diesen Jahren (1233–1235) gegen die Auflehnung der Barone ohne die päpstliche Unterstützung sich behauptet haben würde. Nicht umsonst leistete Gregor dem König solchen Dienst, er rechnete auf Gegendienste und hat sich darin nicht getäuscht. Wir werden bald hören, wie wertvoll für ihn das Verhältnis gewesen ist, das sich in dieser Zeit heranbildete. Der Papst englisch, England päpstlich – so ist es seitdem für Jahrzehnte geblieben, und beide Teile, Kurie und Krone, sind dabei auf ihre Kosten gekommen.

Eben diese enge Verbindung hat den ersten Versuch offener Auflehnung gegen das in Rom ausgebildete System der kirchlichen Verwaltung hervorgerufen. Wenn früher schon die Fälle zugenommen hatten, daß der Papst oder seine Legaten allenthalben über Würden, Ämter und Pfründen verfügten, erledigte aus freier Hand verliehen, noch mehr Anwartschaften erteilten, denen die ordentlichen Oberen nachzukommen hatten, so brachte es der ständige Verkehr der Kurie mit England und der wiederholte langdauernde Aufenthalt päpstlicher Legaten im Lande mit sich, daß derartige Eingriffe dort häufiger waren als anderswo. Die Begünstigten waren meist ‹Römer›, das heißt Angehörige des päpstlichen Hofes oder Geistliche aus dem Gefolge der Legaten, die sich damit begnügten, die Einkünfte einzuziehen oder zu verpachten. Das Unwesen der Provisionen, wie man die päpstlichen Versorgungsbriefe nannte, nahm bald solchen Umfang an, daß stellenweise erst fünf römische Anwärter zu berücksichtigen waren, ehe an einen einheimischen die Reihe kam. Dagegen bildete sich im Jahre 1231 eine förmliche Verschwörung von Edelleuten und Rittern, die sich ihrer Patronatsrechte beraubt sahen und dagegen mit Gewalt vorgingen. Die ausländischen Pfründner, soweit sie im Lande weilten, mußten sich verstecken, ihre Kornspeicher wurden geplündert oder angezündet, die Prälaten durch Drohbriefe gehindert, päpstlichen Provisionen Folge zu geben. Gregor glaubte anfangs, die Bewegung durch Strenge ersticken zu können, und befahl einigen Bischöfen, mit Kirchenstrafen einzuschreiten. Er mußte sich bald überzeugen, daß das nicht mehr ausreichte. Eine Untersuchung, die der König auf sein drohendes Verlangen anordnete, ergab die Mitschuld von Bischöfen, Erzdiakonen und königlichen Beamten. Sogar dem Großrichter wurde nachgesagt, er schütze die Schuldigen. Gregor sah sich genötigt, einen Schritt zurückzuweichen. Er ließ durch den Erzbischof von Canterbury beschwichtigend daran erinnern, daß ‹vor Gott› zwischen Einheimischen und Fremden kein Unterschied sei, verordnete aber zugleich, daß künftig Laienpatrone überhaupt nicht und geistliche nur dann verpflichtet sein sollten, einen Provisionsbefehl auszuführen, wenn eine ausdrückliche Anweisung des Papstes vorliege. Die Nachgiebigkeit bewirkte, daß der Sturm sich legte. Aber es dauerte nicht lange, so stellte sich der frühere Zustand wieder ein, da die päpstlichen Provisionen jetzt in der Regel die Klausel ‹unbeschadet (*non obstante*) der früher erlassenen Einschränkung› enthielten. Das Unwesen nahm solchen Umfang an, daß von einem Legaten behauptet wurde, er habe im Laufe eines dreijährigen Aufenthaltes gegen 300 englische Pfründen an Ausländer verliehen. Da die Kurie es weiterhin vermied, in die Rechte der Laien einzugreifen, die Prälaten gegen den Papst keinen Widerstand wagten – der Erzbischof von York bekannte offen, gegen die römische Kirche könne und wolle er sich nicht auflehnen – und da die Krone mit dem Papst verbündet war, so blieb es bei Klagen. Die Besitzungen der Geistlichen und wehrlosen Mönche – so jammert im Rückblick auf jene Zeit, nicht ohne Übertreibung, der Chronist von St. Albans – waren die Beute der Plünderung, und die Welt schien in das Chaos der Urzeit zu versinken.

Die dringlichste der Aufgaben, die Gregor IX. bei seinem Regierungsantritt vorfand, war der Kreuzzug. Sie schien zugleich die einfachste zu sein. Wir wissen, daß noch im August des Jahres der Feldzug angetreten werden sollte, den der Kaiser persönlich zu führen sich aufs strengste verpflichtet hatte. Alle Vorbereitungen dazu waren getroffen, Heer und Flotte gerüstet, die versprochenen Gelder teils schon vorausgesandt, teils bereitgestellt, auch diplomatisch hatte der Kaiser vorgearbeitet. Die Lage im Orient war so günstig wie nur je. Zwischen den Herrschern aus Saladins Stamm, den Sultanen von Ägypten und Damaskus, bestand Fehde und Feindschaft, über Jerusalem herrschte der von Damaskus, mit Ägypten hatte Friedrich freundliche Beziehungen angeknüpft. Es ist mehr als Vermutung, daß sie sich zu gemeinsamem Vorgehen verständigt hatten: der Ägypter sollte Damaskus erhalten, dem Kaiser dafür Jerusalem überlassen werden. Großer Anstrengungen würde es also anscheinend nicht einmal bedürfen, um das Ziel zu erreichen, mit dem schon Innozenz III. sich begnügt hatte, das unter Honorius zum Greifen nahe gewesen und nur durch die Unklugheit der Führung in Damiette verfehlt worden war.

Im Hochsommer 1227 sah man die Scharen der Kreuzfahrer durch Italien nach

Brindisi streben, dem Hafen, von dem die Fahrten ins Heilige Land auszugehen pflegten. Es waren in der Hauptsache Deutsche, darunter nur wenige Fürsten wie der Landgraf von Thüringen, der Herzog von Brabant, dazu einige Bischöfe, auch der Kardinal von Porto, dagegen viele Edelleute und Ritter und sehr viel gemeines Volk, weit mehr als vorgesehen. Die Abfahrt verzögerte sich, schlechte Unterkunft und Verpflegung erzeugten Krankheiten, viele starben, darunter der begleitende Kardinal und zwei Bischöfe, andere kehrten um. Die Lage war unbehaglich, aber das Unternehmen nicht gefährdet. Schon waren zwei Staffeln abgefahren, als am 9. September der Kaiser selbst mit der dritten sich einschiffte. Bei ihm befand sich, bereits erkrankt, der Landgraf. Sein Befinden verschlimmerte sich rasch, nach zwei Tagen war er tot. Der Kaiser ließ umkehren und in Otranto landen. Selbst unwohl, ließ er sich doch nicht zurückhalten und stach nochmals in See. Aber sein Zustand wurde bald so bedenklich, daß er auf den dringenden Rat seiner Umgebung auf die Überfahrt verzichtete. Zwar folgte noch ein Teil der Truppen unter dem Kommando des Brabanters den Vorausgefahrenen, indes zu größeren Unternehmungen reichte das nicht, und vor allem die Führung des Kaisers fehlte, sein Ausbleiben veranlaßte die meisten zur Heimkehr. Der Kreuzzug war gescheitert, bevor er angetreten wurde.

Durch sein Zurückbleiben war Friedrich gemäß dem Vertrag von San Germano ohne weiteres dem Ausschluß aus der Kirche verfallen. Aber dem Papst stand es frei, ihn von der Strafe loszusprechen. Das forderte die Billigkeit. Friedrich traf ja keine Schuld, er hatte getan, was in seinen Kräften stand, und das Hindernis höherer Gewalt, das hier offenkundig vorlag, mußte ein gerechter Richter anerkennen. In die gleiche Richtung wies die Zweckmäßigkeit. Wenn der Kreuzzug nicht aufgegeben sein sollte, wenn man noch damit rechnete, daß der Kaiser das notgedrungen Versäumte so bald wie möglich nachhole, so war es geboten, ihm das nicht zu erschweren. Friedrich durfte also erwarten, daß Gregor IX. ihn von der verwirkten Strafe befreien werde, wie Honorius III. vor acht Jahren im gleichen Fall aus viel weniger zwingenden Ursachen getan hatte. Er mußte erfahren, was es bedeutete, daß ein anderer Mann die Schlüssel der Kirche handhabe. Während er noch in den Bädern von Pozzuoli Erholung suchte, erhielt er die Nachricht, Gregor habe am 29. September in Anagni, wo er sich den Sommer über aufzuhalten pflegte, die Ausschließung des Kaisers öffentlich bekanntgemacht. In den folgenden Tagen gingen schon die Briefe nach allen Richtungen hinaus, die der Welt verkündigten, daß Kaiser Friedrich dem Ausschluß aus der Kirche verfallen sei, weil er, sein Gelübde brechend, den Kreuzzug vereitelt habe, wie er schon am Unglück von Damiette schuld gewesen sei. Keine der übernommenen Verpflichtungen habe er erfüllt, für die Vorbereitung der Ausfahrt nichts getan, damit die Schuld am Tode so vieler Kreuzfahrer auf sich geladen und unter frivolen Vorwänden sich beeilt, ‹zu dem gewohnten Genußleben im eigenen Reich› zurückzukehren. Die Begründung ließ die Gerechtigkeit so sehr vermissen, sie schlug den Tatsachen so offen ins Gesicht, die Maßregel selbst war mit solcher Eile ins Werk gesetzt – zwischen

Friedrichs Rückkehr und dem Spruch des Papstes lagen knapp zwei Wochen –, daß man sich nicht darüber täuschen kann: was der Papst da vorbrachte, war Vorwand und das angebliche Verschulden des Kaisers nicht die Ursache, nur der Anlaß, der willkommene Anlaß für einen Schritt, dessen wirkliche Beweggründe ganz woanders lagen.

Gregor IX. hatte als Kardinal in besten Beziehungen zum Kaiser gestanden. Der Dienste, die er ihm damals geleistet, hat er sich später gerühmt, Friedrich wiederum ihn mehr als einmal öffentlich seinen besonderen Freund genannt. Er will ihn auch als Papst zunächst dafür gehalten haben, und der Anschein sprach dafür. Das erste Schreiben, das Gregor erließ, war die Begrüßung des Kaisers gewesen, und noch Ende Juli hatte er ihm als Zeichen alter Verbundenheit unter väterlichen Ermahnungen eine sinnbildliche Erläuterung der kaiserlichen Abzeichen gesandt. Daß gelegentlich eine ernste Mahnung an die Kreuzzugspflicht mit unterlief, die ein wenig nach Drohung schmeckte, fiel dagegen nicht ins Gewicht. Friedrich wiederum hatte nicht gezögert, die Verpflegung des päpstlichen Hofes in Anagni durch Öffnung der Grenzen des Königreichs zu erleichtern. Aber wenn er damals den Papst für seinen Freund hielt, so hat er sich getäuscht. Gregor hatte in ihm schon den Feind erkannt und nur die Maske der Freundschaft noch nicht abgelegt.

Dazu hatte Friedrich ihm ein Recht gegeben. Wir haben es schon gesehen: seit dem Zusammenstoß im vorigen Jahr wußte es jeder, der es wissen wollte, daß die Absichten des Kaisers auf ein Ziel gerichtet waren, das sich mit den Grundsätzen, nach denen seit Innozenz III. die italienischen Verhältnisse in Rom behandelt wurden, schwer in Einklang bringen ließ. Die Wiederherstellung der kaiserlichen Regierung in Italien konnte der Papst nicht dulden, ohne auf alles zu verzichten, was seit 1198 erreicht war; ohne sich mit der Möglichkeit abzufinden, daß die Tage Heinrichs VI. wiederkehrten und die Kirche genötigt würde, jeder selbständigen Politik zu entsagen, wohl auch ihren Landesstaat oder Teile von ihm herauszugeben. Dieser Gefahr gegenüber hatte Honorius III. sich auf vorsichtige Abwehr beschränkt, für Gregor IX. war das nicht genug. Er glaubte vorauszusehen, daß Friedrich, wenn man ihm Zeit dazu ließ, durch den weiteren Ausbau seines Staates und die Eroberung des Königreichs Jerusalem noch stärker geworden, imstande sein werde, den Widerstand der Lombarden gegen seine Pläne zu brechen. Den Augenblick, wo der Angriff erfolgen würde, gedachte Gregor nicht abzuwarten, er wollte zuvorkommen, indem er den Kaiser zum Kampf stellte und überwand, bevor er vielleicht unüberwindlich geworden war. Das ist schon von Zeitgenossen durchschaut worden. In einer wenig später entstandenen Flugschrift eines Ungenannten, die Gregor auf das schärfste angreift, wird die Beratung an der Kurie unter dem Bilde der Hohenpriester und Pharisäer geschildert, die sich fragen: ‹Was sollen wir tun? Dieser Mensch triumphiert über seine Feinde, er wird, wenn wir ihn ungestört lassen, die ganze Herrlichkeit der Lombarden sich unterwerfen und nicht zögern, nach Kaiserart herbeizukommen, um uns Macht und Stellung zu nehmen und unser Geschlecht zu vernichten. Drum widerstehen wir den Anfängen!› Der Verfasser hat recht gesehen, es war ein Vorbeugungskrieg, den Gregor eröffnete. Daß es auf Kosten des Heiligen Landes ging, muß er gewußt haben. Aber die politische Unabhängigkeit des Papsttums und die ungeschmälerte Erhaltung seines Landesstaats galten ihm mehr als die Aussichten des aussichtsreichsten Kreuzzugs.

Es haben damals keineswegs alle so gedacht, ja, wenn wir uns nicht täuschen, so hat Gregor bei dem, was er tat und vorhatte, die Billigung seiner Umgebung zunächst nicht gefunden. Es hat die Wahrscheinlichkeit für sich, wenn er später behauptete, er sei von den Lombarden gedrängt worden. Tatsache ist, daß er den Ausschluß des Kaisers erst verkündigte, nachdem er sechs neue Kardinäle ernannt hatte, darunter einen Neffen, zwei Lombarden, einen Genuesen und einen Franzosen. So ausgesprochen persönlich war seine Handlungsweise, so wenig entsprach sie der bis dahin eingehaltenen Richtung, daß er sich die erforderliche Unterstützung erst schaffen mußte. Friedrich II. hat vierzehn Jahre später auf die Nachricht vom Tode Gregors geäußert: ‹Er ist gestorben, der der Erde den Frieden raubte und den Zwist nährte!› Das war nicht zu hart geurteilt. Nicht als ob Gregor die Gegnerschaft von Kaisertum und Kirche hervorgerufen hätte; sie lag in der Natur der Dinge und war ein Erbteil der Vergangenheit. Aber daß sie zum offenen Krieg wurde, ist Gregors IX. eigenstes Werk.

Die Menschen und auch die Päpste handeln so, wie sie sind. Gregors IX. ungehemmte Leidenschaft ist damals für Kirche und Kaisertum zum Schicksal geworden. Als ob er vollends hätte beweisen wollen, daß er von blinder Leidenschaft geleitet wurde, fuhr er fort zu handeln. Umsonst bot der Kaiser Genugtuung für die Versäumnis an; Gregor weigerte sich, den Gesandten nur zu empfangen, versagte also, kirchlich gesprochen, dem Bußfertigen die Verzeihung. Zugleich muß er doch das Bedürfnis gefühlt haben, seinen Schritten stärkere Deckung zu geben. Am 18. November, dem Kirchweihfest von St. Peter, einem der Tage, an denen in der römischen Kirche Strafurteile feierlich verkündigt zu werden pflegten, scharte er eine Anzahl italischer Bischöfe um sich und wiederholte, als wäre es der Beschluß eines römischen Konzils, die Ausschließung des Kaisers. Eine Gesandtschaft Friedrichs, die seine Unschuld dartun sollte, erst nach der Abstimmung zugelassen worden und konnte ihren Auftrag nicht ausrichten. Man mußte annehmen, Gregor wolle überhaupt nicht mehr verhandeln. Dann aber scheinen doch andere Einflüsse auf ihn gewirkt zu haben: um Weihnachten gingen zwei Kardinäle, Thomas von Capua und Otto von St. Nikolaus, kluge und besonnene Männer, die uns als solche noch begegnen werden, in seinem Auftrag zum Kaiser. Aber wenn sie etwa die Hand zur Versöhnung zu bieten geneigt waren, so machte ihnen Gregor das unmöglich, indem er neue Vorwürfe, neue Anklagen erhob. Oder vielmehr er erneuerte die alten, oft gehörten über Bedrückung von Kirche und Geistlichkeit im Königreich, Verbannung von Prälaten und Baronen. Daß er diese Dinge bisher habe geschehen lassen, wurde ihm — so behauptete er — schon zum schweren Vor-

wurf gemacht, er könne sie länger nicht dulden und forderte kraft seines lehns-
herrlichen Aufsichtsrechtes Abstellung der Beschwerden, sonst werde er ‹tun,
was Gott und Gerechtigkeit vorschrieben›. Es war der erste Schritt zur Einleitung eines Gerichtsverfahrens wegen Mißregierung, das mit der Aberkennung
des Lehens, Absetzung des Kaisers als König von Sizilien enden sollte. Der Angriff zielte auf die verwundbare Stelle des Gegners. Von Friedrichs Unrecht in
Sachen des Kreuzzugs war die Welt schwerlich so leicht zu überzeugen, seine
Regierungsweise dagegen, hart, rücksichtslos und voller Willkür, hatte viele
Gegner im eigenen Lande wie draußen, und für sie schuldete er dem Papst als
Oberherrn Rechenschaft. Von diesem Punkte aus ließ seine Macht sich vielleicht
aus den Angeln heben.

Die Kardinäle erreichten nichts, sollten auch wohl nichts erreichen. Friedrich
hatte schon begonnen, zu dem Kreuzzug zu rüsten, den er im März 1228 nun
wirklich antreten wollte. Jedes Kronlehen des Königreichs mußte 8 Unzen Gold
beitragen und einen vollgerüsteten Ritter stellen, Baronen und Prälaten wurden
größere Leistungen auferlegt. Auf einem Reichstag in Ravenna, der für den
März ausgeschrieben war, sollte die Teilnahme Deutschlands gewonnen werden. Zugleich wandte sich der Kaiser an die Herrscher des Abendlands, an die
deutschen Fürsten und an die Städte Italiens mit einem offenen Schreiben, worin er ausführlich auseinandersetzte, wieviel er schon für die römische Kirche getan, wie er sie einst vor Otto IV. gerettet, sich freiwillig zum Kreuzzug erboten
und jede Verpflichtung gewissenhaft erfüllt, alles sorgfältig vorbereitet habe,
vom Papst aber schuldlos und ungehört verurteilt worden sei. Seine Darlegun-
gen waren so bündig, so klar, daß die Ungerechtigkeit des päpstlichen Urteils
ebenso in die Augen sprang wie die Haltlosigkeit der Anklagen. Am Kreuz-
zugsplan hielt er fest, dazu forderte er den Beistand von Königen, Fürsten und
Städten.

Zur Kreuzfahrt mahnte gleichzeitig auch der Papst. Die Lage im Orient hatte
ein Bericht des Patriarchen von Jerusalem verlockend geschildert. Sollte der
Kaiser beiseitegeschoben, sollte er überboten werden? Es ist nicht ausgeschlossen, daß beide Teile, Kaiser und Papst, wenn sie vom Kreuzzug sprachen, damals schon an etwas anderes dachten. Im Norden des sizilischen Königreichs, in
den Abruzzen, erhob sich bald darauf ein Baron im Aufstand, und aus dem
Kirchenstaat wurde ihm Hilfe geleistet. Wer argwöhnisch war, konnte darin
ein Vorspiel zu Größerem sehen. Friedrich wiederum weckte mit dem Ausschreiben des Reichstags nach Ravenna den Verdacht, daß er die deutschen
Kräfte nicht im Osten, sondern an Ort und Stelle, in Italien zu benutzen gedenke. Solche Vermutungen erfahren durch das spätere Verhalten beider Parteien
eine gewisse Bestätigung. Indessen der Aufstand in den Abruzzen wurde durch
kaiserliche Truppen unterdrückt, und der Reichstag in Ravenna kam so wenig
zustande, wie vor zwei Jahren der von Cremona, weil die Liga der Lombarden
auch dieses Mal das Etschtal sperrte. Wenn also Friedrich an Kampf in Italien
gedacht hatte, so mußte er das aufgeben. Dazu traf jetzt auch ein Bericht seines

Vertreters in Syrien ein, der die Lage dort im günstigsten Licht schilderte. Der Sultan von Damaskus war mit Hinterlassung eines jugendlichen Erben gestorben, von dieser Seite also nichts zu befürchten. Die Gelegenheit war gar zu einladend. Friedrich entschloß sich, die angekündigte Kreuzfahrt wirklich auszuführen. Im April segelte ein Transport von 700 kaiserlichen Rittern und einem Haufen deutscher Kreuzfahrer voraus.

Gregor hatte am Gründonnerstag (23. März 1228) seinen Spruch in verschärfter Form wiederholt. Zum persönlichen Ausschluß fügte er die Kirchensperre über alle Orte, an denen der Kaiser sich aufhielt, bedrohte ihn, wenn er fortführe, sich trotzdem Gottesdienste halten zu lassen, mit Anklage und Verfahren wegen Ketzerei und bei Widersetzlichkeit gegen die Mahnung des Papstes und fortgesetzter Mißregierung mit Absetzung als König von Sizilien. Wie der erste Spruch, so wurde auch dieser aller Welt mitgeteilt, auch den Bischöfen des Königreichs; an jedem Sonntag sollte er von allen Kanzeln verlesen werden. Es war ein Versuch, die Revolution gegen den Kaiser zu entfesseln.

Das gleiche hatte Friedrich gegenüber dem Papst getan. Seine Hauptstadt beherrschte Gregor nicht besser als Honorius; er hatte es nicht hindern können, daß Friedrichs Rechtfertigung nach Rom gebracht und auf dem Kapitol verlesen wurde. Sie verfehlte ihren Eindruck nicht, der Papst hatte ohnehin Gegner in der Stadt, die jetzt in des Kaisers Dienst traten. Die Folge war, daß Gregor, als er am Ostermontag in Sankt Peter unter heftigen Ausfällen gegen den Kaiser predigte, von der versammelten Menge niedergeschrien, mit Schmähungen überhäuft, mit Tätlichkeiten bedroht und genötigt wurde, sich im anstoßenden Palast in Sicherheit zu bringen. Nach einigen Tagen verließ er Rom und wandte sich nach Viterbo. Aber diese Stadt, von den Römern bekriegt, bot keinen Schutz. Gregor mußte weiter nach Rieti, dann nach Perugia. Hier, wo gerade ein Aufstand durch den tatkräftigen Kardinal Johannes Colonna unterdrückt worden war, schlug nun seit Mitte Juni fast sieben Vierteljahre der päpstliche Hof seinen Sitz auf.

Um dieselbe Zeit machte auch der Kaiser sich auf, sein Land zu verlassen. Ein letzter Versuch, durch den Erzbischof von Magdeburg Gehör beim Papst zu finden, hatte keinen Erfolg gehabt, Gregor hatte sich auf nichts eingelassen, nicht einmal Bedingungen für die Aussöhnung angeben wollen. Friedrich ließ das zugleich mit seinem Aufbruch in den Orient bekanntmachen. Am 28. Juni stach er von Brindisi aus in See.

Man hat darin, daß er sich durch keine Drohung vom geplanten Kreuzzug abhalten ließ, einen geschickten Schachzug sehen wollen. Schwerlich mit Recht, eher dürfte man von einem Fehler sprechen. Indem er als Ausgeschlossener sich an ein heiliges Unternehmen wagte, machte Friedrich sich einer offenen Auflehnung gegen die Zuchtmittel der Kirche, einer der Ketzerei verdächtigen Mißachtung ihrer Schlüsselgewalt schuldig und entwertete damit von vornherein alle im Osten winkenden Erfolge. Gewinnen konnte er dort zunächst nichts, den Papst gefügig zu machen, durfte er selbst im günstigsten Fall nicht hoffen, und die Gefahr, die sein Reich unmittelbar bedrohte, unterschätzte er. Daß er sie wohl erkannte, bewies er durch eine Maßregelung im Augenblick seiner Abreise. Zum Regenten des Königreiches während seiner Abwesenheit bestellte er jenen Reinold von Irslingen, der sich Herzog von Spoleto nannte und schon einmal einen Versuch gemacht hatte, dem ererbten Titel einen Inhalt zu geben. Jetzt legte Friedrich eine Urkunde in seine Hand, in der er die Schenkung des Herzogtums und der Mark von Ancona an die römische Kirche wegen der von dieser bewiesenen Undankbarkeit und Feindschaft gegen das Reich widerrief und den Regenten ermächtigte, beide Landschaften in Besitz zu nehmen.

Niemand wird dem Kaiser zutrauen, er habe ohne jeden äußeren Anlaß zu Eroberung im Kirchenstaat schreiten wollen in dem Augenblick, wo er selbst das Königreich verließ, um durch Dienste, die er der Kirche leistete, zum Frieden mit ihr zu gelangen. Die Vollmacht für den Regenten kann nur eine bedingte gewesen sein: sie galt für den Fall, daß das Königreich vom Papst mit Krieg überzogen würde. Mit dieser Möglichkeit rechnete Friedrich, mußte er rechnen, denn die Rüstungen, die Gregor betrieb, konnten ihm nicht entgangen sein. Und was hatte man anderes zu erwarten als einen bewaffneten Angriff, wenn die angedrohte Absetzung nicht ein leeres Wort bleiben sollte? Für diesen Fall hatte der Regent Vollmacht, den Spieß umzukehren. Friedrich machte sich also nicht weniger als Gregor auf einen Kampf ums Ganze gefaßt: wie jener ihn zu stürzen gedachte, so wollte er die weltliche Macht des Papstes zertrümmern. Um so gewagter war es, daß er außer Landes ging und eine Entscheidung von solcher Schwere, von so unabsehbaren Folgen in die Hand eines Stellvertreters legte, für dessen Besonnenheit er keine sichere Bürgschaft hatte. War die Einnahme von Jerusalem das wert? Aufs neue hat hier der geistreiche Herrscher jenen Mangel an Augenmaß bewiesen, den wir schon früher bei ihm festzustellen Gelegenheit hatten und auch später noch bemerken werden.

Wir begleiten den Kaiser auf seiner Fahrt nach Syrien nur mit einem Blick aus der Ferne. Wie stark er persönlich als König von Jerusalem dabei beteiligt war, bewies er sogleich, indem er sich zunächst Cypern, des wichtigsten Stützpunktes, versicherte. Die bisherige Vormundschaft für den jungen König der Insel beseitigte er und nahm sie selbst in die Hand. Am 7. September 1228 landete er in Akka, von den Christen freudig begrüßt, die in ihm den von der Weissagung verheißenen Kaiser-Befreier sahen. Die Lage, die er vorfand, muß ihn zunächst enttäuscht haben, Al-Kâmil von Ägypten hatte bereits den Krieg gegen das wehrlose Damaskus eröffnet und sich Jerusalems bemächtigt; ob er es jetzt noch, seinen früheren Eröffnungen gemäß, würde ausliefern wollen, war zweifelhaft. Friedrichs Heer war nicht zu verachten, aber für einen großen Krieg vielleicht doch zu schwach. Außer dem, was er mitbrachte – eine Nachricht spricht von 1000 Rittern – fand er 800 Ritter und 10 000 Mann zu Fuß vor, Deutsche und Italiener, auch einige Engländer, die schon mit Erfolg gegen Damaskus gefochten hatten. Schwierigkeiten machte die Tatsache seines Ausschlusses aus der Kirche, die die Boten des Papstes, ihm auf dem Fuße folgend, sogleich bekanntgaben. Im allgemeinen zwar ließ man sich dadurch nicht stören, zumal die Deutschen kehrten sich nicht daran, da der Kaiser, die Form beachtend, den Gottesdienst mied. Aber Templer und Johanniter waren nicht geneigt, seinen Befehlen zu gehorchen, und der Patriarch, vom Papst zum Legaten bestellt, verweigerte ihm jede Mitwirkung, bot die Geistlichkeit gegen ihn auf und suchte seine Schritte zu durchkreuzen. Man erzählte sich, und Friedrich selbst hat es geglaubt, der Sultan sei vom Papst aufgefordert worden, dem Kaiser nichts zuzugestehen, die Templer hätten schließlich sogar versucht, seine Person den Feinden in die Hand zu spielen, und nur die Ritterlichkeit der Ungläubigen habe den Anschlag vereitelt.

Wie unter solchen Umständen ein Krieg verlaufen wäre, mag zweifelhaft bleiben, aber zu fechten brauchte Friedrich nicht. Al-Kâmil machte zwar zunächst Umstände, aber nur, wie sich bald herausstellte, teils des Anstands halber, teils um möglichst günstige Bedingungen zu erlangen. In der Hauptsache hielt er Wort, und nach langen Verhandlungen, in denen beide Teile sich in Höflichkeit und Rücksichtnahme überboten, kam am 18. Februar 1229 der Vertrag zustande, durch den dem Kaiser für die Dauer von zehn Jahren Jerusalem, Bethlehem, Nazareth und einige andere Orte, darunter die wichtige Hafenstadt Saida (Sidon) abgetreten wurden, alle mit dem Recht, sie nach Belieben zu befestigen, während den Moslim die Anlage von Befestigungen in dem ihnen verbliebenen Teil des Landes untersagt war. Dafür behielten sie ihre Kultstätten in Jerusalem, den Tempel Salomos und die Moschee Omars, mußten aber deren Besuch auch Christen gestatten. Am 17. März hielt der Kaiser seinen Einzug in die heilige Stadt, tags darauf ergriff er Besitz vom Königreich, indem er in der Grabeskirche vor einer großen Versammlung die Krone eigenhändig vom Altar nahm und sich aufsetzte. Natürlich wohnte kein Geistlicher der Feier bei. Schon am folgenden Tage brach er zur Rückreise nach Akka auf, verweilte hier noch etwas über einen Monat, um die Regierung des Landes zu ordnen, und trat am 1. Mai die Heimfahrt an.

Was er erreicht hatte, war viel, verglichen mit der Lage, die seit 1187 bestanden hatte. Wohin die Kunde drang, Jerusalem sei wieder christlich, pries man den Namen des Kaisers, dem das zu verdanken war. Aber auch entgegengesetzte Urteile wurden bald laut. Was Friedrich gelungen war, blieb hinter den Wünschen des christlichen Abendlands beträchtlich zurück. Es war ein halber Erfolg, und die feindselige Kritik der Gegner hielt sich an die Mängel. Der Patriarch war der erste, der es sich angelegen sein ließ, in Berichten an den Papst und einem weithin verbreiteten Sendschreiben alles Errungene mit hämischer Nörgelei herabzusetzen und den Kaiser persönlich anzuschwärzen. In den Verhandlungen habe er seine Würde nicht gewahrt und in Benehmen und Kleidung sich aufgeführt wie ein Sarazene. Dem Ansehen des Kaisers schadete das nicht wenig, vollends als Gregor, den Ton steigernd, in die Weise einstimmte. Er hatte von Anfang an, bevor noch irgend etwas geschehen war, den Kaiser wegen gewisser Maßregeln betreffend die Ritterorden der Parteinahme für die Sarazenen geziehen, ihn geradezu einen Diener Mohammeds und Feind der Knechte Christi genannt. Auf die Nachricht vom Abschluß des zehnjährigen Friedens gab er die Losung aus, Friedrich habe die Sache der Christen verraten. Der Vertrag sei eine Schmach, weil er heilige Stätten den Ungläubigen überlassen, er sei überdies wertlos, weil nicht – dies war falsch – mit dem rechtmäßigen und tatsächlichen Besitzer Jerusalems, dem Sultan von Damaskus, abgeschlossen. Durch sein Paktieren mit den Ungläubigen habe Friedrich seine kaiserliche Würde selbst verleugnet, durch den Mißbrauch der kaiserlichen Macht die Rechte des Kaisers eingebüßt. Das erfuhren durch päpstliches Rundschreiben die Könige, Fürsten und Prälaten Deutschlands, Frankreichs, Italiens, Spaniens, Portugals, Englands, Schottlands, Ungarns und der Skandinavischen Länder. Dies und ähnliches konnte man nun mit mehr oder weniger unwahren Ausschmückungen und Übertreibungen landauf landab hören: der Kaiser hatte die Interessen der syrischen Christen, der Ritterorden zumal, preisgegeben, er war der heimliche Verbündete der Ungläubigen und neigte selbst zur Religion Mohammeds. Die mit tausend Federn und Zungen arbeitende Propaganda des Papstes konnte Friedrichs Siegesberichte nicht zum Schweigen bringen, aber auch sie drang bis an die Grenze christlicher Länder und machte viele unsicher. Es nützte Friedrich nichts, daß er schon von Syrien aus durch eine Gesandtschaft nochmals die Hand zur Aussöhnung geboten, daß er in der öffentlichen Ansprache bei seiner Krönung den Papst als irregeleitet geschont hatte. Gregor wollte nichts hören und wiederholte im August 1229 die früher ausgesprochene Strafe der Ausschließung. Der Kirche gegenüber hatte Friedrich nichts gewonnen, ihr erschien er sogar mit neuer Schuld beladen, als er am 10. Juni 1229 in dem kleinen apulischen Hafen Ostuni landete.

Und was erwartete ihn hier! Wiederholte Hiobsposten hatten ihn schon in Syrien erreicht und zu beschleunigter Heimkehr veranlaßt, aber was er jetzt sah, muß ihn doch schmerzhaft überrascht haben: ganze Teile des Königreichs von feindlichen Truppen eingenommen, Bischöfe abgefallen, Städte in offener Empörung. Der Feind aber war niemand anderes als der Papst. Die Abwesenheit des Kaisers hatte Gregor benutzt, um ihm sein Königreich mit Gewalt zu entreißen.

Friedrich hatte kaum die Fahrt nach dem Osten angetreten, als der Krieg an der Grenze des Kirchenstaats begann. Wer angefangen hat, ist schwer festzustellen wie meistens, wo zwei Gegner einander kampfbereit gegenüberstehen: jeder gibt dem anderen die Schuld. Doch scheint es, daß Gregor ein örtliches Geplänkel zum Anlaß genommen hatte, um öffentliche Klage zu erheben und die Untertanen des Kaisers von ihren Eiden zu entbinden, worauf der Irslinger den Augenblick für gekommen hielt, von seiner Vollmacht Gebrauch zu machen: er ließ seine Truppen in die Mark einrücken und veröffentlichte die Zurücknahme der Schenkung an die Kirche. Ob das den Absichten des Kaisers entsprach, der ihn später verleugnet hat, mag auf sich beruhen, wahrscheinlich war er dem Papst nur zuvorgekommen, der schon unmittelbar nach der Abfahrt des Kaisers ein Bündnis mit der lombardischen Liga geschlossen hatte, das diese zur Stellung von Truppen verpflichtete; bis Ende September erwartete man von dort den Zuzug von wenigstens 1000 Rittern.

Gregor ging aufs Ganze. Ende November verhängte er über den Irslinger und seine Helfer Ausschluß und Kirchensperre, in Deutschland setzten Versuche zum Sturz des Kaisers ein, und zu Anfang 1229 machte sich Kardinal Otto von St. Nikolaus auf, um als Legat an Ort und Stelle die Absetzung Friedrichs und Wahl eines andern Königs zu betreiben. Die Entscheidung aber sollte in Italien fallen, durch Blut und Eisen. Auf die Waffen der Lombarden verließ Gregor sich nicht, er hatte beschlossen, ein eigenes Heer aufzustellen, und um die dazu erforderlichen Mittel zu beschaffen — denn aus den laufenden Einnahmen einen Krieg zu bestreiten, war unmöglich —, hat er sich nicht gescheut, die Kirche des Abendlandes zu besteuern. Das war noch nicht vorgekommen. Noch nie hatte ein Papst für andere Zwecke als den Kreuzzug gegen Ungläubige und Ketzer die Steuerkraft der Kirche in Anspruch genommen. Jetzt zum erstenmal wurde ein Zehnter von den Einkünften der Geistlichen ausgeschrieben, um dem Papst einen Krieg gegen einen christlichen Fürsten möglich zu machen. Um der Sache ein Ansehen zu geben, wurde die Wendung gebraucht, es gelte, die Freiheit der Kirche zu schützen. Daß das geschehen konnte, kennzeichnet die Höhe, bis zu der die Herrschaft Roms über die Kirchen des Abendlands gediehen war. Seit dem Dezember 1228 gingen die Befehle von Perugia hinaus in die Welt, machten die Kapläne des Papstes sich auf, sie zu überbringen und die geschuldeten Gelder einzusammeln. Wir hören davon aus Italien und Frankreich, aus Böhmen, aus den skandinavischen Reichen und am meisten aus England. Es leidet keinen Zweifel, daß die Steuer als allgemeine im ganzen Abendland erhoben werden sollte.

Der Ertrag muß durch Anleihen bei römischen Kaufleuten vorweggenommen worden sein, denn schon im nächsten Monat erschienen drei päpstliche Heere im Felde mit wehenden Bannern, auf denen man die Schlüssel Petri abgebildet sah. Das eine unter Johann von Brienne, dem Exkönig von Jerusalem, dem der Kardinal Colonna beigegeben war, sollte, gebildet aus französischen Söldnern und lombardischen Hilfstruppen, Reinold von Irslingen aus der Mark vertreiben, ein zweites griff in den Abruzzen an. Die Hauptaufgabe, von der Campagna aus ins Königreich einzubrechen, fiel dem dritten zu. Hier befehligten die vertriebenen Grafen von Celano und Aquila unter dem Beistand eines päpstlichen Kaplans. In der Mark hielten die Kräfte einander die Waage. Reinold, dessen Eroberung niemals weit gekommen war, mußte das päpstliche Gebiet räumen, leistete dann aber erfolgreich Widerstand. Von der zweiten Armee hören wir zunächst nichts. Auch die dritte kam anfangs nicht recht vorwärts, bis es ihr im März gelang, den Kaiserlichen bei Mignano — wo einst Innozenz II. in die Gefangenschaft König Rogers geraten war [1] — eine Schlappe

---

1 Vgl. Bd. 3, S. 50.

zuzufügen, in deren Folge die Verteidigung auf der ganzen Linie ins Wanken geriet. Die Angreifer, nunmehr geführt vom Kardinal Pelagius von Albano, der hier Gelegenheit fand, seinen vor Damiette schartig gewordenen Feldherrnruhm wiederherzustellen, vermochte bis an die Tore von Capua vorzudringen, Telese und Alife zu nehmen und ihre Front längs des Volturno auszudehnen. In der Art der Kriegführung hatte kein Teil dem anderen etwas vorzuwerfen. Gregor beklagte sich über das Wüten der sizilischen Sarazenen im Heer Reinolds, mußte aber seinerseits dem Kardinal Pelagius strengstens verbieten, Gefangene töten und verstümmeln zu lassen. Die Erfolge des Legaten taten schnell ihre Wirkung, Reinold mußte den Rückzug antreten, wurde überflügelt und in Sulmona eingeschlossen. Ungehindert vordringend, vereinigte sich das Heer Briennes mit dem des Legaten, in den Abruzzen, dann auch in den nichtbesetzten Provinzen, sogar auf Sizilien brachen Aufstände aus, die Sarazenen erhoben sich, und zahlreiche Städte schüttelten die Regierung des Königs ab. Träger der Revolution waren die Minderbrüder, die hier zum erstenmal ihre Brauchbarkeit als politische Werkzeuge des Papstes so deutlich erwiesen, daß der Regent sie in Bausch und Bogen aus dem Lande trieb. In den eroberten Gebieten ließ der Papst sich huldigen, verlieh Rechte und Freiheit an Städte und Land und ließ keinen Zweifel, daß er das Genommene zu behalten gedenke. Der Kaiser, hieß es, sei tot.

Ungeachtet solcher Erfolge war Gregors Lage nicht glänzend. Die Entscheidung lag noch in weitem Felde, und seine Kräfte wuchsen nicht. In Deutschland war der Versuch, die Fürsten aufzuwiegeln, völlig gescheitert, Kardinal Otto hat den Rhein niemals überschreiten können und mußte sich Vollmacht geben lassen, sein Legatenamt vom Ausland her auszuüben. Später ist er in Lüttich nur mit Mühe persönlicher Gefahr entkommen. Mit verschwindenden Ausnahmen, die nicht ins Gewicht fielen, blieb alles dem Kaiser treu, sein Ausschluß wurde nirgends beachtet. Die Stimmung des deutschen Volkes muß dem Papst wenig günstig gewesen sein, gegen seine Vorkämpfer, die Bettelmönche, entlud sie sich in boshaften Reden und höhnischen Versen, an vielen Orten ergriff auch der Klerus offen Partei gegen ihn und für den Kaiser. In Regensburg beklagt ein mönchischer Annalist den Eigensinn des Papstes, der die ganze Geistlichkeit dem Spott und der Verfolgung der Laien preisgegeben. Einem Wormser erschien sein Verfahren als ewiger Schaden für die Christenheit, und der Abt von Ursberg glaubte schon die Anzeichen für den Untergang der Kirche zu erkennen. In zornigen Sprüchen erhob sich der Dichter, der sich Freidank nannte, gegen den Bann, der dem Glauben schade; er nennt ihn unwirksam, weil aus Feindschaft verhängt, und fordert offen zum Ungehorsam auf. In Passau fand sich sogar ein Gelehrter, der die Einnahme Jerusalems in lateinischen Versen feierte und den Papst einen Ketzer nannte. Am tiefsten enttäuscht sah sich Gregor durch die Lombarden. Sei es, daß die Städte der Liga durch benachbarte Gegner zu sehr gefesselt waren, sei es, daß sie keine Lust hatten, sich zum Besten päpstlicher Erprobungspläne von Streitkräften zu entblößen, sie ließen den Papst völlig im Stich. Umsonst schrieb er Brief auf Brief, mahnte und bat, sie blieben taub, so daß er schließlich bitter beklagte, jemals auf sie gehört und von ihnen etwas erwartet zu haben. Daß der Kronprinz von Portugal sich erbot ihm mit einer Ritterschar zu Hilfe zu kommen, mag ihn gefreut haben, nützen konnte es ihm nicht. Denn die Zeit drängte, und was zu allen Zeiten im Krieg die Hauptsache ist, das Geld, es ging ihm aus. Es wurde so knapp, daß im September Kardinal Pelagius sich genötigt sah, nach den Kirchenschätzen von Monte Cassino und San Germano die Hand auszustrecken.

Wo aber blieben die Einnahmen aus dem allgemeinen Kirchenzehnten? Daß er gezahlt worden ist, wissen wir nur von England, wo die Forderung des Papstes zunächst im Reichstag auf offenen Widerspruch gestoßen war. Die Laienbarone wollten nichts davon wissen, daß das Land tributpflichtig werde, auch die Prälaten sträubten sich, mußten sich aber fügen, als der päpstliche Bote seine Vollmacht vorwies, Widersetzliche auszuschließen, und der König, insgeheim durch Ernennung eines ihm genehmen Erzbischofs von Canterbury gewonnen, das Begehren unterstützte. In England ist denn dieser Zehnte von den Kirchen wirklich eingetrieben worden, aber aus keinem anderen Lande hören wir ein Wort davon, so daß die Vermutung gerechtfertigt ist, die Zahlung sei unterblieben. Und selbst wenn gezahlt wurde, so dauerte es doch zu lange, um der Ebbe in des Papstes Kasse abzuhelfen.

Gregor ließ sich dadurch nicht irremachen. Die Hilfe von Genua rief er an, und noch im August 1229, als der Vormarsch seiner Truppen längst zum Stehen gekommen war, wiederholte er den Ausschluß des Kaisers und die Lösung der Eide und verfügte die Einverleibung eroberter Teile des Königreichs in den Kirchenstaat. In den letzten Tagen des Septembers erließ er an einige französische Bischöfe den gemessenen Befehl, ihm ungesäumt mit einer entsprechenden Zahl von Bewaffneten zu Hilfe zu kommen, da ihm sonst nichts übrigbleibe, als sich und die ganze Kirche unter die Knechtschaft Friedrichs, der sich Kaiser nenne, des Bundesgenossen von Sarazenen und andern Ungläubigen, zu beugen. Nur einer kam, als es schon zu spät war, der Bischof von Beauvais. Aber noch Ende Oktober hat Gregor dem Kardinal Otto Anweisungen für die Wahl eines Gegenkönigs in Deutschland gegeben.

Und doch stand ihm damals schon das Wasser an der Kehle. Friedrichs unerwartet frühe Rückkehr hatte bald eine vollständige Wendung herbeigeführt. Zwei Monate brauchte der Kaiser, um die Aufstände niederzuwerfen, Treulose zu strafen – es geschah mit der im Süden von jeher üblichen Härte – und vor allem, um zu rüsten; im September trat er mit starkem Heer, dessen Kern die aus Syrien zurückgekehrten Deutschen bildeten, den Vormarsch an. Vor ihm zogen sich die Päpstlichen sogleich zurück, ihr Rückzug wurde zur Flucht, im Oktober war die Grenze des Kirchenstaats erreicht.

Friedrich hat sie nicht überschritten. Aufgegeben waren alle Pläne gewaltsamer Art, fallengelassen der Gedanke an Einziehung von Teilen des Kirchenstaats. Der Kaiser suchte den Frieden mit der Kirche, die Wiederaufnahme in ihre Gemeinschaft. Gleich nach seiner Ankunft hatte er deswegen zwei Ritter des Deutschen Ordens an die Kurie geschickt; als sie unverrichteterdinge zurückkehrten, wiederholte er sein Begehren. Gregor blieb unzugänglich. Erst Anfang November gab er so weit nach, daß er einem Kardinal Auftrag erteilte, mit dem Kaiser zu verhandeln. Er tat es widerwillig und nur der Not gehorchend. Die Nachricht, daß Vertreter der Stadt Rom beim Kaiser gewesen seien, mag ihm gezeigt haben, was ihm drohte, wenn er jetzt nicht die Hand zum Frieden bot. Am 27. November traf als sein Legat Thomas von Capua beim Kaiser in Aquino ein, und die Verhandlung nahm ihren Anfang.

Sie gestaltete sich vom ersten Tag an äußerst schwierig, und der Kardinal, der sich ehrlich um den Frieden bemühte, hatte einen schweren Stand. Mehr als einmal bat er um Abberufung, weil er sich durch seinen Herrn nicht genügend gedeckt fühlte. Friedrich zog es bald vor, unmittelbar mit der Kurie zu verhandeln. Er bediente sich dazu in erster Linie des Meisters vom Deutschen Orden, Hermann von Salza, der ihm schon bei früherem Anlaß gute Dienste geleistet und ihm kürzlich im Orient mit Rat und Tat beigestanden hatte. Daß wir von der Persönlichkeit dieses außerordentlichen Mannes so gut wie nichts wissen, ist eine der empfindlichsten Lücken in der sonst nicht eben spärlichen Überlieferung dieser Zeit. Der thüringische Edelmann, als Haupt einer geistlichen Körperschaft vom Papst unmittelbar abhängig, zugleich dem Kaiser persönlich treu ergeben und auf seine Gunst angewiesen, durch den rasch anwachsenden Besitz seines Ordens in Sizilien und Deutschland, wozu in eben dieser Zeit durch kaiserliche Verleihung der Erwerb von Preußen kam, er hatte sich in beiden Lagern ein Maß von Ansehen und Vertrauen geschaffen, das ihm erlaubte, wie eine selbständige Macht zwischen den Parteien zu stehen, deren Aussöhnung ihm menschlich wohl nicht weniger als politisch am Herzen gelegen haben wird. Ihm war es zu danken, daß die schon unterbrochenen Verhandlungen nicht abrissen und schließlich nach vollen acht Monaten unter unendlichen Mühen und mit einem kaum dagewesenen Aufwand von Geduld zum Abschluß gebracht werden konnten.

Was sie so sehr erschwerte, war einmal der Widerwille des Papstes gegen jeden Frieden überhaupt, worin er von einem Teil der Kurie bestärkt wurde. Kardinal Thomas mußte ihn ernstlich an die Pflicht seines Amtes als Friedenshort mahnen, klagte auch über die Geistlichen, die nach ihrer Gewohnheit den Frieden störten, um im Trüben zu fischen. In dieser Richtung wirkten die zahlreich erschienenen Abgesandten der Liga. Vom Beginn der Verhandlungen hatte Gregor ihnen Mitteilung gemacht, sie um ihren Rat ersucht und ihnen versichert, die Kirche werde ihre Sache als ihre eigene betrachten. Das erfuhr der Kaiser, es verstimmte ihn tief und machte ihn zurückhaltender, als er anfangs war. Andererseits war der Papst beherrscht von ängstlichem Mißtrauen, ob Friedrich seine Versprechungen halten werde, wenn er erst von der Kirchenstrafe befreit wäre. Darin sah er sich bestärkt, als er erfuhr, mit welcher Strenge der Kaiser trotz schwebender Friedensverhandlungen gegen besiegte Empörer und Feinde verfuhr. Einen Bruder des Papstes sogar, der in Gefangenschaft geraten war, soll er haben aufhängen lassen. Das formelle Recht dazu konnte man ihm nicht bestreiten, Gregor sah darin eine Verleugnung der friedlichen Versicherungen und einen Verstoß gegen den Geist der Verhandlungen. Er forderte Bürgschaften, verlangte Auslieferung von Grenzfestungen als Pfand und noch mehr. Dazu war wiederum der Kaiser schwer zu bewegen, und des Kommens und Gehens der Gesandten schien kein Ende.

Wir brauchen den Gang des Geschäfts nicht im einzelnen zu verfolgen. Daß schließlich doch eine Einigung erreicht wurde, war dem Eingreifen einiger deutscher Fürsten zu danken, die der Kaiser, wahrscheinlich auf Anregung Salzas, zu Anfang des neuen Jahres herbeigerufen hatte. Seit dem März 1230 waren der Patriarch von Aquileja, der Erzbischof von Salzburg, der Bischof von Regensburg, die Herzöge von Österreich, von Kärnten und von Meran an seinem Hof. Ihr Eintreffen bewirkte, daß die stockenden Verhandlungen wieder in Gang kamen. Noch immer waren die Schwierigkeiten groß, weil der Papst um jede Einzelheit feilschte, durch keine Sicherheit zu befriedigen war, von den gemachten Eroberungen wenigstens zwei Städte, Gaëta und Santa Agata, zu behalten suchte und betreffs der Bürgschaften seine Forderungen immer höher schraubte. Endlich, am 12. Juli, war er so weit gebracht, widerwillig und nach langer Beratung mit den Kardinälen einen letzten Vorschlag der Vermittler sich anzueignen, dem dann auch der Kaiser acht Tage später nicht weniger ungern und, wie er erklären ließ, nur in Hoffnung auf Wiederherstellung der früheren guten Beziehungen, seine Zustimmung gab.

Die Verhandlungen hatte in Ceprano, dem Grenzstädtchen des Kirchenstaates, stattgefunden, und nach ihm wird der Friede gewöhnlich genannt. Vollzogen wurde er am 23. Juli im Dom zu San Germano, auf sizilischem Boden, indem der Graf Thomas von Aquino und Acerra, Friedrichs rechte Hand in Regierungsgeschäften, im Namen seines Herrn vor den beiden Kardinallegaten Thomas von Capua und Johannes Colonna und einer stattlichen Versammlung deutscher Fürsten und sizilischer Großen den Eid auf die ausgemachten Bedingungen leistete. Diese besagten, wenn wir die nebensächlichen Punkte beiseite lassen, folgendes. Der Kaiser unterwirft sich, um wieder in die Kirche aufgenommen zu werden, allem, was die Kardinäle ihm im Namen des Papstes auferlegen werden, nämlich Herausgabe aller noch besetzt gehaltenen Ortschaften des Kirchenstaats, Freigabe der Wahlen und Befreiung der Geistlichkeit im Königreich von Steuern und weltlichem Gericht. Er begnadigt alle, die im Bunde mit der Kirche die Waffen gegen ihn geführt haben, setzt alle Vertriebenen und Verbannten wieder in Besitz und Ämter ein und liefert bis zur Ausführung des Friedens die früher erwähnten Grenzburgen pfandweise an Salza als Treuhänder für die Kirche aus. Er überläßt die Entscheidung über die Bedingungen der Unterwerfung von Gaëta und Santa Agata einem Schiedsgericht und verpflichtet sich, für die genaue Erfüllung aller dieser Punkte die Bürgschaft deutscher Fürsten, italischer Bischöfe, Herren und Städte in bestimmter Frist zu beschaffen. Sie sollten versprechen, falls Friedrich wegen Bruches des Friedens dem Ausschluß aus der Kirche verfiele, dies auch für sich als bindend anzuerkennen.

Man wunderte sich, daß Friedrich diese Bedingungen auf sich nahm. Indem er es tat, bekannte er sich in allen Stücken als schuldig, erklärte, den Ausschluß verdient zu haben, sowohl durch Bruch seines Kreuzzugsgelübdes wie durch Mißregierung im Königreich, und gestand dem Papst das Recht zu, ihn, wenn er rückfällig würde, in gleicher Weise zu strafen. Es war eine Unterwerfung, wie sie vollständiger nicht sein konnte. Was bewog ihn dazu? Daß er durch Demut den Gegner habe versöhnen wollen, wird man ihm ebensowenig zutrauen, wie daß ein inneres Bedürfnis nach Aussöhnung mit der Kirche ihn getrieben habe. Hielt er, so günstig seine Stellung im Augenblick erschien, eine Fortsetzung des Krieges für aussichtslos, die eigenen Kräfte nicht für ausreichend, um den Gegner wirklich zu überwinden? Gregors Lage hatte sich allerdings gebessert, seit dem März 1230 saß er wieder in Rom. Die stets unsichere Stimmung der Hauptstadt war unter dem Eindruck einer furchtbaren Überschwemmung, die die Vorstadt unter Wasser setzte, zugunsten des Papstes umgeschlagen, man hatte ihn zurückgerufen und mit allen Ehren empfangen.

Aber nicht strategische Erwägungen gaben bei Friedrich den Ausschlag, sein politisches Ziel hatte sich verschoben. Gleich zu Beginn der Verhandlung hatte Kardinal Thomas berichtet, der Kaiser suche ernstlich den Frieden und das Bündnis mit dem Papst. Das war richtig, so befremdlich es klang; Friedrich strebte zurück zu dem Einvernehmen, das in seinen Anfängen bestanden hatte. Seinen großen Plan, die Wiederherstellung des kaiserlichen Regiments in Italien, hatte er darum keineswegs aufgegeben, vielmehr hoffte er ihn im Bunde mit der Kirche ausführen zu können. Man würde das nicht glauben, läge nicht sein eigenes Geständnis vor, in dem er zugleich den Irrtum bedauert. Ein Irrtum war es allerdings.

Man fragt sich, wie der Kaiser sich so habe täuschen können. Wenn ihm etwa das Beispiel des Großvaters im Sinne lag, der im Einverständnis und mit tätiger Unterstützung des Papstes vieles von dem erreichte, was ihm im Kampf mit den Waffen entglitten war, so übersah er, was sich inzwischen ereignet und die Gesamtlage und das Verhältnis der Kräfte völlig verschoben hatte. Friedrich I. hatte am päpstlichen Hof so viele ergebene Freunde gehabt, daß die Papstwahlen wiederholt auf seine überzeugten Anhänger fielen. Der Enkel hatte sich dort – einer seiner Diener hat ihm das Versäumnis vorgehalten – keinen einzigen Freund zu verschaffen gewußt oder keinen finden können. Er hat auch später kaum einen gefunden. Wie gedachte er es da zu bewirken, daß die Kirche ihn nur gewähren ließ, geschweige denn ihn unterstützte, wenn er daranging, das Werk Innozenz' III. zu zerstören? Es war wohl nicht anders: seit dieser Papst geherrscht hatte, war der Gedanke, das Kaisertum als regierende Macht in Italien im Zusammenwirken mit dem Papsttum wieder aufzurichten, ein Traum, der sich kaum mehr verwirklichen konnte. Daß Friedrich II. dennoch an ihn geglaubt hat, dürfte das Urteil wohl bestätigen, zu dem wir uns schon wiederholt gedrängt sahen: dem Manne, der in seinem Königreich eine für jene Zeit unerhörte Staatsverwaltung zu schaffen verstand, fehlte in der Beurteilung von Menschen und Dingen jenseits der Grenzen des eigenen Machtbereichs der klare Blick und die nüchterne Abwägung, der untrügliche Sinn für das Mögliche.

An seiner falschen Einschätzung von Papst und Kurie würde Friedrich vielleicht irregeworden sein, hätte er das Schreiben gekannt, in dem Gregor seinen Verbündeten von der lombardischen Liga den Friedensschluß mitteilte. Sie hatten an den Verhandlungen nicht teilnehmen dürfen, immerhin war als ihr Vertrauensmann der Bischof von Brescia, ein dem Papst nahestehender Dominikaner, in alles eingeweiht gewesen. In den Friedensbedingungen wurde ihrer mit keinem Wort gedacht; die Begnadigung aller Bundesgenossen der Kirche kam zwar auch ihnen zugute, im übrigen jedoch blieb ihr Verhältnis zum Kaiser ungeklärt. Daß sie gegen ihn die Waffen geführt, war verziehen, aber wenn Friedrich sie trotzdem immer noch als Empörer ansehen wollte, so gab ihm die noch ungesühnte Verhinderung des Reichstags von Ravenna (1228) dazu ein Recht. Insofern konnten sie sich als vom Frieden zwischen Kirche und Kaiser ausgeschlossen, von der Kirche im Stich gelassen glauben wie ihre Großväter im Frieden von Venedig (1177). Darüber beruhigte sie der Papst, indem er ihnen schrieb, schon durch eine leichte Kränkung, die ihnen widerführe, würde er sich schwer getroffen fühlen. Sie wußten nun, daß Gregor ihre Sache nach wie vor als seine eigene ansah, und durften darauf rechnen, bei einem erneuten Zusammenstoß mit dem Kaiser den Papst auf ihrer Seite zu haben.

Der Friede hatte also eine klaffende Lücke; das, worüber die Gegnerschaft von Papst und Kaiser sich entzündet, was Gregor IX. bewogen hatte, zu den Waffen zu greifen, der eigentliche Kernpunkt des Streites war unerledigt geblieben. Beide Teile behielten sich ihre Absichten vor: der Kaiser entschlossen, bei gelegener Zeit den Versuch zur Unterwerfung der lombardischen Städte zu erneuern, der Papst, ihn daran zu hindern. Es war ein falscher Friede, und die Zeitgenossen haben das wohl gewußt. Mit dürren Worten spricht es der Abt des flandrischen Klosters Andres aus: es sei ‹ein scheinbarer, kein wirklicher Friede›, der der heiligen Kirche nicht zur Ehre gereiche.

Vorläufig indessen schien alles sich gut anzulassen. Mit tönenden Worten verkündeten die Streitenden aller Welt ihren Friedensschluß, den eine persönliche Begegnung besiegelte. Vom 31. August bis 2. September weilte Friedrich als Gast auf der Besitzung des Papstes bei und in Anagni. In einer Unterredung bei Tisch, der als einziger Zeuge Hermann von Salza beiwohnte, haben sich die beiden Herren gründlich ausgesprochen, und man mag sich vorstellen, daß Friedrich dabei den Reiz seiner Persönlichkeit, mit dem er unlängst im Morgenland die Sarazenen bezaubert hatte, nun auch gegenüber dem Oberhaupt der christlichen Kirche nicht ganz umsonst hat spielen lassen. Er mochte wohl glauben, den Papst für Unterstützung seiner Absicht gewonnen zu haben.

In der Tat hatte er sich in der nächsten Zeit über mangelndes Entgegenkommen nicht zu beklagen. Die Ausführung des Friedens, schon immer ein langwieriges Geschäft und in diesem Fall durch die Art der Bedingungen besonders verwickelt, ging im ganzen glatt vonstatten. Gregor übte Nachsicht, als die Urkunde der fürstlichen Bürgerschaften nicht rechtzeitig beigebracht werden konnte, er nahm es hin, daß Friedrich die zugesagte Begnadigung auf Verschuldungen während der letzten Ereignisse beschränkte, auf frühere Vergehen aber nicht bezog, und begnügte sich mit sanften Vorstellungen, als Friedrich einige Gegner nötigte, als Kreuzfahrer außer Landes zu gehen, unterstützte ihn auch im Königreich Jerusalem gegenüber der Unbotmäßigkeit der Tempelritter. Doch schon bald traten Anzeichen dafür auf, wie schwer es war, die äußere Eintracht zwischen zwei Mächten aufrechtzuhalten, die nach ihren Zielen Gegner waren.

Des Kaisers Bemühen galt zunächst der Vollendung des Staatsbaus in seinem sizilischen Königreich. Er krönte ihn durch ein Gesetzbuch, das auf einem Reichstag in Melfi im Jahre 1231 beraten, im Herbst veröffentlicht wurde. Die Konstitutionen von Melfi, das erste staatliche Gesetzbuch des Abendlands, eilen ihrer Zeit ebenso weit voraus, wie das gesamte Regierungssystem, mit dem Friedrich II. im Westen das früheste Beispiel entschlossener Zusammenfassung und Ausnützung der Kräfte des Landes durch den Staat gegeben hat, so daß man versucht ist, das heute gebräuchliche Schlagwort vom totalen Staat auf ihn anzuwenden. Auf den Inhalt des Systems mit seiner straffen Beamtenverwaltung, seinen hochentwickelten Finanzen, seinen Handels- und Wirtschaftsmonopolen einzugehen, liegt außerhalb unserer Aufgabe. Auch die Konstitutionen haben uns nur so weit zu beschäftigen, wie sie das Verhältnis des Staates zur Kirche betreffen. Man kann sie nicht kirchenfeindlich nennen, im Gegenteil: nicht umsonst wird in der Vorrede Ursprung und Zweck des Staates mit der biblischen Überlieferung von Weltschöpfung und Sündenfall begründet, als seine vornehmste Aufgabe die Erhaltung des reinen Glaubens hingestellt und das einträchtige Zusammenwirken von Staat und Kirche gefordert, nicht umsonst beginnt die Reihe der Gesetze mit Vorschriften über Bekämpfung und Ausrottung der Ketzerei. Aber schon hier verrät sich, daß dieses so betont christlich-kirchliche Gesetzbuch von der Auffassung, die in der damaligen Kirche herrschend geworden war, wesentlich abwich. Seit Innozenz III. betrachtete die Kirche den Kampf gegen die Ketzer als ihre Aufgabe, bei deren Erfüllung sie vom Staat pflichtschuldige Hilfe verlangte. Bischöfe und Mönche hatten Aufsicht, Untersuchung und Gericht zu üben, der Staat nur zur Ausführung seinen Arm zu leihen. Nach Friedrichs Gesetz war es Sache des Staates und seiner Beamten, die Ketzer aufzuspüren und zu richten, nur zur Feststellung des Tatbestands wurde die Mitwirkung der Prälaten in Anspruch genommen. Wie auf allen andern, so auch auf diesem wesentlich kirchlichen Gebiet handelte der Staat Friedrichs II. kraft eigenen Rechts, in niemandes Diensten und nach niemandes Weisung außer Gottes allein, von dem er seinen Ursprung ableitete. Mit der Lehre der Kirche, wie sie nun schon seit einem Jahrhundert feststand, vertrug sich das nicht. Dieser grundsätzliche Widerspruch wog schwerer als einzelne Bestimmungen, in denen die Vorrechte, die die Kirche für ihre Diener und deren Besitz in Anspruch nahm, eingeschränkt erschienen: daß Geistliche in gewissen Fällen vom weltlichen Richter zur Verantwortung gezogen werden konnten und als Besitzer von Erb- oder Lehngut der Besteuerung unterlagen wie jeder Laie. Dieser Staat, bei aller betonten Christlichkeit, machte sich von der Leitung der Kirche unabhängig.

An der Kurie wurde das sogleich empfunden, und schon auf die erste Kunde von dem, was in Melfi beraten war, fuhr Gregor IX. in seiner heftigen Weise drein. In einem höchst formlosen Schreiben, das aus dem Rahmen des hergebrachten Kanzleistils herausfällt, mahnte er den Kaiser von dem Erlaß von Gesetzen dringend ab, die ihm den Ruf eines Verfolgers und Zerstörers der Freiheit und den Verlust der göttlichen Gnade zuziehen müßten. Er warnte ihn vor Ratgebern, die ihn mit Gott und den Menschen verfeinden wollten, und verbot dem Erzbischof Jakob von Capua, in dem man einen der Verfasser der Konstitutionen zu sehen hat, ausdrücklich jede Mitarbeit an diesem Werk.

Es war noch etwas an Friedrichs Reden und Handlungen, was die Staatsmänner der Kurie stutzig machen mußte. Sein neues Gesetzbuch führte den amtlichen Titel *Liber Augustalis*, Kaiserbuch, obgleich es doch nur für das Königreich Sizilien galt. Die Goldmünze, die er zur selben Zeit, gleichfalls als König von Sizilien, prägen ließ nannte er ebenfalls *Augustalis*, Kaisermünze. In Einzelheiten des Gesetzbuchs war das Vorbild Justinians zu erkennen, sich selbst schmückte der Kaiser an dieser Stelle, da er doch nur als König von Sizilien sprach, in offenkundiger Nachahmung altrömischer Herrscher mit den Titeln *Caesar Augustus, Italicus, Siculus, Hierosolymitanus, Arelatensis, Felix, Victor* und *Triumphator*. Wenn er damit einstweilen auch nur mit Worten die Grenze zwischen Kaisertum und sizilischem Reich verwischte, so zeigte er sich doch schon vom Kaisergedanken in einer Weise erfüllt, die man noch bei keinem Träger dieser Krone gekannt hatte. Wie lang würde es bei Titeln und Worten bleiben? Wie weit war man noch von einer tatsächlichen Verschmelzung von Königreich und Kaisertum?

Der Argwohn lag um so näher, da Friedrich, ohne zu zögern, kaum daß der Friede mit der Kirche geschlossen war, schon begonnen hatte, die Frage des Kaisertums in Italien, die lombardische Frage, aufzurollen. Dazu konnten die Verhältnisse wohl einladen. In der Lombardei herrschte nach wie vor Fehde und Krieg zwischen den Städten, sogar zwischen Mitgliedern der Liga, Toskana war durch dauernde Feindschaft von Florenz und Siena gespalten. Dagegen war ein neuer kaiserlicher Legat, Herr Gebhard von Arnstein, der im Frühling 1231 den in Ungnade gefallenen Reinold von Irslingen ablöste, ebenso machtlos wie sein Vorgänger. Ein Reichstag der italischen Städte, den Friedrich im April zu sich entbot, scheint nicht zustande gekommen zu sein, und sein allgemeines Friedensgebot hatte keine Wirkung. Diesen Augenblick hielt Friedrich für geeignet, auf den Plan, den er vor fünf Jahren hatte aufgeben müssen, zurückzukommen: die Verhältnisse Reichsitaliens in ähnlicher Art, wie er es in Sizilien tat, auf dem Wege umfangreicher Gesetzgebung zu regeln. Zu Anfang Mai lud er Städte und Herren des Reiches nördlich und südlich der Alpen auf den 1. November 1231 zum Reichstag nach Ravenna. Wieweit er dabei schon an bewaffnetes Einschreiten gegen Widerstrebende gedacht hat, wissen wir nicht, daß es ganz ohne Anwendung von Gewalt keinesfalls abgehen werde, muß ihm klargewesen sein.

Eben dies war es, was man sogleich erwartete, und der erste, der sich dagegen auflehnte, war der Papst. Mit gewundenen Redensarten seine Gedanken verhüllend mahnte er den Kaiser, gegen die Lombarden ‹die Gerechtigkeit nicht auf Kosten der Billigkeit zu überspannen und nicht mit Machtmitteln statt nach der Rechtsordnung vorzugehen›. Er bot dazu seine Vermittlung an.

Friedrich muß der Meinung gewesen sein, den Papst, wenn nicht wirklich für sich zu haben, so doch ihn mit sich fortziehen zu können. Er hatte ihm etwas zu bieten, was in den Augen Gregors nicht wenig war: mit der Herstellung kaiserlichen Regiments konnte die Unterdrückung der Ketzerei Hand in Hand gehen. Auf diese war, wie wir wissen, eben damals das Augenmerk Gregors vornehmlich gerichtet. Es war die Zeit, wo er seine Weisungen und Vollmachten an die Inquisitoren hinaussandte. Besser als andere wußte er, wie stark die ketzerischen Richtungen in Oberitalien waren, und soeben hatte er erfahren, daß sie sogar in Rom selbst Fuß gefaßt hatten. Wieweit sie etwa Teil daran hatten, daß eine Erhebung seiner Gegner ihn zu Anfang Juni nötigte, die Stadt wieder zu verlassen und seinen Sitz erst nach Rieti, dann nach Perugia zu verlegen, läßt sich nicht erkennen. Wenn die Lösung der lombardischen Frage im Einvernehmen von Papst und Kaiser überhaupt möglich war, so war damals der Augenblick günstig. Ihn zu benutzen, sandte Friedrich den getreuen Hermann von Salza an die Kurie und gab ihm den Auftrag, dem Papst nicht die Vermittlung, sondern die schiedsrichterliche Entscheidung der lombardischen Frage anzubieten.

Gregor wird gefühlt haben, daß der Kaiser ihn dadurch stärker zu binden suchte. Auf das Recht mußte ein Schiedsrichter größere Rücksicht nehmen als ein bloßer Vermittler. Darum hatte Honorius sich seinerzeit gesträubt, die undankbare Rolle zu übernehmen. Für Gregor aber lag ein gewichtiger Grund, dem Kaiser soweit wie möglich entgegenzukommen, in seinem Verhältnis zur Stadt Rom.

Die von jeher schwierige Stellung der Päpste gegenüber ihrer Hauptstadt drohte in letzter Zeit unmöglich zu werden. Wir wissen von den Kämpfen zwischen Rom und Viterbo. In ihnen sprach sich das Bestreben aus, sich in der umgebenden Landschaft zu Herren zu machen, so wie es die lombardischen Städte vor hundert und mehr Jahren getan hatten. Glückte es mit Viterbo, der größten der Nachbarinnen, so war es nur noch eine Frage der Zeit, daß das übrige folgte, das römische Toskana im Norden, die Campagna im Süden, und dann hatte der Papst den alten Kern des Kirchenstaats, das Patrimonium Petri, verloren und durfte an dauernde Auswanderung denken, wenn er seine Unabhängigkeit behalten wollte. Und eben jetzt sah es aus, als müßte in dem wieder ausgebrochenen Kriege Viterbo unterliegen. Das zu verhüten war Gregor allein nicht imstande, seine Parteinahme für die bedrängte Stadt hatte ihm die Feindschaft der Römer zugezogen; kirchliche Gebäude wurden zerstört, kirchliche Einkünfte mit Steuern belegt, ohne daß er es hindern konnte. Ihm blieb nichts übrig, er mußte den Kaiser zu Hilfe rufen, wie seine Vorgänger bei den normännischen Fürsten Unteritaliens mehr als einmal Hilfe gegen ihre eigene Stadt gesucht und gefunden hatten.

Auch Friedrich hatte allen Grund, die Beziehungen zum Papst zu pflegen, da aus Deutschland keine guten Nachrichten kamen. Zwischen dem jungen König Heinrich und den Fürsten stimmte die Rechnung nicht, der Kaiser mußte schlichten, um ernste Verwicklungen zu verhüten. So einigte man sich schnell. Gregor entschuldigte sich förmlich wegen seines Einspruchs gegen das sizilische Gesetzbuch, zögerte nicht länger, dem Kaiser den bisher vorenthaltenen Titel eines Königs von Jerusalem zu geben, lieh gegenüber den unbotmäßigen Prälaten und Baronen dieses Reiches seine Unterstützung und stellte Salza zur Verständigung mit den Lombarden seinen Beistand in Aussicht. Friedrich wiederum versprach Truppen für Viterbo – sie sind im November dort eingerückt und haben die Stadt gegen die Römer gehalten – und gab dem geplanten Reichstag zu Ravenna eine ausgesprochen friedliche Note. In einem erneuten Ausschreiben betonte er seine Absicht, unter Mitwirkung des Papstes einen ruhigen und geordneten Zustand herzustellen, die inneren und äußeren Fehden der Städte zu schlichten und alle Zwietracht und jeden Anlaß zum Nachbarhaß zu beseitigen. Das verdächtige Schlagwort ‹Wiederherstellung des Reiches› vermied er.

Die erhoffte Wirkung blieb dennoch aus. Bei den lombardischen Städten hatte Salza keinen Erfolg, ihre Antwort war Bekräftigung des Bundes und Aufstellung eines Heeres von mehr als 20 000 Mann. Daß der Kaiser seine friedlichen Absichten beteuerte, machte ihnen ebensowenig Eindruck wie die Ermahnungen des Papstes, sie verlangten von diesem, er solle im eigensten Interesse verhindern, daß der Kaiser Truppen aus Deutschland nach Italien ziehe. Ihrer Sache konnten sie in jedem Fall sicher sein, denn der Schlüssel Italiens war in ihrer Hand: schon seit dem Juli gehörte Verona, das bisher von den Parteien umstritten, geschwankt hatte, dem Bunde wieder an.

Höchst zweideutig war dabei die Haltung des Papstes. Friedrich hat später behauptet, von Beteiligten erfahren zu haben, daß Gregor die Lombarden heimlich zum Widerstand ermutigte. Erweisen läßt sich das nicht, aber schon die vorliegenden Akten gestatten keinen Zweifel, daß der Papst sich gehütet hat, einen entschiedenen Druck zugunsten des Kaisers auszuüben. Sein Zureden, man solle das Kommen der Deutschen nach Ravenna nicht hindern, war so sanft, von so warmen Beteuerungen gnädiger Teilnahme begleitet, zudem ausdrücklich in tiefstes Geheimnis gehüllt, daß die Rektoren der Liga von der sprichwörtlichen Feinheit ihres Volkes nichts besessen haben müßten, wenn sie nicht die Versicherung heraushörten, daß ihnen im Fall der Nichtbefolgung des päpstlichen Rates nichts geschehen werde. Sie verharrten in ihrer Haltung gegenüber dem Kaiser und schickten keine Vertreter nach Ravenna. Damit war der Reichstag gescheitert. Es nützte nichts, daß eine stattliche Anzahl deutscher Fürsten und Grafen auf dem Seeweg über Friaul sich einfand, daß auch einzelne oberitalische Städte und Herren, Anhänger des Kaisers, erschienen, der Versuch, für die Neuordnung von Reichsitalien eine Rechtsgrundlage zu schaffen, war mißlungen. Bis in den Anfang des neuen Jahres verweilte Friedrich noch in der alten Reichshauptstadt, dann zog er die Folgerung, die sich aufdrängte, und verkündigte am 14. Januar 1232 die Reichsacht über die Mitglieder des Lombardenbundes. Als einzige Frucht des mit so großen Erwartungen angesetzten Tages ergab sich eine Wiederholung des Gesetzes vom Tage der Kaiserkrönung gegen die Ketzer, begleitet von einer Verordnung, die das neue grausame Recht der Kirche — Todesstrafe für den hartnäckigen, ewige Gefangenschaft für den abschwörenden Ketzer, Enterbung ihrer Kinder und Enkel — auch für Deutschland in Kraft setzte, alle weltlichen Herren und Beamten zur Unterstützung der kirchlichen Organe verpflichtete und die Inquisitoren aus dem Predigerorden in besonderen Schutz des Reiches nahm.

Während der Kaiser in so unzweideutiger Weise der Kirche seinen Arm zur Verfügung stellte, hielt der Papst an seinem Doppelspiel fest. Im Februar 1232 schickte er zwei Kardinäle in die Lombardei, denen er Vollmacht gab, zu vermitteln und in seinem Namen zu entscheiden, aber schon die Wahl der Personen verriet, wie er sich die Lösung der Aufgabe dachte. Die Legaten waren beide Lombarden von Geburt und wurden von den Ligisten als die Ihren begrüßt, der eine, Otto von St. Nikolaus, stand überdies beim Kaiser in besonderem Andenken als der Mann, der während des letzten Krieges die Wahl eines Gegenkönigs in Deutschland betrieben hatte. Sie wandten sich zunächst nach Bologna zur Beratung mit Vertretern der Liga, mit denen sie im geheimen übereinkamen, ganz nach deren Wünschen zu verfahren, dann erst machten sie sich auf den Weg zum Kaiser. Friedrich ließ sie seinen Unwillen fühlen, indem er ihnen durch beschleunigte Abreise auswich. Er fuhr zu Schiff nach Venedig, das er für sich zu gewinnen suchte, und von da nach Friaul. Hierher hatte er seinen Sohn und die deutschen Fürsten zu einem Reichstag beschieden, der im April in Cividale stattfand, aber sich nur mit deutschen Angelegenheiten befaßte.

Inzwischen setzten die beiden Kardinäle die Verhandlungen fort. Die Forderungen des Kaisers gingen recht weit: Auflösung des Bundes, Verzicht auf alle Reichshoheitsrechte, Herausgabe der Eroberungen, Unterwerfung unter das Gericht des Kaisers und seiner Vertreter, dazu für die Verhinderung des letzten Reichstags Genugtuung nach dem Urteil der Reichsfürsten. Demgegenüber behaupteten die Städte, mit der Sperrung des Etschtals nur in der Notwehr zum

Schutz ihrer Freiheit gehandelt zu haben, und verschanzten sich in allem übrigen hinter den Bestimmungen des Konstanzer Friedens, den Friedrich nicht mehr anzuerkennen gewillt war. Die Verhandlungen, bei denen die Legaten offen die Sache der Lombarden vertraten, brauchen wir im einzelnen nicht zu verfolgen, sie führten zu keinem Ergebnis. Nun mußte der Papst selber entscheiden.

Friedrichs Absichten bei diesem Spiel lassen sich nur vermuten. Die Vermittlung der Legaten, deren Parteilichkeit ihm nicht entging, wird er sich nur haben gefallen lassen, um Zeit zu gewinnen. Daß ihm der Papst als Richter willkommener war als zwei Kardinäle, auf die er keinen Einfluß hatte, ist an sich verständlich und erklärt sich vollends aus der Lage, in der Gregor sich befand. Sie hatte sich seit dem Vorjahr keineswegs gebessert, noch immer mußte er seine Stadt meiden; im Krieg zwischen Rom und Viterbo sah er sich genötigt, sogar einen Angriff auf seine persönlichen Besitzungen in der Campagna durch Zahlungen abzuwenden. Den Kaiser brauchte er mehr als je, im Juli rief er ihn um Hilfe an. Mit kluger Berechnung auf Friedrichs kaiserliches Selbstgefühl stellte er ihm vor, der Augenblick sei günstig, durch Niederwerfung der Rebellen den eigenen Ruhm er erhöhen und zu beweisen, daß ihm vor den Königen der Erde der Name des Unbesiegten und Erhabenen zukomme. Zugleich beeilte er sich, ihm einen Wunsch zu erfüllen. Im Königreich Jerusalem waren schon die ersten Schritte des Kaisers zur Schaffung einer strafferen Staatsordnung an Stelle der herrschenden feudalen Anarchie auf Widerstand bei Baronen und Ritterorden gestoßen, ein Aufstand hatte sich erhoben, vom Patriarchen von Jerusalem unterstützt, der Statthalter des Kaisers war geschlagen worden, die Stadt Akka, das Zugangstor zum Lande und die tatsächliche Hauptstadt, war in Gefahr. Auf Antrag des Kaisers griff der Papst ein, sandte dem Patriarchen von Jerusalem gemessenen Befehl, an die Kurie zu kommen, beauftragte den von Antiochia, dem Aufstand mit kirchlichen Strafen entgegenzutreten, und mahnte Ritterorden und Prälaten zum Gehorsam. Auch an andern Stellen bemühte sich Gregor zu zeigen, daß er des Kaisers Freund sei. Eine Gesandtschaft, die Friedrich im Oktober an die Kurie schickte, stellte vollstes Einvernehmen fest. In Wendungen, wie man sie noch nicht gehört hatte, erging sich die Antwort des Papstes. Wer könnte so vermessen sein, hieß es da, zu meinen, daß in Sachen des Glaubens, der kirchlichen Freiheit, der Wiederherstellung der Rechte von Kirche und Reich die Mutter den Sohn, der Sohn die Mutter im Stiche lassen würde? Vernunft und Natur lassen nicht zu, daß das Unteilbare sich spalte. Dem Kaiser ist sein Entschluß von Gott eingegeben, möge er nur ‹seinen männlichen Vorsatz mit gewaltiger Macht und allen Kräften ausführen›, um seinerseits von der Kirche Rat, Hilfe und Gunst zu empfangen. Friedrichs Erwiderung überbot noch diesen Ton. Mit dem ganzen Schwulst großer Worte, der den Stilisten dieser Zeit als Gipfel der Redekunst erschien und nirgends üppiger gedieh als in der sizilischen Kanzlei, pries er die Einigkeit, ja die völlige Einheit von Vater und Sohn, deren Zusammenwirken die Gebrechen der Kirche, Unglauben und Empörung, heilen werde. Kirche und Reich, so versicherte er, seien nur verschiedene

Worte für dieselbe Sache, und die zwei Schwerter, von denen im Evangelium die Rede, seien in Wirklichkeit eines. Wer diesen Schriftwechsel las, mußte annehmen, jede Mißhelligkeit und aller Zwist zwischen Papst und Kaiser seien überwunden, beide Mächte ständen im Begriff, in gemeinsamem Vorgehen ihre Gegner niederzuwerfen.

Nichts dergleichen geschah. Anstatt, wie der Papst erwarten durfte, mit Heeresmacht gegen Rom aufzubrechen, mußte Friedrich sich zu Anfang des Jahres 1233 nach Sizilien wenden, um einen Aufstand der Stadt Messina zu unterdrücken. Gregor aber, der vergeblich Taten statt der Worte verlangte, konnte von Glück sagen, daß ein Umschwung in Rom seinen Verwandten Johann von Poli, einen Brudersohn Innozenz' III., als Senator an die Spitze der Stadt brachte, der sich beeilte, mit dem Papst Frieden zu schließen und ihn auf seinen Sitz zurückzuführen. Seit Ende März saß er wieder im Lateran. Es war ein Wagnis gewesen, das nicht alle Kardinäle mitmachen wollten; es schien ihnen, der Papst begäbe sich ‹in den Rachen der Wölfe›. Das war ohne Hilfe von seiten des Kaisers geschehen, das Einverständnis mit ihm hatte sich unwirksam gezeigt. Mit der Abkühlung, die sich daraus ergab, hing es denn auch zusammen, daß Gregor in der lombardischen Frage nun zum erstenmal sein wahres Gesicht zeigte.

Sie war bisher von Termin zu Termin vertagt worden, jetzt endlich, am 5. Juni 1233, nachdem beide Parteien vor ihm erschienen waren – der Kaiser auch diesmal vertreten durch Salza –, fällte Gregor seinen Spruch. Es sollte nicht das Urteil eines Richters sein, denn ein förmliches Prozeßverfahren, zu dem die Lombarden sich erboten, hatten die Kaiserlichen als der Majestät des Herrschers unwürdig abgelehnt. Auch wäre – so stellt der Papst es dar – in einem regelrechten Gerichtsverfahren die Schuld der Angeklagten schwer zu beweisen gewesen. Gregor verzichtete also darauf, als Richter zu urteilen, und griff zu einer bloßen Verfügung, die sich auf den einen Punkt der Verhinderung des Reichstags von Ravenna beschränkte. Zur Buße für die bewiesene Auflehnung wurden die Lombarden verurteilt, 500 Ritter zum Kampf in Palästina zu stellen, sobald die Kirche, nicht etwa der Kaiser, es verlangen werde. Daß dieses salomonische Urteil auf einer geheimen Verständigung zwischen dem Papst und den Lombarden beruhte, ist unverkennbar. Trotzdem hatten diese die Stirn, sich zu beschweren, und erreichten damit eine ausdrückliche Erklärung, daß sie nicht verpflichtet seien, mit den Anhängern des Kaisers Frieden zu halten, wenn aus anderer Ursache ein neuer Krieg ausbräche. Unter diesem Vorwand also durfte der Parteikampf in der Lombardei unvermindert fortgehen.

Der Kaiser hatte den Prozeß verloren. Er dachte zunächst daran, den Spruch als ungerecht und parteiisch nicht anzuerkennen. An die Kardinäle richtete er eine bittere Beschwerde, die mit den Worten schloß: ‹Wenn diese Verfügung öffentlich bekannt werden sollte, werden Könige und Fürsten einem päpstlichen Schiedsgericht nicht leicht mehr sich unterwerfen.› Erst dem Zureden Salzas gelang es, ihn umzustimmen, er unterwarf sich dem Spruch.

Seine Erklärung kreuzte sich mit einer Antwort des Papstes auf die voraufgegangene Beschwerde. Ein merkwürdiges Aktenstück! Ungeschminkter konnte der römische Anspruch auf hohepriesterliche Erhabenheit gegenüber selbst dem mächtigsten irdischen Herrscher nicht geäußert, unbefangener die Maske seelsorgerischer Uneigennützigkeit, die den Päpsten zur Verhüllung politischer Absichten immer zu Gebote stand, nicht zur Schau getragen werden. Daß Gregor den Vorwurf der Parteinahme durch eine mehr als einseitige Darstellung seiner Tätigkeit zu widerlegen suchte, daß er behauptete, sich statt einer Beschwerde den Dank des Kaisers verdient zu haben, mochte hingehen. In dieser Weise pflegen die Regierungen aller Zeiten und Länder ihre Sache, und sei sie noch so schlecht, als die allein gerechte zu vertreten. Nur der Ton der Zurechtweisung, den die Päpste jener Zeit gegenüber weltlichen Mächten nach dem Vorbild Innozenz' III. anzuschlagen für ihr Recht hielten, trat hier verschärfend hinzu. Wem aber wollte Gregor einreden, daß er von jeher und allezeit, als Kardinal wie als Papst nur das Beste des Kaisers erstrebt habe? Wen wollte er glauben machen, daß der Krieg, den er gegen Friedrich unternommen und der doch nichts Geringeres bezweckt hatte, als den Kaiser vom Thron zu stoßen und sich – Tatsachen und Urkunden bewiesen es – sein Königreich anzueignen, daß dieser vom Zaun gebrochene Krieg nicht aus Haß, sondern aus Liebe entsprungen gewesen und nur eine bittere, aber heilsame Züchtigung habe sein sollen, die den Irrenden denn auch wieder auf den rechten Weg geführt habe? Wenn Gregor darauf ausging, zur Niederlage die Demütigung und zur Demütigung den Hohn zu fügen, so hätte er nicht anders schreiben können.

Stand man schon vor dem Bruch? Wer das glaubte, konnte sich bald überzeugen, wie leicht im Grunde auch die stärksten Worte in den Augen der Staatsmänner von damals wogen. Friedrich hat die kränkende Rede des Papstes ebenso gleichmütig hingenommen wie vorher seine Handlungsweise. Er konnte auch kaum anders. Die Unruhen in Sizilien genügten allein, jeden Gedanken an Bruch mit dem Papst auszuschließen. Gregor aber geriet schon bald wieder in eine Lage, in der ihm der gute Wille des Kaisers unentbehrlich wurde. In den entfernteren Teilen des Kirchenstaats war er nur in beschränktem Maße Herr, in Spoleto und der Mark Ancona herrschte offene Auflehnung. Ganz schlimm gestalteten sich die Dinge in Rom selbst. Hier brachten die Neuwahlen im Herbst 1233 wieder einen Umschwung. Senator wurde Lucas Savelli, ein Neffe Honorius' III., und schon bald brach zwischen der Stadt und ihrem Herrn, dem Papst, die offene Fehde aus. Wir sind darüber nur sehr unvollkommen unterrichtet. Um zwei Dinge scheint es sich gehandelt zu haben. Das eine war die jährliche Zahlung an die Ratsherren und Beamten der Stadt – man darf wohl von ihrer Besoldung sprechen –, die die Päpste mindestens seit dem Vertrag von 1188 geleistet hatten [1], Gregor IX. jedoch schuldig blieb und verweigerte, vielleicht wegen Erschöpfung seiner Finanzen infolge des Krieges gegen den

---

1 Vgl. Bd. 3, S. 198 f.

Kaiser nicht leisten konnte. Dazu kam das Umsichgreifen der Stadt im Kirchenstaat, das nachgerade gefährlich wurde. Schon hatte Viterbo die Oberhoheit Roms anerkennen und Gregor selbst das notgedrungen gutheißen müssen, nun sollte das gesamte römische Toskana, sollte auch die Sabina folgen. Was etwa sonst mitgespielt haben mag – es heißt, die Römer hätten verlangt, daß der Papst auf Anwendung von Kirchenstrafen gegen sie grundsätzlich verzichte –, Gregor fand, daß seines Bleibens in der Stadt nicht mehr sei, und siedelte um den 1. Juli 1234 nach Rieti über. Von hier aus verhängte er über Savelli und Genossen den Ausschluß, worauf die Römer mit Plünderung des Laterans und einiger Paläste von Kardinälen antworteten. Dann schritten sie dazu, auch im Süden von Rom die Städte der Campagna zu unterwerfen. Gregor, nun auch in den Besitzungen seines eigenen Hauses angegriffen, sah sich mit Einziehung des Patrimoniums zugunsten der Hauptstadt bedroht.

Dagegen konnte nur der Kaiser helfen. Friedrich hatte, während er in Sizilien den Aufstand niederkämpfte, die Beziehungen niemals abgebrochen, und als der Papst im Frühjahr 1234 Annäherung suchte, bot er sogleich die Hand. Erstes Anzeichen der neuen Verständigung war das stärkere Eintreten des Papstes für den Kaiser im Königreich Jerusalem. Im März 1234 erhielt ein Vergleich, den der Patriarch von Antiochia und Hermann von Salza mit den aufsässigen Baronen geschlossen hatten, die päpstliche Bestätigung. Dann folgte im April ein entscheidender Schritt: auf Anregung von päpstlicher Seite unterbreitete Friedrich sein Zerwürfnis mit der lombardischen Liga aufs neue dem Urteil des Papstes.

Man wundert sich, ihn nach allen Erfahrungen nun zum drittenmal diesen Weg betreten zu sehen. Mit einer Zähigkeit, die zu verstehen schwerfällt, hielt er daran fest, die Wiederherstellung der Rechtsgrundlage seines kaiserlichen Regiments in Italien vom Papst zu erhoffen. Er muß geglaubt haben, und vertrauliche Eröffnungen müssen ihn darin bestärkt haben, daß diesmal die eigene Notlage Gregor zwingen werde, die erbetene Hilfe gegen Rom durch Preisgabe der Lombarden zu erkaufen. Seine Flucht aus der Stadt schien das zu bestätigen. Auf die Nachricht hiervon meldete Friedrich sich bei ihm zu persönlichem Besuch. Zum Pfingstfest (Mitte Juni) traf er in Rieti ein und verweilte hier fast zwei Monate. Das Ergebnis der Zusammenkunft war scheinbar ein enges Zusammengehen der beiden Mächte auf der ganzen Linie.

Sie brauchten einander wirklich, auch Friedrich hatte den Papst nötig. Im Königreich Jerusalem stieß seine Verwaltung andauernd auf Widerstand. Um ihn zu brechen, bewilligte Gregor die Sendung des Erzbischofs von Ravenna mit Legatenvollmacht und befahl allen Prälaten und Baronen, Frieden zu halten und den geschlossenen Vergleich zu achten. Dann waren aus Deutschland beunruhigende Nachrichten eingetroffen: König Heinrich gehorchte den väterlichen Weisungen nicht mehr, machte Politik auf eigene Hand, hatte sich dadurch unter den Fürsten Feinde geschaffen, Bürgerkrieg und Aufstand drohten. Kam es soweit, so war die Unterstützung des Papstes für den Kaiser wertvoll. Die Hauptsache jedoch war und blieb die lombardische Frage. Es sah aus, als wollte der Papst um ihre Lösung diesmal sich ernstlich bemühen. Er forderte die Städte der Liga auf, sich ebenso wie der Kaiser seinem Unheil zu unterwerfen, mahnte sie, als sie zögerten, wiederholt und dringend, schickte ihnen den Wortlaut der Erklärung, die sie abzugeben hatten, und verlangte, sie sollten den Truppen, die der Kaiser aus Deutschland kommen lassen würde, kein Hindernis bereiten. Hatte er wirklich die Partei gewechselt, stand er im Begriff, die Lombarden dem Kaiser preizugeben? Sie mögen es einen Augenblick gefürchtet haben; wenn sie aber seine Schreiben aufmerksam lasen, so konnten sie sich beruhigt fühlen. Gregor beteuerte nicht nur, daß sie, seine bevorzugten Kinder, keiner Gefahr liefen, wenn sie deutsche Truppen nach Italien kommen ließen, ja, er entschuldigte sich förmlich, daß er dazu die Hand biete: ohne sich bloßzustellen, könne er nun einmal auf die angebotene Hilfe des Kaisers gegen Rom nicht verzichten. Wen diese Versicherungen nicht befriedigten, der brauchte nur zu beachten, wie wenig Nachdruck auf den Mahnungen lag. Wie leicht flossen doch den Päpsten und vollends Gregor IX. die drohenden Worte aus der Feder, wo sie ernstlich ihren Willen durchzusetzen gedachten, wie gern winkten sie mit geistlichen Strafen, Ausschluß und Kirchensperre! Hier war davon in drei aufeinanderfolgenden Schreiben kein Ton zu hören, die lombardischen Reichsrebellen durften also, ohne daß es ausgesprochen wurde, hinreichend versichert sein, daß sie den Zorn des Papstes nicht zu fürchten hatten, wenn sie seine Mahnungen in den Wind schlugen. Das haben sie denn auch getan und sind nicht enttäuscht worden. Im Dezember 1234 wurde zwischen der Liga und dem deutschen König Heinrich das Bündnis geschlossen, das diesen zum offenen Empörer gegen den Vater stempelte, Gregor aber fand nicht einmal ein Wort des Tadels dafür, geschweige denn, daß er die Liga seine Unzufriedenheit hätte fühlen lassen.

Es war nicht mehr zu verkennen: wenn er das Amt des Schiedsrichters in der lombardischen Frage wirklich auszuüben gewillt war, so hat er doch nie daran gedacht, durch seinen Spruch die Absichten des Kaisers zu unterstützen. Dafür leistete er ihm einen anderen Dienst, auf den er sich später etwas zugute getan hat: er verschaffte dem zum zweitenmal Verwitweten die Hand der englischen Prinzessin Isabella, Schwester Heinrichs III. Im Herbst 1234 fand die Werbung statt, im folgenden Sommer, als Friedrich in Deutschland war, ist die Hochzeit in Mainz gefeiert worden. Für den Kaiser lag der Wert der Verbindung vor allem wohl in der beträchtlichen Mitgift, etwa gehegte Hoffnungen auf englische Unterstützung haben sich nicht erfüllt. Der Papst dagegen mag geglaubt haben, den Kaiser durch die Verschwägerung mit dem König seines andern Lehnreichs, in dem sein Einfluß so stark war, fester in die Gruppe päpstlicher Vasallenstaaten hineinzuziehen.

Noch merkte die Welt nichts von den Hintergedanken, an denen es auf keiner Seite fehlte, noch schien das Einverständnis vollkommen. Wohl versagte es in nebensächlichen Punkten. Die Stadt Città di Castello, die die Straße nach Umbrien beherrschte und seit langem zum Reich gehört hatte, war von Gregor auf Grund alter Rechtsansprüche in Besitz genommen worden. Friedrich forderte vergeblich ihre Rückgabe. Sein Antrag, ihm in Spoleto und der Mark Aushebungen zu gestatten – er sprach von ‹geschuldetem Dienst› –, wurde abgelehnt, auch als er ihn mit Berufung auf die Pflicht gegenseitiger Unterstützung wiederholte. In der provenzalischen Angelegenheit fand seine Verwendung für den Grafen Raimund von Toulouse, der seinen eingezogenen Besitz auf Reichsboden zurückverlangte, kein Gehör. Gregor meinte: noch sei die Gefahr der Ketzerei dort nicht beschworen, darum müsse das Land in der Hand der Kirche bleiben. Aber trotz dieser Mißklänge bewährte sich das päpstlich-kaiserliche Bündnis in dem Punkt, für den es zunächst geschlossen war, gegenüber Rom. Friedrich hielt Wort, rückte selbst mit einem Heer ins Feld, und als er schon nach einigen Wochen – mit Rücksicht auf seine Gesundheit, wie er schrieb – nach Hause eilte, ließ er doch seine Truppen unter der Führung des kriegserfahrenen Grafen von Toulouse zurück, der sich hier die Gunst des Papstes zu verdienen hoffte. Den formellen Oberbefehl hatte der Kardinal Rainer Capocci, der, selbst aus Viterbo gebürtig, die Aufgabe mit Leidenschaft ergriff. Der Erfolg blieb nicht aus: als die Römer das päpstlich-kaiserliche Heer in offenem Felde anzugreifen wagten, wurde ihre Bürgerwehr, zahlreich, aber ungeübt, von den geschulten Truppen des Kaisers am 8. Oktober 1234 vollständig geschlagen.

Gregor faßte diesen Triumph als Ermutigung auf, dem Krieg noch größere Ausdehnung zu geben. Ein auf drei Monate berechneter Feldzug, zu dem er die Streitkräfte des halben Abendlands in Bewegung zu setzen gedachte, sollte den Bürgern Roms die Lust nach Unabhängigkeit und Macht für immer austreiben. Zu dem Zweck wandte er sich an alle Prälaten Frankreichs, an die deutschen weltlichen Fürsten und die Könige von Kastilien, Aragon und Portugal mit der dringenden Aufforderung, an die Bischöfe und Äbte von Süd- und Westdeutschland sogar mit dem Befehl, ihm bis zum nächsten März eine angemessene Truppenzahl auf ihre Kosten persönlich zuzuführen oder zu schicken. Als Losung mußte auch diesmal die Freiheit der Kirche herhalten, dazu die Beseitigung aller Hindernisse für den Kampf im Heiligen Lande, zu dem um dieselbe Zeit ein Aufruf in alle Welt hinausging. Die Deutschen wurden noch besonders darauf verwiesen, daß der Kaiser an dem Unternehmen teilnehme, ‹durch das sowohl der Kirche wie des Reiches Rechte gewonnen werden könnten›. Neben dem Aufgebot zu den Waffen waren Abgaben von den geistlichen Einkünften geplant und die Mitglieder des päpstlichen Hofes am wenigsten geschont: die Erträgnisse ihrer Pfründen in Frankreich und England zog der Papst ein.

Mit seinen militärischen Unternehmungen hat Gregor IX. niemals Glück gehabt. Im Kriege gegen den Kaiser war er unterlegen, sein großer entscheidender Feldzug gegen Rom kam überhaupt nicht zustande. Nirgends ist man seinem Ruf nachgekommen. Kaiser Friedrich, durch die Schilderhebung seines Sohnes nach Deutschland gerufen, mußte sich notgedrungen versagen, die deutschen Fürsten folgten seinem Beispiel, in Frankreich und den iberischen Reichen hat sich kein Pferdehuf gerührt. Einige Beisteuern in Geld sind aus Frankreich eingelaufen; das war aber auch alles. Gregor mußte sein Ziel niedriger stecken, um den Krieg mit Anstand zu beenden. In der Stadt war seit der Niederlage vom 8. Oktober die Kampflust erloschen, an die Stelle Savellis trat ein neuer Senator, Angelo Malabranca, der zur Unterwerfung bereit war, und am 12. April 1235 wurde unter Vermittlung von einigen Kardinälen der Friede geschlossen. Er sprach den Verzicht der Stadt auf alle Eroberungen aus. Ihre Verfassung und Selbstverwaltung behielt sie samt der höchsten Gerichtsbarkeit über die Bewohner von Stadt und Patrimonium, ausgenommen Pilger, Geistliche und Mitglieder des päpstlichen Hofes. Diese Bestimmungen sollten in alle Zukunft von jedem Senator beim Amtsantritt beschworen werden. Damit endeten für diesmal die Versuche der Stadt, sich vom Papst unabhängig und in ihrer Landschaft zur Herrin zu machen. Gregor aber hielt mit gutem Grund, wie sich bald zeigen sollte, ungeachtet seines Sieges, die Lage noch nicht für gesichert genug, um in seine Hauptstadt zurückzukehren. Er blieb zunächst in Perugia, wo er die letzten Monate geweilt hatte, und siedelte gegen Ende des Jahres nach Viterbo über. Hier und in den sabinischen Städten Terni und Rieti hat er sich aufgehalten, bis im Herbst 1237 die Lage der Dinge ihm riet, seinen Sitz im Lateran wieder einzunehmen.

Das bescheidene Ende des so groß angelegten und so laut verkündigten Planes muß den Papst tief enttäuscht haben. Die Schuld daran hat er später dem Kaiser zugeschoben, der sich zu früh von dem Unternehmen zurückgezogen habe. Ein Vorwurf zwar konnte Friedrich deswegen nicht treffen, allzu gebieterisch forderte der Aufstand König Heinrichs seine Anwesenheit in Deutschland. Aber Tatsache war doch, daß das Bündnis von Rieti die erhofften Früchte nicht getragen hatte, und daß, von allen Empfindungen abgesehen, die Dienste des Kaisers entbehrlich geworden waren. Das hatte zur Folge, daß das Verhältnis sich umkehrte: nicht Gregor war jetzt der Hilfsbedürftige, wie vor einem Jahr, Friedrich aber hatte immer noch alles von ihm zu fordern.

Er hat es bald gespürt. Zwar gegenüber dem Sohn kam ihm der Papst mit Mahnungen, Vorladungen und Kirchenstrafen zu Hilfe. Wie weit diese dazu beigetragen haben, daß der Aufstand kampflos zusammenbrach, als der Kaiser im Mai 1235 in Süddeutschland erschien, mag dahingestellt bleiben, der Papst hatte jedenfalls das Seinige getan. In der lombardischen Frage dagegen machte sich das veränderte Verhältnis um so deutlicher bemerklich. Zum letztenmal hatte Gregor zu Ende Oktober 1234 die Liga aufgefordert, sich seinem Urteil zu unterwerfen – ohne Erfolg. Seitdem ruhte die Angelegenheit. In Friedrichs Absichten aber vollzog sich ein gründlicher Umschwung. Hatte er endlich erkannt, daß die Hoffnung, durch den Papst seinem Ziele näherzukommen, eitel war? Hatte er erfahren, daß Gregor heimlich den Widerstand der Lombarden ermutigte? Hatten die Eindrücke in Deutschland, die ihn vielleicht überraschende Ergebenheit, der er fast überall begegnete, ihm gezeigt, über welche Kräfte er dort noch verfügte, wo weder die Erinnerung an seine großen Vorfahren noch der

Gedanke an das deutsch-römische Kaisertum erloschen waren? Genug, er entschloß sich, die Rücksicht auf den Papst fahren zu lassen, die Wiederherstellung des kaiserlichen Regiments in Italien in die eigene Hand zu nehmen und sie mit deutschen Kräften durchzuführen. Auf Mitte August 1235 berief er einen Reichstag nach Mainz, zu dem auch die Italiener geladen wurden, um über die nicht länger zu ertragenden Beleidigungen von Kaiser und Reich, die Wiederherstellung kaiserlicher Rechte in der Lombardei und die Vernichtung aller und jeder Widersacher des Kaisertums zu beschließen.

Die Nachricht hiervon muß an der Kurie wie ein Blitz eingeschlagen haben. Dort trug man sich seit kurzem mit Kreuzzugsplänen großen Stils. Obwohl der zehnjährige Waffenstillstand mit Ägypten erst in vier Jahren ablief, hatte Gregor schon mit Vorbereitungen für neue Kämpfe begonnen. Sie griffen weiter als früher. Um eine stehende Truppe im Heiligen Lande zehn Jahre lang unterhalten zu können, schrieb Gregor am 28. Juni 1235 eine allgemeine Kopfsteuer in der ganzen katholischen Christenheit aus. Jeder Erwachsene, gleichviel welchen Geschlechtes und Standes, sollte wöchentlich einen Pfennig opfern und sich dadurch einen zweijährigen Ablaß verdienen. Für wie lange das galt, war nicht gesagt; es mochte als dauernde Einrichtung gedacht sein. Wie sicher muß Gregor in seiner Stellung als gebietendes Oberhaupt der abendländischen Staatenwelt sich gefühlt haben, da er in so souveräner Weise die Leitung der orientalischen Politik ergriff, in der doch nach der Natur der Verhältnisse dem Kaiser als König von Jerusalem die erste Stimme gebührte! Nun überraschte ihn die Kunde, daß dieser Kaiser im Begriffe stand, die italischen Angelegenheiten, in denen er sich bisher seiner Führung untergeordnet hatte, ihm zu entwinden. Das bedrohte ihn selbst an der empfindlichsten Stelle, die doppelte Umfassung des Kirchenstaats stand in Aussicht, die Zeiten Heinrichs VI. drohten wiederzukehren. Er beeilte sich, es zu verhindern, indem er den Mainzer Reichstag ersuchte, den Kaiser zu bestimmen, daß er die lombardische Angelegenheit, seinem Versprechen gemäß, der Kirche zur Entscheidung ohne Vorbehalt überlasse. Das Schreiben ist wahrscheinlich zu spät gekommen, gewirkt hat es keinesfalls. Der Reichstag, so glänzend verlaufen wie schon lange keiner, beschloß und beschwor für den nächsten April eine Heerfahrt, um die Kränkung des Reichs durch die Lombarden zu rächen. Dies meldete der Kaiser dem Papst, indem er ihm zugleich erklärte, auf einen Spruch, den jener ‹zu Ehr' und Nutzen des Reiches› fällen würde, nur noch bis Weihnachten warten zu wollen. Es war ein regelrechtes Ultimatum.

Gregor erwiderte mit einer Beschwerde über die ‹Feinde im eigenen Hause›, die die Eintracht zwischen Kirche und Reich zu sprengen suchten. Gott rief er zum Zeugen an, daß keine heimlichen Weisungen zum Widerstand an die Lombarden ausgegangen seien. Man wird ihm gern glauben, daß er persönlich keine geheimen Gegenbefehle ausgestellt hatte, die seine öffentlichen Mahnungen aufhoben. Aber gab es in seiner Umgebung nicht Leute, die seine wahren Absichten kannten und in diesem Sinne an die Lombarden schrieben? Und übrigens: Gregor mochte beteuern, was er wollte, sein Doppelspiel war nicht zu leugnen. Wie kam es denn, daß die Liga die Unterwerfung unter seinen Spruch nicht beurkundete, für die er den Wortlaut am 27. Oktober 1234 übersandt hatte, und daß er, anstatt sie dazu zu nötigen, seit elf Monaten schwieg? Jetzt erst, auf das kaiserliche Ultimatum hin, änderte er sein Verhalten und forderte die Liga auf, bis zum 1. Dezember 1235 Bevollmächtigte an seinen Hof zu schikken. Die Strafe des Ausschlusses, die der Kaiser für den Fall des Ungehorsams beantragt hatte, sprach er indes nicht aus. Wie ernst er die Lage ansah, erkennt man daran, daß er sich für die bevorstehende Verhandlung den bewährtesten aller Vermittler, Hermann von Salza, als Bevollmächtigten vom Kaiser erbat. Sein Doppelspiel aufzugeben, kam ihm trotzdem nicht in den Sinn. Im Königreich Jerusalem hatte er die vom Erzbischof von Ravenna über die Gegner des Kaisers verhängten Kirchenstrafen unter einem nichtigen Vorwand aufgehoben und mutete nun dem Kaiser zu, dies für einen Beweis der Gewogenheit zu nehmen und sich auf seinen künftigen Schiedsspruch zu verlassen. Die Gesandten der aufständischen Barone – so berichtet der in die Vorgänge eingeweihte Geschichtsschreiber – empfing er gnädig, ermutigte sie zum Ausharren im Widerstand und ließ durchblicken, daß ihnen sein Schutz nicht fehlen werde. Gleichzeitig erteilte er den lombardischen Städten für alle Zeit die Erlaubnis, sich gegen einen aus Deutschland anrückenden Kaiser zum Schutze ihres Rechtes eidlich zu verbinden ‹unter Vorbehalt aller Ehren und Dienste, die den jeweiligen römischen Kaisern zustehen›. Dadurch in ihrer Haltung bestärkt, erneuerten die kaiserfeindlichen Städte, zehn an Zahl, an der Spitze Mailand, Brescia und Bologna, zu Anfang November 1235 ihren Bund und verstärkten ihn durch Aufnahme von Ferrara, das sich verpflichtete, kaiserlichen Truppen zu Lande und zu Wasser die Straßen zu sperren. Zum päpstlichen Schiedstag am 1. Dezember erschienen sie nicht, auch nicht rechtzeitig, als der Kaiser in eine Verschiebung um zwei Monate willigte. Salza, der den Kaiser hatte vertreten sollen, reiste ab und ließ sich, als die Lombarden nachträglich doch eintrafen, nicht mehr zur Umkehr bewegen. Darauf machte Gregor Ende März 1236 noch einen Versuch, als Schiedsrichter zu entscheiden. Er verlangte vom Kaiser, daß er Salza zu ihm schicke mit Vollmacht zu bedingungsloser Annahme seines Spruches – Friedrich hatte von einem solchen zu ‹Ehr' und Nutzen des Reiches› gesprochen – ja, er beschied Salza kraft seiner Pflicht des Gehorsams in strengstem Ton zu sich und machte ihn für die Folgen verantwortlich, die sein Ausbleiben für die Kirche, das Reich, den Kreuzzug und den Deutschen Ritterorden haben würde. Umsonst, Friedrich ließ sich auf nichts mehr ein, und Salza scheute sich nicht, dem ausdrücklichen Befehl zu trotzen.

Welchen Nutzen mag Gregor sich noch von Verhandlungen versprochen haben? Schon drei Wochen früher hatte er an den Kaiser ein Schreiben gerichtet, das auch anderen Königshöfen mitgeteilt wurde und einer förmlichen Kriegserklärung glich. Es begann mit der Frage, ob für Friedrich das Bündnis von Rieti noch bestehe, im übrigen enthielt es, neben anderen Beschwerden von nebensächlicher Art, eine Erneuerung der alten Klagen über die Regierung des Königreichs Sizilien. Der Kaiser bedrücke Kirchen und Geistliche, ziehe sie vor weltliches Gericht und nötige sie zur Steuerzahlung; er verhindere oder erzwinge Wahlen von Bischöfen; er dulde Ungläubige in seinem Lande, die dort die Herren zu werden drohten; er enteigne, verbanne und verpflanze Edelleute. An das Ohr des Papstes, ja bis zum Himmel drängen die Klagen, ohne Schaden für Ehre und Gewissen könne er sie nicht länger überhören. Was dem Kaiser hier vorgeworfen wurde, hatte er im Frieden von San Germano zu unterlassen gelobt; wegen Bruches des Friedens also erhob jetzt der Papst öffentliche Klage. Die Absicht war unverkennbar: wenn Friedrich nicht, wie im Friedensvertrag ausgemacht war, in vorgeschriebener Frist — für Sizilien waren es drei Monate — die Beschwerden abstellte, so traf ihn der Ausschluß aus der Kirche, den die deutschen Reichsfürsten wie die Städte und Magnaten Italiens als Bürgen des Friedens anzuerkennen verpflichtet waren.

War das die Einleitung zu einem Prozeß, der mit der Absetzung Friedrichs enden sollte? In diesem Fall hatte Gregor es ungeschickt angefangen. Er hatte sich auf allgemeine Beschwerden beschränkt, ohne bestimmte Fälle namhaft zu machen, so daß Friedrich in seiner Erwiderung ohne Mühe die allgemeinen Vorwürfe leugnen und etwaige Verfehlungen für Mißgriffe seiner Beamten erklären konnte, die er abzustellen versprach. Besonders unglücklich war die Anklage wegen Duldung von Ungläubigen im Königreich. Sie bezog sich auf die Sarazenen, die Friedrich, um sie unschädlich zu machen, von Sizilien nach Lucera in Apulien verpflanzt hatte, wo sie eine geschlossene Militärkolonie bildeten. Friedrich konnte darauf hinweisen, daß er damit sich ein Verdienst um die Kirche erworben habe. Denn in der neuen Umgebung würden die Leute leichter zu bekehren sein — er hatte auf Antrag des Papstes den Dominikanern die Mission bei ihnen übertragen —, schon sei der dritte Teil übergetreten, und mit der Zeit würden wohl alle folgen. Aber Friedrich beschränkte sich nicht darauf, die erhobenen Vorwürfe zurückzuweisen. Wie der Papst mit seiner Anklage, so wandte auch er sich mit einer Rechtfertigung an die Könige der Nachbarreiche, setzte ihnen in einem geschichtlichen Überblick, der bis auf die Zeiten des Großvaters zurückgriff, auseinander, was alles die Lombarden sich gegen ihn herausgenommen hätten, und wie er genötigt sei, ihren Widerstand zu brechen, die Rechte des Reiches wiederherzustellen, um dem Lande den Frieden zu geben und seine Kräfte für den Kreuzzug freizumachen. Erstaunlich sei es, daß der Papst von ihm verlange, das Einschreiten gegen die Empörer, das mit Unrecht Krieg genannt werde, um des Kreuzzugs willen zu unterlassen, da doch der Kreuzzug der letzte Zweck seines Vorgehens sei. Wolle der Papst um des Heiligen Landes willen ‹das Schwert der Gerechtigkeit stumpf werden lassen›? Dann wäre ja jede Auflehnung gegen Reich und Kaiser, jeder Raub und jeder Diebstahl straflos. ‹Ihr aber› — so schloß das Schriftstück — ‹Könige des Erdkreises, öffnet eure Ohren und Augen und beachtet wohl, welche Ermutigung allen Unbotmäßigen zuteil würde, wenn das Römische Reich bei dieser Empörung Schaden erlitte!

Schärfet euren Blick dafür, ob es euch frommte, wenn dort, wo ihr die Frechheit eurer Untertanen zähmen wollt, ein Auswärtiger sich in eure Angelegenheiten mischte und eine Handhabe fände, euer Vorhaben zu verhindern oder zu stören!›

So traten denn die beiden höchsten Mächte der Christenheit als Gegner vor die Welt, Teilnahme fordernd, jede mit der Behauptung, für die Sache des Kreuzzugs zu kämpfen, den zu hindern jede der andern vorwarf. Der Kampf des Kaisers gegen eine Gruppe lombardischer Städte war im Begriff, sich in einen Kampf zwischen Papst und Kaiser zu verwandeln, bei dem es sich in letzter Linie um mehr als Reichsrechte handelte, bei dem die Unabhängigkeit des Staates gegenüber päpstlicher Einmischung in innere Angelegenheiten die eigentliche Streitfrage war. In diesem Sinne nahm der Kaiser den Kampf auf, in dem Bewußtsein, die gemeinsame Sache aller weltlichen Herrscher zu vertreten.

Als das geschah, hatte er seinen Gegnern den Handschuh bereits hingeworfen: in einem Rundschreiben lud er Städte und Herren Italiens ohne Unterschied der Partei zum Besuch eines Reichstags ein, den er Ende Juli in Piacenza mit zahlreichen Fürsten und den Gesandten anderer Könige zu halten gedachte, um zu verkünden, was er für die Unterstützung des Heiligen Landes, die Wiederherstellung der Rechte von Kirche und Reich und des Friedens in Italien zu tun sich vorgenommen habe. Für Gerechtigkeit zu sorgen, erklärte er, sei um so mehr seine kaiserliche Pflicht, da von dem Atem des Römischen Reiches gleichsam der ganze Erdkreis lebe, krankend, wenn es krank sei, und glücklich, wenn es gedeihe. Durch Gottes Fügung seien ihm die Reiche von Sizilien und Jerusalem, die Herrschaft über Deutschland zuteil geworden, es fehle nur noch, daß auch Italien ihm unterworfen und dem Kaiserreich wieder einverleibt werde. Damit würde der Sache des Kreuzzugs und der Unterdrückung der Ketzerei gedient. Unwiderruflich werde sein Spruch die Widersetzlichen treffen und die Vollstreckung auf dem Fuße folgen.

Unwillkürlich denkt man an jenen andern Reichstag, den fast achtzig Jahre früher des Kaisers Großvater, Friedrich I., mit italischen Städten und Herren in der Ebene der Roncaglia abgehalten hatte, um festzustellen, welches die Rechte des Reiches seien. Dort hatte der Kampf um die Wiederherstellung des Kaisertums seinen Anfang genommen, jetzt sollte er fast an derselben Stelle – die Roncaglia liegt nicht weit von Piacenza – sein Ende finden. Aber es war ein Unterschied zwischen einst und jetzt. Damals waren die Italiener aufgerufen worden, um selbst zu erklären, was ihre Untertanenpflicht sei, jetzt schickte der Kaiser sich an, wenn man sich an den Wortlaut seiner Erklärung hielt, vorzuschreiben, was sie zu leisten hätten, und etwaigen Widerstand zu brechen. Dazu fühlte er sich stark genug. Die Werbung in Deutschland, namentlich im Süden, im Stammland seines Hauses, weniger im Norden, hatte so großen Erfolg gehabt, daß nicht einmal eine Empörung des Herzogs von Österreich mehr bewirkte als den Aufschub des Zuges um wenige Monate. Und dieses Mal hinderte nichts den Abstieg des deutschen Heeres in die Ebene des Po, denn Verona war in des Kaisers Hand.

Die Stadt hatte lange gezögert, ob sie sich der Liga oder dem Kaiser anschließen sollte. Wie überall, stritten in ihr zwei Parteien um die Herrschaft, geführt von zwei benachbarten Grafenhäusern, den San Bonifazio und den Romano, und die Waage schwankte. Da scheint Gregor wider Willen den Ausschlag zugunsten des Kaisers gegeben zu haben, indem er gegen das Haupt der Romano als Ketzer und Schützer von Ketzern den Kreuzzug predigte. Der alte Graf, der sich wirklich zu den Waldensern bekannt zu haben scheint, hatte sich zwar von der Welt zurückgezogen und den größten Teil seiner Besitzungen den Söhnen überlassen. Diese aber sahen sich durch das Verfahren gegen den Vater mit dem Verlust ihrer Herrschaft und Stellung bedroht, da sie als Söhne eines verurteilten Ketzers nicht erbberechtigt und zu öffentlichen Ämtern unfähig geworden wären. Sie schlossen sich also dem Kaiser an, ließen sich auch nicht durch Überredung und Bestechung auf die Seite der Liga herüberziehen. Und nun glückte es dem bedeutenderen von ihnen, Ezzelin, die Herrschaft in Verona zu erwerben. Damit hatte der Kaiser den Schlüssel zu Italien in der Hand – ein Umstand von durchschlagender Bedeutung. Wäre es nicht so gekommen, so sähe die Geschichte der folgenden Jahre anders aus. Den Krieg in Oberitalien hätte Friedrich dann nicht führen, er hätte niemals deutsche Truppen nach Oberitalien ziehen können, da der Ausgang aus den Zentralalpen an den Comer See ohnehin durch Mailand verlegt war.

Das war in den Jahren zwischen 1231 und 1235 geschehen. Gregor hat nichts unversucht gelassen, es rückgängig zu machen. Da der Kreuzzug gegen Ezzelins Vater nicht zustande kam, griff er zum entgegengesetzten Mittel. Es traten damals an vielen Orten, besonders in Oberitalien, aber auch im Süden, Einsiedler und Bettelmönche auf, die öffentlich, zum Teil in absonderlichen Formen, an die moderne Heilsarmee erinnernd, Frieden und Versöhnung predigten. Sie hatten hier und da Erfolg, die Häupter der Parteien schworen alte Feindschaft ab, schlossen Heiraten untereinander, und das Volk jubelte. Es kam sogar vor, daß dem Friedensapostel geradezu die Regierung einer Stadt übertragen wurde. Dauernde Wirkung hatte das nirgends, die fromme Begeisterung verrauchte schnell, die alten Fehden brachen wieder aus, und der Gesamtzustand des Landes blieb der frühere. Ohne Zutun der Kirche war die Bewegung entstanden, und im allgemeinen nahm sie politisch nicht Partei – es gab auch kaiserlich gesinnte unter den Friedensaposteln –, aber Gregor hat doch versucht, sich ihrer zu bedienen. Mit seiner Ermächtigung geschah es, daß in Verona ein Dominikaner Johannes von Vicenza (1233) durch seine Predigt eine Versöhnung bewirkte, die zu zeitweiliger Verdrängung der Partei Ezzelins führte. Als dieser Erfolg sich nicht behaupten ließ, machte der Papst einen zweiten Versuch, durch benachbarte Bischöfe einen ‹Frieden› zu stiften, durch den Ezzelins Stellung zerstört worden wäre. Gregor ging so weit, für die Stadt aus eigener Machtvollkommenheit einen Podestà zu ernennen, der als Werkzeug päpstlicher Politik dienen sollte.

Der Anschlag wurde vereitelt, da zufällig Hermann von Salza auf einer seiner Gesandtschaftsreisen mit einem Gefolge von Rittern in Verona weilte. Dank seinem Eingreifen behauptete sich Ezzelin, der päpstliche Podestà mußte das Feld räumen, und dem Kaiser blieb das Tor Italiens offen. Friedrich zögerte nicht, sich seiner vollends zu versichern: seit dem Mai 1236 saß der Reichslegat Gebhard von Arnstein mit 500 Rittern in Verona.

Gregor hat sich durch diesen Mißerfolg nicht abschrecken lassen. Er hielt daran fest, unter der Losung des Friedens und der Einung aller lombardischen Städte dem Kaiser entgegenzuarbeiten. Daß es ihm nur darauf ankam, kaiserliche Orte zum Anschluß an die Liga zu nötigen, enthüllt sich in der Weisung, die sein Friedensbote, der Bischof von Ascoli, erhielt: Ausschluß und Kirchenstrafen durfte er nur gegen Verona und Piacenza anwenden, die beiden Städte, die für den Kaiser von besonderer Wichtigkeit waren. Er hatte keinen Erfolg und wurde bald durch den Kardinal von Palestrina abgelöst, denselben, der schon vor vier Jahren den parteiischen Schiedsrichter zwischen Kaiser und Liga gespielt hatte. Aus Piacenza gebürtig, richtete er seine Bemühungen vor allem auf die Vaterstadt, und hier hatte er Erfolg. Piacenza, einst die eifrigste Bundesgenossin Mailands im Kriege gegen Friedrich I., war nach Abschüttelung der Herrschaft des Adels unter einer bürgerlichen Regierung der Liga ferngeblieben, so daß der Kaiser dorthin den Reichstag berufen konnte. Jetzt glückte es dem Kardinal, einen Frieden zu stiften, der den vertriebenen Adelsgeschlechtern die Rückkehr in die Stadt erlaubte. Sie bemächtigten sich sogleich der Herrschaft, und zu Anfang Juli vollzog Piacenza seinen Beitritt zur Liga. Für den Kaiser war das ein empfindlicher Schlag, nicht nur, weil es den geplanten Reichstag vereitelte: im Besitz von Piacenza hätte er den mittleren Lauf des Po vollständig beherrscht, nun schob sich die feindliche Stadt störend in das Dreieck der kaiserlichen Städte Pavia-Cremona-Parma.

Es war also eine starke Zumutung, wenn Gregor jetzt noch den Unschuldigen spielte und den Kaiser glauben machen wollte, er habe nichts angestrebt als – unter Vorbehalt der Würde der Kirche – die Erhöhung von Kaiser und Reich. War doch sein ganzes Tun darauf gerichtet, die auf Wiederherstellung der Reichsrechte zielenden Pläne zu durchkreuzen. Zu dem Zweck rief er die Bischöfe von Oberitalien auf, seinen ‹Friedensengel› – so nannte er den Kardinal von Palestrina – zu unterstützen. Diesem gab er Auftrag, dem Kaiser die Anklage wegen seiner Regierungsweise im Königreich nochmals vorzutragen und ihm die Bestimmung des Friedens von San Germano entgegenzuhalten, wonach er zu Abstellung der Beschwerden in drei Monaten bei Strafe des Ausschlusses verpflichtet war. Es waren in der Hauptsache die altbekannten Dinge: Unterdrückung der Kirchen und Geistlichen durch weltliches Gericht und Besteuerung, Behinderung und Beeinflussung von Wahlen, Enteignung und Aussiedlung von Edelleuten. Nicht so sehr um Einzelheiten handelte es sich, die man als Willkürhandlungen einer unumschränkten Verwaltung ansehen konnte, vielmehr um die grundsätzliche Frage, inwieweit die Kirche in dem von Friedrich geschaffenen Einheitsstaat eine Sonderstellung einzunehmen beanspruchen dürfe. Daß der Kaiser hierin nicht nachgeben werde, war vorauszusehen. Den Kardinal von Palestrina, dem er besonders zürnte, zu empfangen, lehnte er ab und erwiderte, als jener seinen Auftrag durch einen päpstlichen Kaplan ausrichten ließ, in einem ausführlichen Schriftstück, worin er die einzelnen Beschwerden Punkt für Punkt bestritt und im allgemeinen nur sein Königsrecht ausgeübt zu haben erklärte. Dies besonders auch bei der Besetzung der Landesbistümer: es wäre, sagte er, eine Schande, wenn er preisgeben wollte, was seinen weniger vornehmen Vorfahren von der Kirche zugestanden sei. Von den Verpflichtungen, die er früher anerkannt hatte, schien er sich damit lossagen zu wollen. Beschwerden erhob er nun aber auch seinerseits gegen den Papst, der im Orient seine Gegner begünstige, in der Lombardei sie unterstütze.

Gregor erwiderte mit einer Strafpredigt, die in modernem Druck fünfeinhalb große Quartseiten füllt. Dabei wollte er sich noch kurz gefaßt haben! Wir können das meiste davon übergehen, so die breite Rechtfertigung der Sendung und Tätigkeit Palestrinas, den wiederholten Vorwurf tyrannischer Regierung im Königreich, ‹in dem ohne des Kaisers Befehl keine Hand und kein Fuß sich rührt›, auch den nachträglichen Hinweis auf die dauernde Gefangenhaltung eines sizilischen Bischofs und zweier Archidiakone. Das ist alles nur Beiwerk, zum Teil recht kleinliches Beiwerk. Der Kern und das Neue in dieser päpstlichen Äußerung sind einige Ausführungen grundsätzlicher Natur, die Friedrich nun nicht mehr als König von Sizilien, sondern in seiner Eigenschaft als Kaiser treffen sollten. Gregor warf ihm Unehrerbietigkeit vor und erinnerte ihn daran, wem er für seine Regierung verantwortlich sei, wem er seine Krone verdanke. ‹Könige und Fürsten siehst Du vor den Knien der Priester den Nacken beugen, christliche Kaiser dürfen sich nicht nur nicht über den römischen, nein, auch nicht über irgendeinen andern Bischof erheben.› Dann wurde er auf das Beispiel seiner kaiserlichen Vorgänger, der Konstantin, Karl, Arkadius und Valentinian, verwiesen, insbesondere Konstantin, der dem römischen Bischof die Abzeichen der Kaiserwürde, die Stadt Rom mit ihrem ganzen Bezirk, dazu das Kaisertum und Italien überlassen habe, um sich selbst nach Griechenland zurückzuziehen, von wo später der apostolische Stuhl, ‹ohne von dem Wesen seines Eigentumsrechtes etwas aufzugeben›, den kaiserlichen Richterstuhl und die Schwertgewalt in der Person des großen Karl auf die Deutschen übertragen habe, ‹wie das auch – Du wirst Dich dessen erinnern – an Dir durch Weihe und Salbung geschehen ist: so daß Du offenkundig der Versündigung gegen das Recht des apostolischen Stuhles und Deine Treupflicht und Ehre überführt bist, wenn Du den, der Dich geschaffen hat, nicht anerkennst›. ‹Darum denn› – so schloß das Schriftstück – ‹demütige Dich unter die gewaltige Hand Gottes, suche das Unrecht, das Du Seiner Braut angetan hast, gutzumachen, so daß Ihn nicht gereue, Dich erhöht zu haben.›

Eine Musterleistung kurialer Stilkunst war dieses Schreiben gewiß, in dem ausnahmsweise einmal die sagenhaften Grundlagen der weltlichen Herrschaftsansprüche des Papsttums, die man sonst mehr im Hintergrund zu halten vorzog, die gefälschte Konstantinische Schenkung und die Legende von der Übertragung des Kaisertums, in aller Nacktheit vorgeführt wurden. Aber was war damit gewonnen? Daß diese Beweismittel auf Friedrich II. Eindruck machen würden, hat schwerlich jemand geglaubt, und in der Sache kam man mit solchem Wortstreit keinen Schritt weiter. Des Kaisers Antwort war kurz und bündig: er bleibe bei seinem Vorsatz, die Lombarden niederzuwerfen, wenn nicht im laufenden Jahr, so im nächsten, und der Papst täte gut, sein geistliches Schwert mit dem weltlichen zu vereinigen.

Man spürt, was mit diesem so ergebnislosen Schriftwechsel bezweckt wurde: Zeit suchten beide Teile zu gewinnen. Gregor verband damit wohl noch eine Nebenabsicht. Der Ton seiner Strafpredigt war ersichtlich darauf berechnet, in der Öffentlichkeit Eindruck zu machen, vor allem bei den auswärtigen Höfen. Dort war des Kaisers Appell an die Gemeinsamkeit der staatlichen Interessen gegenüber Eingriffen der Kirche nicht ohne Eindruck geblieben. Rückhaltlos zustimmend hatte der König von England dem Schwager geantwortet: er betrachte dessen Sache als die seine und würde ihm am liebsten, wenn er könnte, persönlich zu Hilfe eilen. Auch an Papst und Kardinäle wandte sich der Engländer mit Vorstellungen zugunsten des Kaisers. Aus Ungarn, das damals ganz in deutschem Kielwasser fuhr, waren noch ernstere Worte an der Kurie zu hören gewesen: ein schlimmes Beispiel wäre es in den Augen aller Herrscher, wenn der Papst sich irgendwie der lombardischen Rebellen annähme. Sogar zu Frankreich waren die Beziehungen getrübt. Die Ursache durchschauen wir nicht. Hat die kluge und willenstarke Königinwitwe, die kastilische Blanca, die noch für ihren jungen Sohn Ludwig IX. das Regiment führte, dem Papst die Stiftung der englischen Heirat des Kaisers so tief verübelt, oder lagen lediglich innerpolitische Gründe vor – im Vorjahr war auf einem Reichstag ein Gesetz erlassen worden, das einen harten Schlag gegen die Vorrechte der Geistlichen führte. Kein Laie, so wurde da verfügt, braucht auf die Klage eines Klerikers vor kirchlichem Gericht zu erscheinen; der Geistliche, der aus diesem Anlaß über seinen Gegner den Ausschluß verhängt, wird durch Beschlagnahme seiner Einkünfte zur Aufhebung der Strafe gezwungen werden. Geistliche dagegen jeden Ranges müssen sich in bürgerlichen Streitigkeiten vor dem weltlichen Gerichtshof stellen. Gregor verfehlte nicht, dem König ernste Vorstellungen zu machen. Er mahnte ihn an die überlieferte gute Gesinnung Frankreichs und seiner Könige, an das Beispiel seiner Vorfahren, zumal Karls des Großen, dem zum Lohn für seine Dienste das Kaisertum übertragen worden sei, und der zum Dank hierfür das Gesetz des Theodosius – richtiger Konstantins – erneuert habe, wonach der Beklagte in jedem Stadium des Rechtsstreits das Schiedsgericht des Bischofs anrufen dürfe. Dies zu behaupten konnte der Papst sich vielleicht noch erlauben, da am französischen Hof gewiß niemand in der Lage war zu bemerken, daß es sich um eine alte Fälschung auf den Namen Karls handelte, dem nichts ferner gelegen hatte, als ein solches Gesetz zu erlassen. Aber schwerlich klug war es, bei dieser

Gelegenheit die Lehre von den zwei Schwertern vorzutragen, deren eines die Kirche selbst führe, das andere nach ihren Weisungen führen lasse, und vollends unvorsichtig, den selbstbewußten und ahnenstolzen König daran zu erinnern, daß sein Vorfahr Pippin die Erhebung auf den Thron dem Papst verdankt habe. Dafür unterließ Gregor aber jede Drohung, sprach nicht einmal den Befehl zur Aufhebung der anstößigen Verordnung aus und beschränkte sich darauf, dem König den Wortlaut des bei der Kaiserkrönung Friedrichs II. erlassenen Gesetzes mitzuteilen – es war, wie wir wissen, gegen die italischen Stadtgemeinden gerichtet [1] –, wonach Urheber und Schreiber von Satzungen, die gegen die kirchliche Freiheit verstießen, dem Ausschluß verfielen.

Die Vorsicht des Papstes war wohl angebracht: ein offener Zusammenstoß mit der französischen Krone war das letzte, was er sich in seiner damaligen Lage wünschen konnte. Hatte es doch fast den Anschein, als ob er sich darauf gefaßt machen müsse, demnächst die Großmächte offen für den Kaiser Partei ergreifen zu sehen. Er muß eingesehen haben, daß auch gegenüber dem Kaiser selbst Vorsicht angezeigt war, denn er entschloß sich, den mißliebigen Friedensengel Palestrina abzurufen und die Aufgabe der Vermittlung zwei andern Kardinälen, seinem harmlosen Neffen Rainer von Ostia und dem alten Thomas von Capua, zu übertragen, die niemand im Verdacht haben konnte, nicht ehrlich für den Frieden zu wirken. Noch indes war der Kaiser für sie nicht erreichbar. Er war im August mit starkem Heer in Verona erschienen, hatte mit der Bezwingung der Städte in der östlichen Poebene begonnen, war dann aber schon im November nach Deutschland zurückgekehrt, um die Verhältnisse im überwundenen Österreich zu ordnen und durch die Wahl seines Sohnes Konrad zum König für die Nachfolge zu sorgen. Während seine Vertreter in Oberitalien weitere Erfolge errangen, stockten die Verhandlungen mit dem Papst. Erst im April 1237 wurden sie wieder aufgenommen. Noch einmal bot der Kaiser die Hand, und auch Gregor machte Miene, ernstlich einen friedlichen Ausgleich zu erstreben. Im Mai fertigte er die beiden Kardinäle mit weitesten Vollmachten ab, riet den Lombarden, diese letzte Gelegenheit zum Frieden nicht zu verscherzen, und schrieb zugleich einen Schiedstag auf Mitte Juni nach Mantua aus. Aber erst Ende Juli fanden sich die Boten der Liga mit den Kardinälen in Firenzuola unweit Piacenza zusammen.

Über den Ernst der Lage waren die Kardinäle durch ein fast drohendes Schreiben Salzas aufgeklärt. Sie standen schon unter dem Eindruck des in der ganzen Lombardei tobenden Bürgerkriegs, und nun schrieb ihnen der Hochmeister unverblümt, er fühle sich durch seine Bemühungen um den Frieden bloßgestellt, werde im eigenen Orden deswegen angegriffen und habe nur mit Mühe die Erlaubnis zu einem letzten Versuch erhalten. Des Kaisers Vorbereitungen seien getroffen, er werde sich nicht länger hinhalten lassen und sei zum äußersten entschlossen, wenn jetzt kein Friede zustande komme. Friedrichs Forderungen

---

1 Siehe oben S. 17 f.

gingen sehr weit: Auflösung der Liga für alle Zeiten, vorbehaltlose Unterwerfung, Stellung von Truppen für das Heilige Land und Rückkehr der verbannten kaiserlichen Partei nach Piacenza. Die Aussichten waren also schlecht, und dennoch schien es, als sollte diesmal die Einigung glücken. Das meiste, was der Kaiser forderte, wollten die Städte zugestehen, nur über Einzelheiten der Ausführung wurde gestritten. Da griff eine fremde Macht von außen ein. Venedig fühlte sich durch die Absicht des Kaisers auf Einigung der Lombardei in seinen Handelsinteressen ebenso bedroht wie seinerzeit durch Friedrich I. und stellte die Forderung, in den Vertrag mit aufgenommen zu werden. In seinem Auftrag sprengte der Podestà von Piacenza, eine Venetianer, die Verhandlung, indem er die Bürger der Stadt schwören ließ, die Kaiserlichen niemals wieder aufzunehmen. Die Kardinäle aber ließen das zu, ohne von ihrer Vollmacht zur Verhängung von Kirchenstrafen Gebrauch zu machen. Ergebnislos trennte man sich. So mußten denn die Waffen entscheiden.

Im September erschien der Kaiser selbst in Verona mit einem um das Doppelte stärkeren Heer als vor Jahresfrist und eröffnete von hier aus den Feldzug, der mit Unterwerfung des wichtigen Mantua glückverheißend begann. Als die Kardinäle sich noch einmal zur Vermittlung meldeten, empfing er sie nicht. Zugleich hatte er schon einen zweiten Angriff eingeleitet, der die Macht seines Hauptgegners entwurzeln sollte: er stand im Begriff, die Stadt Rom zu sich herüberzuziehen.

Wie in allen italischen Städten, so war auch in Rom der Adel in zwei Parteien gespalten, die einander befehdeten, während das ‹Volk›, die Bürgerlichen – Kaufleute und Handwerker – den Streit der Vornehmen auszunützen wünschte, um selbst die Macht an sich zu reißen. Die dürftigen Nachrichten, die wir darüber besitzen, reichen nicht aus, die Stellung der einzelnen Geschlechter zu erkennen, doch liegt es auf der Hand, daß ihre Spaltung es dem Kaiser leicht machte, Anhänger zu werben. Das Geld, das er anbot, lockte die einen, andere mag ihm die Mißstimmung wegen des letzten verlorenen Krieges zugeführt haben. Schon im Jahre 1236 waren seine Beziehungen zur Stadt so eng, daß er zum Reichstag nach Piacenza auch sie entbot. Auf sein Drängen ging im Herbst wirklich eine Gesandtschaft an ihn ab, fand ihn aber nicht mehr in Italien. Derweilen war in Rom ein Aufstand ausgebrochen, der sich gegen den Papst und den zu diesem haltenden derzeitigen Senator richtete und vom Kaiser angestiftet sein sollte. Friedrich hat das später bestritten, aber Tatsache ist, daß an der Spitze der Erhebung ein Frangipani stand, dessen Familie auch in der nächsten Zeit am engsten mit dem Kaiser verbunden erscheint. Die Kämpfe in der Stadt dauerten bis in den Frühling 1237, wurden dann vorübergehend geschlichtet, brachen aber im Juli des Jahres wieder aus. Diesmal war es das Volk, das den Senator, den wiedergewählten Johannes von Poli, zum Rücktritt zwang und den eigenen Führer, Johannes Cenci, an seine Stelle erhob.

Der höfische Geschichtsschreiber Gregors IX. stellt es so dar, als hätten sich lediglich einige verarmte und herabgekommene Familien durch das Gold des

Kaisers gewinnen lassen. So ist es nicht gewesen. Niemand wird bezweifeln, daß Friedrichs Augustalen bei den römischen Parteikämpfen eine wichtige Rolle gespielt haben. Aber der Kaiser hatte seinen Freunden doch noch anderes zu bieten: er faßte sie bei ihrem Selbstgefühl, eröffnete ihnen und ihrer Stadt glänzende Aussichten, wenn sie ihn bei der Wiederherstellung des Kaisertums unterstützten, und machte ihnen Vorwürfe, daß sie ihren Ahnen so unähnlich und ihrer Vergangenheit so wenig eingedenk seien, während Mailand, das aufständische, Rom den Platz streitig mache. Die Ausrede, die Taten der Vorzeit seien von großen Königen und Kaisern vollbracht worden, wies er mit stolzen Worten zurück: ‹Jetzt habt ihr einen König und Kaiser, der für die Erhöhung des Römischen Reiches seine Person eingesetzt, seine Schatzkammer geöffnet und keine Mühe gescheut hat.› Sein Streben sei, Rom die frühere Bedeutung wiederzugeben, römische Große und römische Bürger an der Regierung teilnehmen zu lassen, sie mit Ämtern am Hof und in der Verwaltung des Reiches zu betrauen und auszuzeichnen. Daß er damit bei einer Generation von Römern Eindruck gemacht hat, die soeben erst das Wagnis unternommen hatte, sich auf Kosten der Kirche einen eigenen Landesstaat zu schaffen, braucht man nicht zu bezweifeln. Es ist keine bloße Vermutung, daß in den Herzen dieser Männer der Widerhall nicht ausblieb, wenn Friedrich von seiner Absicht sprach, dahin zu wirken, ‹daß in unsern glücklichen Zeiten in der Stadt Rom die Ehre des romulischen Blutes sichtbar werde, die römische Kaiserkrone erstrahle, die alte Würde der Römer sich erneuere und zwischen Kaisertum und Römern eine unlösbare Verbindung geschaffen werde›. Wissen wir doch, daß sogar ein Kardinal der Kirche, Johannes Colonna, für solche Gedanken empfänglich gewesen ist.

Allerdings haben nicht alle so gedacht. Für viele mußte die Aussicht wenig verlockend sein, künftig im Kaiser, dessen Regierungsweise man zur Genüge kannte, den Herrn der Stadt zu sehen. Denn darauf lief es ja hinaus: wurde Rom die wirkliche Hauptstadt des Reiches, schlug der Kaiser gar dort seinen Sitz auf, so war es kaum mehr fraglich, wieviel von römischer Selbstregierung noch übrigbleiben würde. Dem war denn die kaum ernsthaft spürbare Herrschaft des Papstes doch vorzuziehen, und man begreift, daß die Bestrebungen der Kaiserpartei, je offener und erfolgreicher sie auftraten, auf um so stärkeren Widerstand stießen. Schon in den Anfängen des Kampfes hat Kardinal Thomas von Capua, immer um Frieden und Eintracht besorgt, den Kaiser warnen lassen: alles, was er in Rom unternehme, sei zum Scheitern verurteilt, und die ihn dazu verleiteten, rieten ihm schlecht, sei es aus Irrtum oder aus Eigennutz.

Für Gregor war die Lage gleichwohl bedenklich. Seit drei Jahren schon mied er seine unruhige Hauptstadt; blieb er ihr noch länger fern, so war zu befürchten, daß sein Einfluß ebenso zurückging, wie der des Kaisers zunahm. Aber auch die Rückkehr war gewagt, vielleicht unmöglich, solange das Volk unter Cencis Führung die Stadt beherrschte. Da scheint – die Überlieferung ist mehr als dürftig – im Oktober, wo die Wahlen stattzufinden pflegten, eine Wendung erfolgt zu sein, als deren Urheber Stefan Capocci, aus dem römischen Geschlecht dieses Namens, bezeichnet wird. Päpstlich war auch die neue Verwaltung nicht, denn noch im folgenden Monat ging eine Gesandtschaft von ihr zum Kaiser. Aber die Möglichkeit der Rückkehr war wenigstens eröffnet. Sollte man sie benutzen, sich nochmals ‹in den Rachen der Wölfe stürzen›? Die Kardinäle bis auf zwei widersprachen alle, Gregor aber, wie schon einmal vor vier Jahren, setzte sich darüber hinweg und trat die Reise nach Rom an. Feierlich und freudig empfangen, hielt er Mitte Oktober seinen Einzug.

Er stand inmitten seiner Umgebung ziemlich allein. Die Eigenwilligkeit seines Handelns erregte Mißbilligung unter den Kardinälen, in einem Brief an einen auswärts weilenden Amtsgenossen verurteilte Colonna die unkluge Hast seiner Entschlüsse, die kein Rat zu zügeln vermöchte. Er beneidete den Abwesenden und sah schweren Herzens den Untergang der Kirche kommen. Es schien, als sollte seine düstere Auffassung recht behalten, als die Nachricht eintraf, daß der Kaiser das mailändische Heer am 27. November 1237 bei Cortenuova schwer geschlagen habe. Mehrere Wochen hatten die Truppen beider Parteien am Oglio einander beobachtend gegenübergelegen, Verhandlungen waren aufgenommen worden und schienen einen Augenblick zum guten Ende zu führen. Die Städte der Liga waren bereit, fast in alle Forderungen des Kaisers zu willigen und ihm ihre Fahnen zu Füßen zu legen. Nur über die Bürgschaften für Ausführung des Vereinbarten hatte man nicht einig werden können. Als nun der Friede gescheitert war, gelang es dem Kaiser, durch eine geschickte Bewegung die Gegner zum Abzug zu veranlassen, sie auf dem Marsch zu überfallen und fast zu vernichten. Mit dem Schlachtruf ‹Rom› hatten die schweren deutschen Reiter die Truppen der Städte zusammengehauen, der mailändische Fahnenwagen war erbeutet, der Podestà, ein Sohn des Dogen von Venedig, gefangen. Die Kraft der Stadt schien gebrochen. Durch einen Minderbruder knüpfte sie Verhandlungen an, überbot die Zugeständnisse, die sie schon in Firenzuola zu machen bereit gewesen war – umsonst. Der Kaiser lehnte es ab, von rebellischen Untertanen sich Bedingungen stellen zu lassen, bedingungslos sollten sie sich ihm unterwerfen. So weit aber glaubte man in Mailand noch nicht zu sein; die Fortsetzung des Kampfes wurde beschlossen.

Müßig ist es, darüber nachzusinnen, ob Friedrich damals nicht durch überspannte Forderungen den Erfolg verscherzt hat. Mit seiner Auffassung des Kaisertums vertrug sich nur eine bedingungslose Unterwerfung, die ihm für die Gestaltung der Verhältnisse in Oberitalien freie Hand ließ. Er wird geglaubt haben, auf keine andere Art die Ordnung und den Frieden des Landes herstellen zu können. Ob er darin recht hatte, läßt sich ebensowenig sagen, wie es fraglich bleibt, ob das straffe kaiserliche Regiment in den an Selbständigkeit gewöhnten Städten sich auf die Länge behauptet haben würde.

Auch nach der Weigerung Mailands fühlte Friedrich sich auf der Höhe des Erfolges. In alle Welt gingen seine Siegesbotschaften hinaus, auch die Kardinäle – aber nicht der Papst – erhielten einen ausführlichen Bericht mit dem Ersuchen, zusammen mit dem Heiligen Vater eine Dankfeier für die siegreiche Erhöhung des Kaisertums abzuhalten. Friedrich gab sich den Anschein, sein Ziel im wesentlichen erreicht zu haben. Nur um die ‹Reste der Empörer zu vernichten› und die ‹lombardische Frage endgültig zu lösen›, nahm er für den folgenden Sommer einen erneuten Feldzug in Aussicht. Aber er machte dazu doch ungewöhnliche Anstrengungen. Nicht nur, daß er diesmal aus Deutschland und Burgund auch aus seinem südlichen Königreich Truppen aufbot – es hatte bisher nur zu zahlen gehabt –, er rief auch die Nachbarkönige zur Unterstützung seines Kampfes gegen die Rebellen auf. Und so stark war diesmal das Gefühl für die Gemeinsamkeit der Sache von Königtum und Adel gegenüber bürgerlichen Empörern, daß aus Frankreich, aus Spanien, vor allem aber aus England eine Anzahl von Rittern auszog, dem Kaiser gegen seine unbotmäßigen Untertanen beizustehen.

Mit welchen Gefühlen Gregor IX. diese Ereignisse verfolgte, kann man sich leicht vorstellen. Er wußte, was vom nächsten Feldzug in der Lombardei abhing. Verlief er so, wie der Kaiser es sicher zu erwarten sich den Anschein gab, so mußte am Ende auch der Papst sich fügen oder sich nach auswärtiger Zuflucht umsehen. Denn um die Römer warb jetzt der Kaiser in der auffälligsten Weise. Den erbeuteten Fahnenwagen Mailands schickte er ihnen zu sorgfältiger Aufbewahrung als Unterpfand künftiger Dinge und Vorbereitung des Triumphes, den er von Senat und Volk nach dem Vorbild der Cäsaren des Altertums erwarte, sobald Italien, der Sitz seines Kaisertums, befriedet sein werde. Denn sein Vorsatz sei, den alten Vorrang der Hauptstadt wiederherzustellen. So schrieb er: Sie, die ihn einst wie eine Mutter den Sohn zur Erlangung der Kaiserwürde nach Deutschland gesandt habe, sollte teilhaben an dem Siege, den er in ihrem Namen erfochten, ihren Bürgern wollte er schuldig sein, was ihm in der Zeit zwischen dem ungewissen Auszug vor sechsundzwanzig Jahren und der künftigen ruhmreichen Rückkehr gelingen würde. Gregor war darob ‹bis auf den Tod betrübt›, er suchte den Empfang des Geschenks zu verhindern. Aber die kaiserliche Partei überwog, feierlich wurde das Siegeszeichen von Cortenuova eingeholt, auf dem Kapitol aufgestellt und das Ereignis durch eine Inschrift in Versen verewigt, die man dort noch heute lesen kann. Rom schien wirklich eine kaiserliche Stadt, die Stadt des Kaisers werden zu wollen.

Das war im April 1238 geschehen. Noch den folgenden Monat hielt Gregor in der Hauptstadt aus, dann litt es ihn dort nicht mehr, im Juni begab er sich, wohl nicht nur, um den Gefahren des römischen Sommers zu entgehen, nach Anagni. Hier, im Herrschaftsgebiet seines Geschlechts, war er persönlich sicher, während er der Entscheidung auf dem Kriegsschauplatz entgegensah.

Der leidenschaftliche Kämpfer, der Gregor IX. bis an sein Lebensende geblieben ist, hat nicht daran gedacht, vor der Gefahr zurückzuweichen. Im Gegenteil, gerade in den Monaten vor der Entscheidung sehen wir ihn bestrebt, dem Kaiser Schwierigkeiten zu bereiten. Einen geringfügigen Übergriff von Beamten des Königreichs an der Grenze der Mark Ancona machte er zum Gegenstand gereizter Beschwerde. Die Gefangennahme eines nach England bestimmten Boten, der in begründetem Verdachte stand, zwischen Friedrich und Heinrich III. Zwietracht zu säen, gab ihm Anlaß, die Freilassung des Verhafteten in drohendem Ton zu verlangen. Immer neue Gründe wußte er zu finden, um gegen den Kaiser Anklagen zu erheben. Er betrieb damals einen Kreuzzug französischer Herren zur Hilfe für das schwerbedrängte lateinische Kaisertum von Konstantinopel. Wenn er für diese Truppe von Friedrich freien und sicheren Marsch durch Reichsgebiet forderte, so war das unter allen Umständen viel verlangt. Gregor aber ließ sich nicht nehmen, sein Ansinnen mit einer Drohung zu verbinden, deren Tragweite einem geschärften Ohr nicht entgehen konnte. Es handle sich, schrieb er, nachdem ein Bekehrungsversuch durch Bettelmönche von den Griechen abgewiesen sei, nicht so sehr um Unterstützung des lateinischen Kaisers wie um Verteidigung des katholischen Glaubens, und die Kirche würde es nicht ruhig mit ansehen, wenn durch des Kaisers Weigerung die Sache des Glaubens zu Schaden käme. Es wollte wenig besagen, nützte tatsächlich keinesfalls etwas, wenn daneben Elias, der General der Minderbrüder, Papst und Kaiser gleich nahestehend, sich mühte, den Faden persönlicher Vermittlung nicht abreißen zu lassen. Auch eine stattliche Gesandtschaft, die der Kaiser noch im August an den Papst abgehen ließ, wurde ohne greifbares Ergebnis mit verbindlichen, aber leeren Worten abgespeist.

Mittlerweile reifte auf dem Kriegsschauplatz die Entscheidung heran, anders als Friedrich erwartet und angekündigt hatte. Um die Jahreswende hatte er einen Siegeszug durch die westliche Lombardei und Piemont angetreten, der ihn bis nach Turin führte und die kampflose Unterwerfung der dortigen Städte und Herren brachte. Im Juni, als seine Truppen versammelt waren, begann er mit dem stärksten Heer, das in diesem Kriege überhaupt aufgetreten ist, den Feldzug. Ihm standen jetzt außer Mailand und Genua, das zu gewinnen ihm endgültig mißlang, noch Alessandria, Piacenza, Brescia, Bologna und Faenza gegenüber. Ein Heer hatten sie nicht ins Feld gestellt, sie verließen sich auf ihre Mauern. Friedrich griff zuerst ohne Nachdruck Alessandria an, dann wandte er sich gegen Brescia, um sich in der Val Camonica einen zweiten Zugang nach Italien zu öffnen. Da aber mußte er die gleiche Erfahrung machen, die sein Großvater einst vor Mailand gemacht hatte: einer befestigten und zäh verteidigten Stadt konnte auch das stärkste Heer nicht Herr werden. Von Ende Juli bis in den Oktober lag er vor Brescia und vermochte es trotz größter Anstrengungen nicht zu nehmen. Er hätte es aushungern müssen, wie Friedrich I. Mailand ausgehungert hatte, dazu aber reichten seine Kräfte nicht aus. Am 9. Oktober hob er die Belagerung auf, verbrannte sein Geschütz, entließ den größten Teil seiner Truppen und zog ab. Ohne eine Schlacht geliefert zu haben, war er geschlagen. Der Sieg von Cortenuova war umsonst erfochten, und was das Schlimmste war, nicht nur das Ansehen des Kaisers hatte einen schweren Stoß erlitten, die Aussicht auf Niederwerfung des lombardischen Aufstands war für viele so gut wie geschwunden. Denn wer konnte annehmen, was bei Brescia mißlungen war, würde künftig bei andern, größeren Städten glücken?

Die Folgen der Niederlage ließen nicht auf sich warten; an der für des Kaisers Zukunftspläne wichtigsten Stelle traten sie sogleich hervor. In Rom brachten die Wahlen im Oktober 1238 eine Verständigung der Parteien, unbesorgt konnte Gregor in die Hauptstadt zurückkehren. Er zögerte nicht, den Augenblick zu nutzen, und ließ die Burg der mächtigsten unter den Kaiserfreunden, der Frangipani, zerstören, wobei viele Denkmäler aus altrömischer Zeit – die Befestigungen der Frangipani lagen zwischen Kolosseum und Palatin – zugrunde gingen. Dann schritt er zum Angriff gegen den Kaiser selbst. Der Augenblick, den entscheidenden Kampf zu eröffnen, war gekommen.

3

Entscheidung

Schon Anfang August, als die Belagerung Brescias eben begonnen hatte, war Gregor offen an die Spitze der Kämpfenden getreten, indem er seinen Kaplan und Vetter, Gregor von Montelongo, als Nuntius nach Mailand schickte. Sein öffentlicher Auftrag lautete auf Friedensstiftung, seine wahre Aufgabe war das Gegenteil. Der tatkräftige, kampflustige Mann, kriegskundig und beredt, übernahm gleich die Führung der Liga. Später mit Legatenvollmacht ausgestattet, ist er mit der Zeit die Seele des Widerstands gegen den Kaiser in Oberitalien geworden und hat durch seine zähe und kühne Entschlossenheit in gefahrvollen Augenblicken die Entscheidung gegeben. In ihm hat Friedrich bald einen seiner gefährlichsten Gegner sehen gelernt. Als Vorkämpfer der Kirche durften jetzt die Truppen Mailands ins Feld ziehen, in ihren Fahnen führten sie das Zeichen des heiligen Kreuzes. Aber Gregor begnügte sich nicht damit, den Aufstand der Lombarden zu unterstützen. Als die Niederlage des Kaisers sich ankündigte, holte er selbst zum Schlage aus, indem er dazu beide Schwerter, das geistliche und das weltliche, zugleich in die Hand nahm.

Zunächst eröffnete er das schon lange angedrohte Verfahren wegen Bruches des Friedens von San Germano. Er stellte ein Verzeichnis seiner Beschwerden auf. Vier Bistümer und ebenso viele Klöster sollten ihrer Besitzungen beraubt, Bischöfe und Abteien allgemein ihrer Herrschaftsrechte entkleidet, Wahlen gehindert, Geistliche verhaftet, hingerichtet, geächtet, Kirchen entweiht und zerstört, ihr Wiederaufbau verboten, den Templern, Johannitern und andern ehemaligen Gegnern eingezogene Güter nicht zurückgegeben, Anhänger der Kirche aus dem vorigen Kriege geächtet worden sein – alles im Widerspruch zu den Verpflichtungen, die der Kaiser in San Germano eingegangen war. Dazu kamen fünf weitere Sonderbeschwerden: Verhaftung eines tunesischen Prinzen, der nach Rom wollte, um die Taufe zu nehmen; Gefangennahme jenes Boten nach England[1]; Festhaltung des nach Frankreich gesandten Kardinals von Pa-

---

1 Siehe oben S. 87 f.

lestrina; Anzettelung des Aufstands in Rom; endlich Hinderung des Kreuzzuges durch Krieg gegen die Lombarden, während die Kirche bereit gewesen sei, ihm Genugtuung zu verschaffen. Dieses Register dem Kaiser vorzulegen, beauftragte Gregor vier Bischöfe, zwei deutsche und zwei italische, die sich an Friedrichs Hoflager befanden.

Ungern führten sie den Auftrag aus, aber der Kaiser empfing sie verbindlich und erteilte in Gegenwart von mehreren Prälaten, Prediger- und Minderbrüdern seine Antwort. Punkt für Punkt erwiderte er auf die erhobenen Beschwerden, widerlegte oder bestritt die meisten, klärte andere auf. Was Kirchen und Geistliche im Königreich betraf, so gestand er zu, daß während seiner langen Abwesenheit Mißgriffe vorgekommen seien, verwies aber darauf, daß einiges schon gutgemacht und für anderes Anstalt dazu getroffen sei. Darüber freilich ließ er keinen Zweifel, daß nach den Gesetzen des Landes verfahren werde und daß er auf sein Königsrecht, insbesondere auf die Vorrechte, die seine Vorfahren für die Bischofswahlen erhalten hätten, nicht verzichten könne. Der tunesische Prinz sei ein politischer Flüchtling, der nicht an die Taufe denke und sich übrigens frei bewege. Der Bote nach England sei wegen feindseliger Handlungen festgenommen, der Kardinal ebenfalls ein alter Feind. Die Schuld an dem Aufstand in Rom, der ja schon beigelegt sei, wurde geleugnet. Endlich die Hinderung des Kreuzzugs durch den Krieg! Dieser Anklage begegnete Friedrich mit einer Darstellung des ganzen Verlaufs, der Erfahrungen, die er mit der parteiischen Haltung der Kurie gemacht, verwies auf seinen oft bewiesenen Eifer für den Kreuzzug und hob die Doppelzüngigkeit des Papstes hervor, der ihn erst kürzlich seiner Gunst versichert habe und nun hinter dem Rücken der Gesandten diese Anklagen erhebe.

Die Rechtfertigung des Kaisers wurde dem Papst durch die beauftragten Bischöfe am 28. Oktober mitgeteilt. Wer sie unbefangen würdigte, mußte gestehen, daß zu einem Strafverfahren wegen Bruches des Friedensvertrages kein Anlaß vorlag. Wie es sich mit den einzelnen Beschwerdefällen aus der sizilischen Kirche verhalten hat, ist heute zu sagen natürlich ganz unmöglich. Aber selbst wenn davon noch so vieles begründet war, so mußte doch mindestens die verheißene Abstellung abgewartet werden. Der tiefe Gegensatz zwischen sizilischem Königsrecht, wie Friedrich es auffaßte, und kirchlichem Recht war dadurch freilich nicht zu beseitigen. Es war die Unvereinbarkeit der Ansprüche, die die Kirche erhob, mit dem Wesen des unabhängigen Staates, die sich in allen Ländern immer wieder fühlbar machte — sogar in Frankreich, wie wir eben sahen [1] — und die hier nur schärfer hervortrat, weil der Staat Friedrichs II. mehr zu sein beanspruchte, weil er sozusagen in höherem Maße Staat war als die locker gefügten Lehnsstaaten seiner Zeit. Aber nicht darum ging ja der Streit, nicht wegen des sizilischen Staatsrechts waren Papst und Kaiser zerfallen. Wäre dies die Ursache gewesen, so hätte der Zusammenstoß längst ein-

1 Oben S. 82.

Aber bevor der Kaiser hierauf antworten konnte, siegte an der Kurie die entgegengesetzte Richtung, und Gregor entschloß sich, den längst geplanten und vorbereiteten Schlag nicht länger aufzuschieben. Am Gründonnerstag, dem Tag, der nach Herkommen für solche Maßnahmen bestimmt war, wollte er seinen Spruch bekannt machen.

Friedrich hatte es erfahren und unternahm einen letzten Versuch, ihn zurückzuhalten. Eiligst mußten der Erzbischof von Palermo, der Oberhofrichter Thaddäus von Sessa und ein Kaplan nach Rom aufbrechen. Für alle Fälle hatten sie Vollmacht, in des Kaisers Namen gegen ein ungerechtes und willkürliches Urteil des Papstes Berufung einzulegen an Gott, einen künftigen Papst, ein allgemeines Konzil, die deutschen und anderen ·Fürsten und alle übrigen Christen. Dies meldete der Kaiser den Kardinälen; er fügte die Drohung hinzu, gegen eine Kränkung durch den Papst werde er sich zur Wehr setzen mit der Rache, ‹wie sie Kaiser zu üben pflegen›. Die Boten kamen nicht dazu, ihren Auftrag auszurichten. Gregor, der von dem Kommen der Gesandten erfahren hatte, ließ sie unterwegs aufhalten und beeilte sich, inzwischen seinen Spruch schon am Palmsonntag — es war der 20. März 1239 — zu fällen, um ihn am Gründonnerstag zu wiederholen. Die Gesandten aber wurden, als sie zu spät eintrafen, verhaftet.

Man hat es immer als ein merkwürdiges, sinnbildhaftes Zusammentreffen angesehen, daß am gleichen Tag, da das Oberhaupt der Kirche dem Kaiser den geistlichen Vernichtungskrieg erklärte, des Kaisers bedeutendster Staatsmann, der sich mehr als irgendein anderer um den Frieden mit der Kirche bemüht hatte, aus dem Leben schied. Am 20. März 1239 starb zu Salerno, wo er schwerkrank Heilung gesucht hatte, Hermann von Salza, der Hochmeister des Deutschen Ritterordens. Mit ihm ging der letzte Vertreter der Lehre dahin, daß Papst und Kaiser, Kirche und Reich berufen seien, in enger Gemeinschaft und wechselseitiger Unterstützung für das Reich Gottes auf Erden zu arbeiten. Für diese seine Gesinnung hat er den Beweis der Tat erbracht, als er den jungen Landesstaat seines Ordens in Preußen zugleich dem Kaiser und dem Papst unterstellte als ein Land der römischen Kirche, das darum nicht weniger ein Stück des römischen, des deutschen Reiches sein sollte. Von diesem Gedanken erfüllt, hatte er zwischen seinen beiden Herren Frieden zu stiften gesucht und ist eine Weile auch erfolgreich gewesen, um schließlich doch zu scheitern, weil wohl der Kaiser, nicht aber der Papst zu gewinnen war. Salza muß das selbst eingesehen haben, da er sich in den letzten drei Jahren von der früher so eifrig geübten Vermittlung zurückzog. Ob Friedrich ihm grollte, weil er ihn auf einen Weg geleitet hatte, der nicht zum Ziele führte? Salza selbst hat die Schuld nicht beim Kaiser gesehen, wie seine Haltung beweist, als er sich sogar einem Befehl des Papstes entzog. Jetzt war der Krieg ausgebrochen, den er hatte verhüten wollen, für den Vertreter des Friedens war kein Platz mehr. Er starb zu rechter Zeit; der Gedanke der Eintracht von Kaisertum und Kirche war tot.

Seinem Urteil gab Gregor sogleich die weiteste Verbreitung. Allen Bischöfen,

allen weltlichen Herrschern und Herren teilte er mit, daß er den Kaiser Fried-
rich wegen Undanks und vieler Übeltaten — sie wurden aufgezählt — aus der
Kirche ausgeschlossen und ‹seinen Leib dem Satan überliefert habe, damit die
Seele am Tage des Gerichts gerettet werde›. Dies hatten die Prälaten an jedem
Sonntag in feierlichster Form mit Löschung von Kerzen bekanntzumachen.
Es sollte das Urteil eines Richters sein; aber war es das wirklich? Prüft man
die Frage ernstlich, so stellen sich die stärksten Bedenken ein. Die Vorwürfe,
auf die das Schuldig sich gründet, sind bis auf einen neu hinzugekommenen
die gleichen vierzehn Punkte, auf die der Kaiser im Oktober geantwortet hatte.
Wie konnte man sie zur Grundlage einer Verurteilung machen, da doch der
Angeklagte die meisten bestritten, für die übrigen Genugtuung teils angeboten
hatte, teils schon geleistet zu haben behauptete? Wo war der Schuldbeweis?
Auch eine darüber hinaus neuerdings erhobene Anklage reichte für ein Urteil
von solcher Tragweite schwerlich aus. Sie warf dem Kaiser vor, am Besitz der
römischen Kirche sich vergriffen zu haben. Genannt wurde Luni, Ferrara und
benachbarte Orte und die Insel Sardinien. Die Tatsache war nicht zu leugnen.
In Ferrara, das bis dahin als einzige Stadt der Romagna der Hoheit des Papstes
unmittelbar unterstanden hatte, war kürzlich die herrschende Partei zum Kaiser
übergegangen, und das Stadthaupt hatte ihm gehuldigt. Sardinien betrachtete
die Kirche zwar seit Gregor VII. als ihr Eigentum, aber mehr als eine rein
formelle Oberhoheit über die einheimischen Herrscher hatten die Päpste dort
nie ausgeübt und auch diese nur selten und nicht unbestritten. Als Flotten-
stützpunkt hatte die Insel besondere Bedeutung gewonnen, seit der Papst damit
umging, Genua zum Angriff auf Sizilien aufzubieten. Darum hatte Gregor IX.
einem kürzlich eingetretenen Erbfall besondere Aufmerksamkeit geschenkt. Es
handelte sich um die Verheiratung der verwitweten Herrin von Torre und
Gallura. Schon ihr erster Gemahl, ein vornehmer Pisaner, war dem Papst unwillkommen gewesen, aber umsonst hatte Gregor versucht, die Heirat zu verhindern. Nun war der Mann gestorben, und Gregor bemühte sich, der Witwe
einen ihm passenden Gatten zu verschaffen. Da griff der Kaiser ein, warb um
die Hand der Dame für seinen natürlichen Sohn Heinrich, den die Italiener
Enzo (Heinz) nannten, und fand Gehör. Im Oktober 1238 wurde in Verona
die Ehe geschlossen und Enzo mit dem Königstitel geschmückt. Das war ein
unbestreitbarer Eingriff in die Rechte des Papstes, der als Lehnsherr bei der
Wiederverheiratung einer verwitweten Lehnserbin nicht übergangen werden
durfte. Die Zuerkennung des Königstitels konnte außerdem so gedeutet werden,
als ob der Kaiser die Oberhoheit des Papstes über Sardinien nicht anerkenne.
An seinem formellen Unrecht ist also nicht zu zweifeln, damit aber ist das
Urteil nicht gerechtfertigt. Wenn Gregor sofort, ohne Mahnung, Anklage und
Verhör, die schwerste kirchliche Strafe aussprach, so handelte er übereilt und
verletzte die Rechtsformen, und ob das Strafmaß der Tat entsprach, darf man
erst recht fragen. Luni und Ferrara waren Kleinigkeiten und auch Sardinien
das Feuer der Verdammnis schwerlich wert. Politisch betrachtet hätte der Fall

sehr wohl Gegenstand einer Verhandlung sein können, da Friedrich kaum abgelehnt hätte, das Obereigentum der Kirche an Sardinien anzuerkennen, wie er es für sein eigenes Königreich Sizilien stets anerkannt hat. Von ihrem Recht hätte die Kirche dabei nichts eingebüßt, und mehr als ein formales Recht hat sie auf der Insel niemals besessen. Wenn es also noch eines Beweises dafür bedurfte, daß der Papst keinen Frieden wollte, so wäre er in seinem Spruch selbst zu finden. Über Friedrichs Regierungsweise und sein Verhältnis zur Kirche mochte und mag man denken, wie man will, aber die Verurteilung, die Gregor IX. über ihn aussprach, hat nicht zu Recht bestanden. Formell anfechtbar, inhaltlich fragwürdig, war sie nicht das Urteil eines Richters, sie war die Kampfmaßregel eines politischen Gegners.

Die Blöße, die Gregor sich damit gab, hat er selbst vielleicht empfunden, denn zu den bestimmt formulierten Anklagen fügte er noch einiges hinzu, das keinen anderen Zweck haben konnte, als die Welt gegen den Kaiser aufzubringen. Er behielt sich vor, Friedrich wegen willkürlicher Handhabung seiner Regierungsgewalt im Königreich zur Rechenschaft zu ziehen. Das war die unbestimmte Ankündigung eines Verfahrens, das auf Aberkennung des sizilischen Königreichs zielte. Gregor erhob ferner wegen der Drohung, die Friedrich in seinem Schreiben an die Kardinäle hatte einfließen lassen, gegen ihn den Vorwurf der Auflehnung gegen die Kirche, womit bereits das gefährliche Gebiet der Ketzerei gestreift wurde. Und er scheute sich schließlich nicht, ein weiteres Verfahren wegen der allgemein verbreiteten Beschuldigung der Ketzerei gegen den Kaiser in Aussicht zu stellen. Seit wann, so muß man hier fragen, ist es Sache des Richters, sich unerwiesene Behauptungen und entehrende Gerüchte zu eigen zu machen und sie in sein Urteil aufzunehmen? Mit Rechtsprechung hatte das nichts mehr zu tun, das war nichts als berechnete Stimmungmache, böswillige Beeinflussung der Öffentlichkeit, geistliche Demagogie.

Es war der Mühe wert, die Berechtigung des päpstlichen Urteils eingehend zu prüfen, weil eine gewisse Geschichtsschreibung bis in unsere Zeiten sich nicht davon abbringen läßt, den Kaiser als den zu Recht Verurteilten, den Papst als gerechten Richter hinzustellen. Das eine ist so falsch wie das andere.

An die Öffentlichkeit wandte sich aber sogleich auch der Kaiser. Überraschend schnell, genau einen Monat nach seiner Verurteilung, erschien am 20. April seine Erwiderung, gerichtet an die Fürsten des deutschen Reichs und des Auslands, eine Streitschrift von stattlichem Umfang, neun große Quartseiten im neuesten Druck, und von wuchtiger Beredsamkeit. Die Zeit war vorüber, wo Friedrich im Scherz hatte bekennen dürfen, seine Schreiber seien den päpstlichen nicht gewachsen [1]. Hier hatten sie nach dem Geschmack jener Tage ein Meisterstück geliefert, das den verwöhntesten Ansprüchen genügte. ‹Erhebet eure Augen und schaut euch um, schärft eure Ohren, ihr Menschenkinder, im Schmerz um das Ärgernis des Erdkreises, die Zwietracht der Völker, die gänz-

---

[1] Oben S. 38.

liche Verbannung der Gerechtigkeit, da die Ruchlosigkeit Babels ausgeht von den Ältesten des Stammes, die unter dem Schein, das Volk zu regieren, das Gericht in Bitterkeit und die Frucht der Gerechtigkeit in Wermut verwandelt haben! Setzet euch, ihr Fürsten und vernehmet, ihr Völker, unsere Klage! Wir wissen und wir vertrauen auf den höchsten Richter, da bei euch nicht zweierlei Maß noch verschiedenes Gewicht ist, ihr werdet sehen, daß auf der Waage eures Urteils unsere Mäßigung und Unschuld schwerer wiegt als die Schmähung der Verleumderlippen mit ihren vergifteten Erfindungen.› Weit ausholend, zurückgreifend bis auf den ersten Zusammenstoß mit Gregor, rollt der Kaiser die Geschichte seiner Beziehungen zu diesem Papst auf, der als Kardinal sein besonderer Freund gewesen, dann, ‹unter schlimmen Vorzeichen zum Allbischof erhoben›, sein böser Feind geworden sei. Vor der ganzen Welt enthüllt er, wie Gregor ihn überall bekämpft, den Sultan von der Auslieferung Jerusalems zurückzuhalten versucht, des Kaisers Dienste gegenüber der Stadt Rom ausgenutzt und ihn dabei hinterrücks verraten, ihm unter geheuchelter Eintracht im Streit mit den Lombarden als bestochener Richter insgeheim entgegengearbeitet und den Versöhnlichen noch gespielt habe, als er schon mit den Gegnern verbunden und zum Bruch entschlossen war. Darauf folgt der Gegenangriff. Gregor ist des Richteramtes unwürdig, weil er für die Ketzer von Mailand Partei ergriff, Ehedispense für Geld und aus Feindschaft gegen den Kaiser hinter dem Rücken der Kardinäle verkauft, Güter der Kirche verschleudert hat. Den Spruch eines solchen Richters erkennt der Kaiser nicht an und fordert, da die Herde Christi durch solche Hirten in die Irre geführt wird, von den Kardinälen die Berufung einer allgemeinen Kirchenversammlung unter Teilnahme der weltlichen Herrscher. Da will er persönlich erscheinen und alle seine Behauptungen, ja noch härtere beweisen. Die Könige und Fürsten ruft er auf zum Kampf für die gemeinsame Sache, daß sie eilen, den Brand in ihrer Nachbarschaft zu löschen, der sie selbst bedroht. Sie alle werden leicht zu demütigen sein, wenn erst die Macht des Kaisers der Römer gebrochen ist, dessen Schild die ersten Geschosse der Gegner auffängt. Denn der wahre Grund der Feindschaft ist die Sache der Lombardei, in der der Papst – er spricht es nur nicht aus, um die Hörer nicht abzuschrecken – für die Rebellen gegen ihren Herrscher eintritt.

Gregors Erwiderung ist fast ebensolang wie die Kundgebung des Kaisers, kann aber sonst den Vergleich mit ihr nicht aushalten. Sprach aus den Worten des Kaisers flammende Empörung, so läßt der Papst nur die Stimme ungezügelter, gehässiger Leidenschaft hören. Gegenüber dem stolzen Ton, den Friedrich angeschlagen hatte, verlegt sich die Antwort Gregors, die auch als Kunstwerk kein Lob verdient, auf ein wüstes Schelten und Schimpfen [1]. Er beginnt damit,

---

1 Ich kann nicht verhehlen, daß mir das Schriftstück aus der eigenen Feder des Papstes geflossen zu sein scheint. Wer sonst hätte so zu schreiben, diesen Ton anzuschlagen sich erlaubt?

daß er Friedrich das apokalyptische Tier und einen schamlosen Lügner nennt. Gegenüber bestimmten Behauptungen des Kaisers begnügt er sich mit entrüsteten Deklamationen und erklärt seine Angaben kurzweg für unwahr und erlogen, ohne auch nur bei einer einzigen den Versuch der Widerlegung zu machen. Dabei greift er selbst ungescheut zu offenbarer Lüge und Verleumdung. Den Kreuzzug soll Friedrich 1227 durch absichtliche Verzögerung und vorgeschützte Krankheit vereitelt haben – der Landgraf von Thüringen sei vermutlich an Gift gestorben –, um ihn dann als Feind des Glaubens und Verbündeter der Muslim auszuführen. Die Lombarden hätte er durch väterliche Milde zu gewinnen vermocht, statt dessen hat er den Zwist mit ihnen selbst hervorgerufen und zu vertiefen gesucht. In seinem Königreich, das er aus Geldgier in einen Aschenhaufen verwandelt, wo ohne seinen Befehl keine Hand und kein Fuß sich rührt – eine Lieblingswendung des Papstes –, genießt die Kirche keine Freiheit, blüht die Ketzerei. Das letzte war eine handgreifliche Unwahrheit, da Friedrich in Sizilien so streng wie irgendwo gegen die Ketzer einschritt. Es folgen die bekannten Vorwürfe wegen Mißregierung gegenüber Kirchen und Baronen, Geistlichen und Laien, wegen Erregung von Aufständen in Rom und Wegnahme von Besitzungen der römischen Kirche. Friedrich hatte darauf angespielt, der Papst sei ihm feind, weil die Heirat einer Nichte Gregors mit Enzo als unpassend abgelehnt wurde. Gregor behauptet umgekehrt, Friedrich habe ihn wiederholt durch Heiratspläne zu gewinnen gesucht; als ob das ein Verbrechen wäre! So geht es seitenweise fort, bis am Schluß die schlimmsten der vergifteten Pfeile abgeschossen werden: Friedrich sei stolz darauf, der Vorläufer des Antichrists zu heißen, er bestreite dem Nachfolger Petri die Gewalt, zu binden und zu lösen, habe jeden, der an die Geburt von der Jungfrau glaube, für einen Narren und Moses, Christus und Mohammed für die größten Betrüger der Menschheit erklärt. Diese Beschuldigungen sollten zu ihrer Zeit bewiesen werden.

Um zu ermessen, was das bedeutete, muß man sich erinnern, wie empfindlich die Zeitgenossen gegen die Begriffe von Ketzerei und Unglauben waren, und wie leicht, seit die Inquisition zu walten begonnen hatte, ein Verdacht in dieser Richtung Glauben fand. Der in Aussicht gestellte Beweis, daß Friedrich die angeführten Äußerungen getan habe, ist nie versucht worden, und der Nachfolger Gregors hat, als er dem Kaiser den letzten Prozeß machte, diesen Punkt der Anklage stillschweigend unterdrückt. Damit ist den Behauptungen Gregors das Urteil gesprochen, sie sind Verleumdungen, zu denen der blinde Haß, der gern das Schlechteste glaubt, sich hat hinreißen lassen.

In dem Kampf um das Urteil der Welt, der mit diesen Kundgebungen seinem Höhepunkt zustrebte, hatte Gregor vor dem Gegner einen Vorsprung: in der Geistlichkeit besaß er das geeignetste Werkzeug, um seinem Wort die weiteste Verbreitung zu verleihen, und wenn die Geistlichen es an sich fehlen ließen, konnte er sich der Bettelmönche bedienen, die sich mit Eifer dazu hergaben, päpstliche Briefe überallhin zu tragen, mit ihrem unscheinbaren Auftreten und dem Ansehen, das sie umgab, die besten Geheimboten, die man sich wünschen konnte. Nicht als ob die beiden Orden geschlossen gegen den Kaiser aufgetreten wären. Es gab ausgesprochene Kaiserfreunde in beiden, und die Minderbrüder hätten sich dem Papst vielleicht überhaupt versagt, wäre es nicht gelungen, ihren General Elias, gegen den im Orden aus andern Gründen starke Mißstimmung herrschte, auf dem Generalkapitel des Jahres 1239 zu stürzen und durch eine bequemere Person zu ersetzen. Den Vorsitz dabei hatte der Papst selbst übernommen, sein Pönitentiar und sein Neffe, Kardinal Rainald, waren die Werkzeuge des Verfahrens, und wenn die große Politik dabei im Hintergrund blieb, so war sie doch schwerlich ganz unbeteiligt an dem Entschluß des Papstes, seinen bisherigen Freund und Vertrauten fallenzulassen. Seitdem standen die Bettelmönche, durch Verfassung und Überlieferung ohnehin eng mit dem römischen Stuhl verbunden, im allgemeinen dem Papst zur Verfügung.

Friedrich hat die Gefährlichkeit dieser heimlichen Wühler sofort erkannt und ihre Ausweisung aus dem Königreich, zunächst nur die der Landfremden, dann aller angeordnet. Seine Versuche, die Orden für sich zu gewinnen, hatten keinen Erfolg. Daß er den abgesetzten Elias bei sich aufnahm, schadete nur diesem, nützte ihm selber nichts, und seine späteren Bemühungen bei einem Pariser Generalkapitel der Dominikaner sind ergebnislos gewesen. Einen Apparat wie der Papst, um auf die öffentliche Meinung zu wirken, besaß er nun einmal nicht, namentlich die Waffe der mündlichen Rede, die die Gegner in Gestalt der Predigt beständig schwingen konnten, stand ihm nicht zu Gebote. Es will also etwas bedeuten, daß seine große Anklageschrift trotzdem die weiteste Verbreitung erlangt hat, wie ihre zahlreichen noch heute vorhandenen Handschriften bezeugen. Man hat sie gelesen, abgeschrieben, aufbewahrt und in Stilübungen nachgeahmt. Im Bewußtsein der geschichtlich Gebildeten ist sie lebendig geblieben und später sogar in die italienische Volkssprache übertragen worden. Auch für ihre unmittelbare Wirkung fehlt es nicht an Zeugnissen. Aus England berichtet der Chronist von Saint Albans, so stark der Eindruck des päpstlichen Rundschreibens auch gewesen — man hat vor allem an den Vorwurf der Ketzerei und des Unglaubens zu denken —, so hätten doch viele für Friedrich Partei ergriffen, seine Anklagen einleuchtend gefunden und die gegen ihn erhobenen Beschuldigungen als Ausfluß alten Hasses erkannt. Es blieb auch nicht verborgen, in welchen Widerspruch der Papst sich verwickelte, wenn er jetzt dem Kaiser nachsagte, Mohammed einen Betrüger wie Christus und Moses genannt zu haben, während man früher behauptet hatte, Friedrich neige zum Islam. ‹Und so› — damit schließt der englische Mönch seinen Bericht — ‹entstand eine schreckliche Spaltung in den Völkern.›

Um so mehr kam auf die Stellungnahme der Regierenden an. Sie hatten es in der Hand, schon die öffentliche Verkündigung des päpstlichen Bannspruchs zu verhindern. Das geschah natürlich im Königreich Sizilien. Friedrich sorgte auch dafür, daß der Gottesdienst keine Unterbrechung erfuhr: er zwang keinen

Geistlichen dazu, strafte aber jeden, der die Feiern einstellte, mit Verlust des Einkommens. So erreichte er, daß in seinem Königreich das Urteil des Papstes ohne Wirkung blieb. Nur vier Bischöfe an der Grenze des Kirchenstaats stellten den Gehorsam gegen den Papst höher als den gegen ihren König und gingen außer Landes. Als die Mönche von Monte Cassino dem Befehl des Papstes nachkamen, mußten sie ihr Kloster räumen, ihre Besitzungen wurden beschlagnahmt.

Nicht viel anders war es in den Städten Oberitaliens, soweit man dort zum Kaiser hielt: der Gottesdienst ging weiter, auch wenn Friedrich anwesend war, und wo die Bischöfe gegen ihn Partei ergriffen, was in der Lombardei wohl die meisten taten, wurden ihre Einkünfte eingezogen und dienten zur Füllung der kaiserlichen Kriegskasse. Dort, wo man dem Kaiser feind war, wird der päpstliche Spruch freudig begrüßt worden sein, lieh er doch der Auflehnung den Mantel des Kampfes für die Kirche. Im übrigen änderte sich in diesen Städten nichts, und wenn man nach dem Beispiel von Genua urteilen darf, ist der Eindruck nicht einmal tief gewesen: der amtliche Chronist dieser Stadt, der selbst das kleinste Scharmützel zu erwähnen nicht vergißt, hat es nicht für nötig gehalten, die Verfluchung des Kaisers nur mit einem Wort zu erwähnen.

Auf Schwierigkeiten, die er vielleicht nicht vorausgesehen hatte, stieß Gregor in England. Nirgends war sein Kirchenregiment so unbeliebt, ja man darf sagen verhaßt, wie in diesem seinem Lehnsreich. Wir kennen die Gründe: der lange Aufenthalt seiner Legaten, für deren Unterhalt die Landeskirchen aufzukommen hatten, die trotz aller Zusicherungen immer häufiger werdende Verleihung englischer Pfründen an Verwandte, Freunde und Diener des Papstes und der Kardinäle hatten bei Geistlichen wie Laien das Gefühl erzeugt, von der Kurie ausgebeutet und ausgesogen zu werden. Aber der König und sein Hof teilten die Stimmung des Landes nicht. Heinrich III. stand vielmehr offen oder heimlich auf der Seite des Papstes. Nicht etwa aus Überzeugung. Dieser Plantagenet, der die Falschheit seiner Vorfahren ohne deren Fähigkeiten geerbt hatte, verfolgte im stillen das Ziel, die Magna Charta zu beseitigen und für die Einziehung verlorengegangener Kronrechte und Güter die Hände freizubekommen. Dazu brauchte er den Papst, der allein ihn von den beschworenen Verpflichtungen lösen konnte. Das war der große Gegendienst, den er vom Papst erwartete, und Gregor war durchaus bereit, ihn zu leisten. Wiederholt hat er dem König die erforderlichen Urkunden zur Verfügung gestellt, Heinrich aber hat nicht verstanden, sich ihrer mit Erfolg zu bedienen. Immer wieder geriet er mit seinen Anläufen zu eigenmächtiger Verwaltung in die schwierigste Lage, immer wieder mußte er sich gegen Erhebungen seiner Barone, schließlich sogar gegen den eigenen Bruder, Graf Richard von Cornwall, seines Lebens wehren und seine Verwaltung unter Aufsicht stellen.

Das führte ihn schließlich so weit, sich vom Papst einen ständigen Legaten zu erbitten, der ihm in den inneren Schwierigkeiten Stütze und Rückhalt sein sollte. Gregor war damals – es war im Sommer 1236 – verstimmt über den König, der gerade für seinen Schwager, den Kaiser, abmahnend eingetreten war [1], und lehnte das Gesuch ab. Aber es fanden sich geschäftige Hände, die den zerrissenen Faden wieder anzuknüpfen wußten – nicht umsonst ließ der Kaiser damals, wie wir gehört haben, einen zwischen Rom und England hin und her reisenden Boten abfangen –, und als Heinrich seine Bitte wiederholte, wurde sie erhört. Im Juli 1237 landete als Legat des Papstes mit weiten Vollmachten Kardinal Otto von St. Nikolaus, ein Sproß des Hauses Monferrat, in einem englischen Hafen. Mit den höchsten Ehren wurde er empfangen, der König selbst geruhte ihm bis an die Küste entgegenzureiten, er wurde freigebig bewirtet und hat klug und maßvoll als der rechte Mann am rechten Platz über drei Jahre die Sache des Papstes mit Erfolg vertreten. Sogar in den Kreisen, die sonst an der Kurie kein gutes Haar ließen, wußte er sich einige Anerkennung zu verdienen. Es machte sogleich Eindruck, daß er bei seiner Ankunft von den reichlich dargebrachten Geschenken, ‹die römische Habsucht mäßigend›, nur wenig annahm. Wohl noch besser wirkte es, daß er bei der ihm übertragenen Reform der kirchlichen Zustände sehr behutsam zu Werke ging. Er beschränkte sich im allgemeinen auf Wiederholung bekannter Vorschriften, veranlaßte aber den Papst, ‹um Ärgernis zu vermeiden›, die in England herrschende Häufung von Pfründen in einer Hand und die Zulassung unehelich Geborener zum höheren Kirchendienst zu dulden. Die Versorgung der jüngeren Söhne und Bastarde des Adels sollte keinen Schaden leiden, da es, wie Gregor schrieb, zwar nicht erlaubt ist, etwas Schlechtes zu tun, wohl aber unter Umständen, etwas Gutes nicht zu tun. Nur einer war nicht zu besänftigen, der Erzbischof-Primas Edmund von Canterbury. Er sah sich durch den Legaten in den Schatten gestellt, in der Wahrung der verfassungsmäßigen Freiheiten behindert und scheute sich nicht, dem König vorzuhalten, daß er durch die Berufung dieses Legaten die eigene und des Reiches Ehre preisgegeben habe. Aber er fand weder Gehör noch Unterstützung und hat schließlich, nachdem er überall den kürzeren gezogen, England im Unmut verlassen und sich nach Pontigny zurückgezogen, wo ihn die Erinnerung an Thomas Becket umgab. Dessen Rolle aufzunehmen, was vielleicht seine Absicht war, hinderte ihn ein baldiger Tod. In manchen Kreisen Englands aber hat dennoch auch er als Märtyrer kirchlicher Freiheit gegolten, und diese haben nicht geruht, bis ein späterer Papst (1245) seine Heiligsprechung bewilligte.

Der vermittelnden Wirksamkeit des Legaten gelang es so gut, Gegensätze auszugleichen, Feinde zu versöhnen, daß er dem König unentbehrlich wurde. Als der Papst ihn im Jahre 1238 abberief, bat Heinrich III. dringend um seine Belassung. Auf die Dauer freilich konnte auch Kardinal Otto dem Haß nicht entgehen, dem alle Vertreter der Kurie in England verfielen, weil sie Geld forderten. Auf der Landessynode im Sommer 1239 hörte man die Frage, was dieser Legat dem Königreich oder der Kirche für Nutzen gebracht habe, der nur den König begünstige und die Kirchen belästige? Aus Oxford mußte er flüch-

---

1 Oben S. 82.

ten, weil die Studenten, durch hochmütiges Auftreten seines Gefolges gereizt, in bewaffnetem Tumult dem ‹Wucherer, Simonisten, Räuber und Geldraffer› zu Leibe gehen wollten, der den König verderbe, das Reich zerstöre und die Fremden bereichere. In London mußten Lordmayor und Bürgerschaft für seine Sicherheit haftbar gemacht werden, und er selbst fühlte sich so unbehaglich, daß er aus Furcht vor Vergiftung die Küche seinem eigenen Bruder anvertraute.

Dies war die Lage, als zwischen Papst und Kaiser der offene Kampf ausbrach, der England soviel näher anging, da der König des Kaisers Schwager war. Heinrich III., immer treulos wie seine Vorfahren, hat sich durch die Verwandtschaft nicht abhalten lassen, die Verkündigung des päpstlichen Spruches zu gestatten. Er zog sich damit nicht nur scharfe Vorwürfe von seinem Schwager zu, auch im eigenen Lande wurde sein Verhalten getadelt. Seine Entschuldigung, ein zinspflichtiger Lehnsmann sei dem Papst größeren Gehorsam schuldig als andere, wurde für ein Geständnis seiner Schuld gehalten.

Es blieb aber nicht bei der Verkündigung des Bannfluches, Gregor forderte Geld zum Krieg gegen den Kaiser, er forderte es überall und vor allem in England. Es genügte ihm nicht, daß Kreuzzugsgelübde allgemein durch Zahlung abgelöst werden durften, alle Geistlichen sollten einen Zehnten von ihrem Einkommen entrichten, die ausländischen Pfründenbesitzer das Doppelte. Dagegen erhob sich auf der Synode im Juli 1240 lebhafter Widerspruch. Man nahm Anstand, einen Krieg gegen des Königs Schwager zu unterstützen, wollte durch so oft wiederholte Bewilligungen kein Gewohnheitsrecht schaffen, verwies auf die Erschöpfung des Landes, verlangte, daß nicht England allein zahle, und suchte die Angelegenheit bis zum nächsten allgemeinen Konzil zu vertagen. Eine Gruppe von Pfarrern bestritt dem Papst sogar das Recht, Abgaben zu erheben; die Kirchen ständen zwar unter seiner Fürsorge, seien aber nicht sein Eigentum. So stark war der Widerspruch, daß zunächst kein Beschluß zustande kam. Aber er verstummte, als im November die Synode wieder zusammentrat. Der geschickten Einzelbearbeitung durch den Legaten hatten nicht alle Prälaten standgehalten, die Äbte der römischen Eigenklöster zumal konnten sich der Anforderung nicht gut entziehen, die Widerstrebenden waren gespalten, der Druck von seiten des Königs wirkte, und das übrige tat das Ungeschick des Primas, der in falscher Berechnung auf andere Vorteile der Abgabe zustimmte, die denn auch gezahlt worden ist. So waren, wie der Chronist von St. Albans klagt, durch das Bündnis von König und Papst die Kirchen Englands zwischen zwei Mühlsteine geraten und ihre Geistlichen, hoch und niedrig, wie Schafe dem blutigen Rachen der Wölfe ausgeliefert. Die einzige Genugtuung war, daß zwei der päpstlichen Sammler auf der Rückreise in Italien mitsamt ihrem Gelde den Kaiserlichen in die Hände fielen. Wie groß in England die Empörung, wie gering das Ansehen der Kurie geworden war, zeigte das Auftreten eines hochangesehenen Karthäusers in London, der dem Papst als Simonisten, Wucherer und Ketzer die apostolische Vollmacht bestritt, ohne daß es gelungen wäre, ihn eines

Irrtums im Glauben zu überführen. Wider Willen, so darf man sagen, und unter lautem Widerspruch aus den eigenen Reihen war die englische Kirche auf die Seite des Papstes gezogen worden, weil es diesem gelungen war, den König für sich zu gewinnen, und ohne Wirkung verhallte der beredte Appell, den der Kaiser im Frühjahr 1240 noch einmal an Heinrich III. mit Berufung auf die gemeinsame Sache und nahe Verwandtschaft richtete.

Da war König Ferdinand von Kastilien, Gemahl einer Tochter Philipps von Schwaben, ein besserer Verwandter. Über seinen Klerus hatte er keine Macht, persönlich aber hielt er standhaft zum Kaiser, ließ seinen Sohn an Friedrichs Hof erziehen und hat sich noch zu Ende des Jahres um Vermittlung beim Papst bemüht, natürlich umsonst. In Portugal stand der König mit der Kirche schlecht, von ihm hatte Gregor nichts zu erwarten, und der von Aragon hatte wohl sein Schwert den Lombarden schon gegen bares Geld vermietet, aber gezogen hat er es nicht. In Ungarn war der deutsche Einfluß stark, aber auch auf gute Beziehungen zur Kurie legte man Wert; dort stand man neutral zwischen den Parteien. Von den Skandinavischen Ländern verlautet nichts, auf sie kam es auch nicht an.

Um so mehr auf Frankreich. Auf dieses Reich scheint Gregor die größten Hoffnungen gesetzt zu haben; die altüberlieferte enge Verbindung zwischen der Kurie und dem französischen Klerus, die bekannte Gesinnung des jungen Königs – es ist Ludwig IX., den die Kirche heiliggesprochen hat – gaben ihm dazu ein Recht. An Ludwig und seine Mutter, die immer noch allmächtige Blanca, wandte sich darum Gregor in einem Schreiben, das ein Meisterstück religiös-politischer Beredsamkeit und zugleich diplomatischer Feinheit genannt werden muß. In schöner, würdiger Sprache wurden zunächst die Verdienste der Franzosen um die Kirche gepriesen: sie haben einen Vorrang vor andern Völkern, sie schlagen die Schlachten Gottes für den katholischen Glauben und kämpfen in Ost und West für die Freiheit der Kirche. Sie haben das Heilige Land den Ungläubigen entrissen, das Reich von Konstantinopel der römischen Kirche unterworfen, sie aus vielen Gefahren befreit und die Ketzerei der Albigenser beinahe ausgerottet. Nie hat Frankreich sich vom Glauben abwendig machen lassen, nie ist dort die kirchliche Freiheit untergegangen. Für beides, Glauben und Freiheit, haben seine Könige und ihre Leute ihr Blut vergossen und sich vielen Gefahren ausgesetzt. Das lehrt ihre Geschichte seit Karl dem Großen, lehrt vor allem der Tod des letzten Königs in dem Feldzug gegen die Ketzer von Toulouse, ein leuchtendes Beispiel für seine Nachfolger. Frankreich hat der Herr zum vorzüglichen Vollstrecker seines Willens erwählt, es ist der Köcher, aus dem er die Pfeile zieht, die sein starker Arm zum Schutz der kirchlichen Freiheit, zur Vernichtung der Gottlosen und zur Verteidigung der Gerechtigkeit versendet. Darum haben frühere Päpste von Geschlecht zu Geschlecht ihre Zuflucht zu Frankreich genommen, und niemals vergeblich. Auch Ludwig wird sein Blut nicht verleugnen, wenn jetzt vor ihm Klage geführt wird über die Schläge, mit denen Friedrich die Kirche härter trifft, als die Geißelung den Heiland traf, Friedrich, der das Gewand des Verräters angelegt hat, der jetzt am Gottesdienst eifrig teilnimmt, den er vor seiner Verurteilung wie ein Heide verabscheute, um unter dem Mantel der Frömmigkeit den Heiland in seiner Kirche zum zweitenmal zu kreuzigen. Nach wiederholter feierlicher Vermahnung ist er ausgeschlossen worden. Denn wenn schon die Wegnahme von Herrschaftsrechten der Kirche nicht geduldet werden durfte, so noch viel weniger die Zerstörung des Glaubens. Als vornehmster Rückhalt und einzige Zuflucht wird der König angerufen, daß er der Kirche seinen helfenden Arm leihe. Verdient man sich durch Kampf für die Befreiung des Heiligen Landes das ewige Leben, so noch mehr durch Kampf gegen die Zerstörung des Glaubens und gegen die Gottlosigkeit. Im hoffenden Vertrauen, daß der Kirche der Beistand des Königs als eines Gottesstreiters nicht fehlen werde, empfiehlt ihm der Papst den Kardinallegaten von Palestrina.

Welche Dienste von Ludwig erwartet wurden, ist in dem Schreiben nicht ausgesprochen, aber unbedeutend, das verriet der Ton, konnten sie nicht sein. Sie sind auch kein Geheimnis geblieben. Nichts Geringeres verlangte der Papst, als daß Frankreich für ihn gegen den Kaiser zu den Waffen greife. Als Lohn bot er einem der Brüder des Königs die Krone Friedrichs an, ob die römische Kaiserkrone, wie die Zeitgenossen wissen wollten, oder nur die sizilische, ist nicht sicher.

Da war man aber an den Unrechten geraten. Ludwig wies das Ansinnen entschieden zurück, und wenn wir dem englischen Chronisten glauben wollen, der allerdings im Verdacht steht, seine eigenen Empfindungen dem französischen König in den Mund zu legen, so hat dieser mit scharfen Worten den Papst getadelt und ihm jeden Rechtsgrund zum Vorgehen gegen den Kaiser bestritten. Sicher ist, daß Ludwig, wie er bei einer späteren Gelegenheit gegenüber Friedrich nicht verhehlte, das Verfahren Gregors nicht gebilligt hat, aber der Verkündigung des päpstlichen Spruches legte er nichts in den Weg, gestattete auch die Erhebung eines Zwanzigsten von den Kirchen Frankreichs zum Kampf gegen den Kaiser. Wenn er neutral bleiben wollte, so war seine Neutralität von Anfang an wohlwollend für den Papst.

Ein fruchtbarer Boden für Gregors Drachensaat war anscheinend Deutschland, das im Namen Konrads IV., des elfjährigen Kaisersohnes, der Mainzer Erzbischof Siegfried von Eppstein regierte. Aber hier wurden die Erwartungen schwer enttäuscht. Den deutschen Fürsten teilte Gregor seinen Urteilsspruch mit, indem er zugleich dem Kaiser zu dienen verbot und alle ihm geschworenen Eide löste. Zur Wahl eines Gegenkönigs forderte er nicht offen auf – König war ja Konrad IV., den man doch nicht ohne weiteres für die Schuld des Vaters strafen konnte –, zwei Beauftragte sollten immerhin in dieser Richtung tätig sein. Der eine, ein Italiener, verschwand bald wieder, der andere entfaltete eine um so größere Tätigkeit. Albert Behaim, Erzdiakon von Passau, hatte lange als Anwalt an der Kurie gelebt und sich ganz mit der strengsten römischen Gesinnung erfüllt. Jetzt zeigte er im Dienste des Papstes, ausgestattet mit Vollmachten wie sonst nur ein Legat, einen erstaunlichen Eifer, indessen ein Erfolg blieb ihm versagt.

Friedrich fehlte es in Deutschland nicht an Gegnern: der geächtete Herzog von Österreich strebte danach, Land und Würde wiederzuerlangen, der Herzog von Baiern war mit dem Reichsregenten, dem Mainzer, wegen Besitzstreitigkeiten verfeindet, der König von Böhmen unsicher. Auf die Nachricht von des Kaisers Verdammung hatten Böhmen und Baiern sogleich die Wahl eines Gegenkönigs ins Auge gefaßt. Aber auf dem Reichstage in Eger, am 1. Juni 1239, blieben sie allein, vielmehr einigten sich einen Monat später zehn deutsche Bischöfe unter dem Vorsitz des Mainzers, entgegen dem Befehl des Papstes, das Urteil über den Kaiser nicht zu veröffentlichen. Es scheint in der Tat nirgends in Deutschland verkündigt worden zu sein. An der festen Haltung der meisten Laienfürsten und Bischöfe scheiterten alle Versuche der päpstlich Gesinnten. Einige Fürsten sollen sogar dem Papst erwidert haben, den Kaiser habe er nicht zu wählen, nur zu krönen. Als es vollends gelang, sowohl den Österreicher durch Rückgabe seines Herzogtums auszusöhnen wie den Böhmen durch andere Vorteile zu gewinnen, gab schließlich auch der Baier das Spiel auf und trat widerwillig zum Kaiser über. Von Wahl eines Gegenkönigs war keine Rede mehr. Man hatte an einen Dänenprinzen gedacht, der jedoch für die Ehre dankte. Dasselbe tat Otto von Braunschweig, der Neffe Kaiser Ottos IV. Durch Erhebung seines Landes zum Herzogtum schon seit vier Jahren mit Friedrich ausgesöhnt, erklärte er jetzt, ihn gelüste nicht danach, zu enden wie sein Oheim. Das Reich gehorchte dem Kaiser und wuste von seiner Verfluchung amtlich nichts. Umsonst hatte Albert Behaim sich angestrengt, mit Vorladungen und Kirchenstrafen um sich geworfen, schließlich ein halbes Dutzend Bischöfe und ein Dutzend Städte wegen Ungehorsams mit Ausschluß und Sperre belegt, er stieß überall auf Ablehnung, machte sich selbst unmöglich und mußte, als der Kaiser seine Ausweisung verlangte, nach Böhmen flüchtend sich in Sicherheit bringen. Sehr unverblümt hatten hohe und niedere Geistliche ihrer Gesinnung Ausdruck gegeben: der Erzbischof von Salzburg trat ein päpstliches Schreiben mit Füßen, der Bischof von Freising warf eine Vorladung zu Boden und ließ den Überbringer verhaften, und die bairischen Domherrn insgesamt erklärten laut, wären sie ihrer Pfründen sicher, so fürchteten sie die römischen Blitze und Donner nicht und achteten die päpstlichen Strafen keine Bohne wert. Unverkennbar haben die Geistlichen sich bei dieser Gelegenheit eifriger kaiserlich gezeigt als die Laienfürsten. Unter dem Druck seines Klerus fügte sich der Baier, den Österreicher gewannen die Bischöfe dem Kaiser. Man hat es auch nicht bei Worten bewenden lassen: das Domkapitel von Regensburg erbot sich, eine Truppe von 600 Rittern gegen des Kaisers Feinde aufzustellen. Hinter diesem Beispiel blieben die Reichsstädte nicht zurück, sie haben die Kriegssteuer, die Friedrich ihnen auferlegte, willig getragen, und ihre Bewaffneten sind in die Lombardei gezogen, um unter der Fahne des Kaisers zu fechten. Nicht wenig hat zu dieser Haltung Deutschlands beigetragen, daß der Deutsche Ritterorden auch nach Salzas Tode fest zum Kaiser hielt. Seine Häupter waren in der Regentschaft des Königs maßgebend, sie ließen sich auch durch die Drohung des Papstes, dem Orden seine Vorrechte zu entziehen, in ihrer Treue nicht erschüttern, und Gregor hat nichts getan, seine Drohung wahrzumachen.

So wertvoll es für Friedrich war, daß die päpstliche Werbung in Deutschland keinen Abfall hervorzurufen vermochte, die Erfahrung lehrte ihn doch bald, daß er bei den Fürsten des Reiches auf tatkräftige Unterstützung nicht rechnen durfte. Als er im nächsten Frühjahr mit einem jener Aufrufe voll schwungvoller Beredsamkeit, in denen seine Kanzlei Meisterin war, an sie herantrat, als er ihnen an der Hand der Tatsachen nochmals auseinandersetzte, wie der Papst durch Unterstützung der rebellischen Lombarden das Reich zu zerstören trachte, sie aufforderte, das Kaisertum zu verteidigen, um das sie von allen Nationen beneidet würden, durch das sie die ‹Herrschaft der Welt› besäßen; als er auf die von ihm persönlich gebrachten Opfer hinwies und seinen Vorsatz erklärte, für die Erhöhung des römischen Herrschernamens und den Vorrang Deutschlands zu leben und zu sterben, da erreichten seine Vertreter nicht mehr, als daß die Mehrheit der Fürsten, Geistliche wie Laien, den Papst zu friedlicher Beilegung des Streites aufforderten, einige auch, teils vorsichtig, teils offen und bestimmt, ihre Parteinahme für den Kaiser erklärten. Beides — wir werden noch davon hören — ohne Erfolg. Den Krieg in Italien, von dem die Entscheidung abhing, mußte Friedrich mit den Mitteln führen, die ihm sein Königreich Sizilien, seine italienischen Anhänger und das spärliche deutsche Königsgut boten. Truppen lieferte ihm Deutschland, soviel er bezahlen konnte, es war für ihn der beste Werbeplatz, aber mehr hatte er von dort nicht zu erwarten. Mit deutschen und italienischen Söldnern und sizilischem Gelde mußte er fortan den Kampf um die Wiederherstellung des Kaisertums in Italien führen, gegen die Liga der Lombarden und nun auch gegen den Papst. Im Juni war dieser mit den führenden Städten der Liga, Mailand, Genua und Piacenza, ein enges Bündnis eingegangen: nur gemeinsam wollten sie Frieden schließen, die Städte den Papst nach Bedarf mit Geld unterstützen. Kirche und Liga waren eine geschlossene Front wie zu Zeiten Friedrichs I. Diesem war es gelungen, nach jahrelangem Kampf die Front zu spalten und dadurch zu siegen. Konnte der Enkel hoffen, daß es auch ihm glücken werde, die Gegner zu trennen?

Gregor hatte den Krieg unter günstigen Vorzeichen beginnen können. An verschiedenen Stellen vermochten seine Anhänger dem Kaiser Abbruch zu tun. Schon im März hatten die Mailänder sich durch Handstreich der Stadt Como bemächtigt und damit die seit kurzem eröffnete Verbindung mit Schwaben über den St. Gotthard gesperrt. Mitte April glückte die Wegnahme von Treviso, womit in die bisher lückenlose Stellung des Kaisers in der östlichen Poebene eine Bresche geschlagen war; zwei Monate später fielen der schon lange schwankende Markgraf von Este und das bisher stets getreue Ravenna ab. Hatte dort Gregor von Montelongo die Hand im Spiel, so hier der Rektor der Mark Ancona, Kardinal Sinibald Fieschi. Wenn diese Erfolge erweitert wurden, so war den in der Lombardei kämpfenden kaiserlichen Truppen die Verpflegung aus dem reichen Getreideland der Romagna abgeschnitten. Derweilen nahmen die geheimen Verhandlungen des Papstes mit Genua und Venedig ihren Fortgang. Nichts Geringeres plante Gregor als einen Angriff auf Sizilien, Landung auf der Insel, ihre Eroberung und Einsetzung eines neuen Königs. Dazu sollten die beiden Seestädte gemeinsam eine Kriegsflotte von 50 Galeeren, die erforderlichen Schiffe für das Landungsheer und einige hundert Ritter stellen, der Papst übernahm die Kosten und weitere 2000 Ritter. Nach geglückter Eroberung sollte Genua die Stadt Syrakus, Venedig die apulischen Häfen Barletta und Salpi, beide außerdem Anteil an der beweglichen Kriegsbeute und im ganzen Königreich Handelsniederlassungen mit eigenem Gericht erhalten. In dieser Form kam der Vertrag mit Genua Ende Juli, mit Venedig zwei Monate später zustande. Das Jahr 1240 drohte für die sizilische Monarchie verhängnisvoll zu werden.

Friedrich hatte inzwischen wenig Glück. Die Verluste von Treviso und Ravenna hatte er nicht verhindern, bei einem Angriff auf Bologna nur die Vorburgen nehmen und die Umgebung verwüsten können. Ein Vorstoß gegen Mailand hatte kein weiteres Ergebnis als die Verödung der Landschaft, und beim Abzug erlitt sein Heer vor Piacenza eine empfindliche Schlappe. Nun aber änderte er sein Ziel: nicht mehr die Liga, den Papst selber und den Kirchenstaat griff er an. Seine Antwort auf den päpstlichen Bannfluch war gewesen, daß er seine frühere Schenkung der Mark Ancona und des Herzogtums Spoleto wegen Undankbarkeit und Mißregierung zurücknahm und beide Provinzen für alle Zeit zum Reichsgut erklärte. Im September rückte sein Sohn, König Enzo, in die Mark ein und begann die Eroberung, wobei ein Neffe des Papstes gefangen wurde, im Herzogtum erschien zwei Monate später der Kaiser selbst. Er fand nur bei wenigen Städten Widerstand, zu Anfang des Jahres 1240 drang er ins römische Toskana, dessen Städte ihm die Tore öffneten. Mitte Februar stand er in Viterbo, sein Ziel war Rom. Dort rechnete er auf freiwillige Unterwerfung.

Er hatte am gleichen Tage, wo er gegen das Strafurteil des Papstes mit der Widerklage und Berufung an ein Konzil hervortrat, an die Römer besonders geschrieben, sein Befremden ausgesprochen, daß niemand unter ihnen sich gegen die Schmähungen des Papstes erhoben habe, was doch, ‹da Rom das Haupt und der Ursprung unseres Kaisertums ist›, ihre Pflicht gewesen wäre. An alles, was er für sie, zu ihren Ehren und zur Erhöhung des Kaisertums getan, hatte er sie erinnert und ihnen mit dem Verlust seiner Gnade gedroht, wenn sie das Versäumte nicht nachholten. Sie hatten nichts getan, Friedrich aber hatte seine Drohung nicht wahrgemacht, die Beziehungen zur Stadt nicht abgebrochen. Als ihr Gesandter ist einmal kein Geringerer als der frühere Senator Malabranca bei ihm gewesen. Friedrich muß in Rom starken Anhang gehabt haben, besonders unter den reichen Kaufleuten, die augenscheinlich mit seinem Sieg rechneten, denn gerade in dieser Zeit stellten sie ihm ihre Kassen zur Deckung laufender Bedürfnisse zur Verfügung. Es wird berichtet, auf den Ruf seiner Anhänger habe er sich der Stadt genähert.

Gregor sah sich aufs äußerste bedroht; wenn Rom dem Kaiser die Tore öffnete, war er verloren. Nicht einmal die Flucht, die einst Alexander III. in gleicher Lage gerettet hatte, stand ihm offen.

Da zeigte der Hochbetagte – er zählte damals schon mindestens etwa 70 Jahre – eine Tatkraft und einen persönlichen Mut, die für sein Alter außerordentlich genannt werden müssen; und da erlebte man, was diese Eigenschaften, gepaart mit kluger Berechnung, über die Gemüter der Menschen vermögen. Am Tage von Petri Stuhlbesteigung, dem 22. Februar, veranstaltete er einen Bittgang nach St. Peter, ließ die heiligsten Reliquien, das Kreuz Christi und die Häupter der Apostelfürsten, vorantragen und hielt an die Volksmenge eine Ansprache, an deren Schluß er die Krone vom Haupte nahm und sie den Reliquien aufsetzte mit den Worten: ‹Verteidigt ihr Rom, wenn die Römer es nicht tun wollen!› Die Wirkung blieb nicht aus, die Massen des Volkes waren für den Papst gewonnen. Die Kaiserlichen wagten nichts, während viele sich das Kreuz anheften ließen, um im Kampf gegen den Kaiser den Ablaß zu erwerben, den der Papst verhieß. So jäh war der Umschlag der Stimmung, daß Führer der Kaiserpartei selbst das Zeichen dazu gaben, und so erhitzt die Leidenschaft, daß sogar Frauen das Kreuz anlegten. In einem Rundschreiben durfte Gregor der Welt diesen Erfolg mitteilen. Jetzt zieh er Friedrich zu allem Früheren der Auflehnung gegen die Bußgewalt der Kirche, ihrer Beraubung und des Angriffs auf die Person ihres Oberhauptes und forderte jedermann auf, dem Beispiel der Römer zu folgen und aus der Hand seiner Beauftragten das Kreuz zum Kampf gegen den Verfolger der Kirche zu empfangen. Friedrich mochte immerhin in einem seiner prunkenden Manifeste sich seiner Erfolge rühmen, den Papst mit seinem Kreuzheer von Stalljungen und alten Weibern verhöhnen und die Kreuzträger, die in seine Hände fielen, umbringen lassen, sein Unternehmen war gescheitert. Zu den bisherigen Fehlschlägen und Verlusten hatte er eine weitere Schlappe zu buchen, die alle früheren Erfolge stark entwertete. Er konnte nichts Besseres tun als in sein Königreich abziehen.

Hier hat ihn zunächst eine gründliche Neuordnung der Verwaltung beschäftigt, die mit ihrer Zusammenfassung aller höheren Befugnisse an seinem Hoflager auf eine voraussichtlich lange dauernde Abwesenheit des Herrschers deutet. Daneben gingen Rüstungen: die Verluste der letzten Zeit mußten wettgemacht werden. Da setzte mit der Ankunft des Deutschordensmeisters die oben erwähnte Vermittlung der Reichsfürsten ein. Friedrich war sie nicht unwillkommen, er ließ verbreiten, der Papst sei mürbe und zum Frieden bereit. Während er mit seinem Heer an der Grenze des Kirchenstaats bei Ceprano lagerte, kamen die Verhandlungen in Gang. Von päpstlicher Seite geführt durch die Kardinäle Johannes Colonna und Rainald von Ostia, den Neffen des Papstes. Friedrich hat mit der sanguinischen Überschätzung günstiger Möglichkeiten, die man an ihm kennt, die Aussichten wohl von vornherein für besser gehalten, als sie waren. In Mitteilungen an seine Anhänger stellte er sogar die Einigung als unmittelbar bevorstehend hin, so daß der Bischof von Regensburg zu Anfang August schon verkündigen ließ, der Friede sei geschlossen. Es war Täuschung, die Verhandlungen waren damals schon ohne Ergebnis abgebrochen. Was sie zum Scheitern brachte, war nicht nur, wie man in Deutschland glaubte, der Tod des Ordensmeisters, es war die Unmöglichkeit, in der damaligen Lage zum Frieden zu gelangen. Den Sonderfrieden, den der Papst nicht gewähren konnte, erstrebte Friedrich. Gregor hatte eingewilligt, den schwebenden Streit durch ein allgemeines Konzil, das zu Ostern 1241 zusammentreten sollte, entscheiden zu lassen; bis dahin sollten die Waffen ruhen. Als aber der Kaiser darauf einging, stellte der Papst die weitere Forderung, der Waffenstillstand müsse auch den Lombarden, seinen Verbündeten zugute kommen. An der Weigerung des Kaisers, dies zuzugestehen, scheiterte die Verhandlung.

Gregor war auf sie nur eingegangen, weil er dem Drängen der deutschen Fürsten und einzelner Kardinäle nicht widerstehen konnte, aber ernstlich gewollt, geschweige denn gewünscht hat er den Frieden niemals. Dazu nötigte ihn auch nichts, der Krieg stand für ihn nicht ungünstig. Mit Truppen der Liga, bolognesischer und venetianischer Hilfe hatte Gregor von Montelongo Ferrara angegriffen. Von der erbarmungslosen Grausamkeit seiner Kriegführung verbreitete sich das Gerücht bis nach England und drängte dem Chronisten von Saint Albans einen Weheruf in die Feder: der Zorn Gottes sei über die Kirche gekommen, ihr Untergang stehe bevor, seit Priester all ihre Hoffnungen auf Geld und Beute, Schwert und Rache, statt auf Fasten und Beten setzten. ‹Ein trauriger Anfang verheißt einen noch traurigeren Ausgang.› Aber das Unternehmen hatte Erfolg, am 2. Juni 1240 wurde Ferrara genommen, der Markgraf von Este ergriff die Herrschaft und schloß sich der Liga an. Wohl waren dem Papst durch den Verlust großer Teile des Kirchenstaats Einnahmen entgangen, aber sie wurden mehr als reichlich ersetzt durch die Zuschüsse der lombardischen Verbündeten und die Gelder, die aus Frankreich und England zu erwarten waren. Der Kardinal von Palestrina, der als Legat in Frankreich die Sammlung betrieb – mit Erpresserkniffen, die den König, als er davon erfuhr, zum Einschreiten veranlaßten – war denn auch empört, als er von Friedensverhandlungen hörte, und warf dem Papst weibischen Kleinmut vor. Er behauptete, das in Frankreich eingegangene Geld, das der König vorläufig zurückhielt, bis die Entscheidung, ob Krieg oder Friede, gefallen wäre, würde allein für ein Jahr Kriegsführung ausreichen. Zu fürchten war vorerst nichts weiter, als daß der Kaiser auch den südlichen Teil des Kirchenstaats, die Campagna, einnahm, Rom selbst war sicher. Und seine stärkste Karte hatte Gregor noch gar nicht gezogen, der Gesamtangriff der venetianischen und genuesischen Flotten, die Landung auf Sizilien standen erst bevor. Er hatte wirklich keinen Grund, den Frieden zu erstreben, und ist vielleicht froh gewesen, daß der Kaiser ihn vereitelte, indem er den Lombarden den Waffenstillstand verweigerte. Der Krieg nahm also seinen Fortgang.

Den Papst kostete das einen seiner ältesten und bedeutendsten Gehilfen: Johannes Colonna, der mächtigste und reichste der Kardinäle, der als Legat auf dem Balkan und in Konstantinopel eine wechselvolle und erfolgreiche Tätigkeit ausgeübt hatte, trat in Gegensatz zu ihm. Es gab einen erregten Wortwechsel, in dem Colonna dem Papst den Gehorsam aufsagte. Er knüpfte mit dem Kaiser an und drängte ihn, seinen Plan der Wiederherstellung des Reiches mit Rom als Hauptstadt durchzuführen.

Friedrich hat mit Recht vom Angriff auf die Campagna abgesehen, der ihm nichts einbringen konnte, solange in Rom das Volk zum Papste hielt. Er·wandte sich nach der Romagna, wo mehr auf dem Spiele stand. Bologna war sein Ziel. Für die Begrenztheit seiner Mittel ist es bezeichnend, daß er auf dem Marsch durch die Mark weder die kleine Grenzstadt Ascoli noch das größere Fermo zu nehmen vermochte. Erst bei Ravenna gelang es ihm; die Stadt, in der die kaiserliche Partei offenbar immer noch stark war, ergab sich schon nach sechstägiger, nicht sehr ernster Belagerung. Dann wandte er sich gegen Faenza, das er bei einem Angriff auf Bologna nicht feindlich in seinem Rücken stehen lassen durfte. Ende August begann er die Belagerung mit äußerster Strenge, entschlossen, sie unter allen Umständen bis zum siegreichen Ende durchzuführen. Schon Anfang Oktober glaubte er mit gewohntem Optimismus die Übergabe nahe bevorstehend. Er irrte sich gewaltig, noch über ein halbes Jahr hat er mit italischen und sizilischen Truppen, mit Deutschen und Sarazenen vor der zäh verteidigten, von Bologna und Venedig unterstützten Stadt liegen müssen, ehe sie, ausgehungert, sich ergab.

Inzwischen hatte ihn ein schwerer Schlag getroffen: die schärfste Waffe, die er gegen Gregor zu benutzen sich vorgenommen, hatte dieser ihm entwunden und gegen ihn selbst gekehrt, indem er am 9. August die Einladungen zu einem allgemeinen Konzil erließ. Zu Ostern 1241 sollte es in Rom zusammentreten. Erzbischöfe und Bischöfe wurden persönlich aufgeboten, Domkapitel und Klöster, Könige und Fürsten hatten Vertreter zu schicken. Unter den Geladenen befanden sich der Doge von Venedig, oberitalische Markgrafen und Grafen, fast lauter Feinde des Kaisers, und die zehn Städte, die damals zur lombardischen Liga gehörten oder ihr verbündet waren, dagegen keine einzige der kaisertreuen. Die Kirchen des Königreichs Sizilien waren natürlich alle übergangen. Ein Zweck der Berufung wurde nicht angegeben, er wurde als bekannt vorausgesetzt.

Friedrich hatte das Konzil gefordert, vor dem er sowohl sich rechtfertigen wie seine Klage gegen den Papst vorbringen wollte. Den zweiten Punkt hatte er schon in den jüngst geführten Verhandlungen fallenlassen, nur noch ein unparteiisches Gericht über sich selbst erwartete er von der Versammlung. Aber schon dies schloß die Berufung durch den Papst aus; von den Kardinälen, so hatte Friedrich gefordert, sollte sie ausgehen. Von einem Konzil, das auf den Ruf des Papstes zusammentrat, in seiner Hauptstadt und unter seiner Leitung tagte, wußte der Kaiser im voraus, was er zu erwarten hatte, auch wenn es weniger parteiisch zusammengesetzt war. Er war bald entschlossen, es zu verhindern, und tat das aller Welt kund. Den Kardinälen, den andern Königen, den Fürsten Deutschlands, allen Getreuen des Reiches schrieb er darüber, legte den

Verlauf der jüngsten Verhandlungen dar, wie er zum Frieden wohl mit dem Papst bereit gewesen, aber nicht mit den lombardischen Reichsrebellen, denen der Waffenstillstand nur Zeit verschafft haben würde, neue Kräfte zu sammeln; wie der Papst durch Parteinahme für sie zum Feinde des Kaisertums geworden sei. Ein Konzil dieses seines Todfeindes, in dem die offenen Feinde des Reiches säßen, würde nicht dem Frieden, sondern der Zwietracht dienen, ihm könne er seine Herrscherwürde nicht unterwerfen. Er warnte vor dem Besuch der Versammlung, befahl, den dahin Reisenden die Straßen zu sperren, entzog ihnen den Rechtsschutz und forderte alle Untertanen des Reiches auf, sie zu fangen und ihrer Habe zu berauben.

Gregor ließ sich nicht irremachen. Mitte Oktober wiederholte er die Einladung und traf Vorbereitungen, den außeritalischen Teilnehmern die Reise nach Rom zu ermöglichen. Da der Kaiser die Straßen zu Lande beherrschte, blieb nur der Seeweg übrig. Genua, das soeben die Verbindung mit der lombardischen Liga vollzogen hatte, sollte Schiffe für die Überfahrt der Prälaten nach einem römischen Hafen stellen, die Kosten wollte die Kirche tragen. Das Verlangen blieb in der Stadt nicht unwidersprochen, man wußte, daß die sizilische Flotte zu fürchten war und Pisa drohte, sich ihr anzuschließen. Die kaiserlich Gesinnten setzten sich zur Wehr und bereiteten heimlich einen Umsturz vor. Ihr Komplott wurde entdeckt und gewaltsam niedergeschlagen, einige der vornehmsten Geschlechter, die Doria, Spinola und andere, mußten in die Verbannung, und der Beschluß ging durch, der Kirche, wie von jeher, so auch in diesem Fall zu Diensten zu sein. Eine Flotte von 27 Galeeren wurde ausgerüstet und holte die französischen, englischen und spanischen Geistlichen aus Nizza ab. Allzu viele waren es nicht; einige zwanzig Erzbischöfe nebst über hundert Äbten und anderen Prälaten. Die meisten der Geladenen hatten sich begnügt, Vertreter zu schicken. Einige von ihnen fanden die Sicherheit nicht genügend und kehrten um, die übrigen warteten in Genua auf günstige Jahreszeit und Gelegenheit zur Überfahrt.

Der Kaiser hatte den ganzen Winter vor Faenza gelegen und war voll Siegeszuversicht. In der jährlichen Steuerforderung im Königreich entwarf er ein glänzendes Bild von der Kriegslage, stellte die Einnahme nicht nur Faenzas, auch Bolognas und den vollständigen Sieg als sicher hin. Was sich in Genua vorbereitete, entging ihm nicht. Ein Geschwader seiner Flotte lag unter der Führung des erfahrenen Genuesen Ansaldo del Mare im Tyrrhenischen Meer bereit, Pisa hatte seine Schiffe mit den kaiserlichen vereinigt, ehrenhalber war der Oberbefehl dem Kaisersohn Enzo übertragen. Der Frühling war gekommen und mit ihm der erste Erfolg: am 14. April kapitulierte Faenza.

Im Lateran zu Rom wartete derweilen Gregor IX. mit begreiflicher Ungeduld auf die Ankunft der Konzilteilnehmer, Ostern, der festgesetzte Zeitpunkt, war vorüber, Woche um Woche verstrich und noch war kein Schiff in Sicht, bis endlich eine Hiobspost eintraf, wie sie schlimmer nicht hätte sein können. Am 25. April war die genuesische Flotte, 27 Schiffe stark, mit über hundert Prälaten und Geistlichen an Bord ausgelaufen. Als sie am 5. Mai 1241 zwischen den Inseln Giglio und Montecristo, südöstlich von Elba, hindurchfuhr, wurde sie von den vereinigten Kaiserlichen und Pisanern mit Überlegenheit angegriffen und vernichtend geschlagen. Nur 5 Galeeren entkamen, 22 wurden versenkt oder genommen, alle zum Konzil Reisenden, über hundert Personen, fielen in Gefangenschaft und wurden nun auf den Burgen des Kaisers in Haft gehalten, einige mit Ketten gefesselt. Kaum ein Dutzend Erzbischöfe und Bischöfe, darunter alle spanischen, hatten sich gerettet, der Erzbischof von Besançon war ertrunken. Unter den Gefangenen zählte man außer den Gesandten der lombardischen Liga die Erzbischöfe von Mailand, Rouen, Auch und Bordeaux, sechs Bischöfe, die Äbte von Cluny, Citeaux, Clairvaux und Prémontré und die beiden Kardinallegaten aus England und Frankreich, Otto von St. Nikolaus und Jakob von Palestrina. Diesen konnte der Kaiser jetzt die schlechten Dienste vergelten, die gerade sie ihm seit Jahren geleistet hatten.

Sein Triumph war groß, und er verfehlte nicht, ihn aller Welt zu verkündigen. Gott selbst hatte gerichtet! In der Tat war der Sieg vom 3. Mai für die Fortsetzung des Krieges von größter Bedeutung. Er hatte erwiesen, daß der Kaiser zu Wasser den Gegnern, Genua und Venedig, mindestens gewachsen war, ihren Angriff brauchte er nicht zu fürchten. Sie haben ihn auch nicht versucht. Venedig hatte vor dem 3. Mai einmal seine Flotte die apulische Küste entlangfahren und die Hafenstädte plündern lassen, seitdem unternahm es nichts mehr. Die Genuesen aber sahen sich gegenüber dem an der Riviera kreuzenden Ansaldo auf erfolgreiche Verteidigung beschränkt, an Angriff konnten sie nicht mehr denken. Der ganze schöne Kriegsplan des Papstes war zusammengebrochen, ein unerfüllter Traum. Dieser Erfolg war gewiß kaum zu überschätzen.

Ein anderes Aussehen bekam das Ereignis, wenn man seine Rückwirkung auf die Stellung der Kirche zum Kaiser ins Auge faßte. Das Konzil war verhindert, die Absetzung, die es ohne Zweifel verhängt haben würde, war vermieden. Aber war dieser Erfolg nicht zu teuer erkauft? Friedrich hatte immer betont, er kämpfte nur gegen Gregor, nicht gegen die Kirche. Damit mußte er schon auf Unglauben stoßen, als er es unternahm, den Zusammentritt eines Konzils zu verhindern, weil es von einem Papst berufen war, den er als seinen Feind ansah. Das blieb, mochte er noch so viele Gründe für sich anführen, die Auflehnung eines Laien und weltlichen Fürsten gegen die gesamte Kirche, ein Angriff auf ihre Freiheit und ihr wichtigstes Recht, die Möglichkeit, mit ihrem Oberhaupt zu Rate zu gehen. Nun war die Drohung Tat geworden. Durch Waffengewalt und unter Verlust von Menschenleben. Friedrich tat noch ein übriges, indem er die gefangenen Prälaten nicht freiließ. Sie sollten ihm als Geiseln zur Erzwingung eines vorteilhaften Friedens dienen. Bei der Gefangennahme hatten sie schon arg zu leiden gehabt, waren bis aufs Hemd ausgeraubt worden, jetzt wußte man bald viel von ihrer unwürdigen Behandlung zu erzählen.

Um die Wirkung hiervon auf weite Kreise ganz zu verstehen, müssen wir uns in die Denkweise der Zeit versetzen, für die jede Antastung eines Geistlichen schon ein verabscheuungswürdiges Verbrechen bedeutete. Wie manche, die bis dahin noch geneigt gewesen waren, Friedrich Gerechtigkeit widerfahren zu lassen, mögen unter dem Eindruck solcher Nachrichten ihre Meinung geändert und das Urteil der geretteten spanischen Bischöfe geteilt haben, die den Papst drängten, diesen Kaiser nach Verdienst zu strafen, unter dem die Kirche niemals Frieden und Ruhe haben würde, zumal seine Frechheit bei allen Fürsten Schule machen könnte. Wenn Friedrich sich nicht selbst über das Ärgernis klar war, das er erregte, so sagte es ihm eine geharnischte Beschwerde des französischen Königs. Ohne das Verfahren des Papstes billigen zu wollen, legte Ludwig IX. in drohendem Ton Verwahrung ein gegen die Behandlung der französischen Prälaten. Noch sei Frankreich nicht so geschwächt, daß es sich mit Füßen treten lasse! Friedrich achtete das nicht, antwortete dem König, die Gefangenen würden als seine Feinde festgehalten, ‹da alle Tiere die Spur des Löwen fürchten›, und änderte nichts. Er glaubte sich stark genug, den Papst zum Frieden zu zwingen. Den geplanten Angriff auf Bologna gab er auf und marschierte im Juni zum zweitenmal geradewegs auf Rom.

Man kann Gregor IX. das Zeugnis nicht versagen, daß er in diesen Tagen ebensoviel Standhaftigkeit wie früher Angriffslust bewiesen hat. Nach dem Bekanntwerden der Niederlage vom 3. Mai richtete er sogleich an die verbündeten Städte ein Schreiben, teilte ihnen mit, was geschehen war, und ermahnte sie, als Streiter Christi mutig auszuharren. Die gefangenen Prälaten tröstete er mit würdigen Worten, konnte aber das Bedauern nicht unterdrücken, daß ihm die Genuesen trotz erhaltener Warnung keine stärkere Flotte bewilligt hätten. An Nachgeben dachte er jetzt so wenig wie früher, obgleich das kaiserliche Heer den Ring der Belagerung um die Hauptstadt immer enger zog, Tivoli nahm, Albano zerstörte, sich vor die Tore Roms legte und die Umgebung zu verwüsten begann. Um ihn waren nur acht Kardinäle, die sein Verhalten nicht alle billigten. In England wollte man wissen, sie seien entschlossen, sich vom Papst loszusagen, der mit seiner Leidenschaftlichkeit die Christenheit in Gefahr bringe. Wirklich trennte sich Colonna jetzt offen von ihm; er soll den Kaiser zum Marsch auf Rom aufgefordert haben, während in der Stadt die Zahl der Kaiserfreunde zunahm. Gregor blieb unerschütterlich. Roms war er sicher, der Senator Matteo Rosso, ein Großneffe Coelestins III. aus dem Zweig des Hauses, der sich seitdem Orsini nennt, hielt fest zu ihm und führte ein straffes Regiment. Schon vom Marsch aus hatte Friedrich Verhandlungen angeknüpft und verbreitete überall, der Friede sei vor der Tür, da der Papst durch die Umstände gezwungen sei nachzugeben. Aber Gregor wich keinen Fußbreit von der Forderung bedingungsloser Unterwerfung unter die Gebote der Kirche, ehe von andern Dingen die Rede sein könne. Auswärtigen Fürsten, dem Herzog von Kärnten, dem König von Ungarn, die zum Frieden rieten, antwortete er kurz angebunden, Friedrich solle sich demütig unterwerfen, in die Kirche werde er wieder aufgenommen werden, wenn er sich würdig zeige und die gestellten Bedingungen erfülle. Dieselbe Erfahrung machte Graf Richard von Cornwall, der auf der Rückkehr aus dem Heiligen Lande seinen kaiserlichen Schwager besuchte. Als er mit Vollmacht Friedrichs nach Rom ging, um einen Weg zum Frieden zu suchen, fand er den Papst völlig unzugänglich auf der Forderung beharrend, daß der Kaiser sich ihm bedingungslos und eidlich unterwerfe.

Dem Grafen soll Friedrich auf seine Klage über den empfangenen schlechten Eindruck erwidert haben: ‹Es freut mich, daß Ihr durch Erfahrung kennengelernt habt, was ich Euch vorhersagte.› War das noch unerschütterliche Überzeugungstreue oder schon der Starrsinn eines Greises, der nichts mehr zu verlieren hat? Andererseits war auch Friedrich nicht zum Nachgeben bereit, er glaubte sich dicht vor dem Ziel.

Gregor war über 70 Jahre alt und machte, schon lange leidend, einen noch älteren Eindruck. Daß er, im heißen Rom eingeschlossen, die gewohnte sommerliche Erfrischung in seinem Palast in Anagni entbehren mußte, setzte ihm zu, so daß sein Zustand sich verschlimmerte. Die Nachricht, daß der Kaiser eine der Burgen genommen und zerstört habe, durch deren Errichtung er die Besitzungen seines Hauses hatte sichern wollen, soll seine Auflösung beschleunigt haben, am 22. August 1241 schloß er die Augen für immer.

Sein Ende nimmt sich aus wie das Verschwinden am Vorabend eines nicht mehr zu verschleiernden Zusammenbruchs. Noch nie hatte ein Papst bei seinem Hinscheiden Kirche und Welt in so verworrener und gefährlicher Lage hinterlassen: Italien seit Jahren in dauerndem Kriegszustand, dessen Ende nicht abzusehen; die Völker in erhitztem Zwiespalt, irre geworden an Wahrheit und Recht, da die beiden höchsten Häupter, in unerbittlichen Kampf verstrickt, jeder den andern der Ketzerei und Schädigung der Christenheit bezichtigten. Es war ein Anblick, der ängstliche Gemüter das Ende aller Tage ahnen lassen konnte. Und es gab noch Ärgeres. An den Rändern der abendländischen Welt waren Dinge geschehen, die dieses Ende wirklich anzukündigen schienen.

Eine schlimme Wendung hatte die Sache des Heiligen Landes genommen. Die Aufrufe des Papstes hatten bewirkt, daß in Frankreich und England viele Vornehme und Ritter das Kreuz nahmen, und schon für den Sommer 1238 stand in Frankreich ein stattliches Heer bereit, an der Spitze der Graf der Champagne, der den Königstitel von Navarra erheiratet hatte, der Herzog von Burgund, die Grafen der Betragne und von Mâcon und andere. Auf Wunsch des Kaisers mußte der Aufbruch um ein Jahr verschoben werden. Er hatte dafür mehr als einen Grund. Er konnte fordern, daß der Ablauf des zehnjährigen Friedens abgewartet werde, den er im Februar 1229 geschlossen hatte. Dazu kam, daß der Papst dem Kreuzzug eine Wendung zu geben suchte, die ihm nicht genehm sein konnte: die Kreuzfahrer sollten dem Kaisertum in Konstantinopel Hilfe bringen.

Dieses Reich stand fast von Anbeginn zwischen zwei Feuern, von Osten her bedroht durch die Griechen in Kleinasien, wo sich ein gewisser Johannes Vatatzes in Nikäa zum Kaiser aufgeworfen hatte, im Norden durch den Bulgaren, der abwechselnd mit den Griechen gegen die Lateiner und mit diesen gegen die Griechen gemeinsame Sache machte, in der Hoffnung, als lachender Dritter die Kaiserkrone in Konstantinopel davonzutragen. Für den unmündigen Kaiser Balduin II. hatte der alte Johann von Brienne seit 1229 bis zu seinem Tode im Jahre 1237 als Reichsverweser die Verteidigung geleitet, dann hatte der junge Balduin eine Bittfahrt in die westlichen Lande angetreten und dabei den Papst so sehr für sich zu gewinnen verstanden, daß dieser das Ziel des Kreuzzugs von Akka und Jerusalem nach Konstantinopel zu verlegen beschloß. Die geleisteten Gelübde sollten vertauscht, die gesammelten Gelder zur Unterstützung Balduins verwendet werden. In England entstand darob lebhaftes Murren, Graf Richard von Cornwall, des Königs Bruder, der den Zug führen sollte, weigerte sich entschieden, auf den Plan einzugehen, Gregor mußte Vorwürfe hören, er vernachlässige die Sache Christi zugunsten Konstantinopels. Er rechtfertigte sich, indem er versicherte, die Behauptung Konstantinopels sei um des Heiligen Landes willen notwendig, da nur von dort aus Jerusalem wirksam verteidigt werden könne, aber er fand damit so wenig Glauben, daß er sich genötigt sah, einen Mittelweg einzuschlagen: ein Teil der Franzosen, 400 Ritter, sollten nach Konstantinopel geleitet werden, die übrigen samt den Engländern nach Syrien ziehen.

In Friedrichs Pläne paßte schon die halbe Unterstützung Konstantinopels schlecht. Er stand damals in Verhandlungen mit Vatatzes, der ihm — nach dem Bericht eines sonst nicht schlecht unterrichteten Zeitgenossen — Unterwerfung und Huldigung, sogar Anerkennung des päpstlichen Primates angeboten haben soll. Die Verhandlung ist im Sande verlaufen, muß aber zeitweilig Erfolg versprochen haben, denn im Feldzug von 1238 haben griechische Hilfstruppen im Heere des Kaisers gefochten, und die Verbindung zwischen Vatatzes und Friedrich blieb bestehen. Daß dieser nicht zur selben Zeit ein französisch-päpstliches Unternehmen gegen seinen Freund fördern wollte, versteht sich ohne weiteres.

So machten sich denn erst im folgenden Jahr zwei französische Kreuzheere auf den Weg, das eine zu Lande durch Deutschland und Ungarn gegen Konstantinopel, das andere zu Wasser von Marseille aus über Sizilien nach Syrien. Vor Konstantinopel, das, von den Griechen belagert, in größter Gefahr schwebte, hatten die Franzosen Erfolg dank der Unterstützung durch die Venetianer, deren Flotte die Griechen entscheidend schlug, so daß sie die Belagerung der Stadt aufgeben mußten. Um den Erfolg zu vervollständigen, suchte Gregor den zweiten Gegner, Bulgarien, zu beseitigen, indem er den Ungarnkönig zur Eroberung des Landes aufforderte, ihm für den Fall des Gelingens sogar die Neuordnung der dortigen Kirche zu überlassen bereit ist. Warum es dazu nicht kam, Ungarn vielmehr selbst die Beute eines gefährlichen Gegners wurde, werden wir gleich sehen.

Die Kehrseite des Erfolgs vor Konstantinopel war Schwächung im Heiligen Lande. Die französischen Kreuzfahrer, die dort im September 1239 eintrafen, waren infolge der Abzweigung eines Teiles nach Konstantinopel nicht stark genug, Uneinigkeit und schlechte Führung taten das übrige, und am 13. November 1239 erlitt das Heer bei Askalon eine schwere Niederlage, in deren Folge Jerusalem verlorenging. Der Auflösung des ägyptisch-syrischen Sultanates, die nach dem Tode Al-Kâmils (März 1238) eingetreten war, und der erbitterten Feindschaft zwischen den Herrschern von Kairo und Damaskus war es zu danken, daß trotzdem der Friede von 1229 vorläufig verlängert werden konnte. Der Graf von Cornwall, der im folgenden Jahr nach dem Abzug der Franzosen mit den Engländern eintraf, bestätigte das Abkommen, kraft dessen nun der größere Teil des Königreichs Jerusalem den Christen zurückgegeben wurde. Es war mehr, als man hatte erwarten dürfen, und doch waren die meisten enttäuscht und unzufrieden. Mit gutem Grund. Unter Einsatz der ganzen Kraft und einheitlicher Führung hätte damals Großes erreicht werden können. So aber blieb die Lage des Königreichs unsicher wie zuvor, ja unsicherer denn jemals. Ohne feste Ordnung im Innern, ohne anerkannte Regierung – gegen den Widerstand der Barone vermochte der kaiserliche Statthalter sich niemals durchzusetzen – war es von außen durch neue Feinde ernstlich bedroht, durch die turkmenischen Chovaresmier, die sich an seiner Grenze im Norden und Nordosten festgesetzt hatten, und die entfernteren, aber noch gefährlicheren Mongolen. Wer die Dinge nüchtern beurteilte, konnte der Zukunft nur mit größter Sorge entgegensehen.

Es läßt sich nicht bestreiten, daß hieran den Papst wesentliche Mitschuld trifft. Er hatte den Kreuzzug schlecht vorbereitet. Anstatt die kaiserliche Verwaltung des Landes zu stützen, hatte er das Gegenteil getan, so daß die einheimischen Kräfte im Bürgerkrieg sich verzehrten. Er hatte ferner den getrennten Aufbruch von Engländern und Franzosen zugelassen und schließlich die verhängnisvolle Teilung des französischen Heeres veranlaßt, während nur der gleichzeitige Einsatz aller verfügbaren Kräfte, des Landes selbst wie der Kreuzfahrer, den Erfolg verbürgen konnte. Aber der Zweifel ist nicht abzuweisen, ob Gregor an solchem Erfolge noch viel gelegen war, wenn er zur Stärkung eines Königreichs führte, dessen Eigentümer der Kaiser war. Daß der letzte Augenblick versäumt wurde, in dem die vollständige Rückeroberung Palästinas gelingen und das Königreich für längere Zeit verteidigungsfähig gemacht werden konnte, war die Folge des Kampfes zwischen Kirche und Kaisertum. Die italische Politik des Papstes war es, die der Sache des Heiligen Landes diesen Schaden zufügte, denn die nicht benutzte Gelegenheit kam mit gleicher Gunst nicht wieder.

Und schon drohte dem Abendland selbst eine Gefahr, vor der alles andere verschwand. Die Mongolen hatten Rußland unterworfen, zu Ende 1239 Kiew erobert, im folgenden Frühjahr fielen sie in Polen ein, zerstörten Krakau, überschritten die Karpaten, überschwemmten Ungarn und vernichteten das Heer, das ihnen entgegentrat. Die Schnelligkeit ihrer Bewegungen, die Masse ihrer Streitkräfte schienen jede Abwehr zu vereiteln, und wo sie hinkamen, legten sie die Städte in Schutt und Asche und machten das Land zur Einöde. Schon war Österreich, war Deutschland selbst bedroht, und als im April 1241 der schlesische Herzog bei Wahlstatt Niederlage und Tod gefunden hatte, schien die Gefahr kaum mehr abwendbar. Der ganze Westen wurde von Angst erfaßt, bis nach England breitete der Schrecken sich aus. Nur eine gemeinsame Anstrengung des ganzen Abendlands schien Rettung zu verheißen. Einstweilen entschlossen sich in Deutschland die Bischöfe unter Führung des Mainzers, auf eigene Hand und ohne päpstliche Ermächtigung das Kreuz predigen und Ablaß verkündigen zu lassen. Ja, in der Not scheuten sie sich nicht, in die Vorrechte des Papstes einzugreifen: sie ließen jeden ohne Unterschied, der sich zum Kampfe meldete, von Kirchenstrafen lossprechen, auch in Fällen, die sonst dem Papst vorbehalten waren.

Was taten nun Papst und Kaiser? Sie schrieben Trostbriefe, erließen Aufrufe, spornten andere zu Anstrengungen und gaben einander die Schuld, daß sie über nichts tun könnten. Auf päpstlicher Seite ist man so weit gegangen, zu verbreiten, der Kaiser habe die Mongolen herbeigerufen, um Ungarn und Österreich zu strafen. Friedrich wiederum versicherte in öffentlichen Kundgebungen an die Könige von England und Frankreich, an Ungarn, an den Adel des Herzogtums Schwaben und an die Stadt Rom, daß nur der Aufstand der Lombarden und das Widerstreben des Papstes gegen den Frieden ihn hindere, den bedrohten Ländern mit ganzer Macht zu Hilfe zu eilen. Solange er mit dem Papst nicht ausgesöhnt sei, wage er nicht, Italien zu verlassen, eingedenk dessen, wie Gregor einst in seiner Abwesenheit sein Königreich überfallen habe. Den Franzosen gegenüber sprach er sein Befremden aus, daß ihr Scharfsinn die Ränke des Papstes nicht durchschaue, der in seinem unersättlichen Ehrgeiz alle Reiche unterwerfen wolle, wie die englische Krone schon zu Boden getreten sei. Die Römer rief er auf, ihm mit allen Fürsten beizustehen, wenn der Papst auf den Frieden auch jetzt nicht eingehe und weiterhin das Allgemeinwohl und den Christenglauben verrate. Dem Ungarnkönig, der ihm sein Reich zu Füßen gelegt hatte, erklärte er offen, den Kampf gegen die Rebellen, der sich dem Ende nähere, nicht aufgeben zu können, weil sonst alle bisher darauf verwandten Anstrengungen umsonst verschwendet wären. Immer und überall lautete der Kehrreim: wir können nichts tun, sind in Italien gefesselt, und schuld daran ist der Papst. Hätte es vom Papst und Kaiser abgehangen, so wäre damals vielleicht das Abendland dem gleichen mongolischen Joch verfallen, das Rußland zwei Jahrhunderte hat ertragen müssen. Ob seine Abwehr gegenüber diesem Feinde erfolgreicher gewesen wäre als die der Russen, ist eine Frage, auf die das Schicksal keine Antwort gegeben hat, da die Mongolen noch vor Ablauf des Jahres 1241 auf die Nachricht vom Tode ihres Herrschers, des Großkhans, umkehrten und den Westen seitdem nicht mehr belästigt haben.

So schwebte denn damals das Abendland in größter Gefahr, weil Papst und

Kaiser einander auf Tod und Leben bekämpften. Wenn jeder den andern dafür verantwortlich machte, keiner selbst schuld sein wollte und die Zeitgenossen hier dem einen, dort dem andern Recht gaben, so kann die Geschichte daran nicht achtlos vorbeigehen. Sie muß versuchen, ein Urteil zu finden.

Friedrichs Behauptung, er könne Italien nicht verlassen, ohne sein Königreich, wie schon einmal, einem Angriff von seiten des Papstes auszusetzen, ist nicht aus der Luft gegriffen. Auch seine Weigerung, einem französischen Kreuzheer den Zug durch Italien zu gestatten, hatte ihre guten Gründe. Nach den früher gemachten Erfahrungen mußte er damit rechnen, daß diese Kreuzfahrer auf dem Marsch durch die Lombardei oder bei der Landung in sizilischen Häfen sich unversehens in päpstliche Hilfstruppen für Mailand oder zur Eroberung Siziliens verwandelten. Den gleichen Argwohn hat man auch anderswo gehegt. Wenn sogar die englischen Kreuzfahrer ausdrücklich zur Bedingung machten, daß sie nicht vom Papst zum Kampf für Konstantinopel oder gegen Sizilien mißbraucht würden, so wundert man sich nicht, daß der Kaiser sich gegen solche Gefahr sichern wollte. Das Bündnis des Papstes mit Genua und Venedig, das seinem Argwohn die stärkste Nahrung hätte geben müssen, scheint er nicht einmal gekannt zu haben, da er es unter seinen Beschwerden niemals erwähnt. Von dem Vorwurf der Behinderung oder Vernachlässigung des Kreuzzugs ist er also freizusprechen.

Von Gregor IX. läßt sich nicht dasselbe sagen. Bedürfte es nach allem, was wir kennengelernt haben, noch eines Beweises, wer in dem Kriege zwischen Papst und Kaiser der Angreifer war, so wäre er durch des Papstes geheimes Bündnis mit den Seestädten erbracht. Abgeschlossen wurde es zu dem offenkundigen Zweck, den Kaiser aus seinem Erbkönigreich zu verdrängen, ohne daß er der römischen Kirche bis dahin einen Schaden zugefügt hatte und bevor gegen ihn eine förmliche Anklage erhoben war. Was von den nachträglich geltend gemachten Beschwerden zu halten ist, haben wir gesehen. Unter ihnen die grundloseste ist wohl die, daß Friedrich den Krieg in der Lombardei, der den Kreuzzug hinderte, ohne Not vom Zaun gebrochen habe. Man mag es offen lassen, ob der Entschluß, das Kaisertum in Oberitalien wiederherzustellen, vom Standpunkt des sizilischen Königs notwendig und klug war. Nach einer Überlieferung, die nicht ganz von der Hand zu weisen ist, soll Friedrich selbst in den folgenden Jahren gestanden haben, er hätte besser getan, sich mit seinem Erbreich zu begnügen und die Lombarden ihrem Schicksal zu überlassen, nun aber könne er ohne Ehrverlust nicht mehr zurück. Man mag sogar die Frage stellen, ob eine Politik der Wiederherstellung von Verhältnissen, die durch die tatsächliche Entwicklung seit mehr als einem Menschenalter völlig und seit einem Jahrhundert und länger zum guten Teil beseitigt waren – ob eine solche Politik nicht der inneren Berechtigung entbehrte. Aber die Befugnis eines römischen Kaisers, die Lombardei seiner Regierung wieder zu unterwerfen, war unbestreitbar, und die römische Kirche zuallerletzt konnte dagegen den Einwand der Rechtsverjährung erheben, sie, die sich mit ihren Herrschaftsansprüchen von jeher auf Rechtstitel berief, die wie die karolingischen Schenkungen seit Jahrhunderten schon außer Kraft gesetzt und in Vergessenheit geraten waren, gar nicht zu reden von der angeblichen Schenkung Konstantins. Einen Schlag in das Gesicht der Wahrheit bedeutete es unter allen Umständen, wenn Gregor dem Kaiser vorwarf, den Krieg in der Lombardei ohne Not heraufbeschworen zu haben. Wußte doch die ganze Welt, daß in der Lombardei seit Jahrzehnten ein Kriegszustand herrschte, dem nur die Macht des Kaisers ein Ende bereiten konnte und zweifellos auch bereitet haben würde, hätte sie bei der Kirche anstatt zuerst heimlicher, dann offener Gegnerschaft wirksame Unterstützung gefunden. Da war Friedrich viel eher im Recht, wenn er behauptete, Herstellung des Friedens in der Lombardei und Zusammenfassung der Kräfte Italiens seien wesentliche Voraussetzungen eines erfolgreichen Kreuzzugs. Wenn Gregor es dennoch vorzog, dem Kaiser bei seinem Unternehmen in den Arm zu fallen, auf die Gefahr, daß dadurch die große gemeinsame Aufgabe der Kirche wie der christlichen Völker Schaden litt, so hat er die Bedrohung, die für den Papst als weltlichen Landesherrn im Wiedererstehen kaiserlicher Macht über Italien lag, für wichtiger gehalten und den ungeschmälerten Fortbestand des Kirchenstaats höher eingeschätzt als die verlockendsten Aussichten der Kirche in Palästina und Konstantinopel. In der Vollmacht des Boten, der in Ungarn das Kreuz gegen den Kaiser predigen und schon geleistete Gelübde in diesem Sinn umwandeln sollte, hat er es ausgesprochen, dem Heiligen Stuhle beizustehen, sei verdienstlicher, weil in ihm der Glaube selbst bedroht sei. Wenn er den Glauben für gefährdet hielt oder ausgab, wo doch nur die weltliche Macht des Papstes in Frage stand, so suchte er seinen profanen Anliegen als italischer Landesfürst religiösen Charakter zu verleihen und trieb Politik des Kirchenstaats auf Kosten der Kirche.

Er stand damit im Banne einer nun schon fast fünfhundert Jahre alten, in jüngster Zeit wieder voll zum Leben erwachten Überlieferung, die auf ihn, den nahen Verwandten und ehemaligen Mitarbeiter Innozenz' III., doppelt stark wirkte. Sicher hat er gemeint, die Richtung, in die die Geschichte so mancher Vorgänger aus alten und neuen Tagen wies, nur folgerichtig fortzusetzen, als er den Angriffskrieg mit weltlichen Waffen nicht scheute, um dem Hinübergreifen des sizilischen Königs nach dem Norden Italiens, mochte dieser sich noch so oft auf seine Rechte als römischer Kaiser berufen, beizeiten vorzubeugen. Im Recht glaubte auch er zu sein, der unumwundener als irgendeiner seiner Vorgänger das Kaisertum für eine Schöpfung der römischen Kirche und Italien für ihr ursprüngliches Eigentum und ihrer Oberhoheit unterworfen erklärte. Hat er doch einmal die Behauptung aufgestellt, die Päpste hätten, als sie die von Konstantin ihnen überlassene kaiserliche Würde und Herrschaft im Westen auf Karl übertrugen, sich einen Teil, den Kirchenstaat, ‹zum Zeichen ihres Eigentums am Ganzen vorbehalten›. Man braucht nicht zu bezweifeln, daß für Gregor diese Umkehrung der Tatsachen Wahrheit war. Indem er nach ihr handelte, hat er sich als den Vollstrecker eines unverjährbaren Rechtsanspruchs und als Verwalter einer altehrwürdigen Erbschaft gefühlt.

Aber es ist doch nicht so, daß geschichtliche Überlieferung als politische Richtschnur immer nur eine einzige Deutung zuließe. Wie man sie verstehen, welche Forderungen man handelnd aus ihr ziehen will, wird immer von der Natur dessen abhängen, der die Entschlüsse zu fassen und in die Tat umzusetzen hat. So ist es auch nicht zu bezweifeln, daß eine andere Persönlichkeit auf dem Platze Gregors IX. eine andere Politik verfolgt haben würde. Auch Honorius III., so maßvoll und vorsichtig er war, hat nicht gezögert, dem Hinübergreifen Friedrichs II. nach Oberitalien entgegenzuwirken. Aber welch ein Unterschied besteht zwischen seinem Verfahren und dem seines Nachfolgers! Honorius hatte zwischen dem Kaiser und der lombardischen Liga nur vermitteln wollen und das vom Kaiser ihm angetragene Amt des Schiedsrichters widerstrebend übernommen, Gregor hat sich als Schiedsrichter angeboten, ja aufgedrängt und an dieser Rolle hartnäckig festgehalten, ohne sie doch wirklich zu spielen, offenkundig in der Absicht, die Entscheidung ins Ungewisse zu verzögern und den Zwist nicht erlöschen zu lassen. Zu einer ehrlichen und nachdrücklichen Vermittlung wäre auch für ihn noch reichlich Gelegenheit und Raum gewesen, waren doch die Lombarden von ihm und seiner Gunst in weitem Maße abhängig. Er aber hat, wo er als Vermittler aufzutreten nicht umhin konnte, auch das nur zum Schein getan und unter dieser Maske die Widerstände gegen den Kaiser ermutigt und gestärkt. Es muß wohl Gregors Überzeugung gewesen sein, daß der Gegensatz zwischen Papsttum und Kaisertum, seit bald zwei Jahrhunderten bestehend und neuerdings durch die Vereinigung der Kronen von Rom und Sizilien auf einem Haupte verschärft, daß dieser Gegensatz früher oder später mit dem Schwerte werde ausgetragen werden müssen, und daß es gelte, die Gelegenheit zu nutzen, wo immer sie sich bot, um durch zuvorkommenden Angriff das Gesetz des Handelns an sich zu reißen. Aus dem Munde auswärtiger Bischöfe haben wir die Aufforderung an Gregor gehört, mit Friedrich unnachsichtig zu verfahren, da unter diesem Kaiser die Kirche niemals Frieden haben könne. Der Rat war ihm gewiß aus der Seele gesprochen. Aber konnte nicht Friedrich mit ebensoviel, ja mit mehr Recht antworten: mit einem Papst wie Gregor gibt es für mich, gibt es für die Welt keinen Frieden?

Die heiße, kampflustige Leidenschaft, die Härte und Schroffheit, die Neigung, äußerste Folgerungen ohne jede Rücksicht zu ziehen und schärfste Maßregeln ungescheut anzuwenden, hat der Regierung Gregors IX. den Stempel aufgedrückt. Immer hatten die Päpste auch ungeistliche Mittel zu kirchlichen und geistliche zu weltlichen Zwecken gebraucht, bei Gregor aber nimmt das einen Umfang an, daß man nur noch von Entweihung sprechen kann. Die Bedeutung des Geldes, von jeher am römischen Hofe groß und durch Innozenz III. gewaltig gesteigert, wuchs unter ihm noch mehr. Um was für Summen es sich da handelte, verrät sich in der Geschichte seiner Regierung, die einer seiner Beamten in seinem Geiste nach den Akten zusammengestellt hat. Der Friede mit Rom im Jahr 1232 hat 20 000 Pfund, die Verteidigung Roms gegen den Kaiser 40 000 Mark, der erste Krieg gegen Sizilien 120 000 Pfund gekostet. Im Herbst 1240 war Gregor nach eigenem Geständnis römischen Kaufleuten eine Kriegsanleihe schuldig geblieben, zu deren Deckung die französischen Klöster mit 23 000 Pfund und die Häuser der Templer und Johanniter in Frankreich mit 2000 Mark in Anspruch genommen wurden. Er hinterließ eine Schuldenlast, deren Höhe verschieden angegeben wird, die aber in jedem Fall fast den Bankerott bedeutete. Woher die Gelder flossen, haben wir gesehen: Zehnten von der gesamten Kirche, Schenkungen und Vermächtnisse zum Besten des Kreuzzugs, Loskauf von Kreuzzugsgelübden. Wenn Zeitgenossen gelegentlich bemerken, daß Kreuzzugsgelder für andere Zwecke verwendet würden, so läßt sich das natürlich nicht nachprüfen, aber die Wahrscheinlichkeit spricht dafür, da unter Gregor IX. die tatsächlich gemachten Anstrengungen für den Kreuzzug in keinem Verhältnis zu der überall betriebenen Geldsammlung stehen. Gregor hat sich ja, wie wir sahen, auch nicht gescheut, als erster unter den Päpsten neben diesem gesamtkirchlichen Unternehmen auch für die Kriege der römischen Kirche Abgaben von auswärtigen Kirchen zu fordern. Eine weitere Geldquelle sprudelte von Jahr zu Jahr reichlicher, die Abgaben für Bestätigung und Ernennung von Prälaten, die Servitien. An sie ist man schon so gewöhnt, daß Beschwerden nicht laut werden, auch nicht dagegen, daß die Zahlung durch Kirchenstrafen erzwungen wird. Da kaum je ein Prälat in der Lage war, die Summe sogleich zu erlegen – es handelte sich bei größeren Kirchen um Tausende, bis zu 20 000 Mark und mehr –, so wurde es üblich, bei einer Bank eine Anleihe zu machen und sich für den Fall versäumter Rückzahlung dem Ausschluß aus der Kirche zu unterwerfen. Man verpfändete also gewissermaßen sein Seelenheil, und irgendein Händler oder Geldwechsler aus Rom oder Siena hatte die Gewissen deutscher, englischer, französischer Prälaten in der Hand, konnte ihnen Kirchentür und Sakramente sperren und sie an der Ausübung ihres Amtes hindern.

Ein Seitenstück zu dieser Entheiligung geistlicher Dinge ist die Verwischung der Grenze zwischen religiösen und weltlich-politischen Zwecken. Innozenz III. hatte eine schiefe Ebene betreten, als er den Kampf gegen die Ketzer dem Kampf im Heiligen Lande gleichstellte, Gregor IX. schritt ungescheut weiter auf dieser Bahn. Ein Kreuzzugsgelübde konnte man ablösen, den Ablaß des Kreuzfahrers sich verdienen, indem man sich dem Papst zum Krieg gegen den Kaiser zur Verfügung stellte. So fremd uns Heutigen der Gedanke des Kreuzzugs, überhaupt des Glaubenskrieges ist, es war immerhin ein zwar fremdartiges, aber doch ein religiöses Ideal, das die Tausende und aber Tausende seit Urban II. in den Kampf um die Stätten des Lebens und Leidens Jesu trieb. Was aber hatte der Krieg des Papstes gegen den Kaiser, ein Krieg, der doch nur um des Kirchenstaats willen, also zu Zwecken weltlicher Macht geführt wurde, was hatte er mit Glauben und Religion zu tun? Wohl setzte man dafür als angeblichen Zweck die Freiheit der Kirche ein, aber wie viele Zeitgenossen haben sich dadurch täuschen lassen? Gregor wußte wohl, warum er diesen seinen Krieg mit der Sache des Kreuzzugs in Verbindung zu bringen suchte, indem er dem Kaiser vorwarf, ein Hindernis des heiligen Unternehmens zu sein: er mußte die

Verwechslung der Begriffe, ja die Verfälschung des Kreuzzugsgedankens, deren er sich bediente, vor den Augen der Gläubigen verhüllen. Wirksamer als alles war es ohne Zweifel, wenn man von Verteidigung des Glaubens sprechen konnte. Darum die Anklage wegen Ketzerei und Gottlosigkeit! War Friedrich ein Ketzer und Beschützer des Unglaubens, so war der Kampf gegen ihn nicht weniger verdienstlich und des ewigen Lohnes nicht weniger würdig, als es der gegen Raimund von Toulouse und die Albigenser gewesen war.

An den großen religiösen Kampfbewegungen des Mittelalters sind die unseligen Triebfedern der Habgier und Herrschsucht niemals unbeteiligt, nur die Größe ihres Anteils ist verschieden. In den Albigenserkriegen wirkte nicht nur bei Simon von Montfort die Gier nach Eroberung und Beute, der Papst selber hat ja sich nicht gescheut, an der Beute sich zu beteiligen, indem er die Hand auf das Venaissin legte. Immerhin handelte es sich dort um einen Fürsten, dessen Land unleugbar ein Herd des Irrglaubens war. Bei Friedrich II. ist der Beweis, daß er persönlich ketzerischen Meinungen huldigte, nie versucht, geschweige denn erbracht worden, nur die Beschuldigung, vielleicht ein Verdacht lag vor, und die Behauptung, daß er die Ketzer schütze – sie ist vom halbamtlichen Geschichtsschreiber Gregors IX. wiederholt worden –, war wohl die stärkste Versündigung an der Wahrheit. Keinem Herrscher ist die Priesterschaft für die Erhaltung ihrer Macht im öffentlichen und persönlichen Leben größeren Dank schuldig geworden als Friedrich II., schwerlich wäre es ihr gelungen, den Abfall der Massen, der schon weithin im Gange war, zum Stehen zu bringen ohne die unerbittlichen Gesetze, mit denen dieser Kaiser die Forderungen der Kirche zum Staatsrecht erhoben hatte. Im Namen des Kaisers brannten die Scheiterhaufen der Inquisition, so weit seine Herrschaft reichte, in Deutschland und Italien und nicht weniger im Königreich Sizilien; das letzte, was man ihm vorwerfen konnte, war, daß er in seinem Lande die Ketzer schützte. Aber es war doch zu verlockend, einen politischen Vernichtungskampf mit der Fahne des Glaubenseifers zu decken und den Krieg gegen einen Fürsten, der allzu mächtig zu werden drohte, zum notgedrungenen Verteidigungskampf der Kirche gegen einen Ketzer zu stempeln.

Diesen Mißbrauch der Religion auch bei andern gutzuheißen, hat Gregor IX. kein Bedenken getragen. Als der Erzbischof von Bremen mit seinen aufsässigen Untertanen im Stedinger Lande nicht anders fertig zu werden glaubte, stellte ihm Gregor unbedenklich die Gnadenschätze der Kirche zur Verfügung, und ein Kreuzheer brach im Jahr 1234 den Widerstand der freiheitsstolzen Bauern, die man, um den Krieg gegen sie zu rechtfertigen, ohne jeden erkennbaren Grund für Ketzer und Heiden erklärt hatte.

Kennzeichen dieses Jahrhunderts ist es, daß die Kirche Christi die Flammen des Krieges schürt und entfacht. Nicht immer hatte sie ihre Aufgabe so aufgefaßt; von ihr war einst die Bewegung des Gottesfriedens ausgegangen, die dem dauernden Kriegszustand Schranken zu setzen und die Menschen an ein friedliches Dasein zu gewöhnen suchte. Seitdem hatte ein anderer Geist von ihr Besitz ergriffen, mit Feuer und Schwert verfolgte sie ihre Gegner und säte den Samen der Zwietracht allenthalben. Nicht Friede, Krieg war jetzt die Losung, Krieg und Blutvergießen Christenpflicht, höchstes Verdienst der Gläubigen. Rufer im Streit waren die Päpste geworden. Wieweit sie damit dem Zuge der Zeit nachgaben, wieweit sie Miturheber der kriegerischen Geistesrichtung waren, wer wollte das entscheiden? Unverkennbar jedoch ist es, daß sie sich darin nicht alle gleich verhielten. Noch Innozenz III., der mehr als andere dazu tat, den Bürgerkrieg unter Christen zu entfesseln, hat sich doch immerhin bemüht, die Kampflust seiner Glaubensstreiter zu zügeln und ihren Blutdurst zu dämpfen. Von Gregor IX. kann man das nicht sagen. Nicht ein Wort der Besinnung, nicht eine Mahnung zum Maßhalten hat er verlauten lassen, nur gezwungen durch den empörten Widerspruch der Bischöfe dem Wüten eines Ketzerrichters in Frankreich Einhalt getan, und auch das nur vorübergehend. Gegen Ende seiner Regierung durfte derselbe Mann, selbst ein angeblich Bekehrter — man nannte ihn Robert den Ketzer — in Wahrheit wohl ein vom religiösen Wahnsinn Besessener, in der Champagne allein an einem Tag 187 Personen dem Scheiterhaufen überliefern. Daneben steht die Heiligsprechung eines andern dieser geisteskranken Wüteriche, Konrads von Marburg. Wenn dieses Jahrhundert den Namen des Unbarmherzigen verdient, so hat wohl kaum jemand mehr dazu beigetragen als Gregor IX. Mit seiner ungezähmten Leidenschaft und unerbittlichen Härte hat er der Kirche das Schwert und die Brandfackel in die Hand gedrückt und einen Krieg entfesselt, in dem der Friede in unerreichbare Ferne gerückt erschien.

Friedrich II. hat den Tod Gregors für einen Gewinn gehalten. In einem Rundschreiben an die Herrscher des Abendlandes sprach er die freudige Zuversicht aus, daß jetzt der Friede mit der Kirche nicht auf sich warten lassen werde, da der Mann gestorben sei, der ihn hinderte und den Zwiespalt nährte. Friedrich ist bald eines Besseren belehrt worden. Nach seiner Auffassung hatte er mit Gregor persönlich im Kampf gelegen; er sollte erfahren, daß es die Kirche war, die ihn bekämpfte und ihm den Frieden verweigerte.

Die Kirche vertraten jetzt die Kardinäle, die den neuen Papst zu wählen hatten. Es lebten ihrer damals nur zwölf, von denen zwei, Jakob von Palestrina und Otto von St. Nikolaus, seit dem 3. Mai 1241 sich in der Gewalt des Kaisers befanden. Die übrigen zehn waren gespalten in zwei Gruppen, deren eine von dem neuen Kaiserfreund Johannes Colonna, die andere von jenem Romanus geführt wurde, der einst in Frankreich als Legat so erfolgreich gewirkt hatte [1]. Die erste Gruppe scheint die stärkere gewesen zu sein, aber die seit 1179 vorgeschriebene Mehrheit von zwei Dritteln der Stimmen konnte sie nicht erlangen. Die Verhandlungen drohten sich in die Länge zu ziehen. Da griff der Senator der Stadt ein. Matteo Rosso, unlängst unter dem Einfluß Gregors einge-

---

1 Siehe oben S. 12.

setzt, scheute sich nicht, Gewalt anzuwenden. Wie es bei städtischen Wahlen in Italien gelegentlich vorkam, ließ er die Kardinäle im Septizonium einschließen und den drückendsten Entbehrungen aussetzen, um sie zur Einigung zu zwingen. Seine Leute verfuhren dabei mit großer Roheit, man schleifte die sich Sträubenden über das Straßenpflaster, wobei einer unheilbare Verletzungen erlitt, die Unterbringung war mehr als unwürdig, einem Schwerkranken wurde ärztliche Hilfe verweigert und selbst die letzte Beichte dem Sterbenden nur unter Bewachung gestattet. Unter solchem Zwang kam endlich nach elf Wochen am 25. Oktober die Wahl des Mailänders Galfried Castiglione zustande, eines halbgelähmten alten Mannes, den man, wohl um den Senator gnädig zu stimmen, Coelestin nannte. Aber auch diese Wahl scheint noch auf Widerspruch gestoßen zu sein, zur Einkleidung des Gewählten kam es nicht, und die offene Spaltung ist wohl nur dadurch verhütet worden, daß der hinfällige Greis schon am dritten Tag erkrankte und nach weiteren vierzehn Tagen starb (10. November). Man hat also kein Recht, ihn, wie es üblich ist, als Coelestin IV. in der Reihe der Päpste zu zählen. Papst ist er nicht gewesen, hat weder Abzeichen noch Einsegnung empfangen, kein Siegel geführt und keine Amtshandlung vollzogen. Nach seinem Tode war die Spaltung nicht länger hintan zu halten. Ein Teil der Kardinäle, um der erneuten Einsperrung zu entgehen, machte sich aus dem Staube, Colonna wurde vom Senator verhaftet, seine Burg in der Stadt, das zum Festungsturm umgestaltete Mausoleum des Augustus, zerstört. Das ist die Geschichte des ersten sogenannten Konklave, der geschlossenen Papstwahl, wie sie in der Folge üblich geworden ist.

Es hat lange gedauert, bis die Kardinäle sich wieder zusammenfanden. Die eine Hälfte hatte sich nach Anagni unter den Schutz der Conti geflüchtet, die andere hielt sich fern. Die Welt wurde ungeduldig, schalt und verspottete die Streitenden. Frankreich drohte, sich selbst einen Papst zu setzen, auch der Kaiser erhob scharfe Beschwerde. Er brauchte einen Papst, um Frieden schließen zu können. Seine militärische Lage war nicht die beste: er mochte wohl einsehen, daß der Versuch zur Unterwerfung Italiens wenig Aussicht hatte, solange er mit der Kirche zerfallen war, und nun wurde er gar beschuldigt, die Wahl durch Gefangenhaltung zweier Kardinäle zu verhindern. Im Frühling 1242 entschloß er sich, wenigstens den einen, Otto von St. Nikolaus, der in der Gefangenschaft seine Gunst gewonnen hatte, freizulassen. Palestrina blieb weiter in Haft, die übrigens nicht streng gewesen sein kann, da der Gefangene die Möglichkeit hatte, sich um kirchliche Angelegenheiten seiner Vaterstadt zu kümmern und darüber Briefe zu wechseln. Aber das Zugeständnis nützte nichts, die Kardinäle weigerten sich, ohne ihren gefangenen Kollegen zur Wahl zu schreiten. Den stärksten Widerstand leistete die Stadt Rom: von dem streitbaren Senator geleitet, ging sie im Bunde mit einigen Nachbarstädten zum Angriff auf die kaiserlichen Truppen vor, die die Campagna besetzt hielten und brandschatzten. Friedrich konnte nur mit Verwüstung der Äcker und Weinberge antworten, die Stadt selbst mit ihren Mauern und Türmen blieb unangreifbar. So verging ein Jahr, ein weiteres Vierteljahr. Da machte zu Anfang 1243 der Kaiser neue Anstrengungen, die Entscheidung zu erzwingen. Umfassende Rüstungen bereiteten einen großen Gesamtangriff gleichzeitig an verschiedenen Punkten vor. Im Mai rückte ein starkes Heer auf Rom und schloß es völlig ein. War es nun die drohende Gefahr, war es der Tod des Kardinals Romanus, der für den schärfsten Gegner der Verständigung galt, jetzt endlich fand man sich. Friedrich gab dem Kardinal von Palestrina zugleich mit andern gefangenen Prälaten die Freiheit, und in Anagni vereinigten sich neun Papstwähler, um der Kirche ein neues Oberhaupt zu geben. Man hat vermutet, über den zu Wählenden sei eine geheime Verständigung mit dem Kaiser vorausgegangen. Das ist weder bezeugt, noch wahrscheinlich. Zum Entgegenkommen drängte Friedrich sein eigenes Bedürfnis, und die letzten Bedenken hatte wohl der Tod des unversöhnlichen Romanus gehoben. So kam denn am 25. Juni 1243 die einhellige Wahl zustande. Der Erwählte war Sinibald Fieschi, Innozenz IV.

Die Fieschi, Grafen von Lavagna, gehörten zu den vornehmsten Geschlechtern Genuas. Sinibald hatte Kirchenrecht in Bologna studiert, war dann in den ~~Dienst~~ der Kurie getreten und hatte unter Gregor IX. als Vizekanzler – einen Kanzler gab es seit Innozenz III. nicht mehr – in leitender Stellung an der Verwaltung teilgenommen. Kardinal seit 1227, hatte er hauptsächlich als Rektor in der Mark Ancona gewirkt, bis deren Wiedereinverleibung in das Reich ihn von seinem Posten vertrieb. Politisch war er sonst weniger als manche seiner Kollegen hervorgetreten, so daß man ihn vor allem für einen Gelehrten halten konnte. Der Wissenschaft gehörte seine Neigung so sehr, daß er noch als Papst sich die Zeit nahm, einen Kommentar zum Gesetzbuch der Kirche, den Dekretalen, zu verfassen, der der beste seiner Art sein soll. Verglichen mit seinem Vorgänger durfte also der neue Papst als ein Mann der versöhnlichen Richtung gelten.

So dachte auch der Kaiser. Öffentlich gab er sich sogar den Anschein, Innozenz für seinen alten und erprobten Freund zu halten, und verordnete Dankgottesdienste in seinem Königreich. Hatte er vergessen, daß es Kardinal Sinibald gewesen war, der im Jahr 1239 Ravenna zum Abfall brachte? Immerhin gab es Fäden persönlicher Natur, die ihn mit dem Fieschi verbanden. Innozenz war Domherr in Parma gewesen, seine Schwestern waren dort verheiratet, der Gemahl der einen, Bernardo Rossi, angesehen und mächtig in der Stadt, galt als entschiedener Anhänger des Kaisers, genoß sein Vertrauen und nahm an seinem Hof als glänzendster Kavalier eine beneidete Stellung ein. Man kann es verstehen, wenn Friedrich hoffte, durch diesen Kanal auf den Papst, dessen stark entwickelten Familiensinn man kannte, Einfluß zu gewinnen. Aber auch hier führte ihn sein sanguinischer Optimismus irre, der ihn immer wieder verleitete, günstige Möglichkeiten zu überschätzen, Gefahren nicht zu achten. Er ahnte nicht, welches Maß von Verschlagenheit und Falschheit in dem Genuesen steckte. Ihn, den er für seinen Freund ausgab, hat er als gefährlichsten, unerbittlichsten Feind und schlimmsten Gegner kennengelernt, als einen Gegner, der an Härte des Kampfeswillens Gregor IX. nichts nachgab, an Klugheit, Geschicklichkeit und Bedenkenlosigkeit ihn übertraf. Das Spiel, das Gregors blinde Leidenschaft zu verlieren im Begriff gewesen war, hat Innozenz mit kalter Berechnung, kein Mittel scheuend, wiederhergestellt und gewonnen.

Die Lage, die er vorfand, sah schlimm genug aus. Gregor hatte die Kirche tief verschuldet hinterlassen, und die Gläubiger meldeten sich. Als Innozenz im Oktober 1243 seinen Sitz in Rom einzunehmen wagte, wurde er zwar zunächst mit dem üblichen Jubel empfangen, dann aber, als er seine Zahlungsunfähigkeit gestehen mußte, beschimpft und bedrängt. Er hatte Gelegenheit, seine ungewöhnliche Gewandtheit in Geschäften zu beweisen: es gelang ihm – wir wissen leider nicht wie –, den Sturm zu beschwichtigen.

Inzwischen hatte Friedrich sich beeilt, die Beziehungen zu ihm aufzunehmen. Aber sogleich erhielt seine Begeisterung für den angeblichen alten Freund einen Dämpfer: die glänzende Gesandtschaft, die er zur Begrüßung des neuen Papstes absandte – der Meister des Deutschen Ordens und der Reichsadmiral waren dabei –, wurde nicht empfangen, weil sie einen Ausgeschlossenen vertrete. Der neue Papst hatte den Bannspruch des Vorgängers wiederholt. Um verhandlungsfähig zu werden und im Vertrauen auf des Papstes Gesinnung bequemte Friedrich sich dazu, seine Unterwerfung unter die Strafgewalt der Kirche beschwören zu lassen, und begnügte sich mit einer Verwahrung, daß er das über ihn verhängte Urteil nicht verdient zu haben glaube. Darauf ließ Innozenz sich herbei, die Verhandlungen aufzunehmen, Gesandtschaften wurden ausgetauscht. Für die Hoffnungen, denen Friedrich sich hingab, ist es bezeichnend, daß er meinte, dem Papst die Abtretung der Mark Ancona und des Herzogtums Spoleto gegen jährlichen Zins, Waffenhilfe und Übernahme der Schulden der Kirche zumuten zu können. Im übrigen brauchen diese Verhandlungen uns nicht aufzuhalten, da Innozenz, wie er im Vertrauen gestand, sie nicht ernst gemeint und sich auf sie nur eingelassen hat, um dem Vorwurf der Unversöhnlichkeit zu begegnen. Er hatte gleich zu Beginn gefordert, der Friede müsse auch allen seinen Freunden und Anhängern, d. h. den Lombarden zugute kommen, wozu Friedrich sich nicht verstehen konnte, weil sein Ziel ja die Trennung der Gegner und der Sonderfriede mit der Kirche war. Die Aussichten waren also von vornherein schwach, den Abbruch führte die Nachricht herbei, daß die Stadt Viterbo, auf deren Besitz der Kaiser mit Recht den größten Wert legte, sich empört und die kaiserliche Besatzung in der Zitadelle eingeschlossen hatte (9. September). Es war das Werk des Kardinals Rainer Capocci. Eine eigentümliche Zwienatur, ähnlich wie Gregor IX., vereinigte er mit glühender Schwärmerei für Franz von Assisi, den er in Liedern besang, eine Streitbarkeit, die ihn zu einem der tätigsten und leidenschaftlichsten Gegner des Kaisers machte. Um den Handstreich auf Viterbo hatte Innozenz mindestens gewußt, Friedrich war also im Recht, als er nach dieser Probe von Doppelzüngigkeit die Verhandlungen abbrach. Er eilte zur Belagerung der abgefallenen Stadt. Fünf volle Wochen lag er vor ihr, aber alle seine Anstrengungen scheiterten an der von Capocci hartnäckig und geschickt geleiteten Verteidigung, die der Papst mit Geld und Truppen unterstützte. Mitte November hob er die Belagerung auf und zog ab; sein Ansehen hatte einen Stoß erlitten. Es blieb nichts übrig, als auf den Weg der Verhandlung zurückzukehren.

Darin begegnete er sich mit dem Papst, dessen Lage auch nicht beneidenswert war. Mochte er in Rom unangreifbar sein, so war doch sein Verkehr mit der Außenwelt durch die kaiserlichen Besatzungen im Kirchenstaat sehr behindert und konnte leicht völlig unterbunden werden. Es scheint denn auch, als hätte er selbst den im September abgerissenen Faden wieder aufgenommen. Als Vermittler diente noch während der Belagerung Viterbos der Kardinal Otto. Er fand Unterstützung bei zwei weltlichen Fürsten. Der eine war Kaiser Balduin von Konstantinopel. Durch das Vordringen der Griechen schon auf seine Hauptstadt beschränkt, suchte er im Abendland Hilfe, auf die er kaum zählen konnte, solange der Streit zwischen Papst und Kaiser währte. Zu ihm gesellte sich Graf Raimund von Toulouse. Über den Rahmen unserer Darstellung ginge es hinaus, den zähen Kampf zu verfolgen, den dieser ungewöhnliche Fürst um den Besitz seines Landes, der sogenannten Markgrafschaft Provence, geführt hat, die ihm der Papst seit dem Frieden von 1229 vorenthielt.[1] Die Dienste, die er als siegreicher Feldherr im Kriege gegen die Stadt Rom 1234 geleistet, hatten Gregor IX. nicht bewogen, ihm sein Recht zu gewähren. Unter dem Vorwand, die Ketzerei sei dort nicht ausgerottet, behielt er die Verwaltung in der Hand. Da griff Raimund zu den Waffen, setzte sich mit Gewalt in Besitz und verfiel deswegen aufs neue als Freund der Ketzer dem Ausschluß. Sich hiervon zu befreien und die Anerkennung seines Besitzrechts zu erlangen, hat er in den folgenden Jahren mit gewagter, bedenkenloser Schaukelpolitik, darin seinem mütterlichen Großvater Heinrich II. von England ähnlich, sich zeitweilig dem Kaiser angeschlossen, dann wieder die Annäherung an den Papst gesucht. Bei Innozenz IV. fand er Gnade, denn dieser wünschte, um für die Auseinandersetzung mit dem Kaiser völlig freie Hand zu haben, andere schwebende Fragen möglichst zu beseitigen. Ende 1243 wurde der Friede geschlossen, Graf Raimund im Besitz seines Landes anerkannt und von allen Kirchenstrafen befreit. Um aber unangefochten regieren zu können, bedurfte er auch der Anerkennung durch den Kaiser, seinen Lehnsherrn, darum war ihm an dessen Aussöhnung mit der Kirche gelegen. Er übernahm es, sie zu vermitteln.

Im Dezember 1243 wurden die Verhandlungen eröffnet, aber erst im März kamen sie in raschen Fluß. Von seiten des Papstes waren die Städte der Liga zugezogen, der Kaiser stand allein, da England seiner Aufforderung zur Teilnahme nicht nachkam. Vom Verlauf der Verhandlung hören wir nichts, aber gegen Ende des Monats hatte man sich geeinigt, am Gründonnerstag (31. März) erfolgte der Abschluß. In großer Versammlung von Kardinälen, Prälaten, Ratsherren und Volk, in Gegenwart Kaiser Balduins leisteten der Graf von Toulouse und zwei der höchsten sizilischen Beamten im Namen Friedrichs den Eid auf

---

1 Vgl. oben S. 13.

die Bedingungen, die der Papst gestellt und der Kaiser angenommen hatte. Was enthielten sie? Friedrich bekannte sich schuldig, durch Nichtbeachtung seines Ausschlusses sich gegen die Kirche versündigt zu haben, und versprach, dafür nach Anordnung des Papstes durch Stellung von Truppen, durch Fasten und Almosen Genugtuung zu leisten. Er versprach ferner, die noch in Haft befindlichen Prälaten freizugeben und sie, ebenfalls nach Vorschrift des Papstes, zu entschädigen, alle Gefangenen aus dem letzten Krieg zu entlassen, Verbannten die Rückkehr zu gestatten. Endlich die Hauptpunkte: der Kaiser verpflichtete sich, dem Papst den Kirchenstaat in dem Umfang, den er vor dem Bannspruch Gregors IX. hatte, zurückzugeben, alle Anhänger der Kirche wegen dessen, was sie seit jenem Tage gegen ihn begangen hatten, zu begnadigen, wegen alles Früheren aber dem Urteil von Papst und Kardinälen sich zu unterwerfen.

Während der Papst schwieg, beeilte sich Friedrich, den Frieden als abgeschlossen zu verkünden, betonend, daß er vom Papst als rechtgläubig anerkannt und in die Kirche wiederaufgenommen sei. So viel lag ihm daran, den Vorwurf des Abfalls von der Kirche von sich abzuwälzen, daß er eine Irreführung nicht scheute. Es war ja keineswegs so, daß nun zwischen ihm und der Kirche bereits voller Frieden herrschte. Noch war die Strafe des Ausschlusses nicht von ihm genommen, er hatte sich sogar verpflichten müssen, sich künftig als Ausgeschlossener zu verhalten; noch hatte er den Segen des Papstes nicht empfangen, mit der Kirche ausgesöhnt war er keineswegs. Einstweilen war nur festgestellt, welche Bedingungen hierfür er zu erfüllen habe. Was hatte er dagegen erhalten? Eigentlich nichts. Lediglich der Zustand war wiederhergestellt, der am Tage nach seiner Ausschließung durch Gregor IX. bestand. Alles, was er inzwischen gegenüber dem Papst gewonnen hatte, sollte er herausgeben, alle genommenen Plätze räumen, alle Gefangenen, seine kostbaren Faustpfänder, freilassen. Den ganzen Gewinn von fünf Kriegsjahren gab er preis und bezahlte den Rückzug in die Ausgangsstellung noch dazu mit bedingungsloser Unterwerfung unter die geistliche Strafgewalt der Kirche. Was hatte ihn zu dieser Kapitulation genötigt?

Die Frage wird dringender, wenn man den oben zuletzt ausgeführten Punkt genauer ins Auge faßt. Da hieß es, über alles, was die Anhänger der Kirche – gemeint waren die Städte der lombardischen Liga – gegen den Kaiser bis zum Tage seiner Ausschließung begangen hätten, solle der Papst mit den Kardinälen richten. Mit andern Worten, die Frage, um die der Krieg entbrannt war, die Beschwerden des Kaisers über Mißachtung seiner Rechte und Auflehnung gegen seine Befehle, kurz gesagt sein ganzes Verhältnis zu den empörten Städten, der Umfang der kaiserlichen Regierungsrechte in Reichsitalien blieb dem Urteil des Papstes und der Kardinäle überlassen. Wann dieses Urteil gefällt werden sollte, ob die Lombarden sich ihm fügen müßten, und was zu geschehen habe, wenn sie es nicht täten, war mit keinem Wort berührt. Der Papst behielt die Möglichkeit, die Erledigung der Angelegenheit auf die lange Bank zu schieben und das Urteil auf unbestimmte Zeit zu vertagen, der Kaiser aber mußte – warten.

Er war also wieder in der Lage, aus der er sich vor neun Jahren durch den Beschluß des Mainzer Reichstags und das darauf folgende befristete Ultimatum an Gregor zu befreien gesucht hatte. Das kann er nicht gewollt haben. Es hieße, seinem Verstand zu nahetreten, wollte man annehmen, die Lücke, die der Friedensvertrag an der wichtigsten Stelle aufwies, sei ihm entgangen. Wenn er sie nicht zu bemerken schien, so hat er im Sinn gehabt, sie zu benutzen. Gegenüber den rein kirchlichen sowohl wie den territorialen Forderungen des Papstes, gegenüber allem, was nur diesen betraf, zeigte er sich gefügig bis zur Demütigung, weil er glaubte, durch die unvollkommene Fassung des die Lombarden betreffenden Punktes nach dieser Seite freie Hand zu bekommen, ohne fürchten zu müssen, daß der Papst ihm in den Arm fallen werde. In diesem Sinn hat er schon bald nachher einen Hilferuf der Stadt Bergamo beantwortet: er sei bisher durch Verhandlungen festgehalten gewesen; nun aber, da der Friede mit dem Papst erreicht, sei er entschlossen, den Widerstand der Empörer zu brechen. Es war das Ziel, das er längst verfolgte: den Papst von den Lombarden zu trennen. Gelang das nicht, griff Innozenz aufs neue ein, so glaubte er ihn durch sie bewiesene Gefügigkeit ins Unrecht setzen und den Kampf auf günstigem Boden neu aufnehmen zu können.

Wenn ihn deswegen der Vorwurf trifft, den Frieden von vornherein nicht ohne Hintergedanken eingegangen zu sein, so ist Innozenz IV. ebensowenig davon freizusprechen. Auch er mußte wissen, daß Friedrich sich in der lombardischen Frage jetzt so wenig wie früher dem Papst mit gebundenen Händen ausliefern werde, was doch nichts anderes hieß, als auf Wiederherstellung des Kaisertums verzichten. Wenn Innozenz trotzdem unterließ, den darauf bezüglichen Bestimmungen die erforderliche unzweideutige Fassung zu geben, so hat auch er kein offenes und ehrliches Spiel gespielt. Er konnte, mußte voraussehen, daß der Kampf trotz des geschlossenen Friedens weitergehen werde, aber er hatte kein Bedenken, einen Vertrag einzugehen, der den Keim neuen Zerwürfnisses enthielt, weil ihm bei erneutem Aufleben des Kampfes die Möglichkeit blieb, den Kaiser des Bruches beschworener Verpflichtungen zu beschuldigen. Wie wenig es ihm um wirklichen Frieden und Aussöhnung zu tun war, verriet er gleich darauf durch die Gunst, die er den seit kurzem – wir werden noch davon hören – im Aufstand begriffenen Erzbischöfen von Mainz und Köln bewies. Eine Spur deutet sogar darauf hin, daß er schon damals die Erhebung eines Gegenkönigs in Deutschland ins Auge gefaßt hat. Papst und Kaiser hatten einander nichts vorzuwerfen, als sie vor der Welt einen Frieden schlossen, hinter dem sich für beide die Absicht zu erneutem Kampf verbarg.

Wie mangelhaft der Vertrag abgefaßt war, erwies sich sogleich, als man an die Ausführung herantrat. Mit welcher fast pedantischen Sorgfalt war einst in San Germano jede Einzelheit geregelt, jede Möglichkeit im voraus berücksichtigt worden! Im Gegensatz dazu hatte man jetzt nicht einmal die Fristen für die Erfüllung der Hauptbedingungen festgesetzt. Zu welchem Zeitpunkt durfte der Kaiser auf die förmliche Lossprechung rechnen? Sollte er warten, bis die letzte Kleinigkeit erfüllt war? Darüber enthielt der Vertrag nichts, und im wichtigsten Punkte war die Erfüllbarkeit nicht einmal gesichert. Als man an die lombardische Frage herantrat, erklärten die Boten der Städte, daß sie einen Richterspruch des Papstes über das, was sie dem Kaiser schuldeten, nicht annehmen würden. Damit war dem ganzen Geschäft genaugenommen der Boden entzogen. Hatte Innozenz mit dieser Möglichkeit gar nicht gerechnet? Bei seinen engen Beziehungen zur Liga ist das nicht zu glauben, dagegen der Verdacht schwer abzuweisen, daß die Ablehnung seines Spruches durch die Lombarden von vornherein ins Auge gefaßt, wenn nicht im geheimen verabredet war. Auf das Verhalten des Papstes fällt damit ein dunkler Schatten, der durch keine noch so scharfsinnige und beredte Verteidigung zu beseitigen ist. Dafür benützte nun Friedrich die entstandene Schwierigkeit, um durch neue Forderungen seinen Vorteil besser zu sichern. Wir sind über den Gang des Geschäfts zu mangelhaft unterrichtet, um die Einzelheiten klar zu erkennen, doch ist so viel sicher, daß der Kaiser angesichts der neuen Lage seiner Lossprechung verlangt hat, ehe er das Pfand herausgab, das er durch Besetzung des Kirchenstaats in der Hand hatte, während der Papst vor allem die sofortige Räumung forderte und die Lossprechung hinausschob. Da im Vertrag hierüber nichts bestimmt war, mochte wohl jeder Teil im Recht zu sein behaupten und eine Einigung fast unmöglich scheinen.

Ein Monat war seit der feierlichen Eidesleistung vergangen, da erhob der Papst bereits in aller Form gegen den Kaiser den Vorwurf des Wortbruchs. Dennoch gingen die Verhandlungen noch einen weiteren Monat fort, geführt durch die früheren Vermittler, Kaiser Balduin, Graf Raimund und Kardinal Otto, Innozenz aber bereitete einen Schritt vor, den er als letzte Möglichkeit vielleicht schon längst im stillen ins Auge gefaßt hatte. Ende Mai hatte er sich durch Ernennung von zwölf neuen Kardinälen einen stärkeren Rückhalt geschaffen. Darunter waren fünf Franzosen, je ein Engländer und Kastilianer, fünf Italiener. Die wenigen Kaiserfreunde, die es etwa noch gab — Colonna trat seit Anfang des Jahres nicht mehr hervor —, sahen sich zur Ohnmacht verurteilt, Widerstand oder Abfall in den eigenen Reihen war nicht mehr zu befürchten, ein äußerster Schritt konnte gewagt werden.

Die Lage des Papstes war nachgerade unerträglich. Auf der einen Seite drängte der Kaiser mit Forderungen und Angeboten zur Verständigung auf neuer Grundlage. Er war nach wie vor bereit, in der lombardischen Frage den Spruch des Papstes anzunehmen, wenn er spätestens in fünf Monaten gefällt würde, verlangte aber vorher losgesprochen zu sein. Den Kirchenstaat wollte er herausgeben, sich jedoch die Rechte eines Kirchenvogtes im Gebiet des Papstes vorbehalten. Zu gleicher Zeit schnitten seine Truppen mehr und mehr die Verbindung mit der Außenwelt ab, sperrten die Straßen, hinderten die Pilgerfahrt und entzogen damit dem Papst seine laufenden Einnahmen, da mit den Besuchern auch deren Geschenke, die Opfer auf dem Altar St. Peters ebenso wie die Abgaben und Sporteln für Ernennung von Prälaten und Verleihung von Pfründen und Anwartschaften ausblieben. Um sich diesem doppelten Druck zu entziehen, faßte Innozenz — es muß spätestens Anfang Juni gewesen sein — den Entschluß zur Abreise, die, so wie die Dinge lagen, nur eine heimliche Flucht sein konnte. Angeblich um dem Kaiser, der bei Terni stand, näher zu sein, verlegte er am 17. Juni seinen Sitz nach Civita Castellana. Während er von hier aus die Verhandlungen zum Schein fortsetzte, Gesandte empfing, Kardinäle bevollmächtigte, den Kaiser Balduin und den Grafen Raimund zu Friedrich reiten ließ, um mit ihm eine Zusammenkunft zu verabreden, war einer seiner Vettern, ein Minderbruder, schon unterwegs nach Genua, um die Sendung von Schiffen zu erbitten, die ihn hinwegführen sollten. Er ließ es so darstellen, als könne er vor der Gefangennahme durch den Kaiser nur durch genuesische Hilfe gerettet werden. Der Einfluß seiner Verwandten in der Stadt bewirkte, daß die Bitte Gehör fand. In tiefstem Geheimnis wurde es beschlossen, und die bereitliegenden 22 Galeeren lichteten die Anker, angeblich um die kaiserliche Flotte an der Riviera anzugreifen, änderten aber auf hoher See den Kurs und erreichten am 27. Juni den Hafen von Civitavecchia. Am gleichen Tage hatte Innozenz sich nach Sutri begeben. Hier erfuhr er die Ankunft der Schiffe, ließ sofort das notwendige Gepäck bereit machen und brach noch in der Nacht des 28. auf, begleitet von drei Neffen, zwei Kammerherren, einem Kaplan und dem Beichtvater, dem wir die Schilderung der Reise verdanken. In hastigem nächtlichem Ritt durch unwegsames Waldgelände wurde am Mittag des 29. Juni Civitavecchia erreicht, noch am selben Abend schiffte der Papst mit fünf Kardinälen, die ihm nachgeeilt waren, sich ein, im Morgengrauen des 30. wurden die Anker gelichtet. Ein Südsturm beschleunigte die Fahrt, so daß man trotz Unterbrechung vor Caprera und Porto Venere schon am 6. Juli im Hafen von Genua landen konnte. Tags darauf erfolgte der Einzug in die Stadt, über teppichgeschmückte Straßen, bei Glockengeläute, Trompetenklang und Paukenschall und unter dem Jubel des Volkes, das den Papst mit dem Gesang ‹Gelobt sei, der da kommt im Namen des Herrn› empfing. Innozenz erwiderte die Begrüßung mit einem Psalmwort, das auf seine Lage paßte: ‹Unsere Seele ist wie ein Sperling dem Strick der Jäger entronnen, der Strick ist zerrissen, und wir sind frei.›

Auch dem Kaiser drängte sich bei der Nachricht, der Papst sei fort, ein Bibelwort auf die Lippen: ‹Entflohen ist der Gottlose, den niemand verfolgte.› Überall ließ er verbreiten, Innozenz habe nichts zu fürchten gehabt, schickte ihm Boten nach, die ihn zur Umkehr bewegen sollten, wandte sich brieflich an die Kardinäle, der Graf von Toulouse mußte sich noch einmal bemühen, natürlich umsonst. Friedrich soll bitter gezürnt haben, daß die Straßen nicht schärfer bewacht worden seien. Was das Entweichen des Papstes für ihn bedeutete, hat er später in ausdrucksvollem Bilde eingestanden. ‹Als ich› — so soll er gesagt haben — ‹mit dem Papst Schach spielte und die Partie so stand, daß ich ihm Schachmatt sagen konnte, kamen die Genuesen und warfen das Brett mit allen Figuren um.› Er stand vor einer völlig neuen Lage, und es fragte sich, ob seine Mittel ausreichten, sie zu meistern. Der Krieg in Italien ging weiter, nach wie vor kämpften die Gegner des Kaisertums unter der Fahne der Kirche, für die er der Ausgeschlossene blieb. Mit dem ganzen Hof waren die meisten Kardinäle dem Papst nach Genua gefolgt, nur vier von ihnen blieben als seine Vertreter zurück, unter ihnen der kampflustige Rainer Capocci als Legat für den mittelitalischen Kriegsschauplatz, Toskana, Spoleto und die Mark, während in Oberitalien Gregor von Montelongo seine gefährliche Tätigkeit fortsetzte. Der Papst aber war fortan für die Waffen des Kaisers unerreichbar und dadurch unangreifbarer, als er es selbst in einem völlig ergebenen Rom gewesen wäre.

Er war es schon in Genua und wurde es noch mehr, als er sich entschloß, seinen Sitz nach einem Ort außerhalb Italiens zu verlegen. Das war für ihn nahezu eine Notwendigkeit. Solange er in Italien blieb, war sein Verkehr mit der übrigen Welt behindert, da der Kaiser durch seine Anhänger die Straßen zu Lande sperren oder gefährden, mit seiner Flotte das Meer unsicher machen konnte. Für das, was Innozenz vorhatte, brauchte er einen Aufenthalt, der ihm nicht nur persönliche Sicherheit, auch freien Verkehr nach allen Seiten verbürgte. Es wird berichtet, er habe wie so manche seiner Vorgänger in ähnlicher Lage nach Frankreich gehen wollen und bei Ludwig IX. angeklopft. Dieser soll auch bereit gewesen sein, die begehrte Aufnahme zu gewähren, aber die Barone des Reiches hätten widersprochen, weil die Anwesenheit des Papstes die französische Kirche belasten und die Krone in Schatten stellen würde. Innozenz mußte sich nach einer andern Zuflucht umsehen und fand sie. Nach einem Aufenthalt von drei Monaten, während deren er eine schwere Krankheit kaum überstand, nahm er Abschied von seiner Vaterstadt und begab sich, zu Lande langsam über Asti und Susa reisend, unter dem Schutz der Landesherren, des Markgrafen von Monferrat und des Grafen von Savoyen, nach Lyon. Am 2. Dezember traf er hier ein und nahm Wohnung im erzbischöflichen Palast. Einen günstigeren Ort hätte er nicht finden können. In der Stadt, die zwar im Reich des Kaisers lag, aber seinem Einfluß ganz entzogen war – sie gehörte samt der Grafschaft dem Erzbischof –, hatte er nichts zu fürchten, während die Wege nach allen Seiten frei waren, im Notfall jeden Augenblick die Flucht auf französischen Boden offenstand und mit Deutschland der Verkehr keinem Hindernis begegnete. Hierher, nach Lyon, erließ Innozenz am 3. Januar 1245 die Einladungen zu einer allgemeinen Kirchenversammlung, die er am Feste Johannes des Täufers, dem 24. Juni, zu eröffnen gedachte, um angesichts der schweren Erschütterung, der die Christenheit ausgesetzt sei, von Königen, Prälaten und Fürsten Rat und Hilfe zu erhalten.

Von schwerer Bedrängnis der Christenheit zu sprechen, hatte Innozenz allen Grund. Jeden Augenblick konnte die Mongolengefahr wiederkehren, in Konstantinopel kämpfte das lateinische Kaisertum mit schwindenden Kräften um sein Leben, und am schlimmsten stand es in Palästina. Dort war es zu einem Zusammenbruch gekommen, der dem Unglück von 1187 gleichsah und es in den Folgen sogar übertraf. Eine wirkliche Regierung bestand schon nicht mehr, der kaiserliche Statthalter, längst machtlos geworden, hatte 1243 das Land verlassen, das der feudalen Anarchie der Barone und der untereinander verfeindeten Ritterorden überlassen blieb. Es war der Gipfel der Unklugheit, in solcher Lage ein Bündnis mit Damaskus zum Angriff auf Ägypten zu schließen, auf das der Sultan von Kairo antwortete, indem er die Chowaresmier in Dienst nahm und mit ihnen Jerusalem angriff. Am 24. August 1244 wurde die Stadt ohne Mühe erobert, die Bevölkerung, soweit sie nicht geflohen war, ausgemordet. Die Hilfe von Damaskus blieb aus, und am 17. Oktober 1244 erlitt das christliche Heer bei Gaza die vernichtendste Niederlage. Um Hilfe flehend erschien der Patriarch von Antiochia im Abendland: nur ein Kreuzzug großen Stils konnte das Verlorene wiederbringen, ja auch nur retten, was noch übrig war. Die Arbeit, die das bevorstehende Konzil erwartete, war also nicht gering. Dazu kam, für den Papst unmittelbar wichtiger als alles andere, der Streit der Kirche mit Friedrich II. Den Kaiser lud Innozenz durch öffentliche Verkündigung von der Kanzel als Angeklagten zur Verantwortung vor das Konzil.

Was Gregor IX. vier Jahre früher unternommen hatte, sollte also jetzt ausgeführt, Friedrich durch Urteil der Kirche seiner Herrscherwürde verlustig erklärt werden. Damals hatte der Kaiser es mit Gewalt verhindert, jetzt, da der Papst sich seinem Machtbereich entzogen hatte, konnte er daran nicht denken. Er hätte die Vorladung unbeachtet lassen und den vorauszusehenden Spruch des Konzils als nicht vorhanden betrachten können. So hatte er früher einmal erklärt, die Majestät des Kaisers unterstehe nicht dem Urteil von Geistlichen. Aber das wagte er jetzt nicht mehr, hatte er doch selbst schon bei Lebzeiten Gregors ein Konzil gefordert, das zwischen ihm und dem Papst richten sollte. Er entschloß sich also, die Ladung anzunehmen und seine Rechtfertigung vor dem Konzil zu versuchen, in der Hoffnung, daß es ihm gelingen werde, das Urteil zu seinen Gunsten zu beeinflussen. Die Hoffnung war kühn, aber für völlig grundlos wird man sie nicht halten dürfen.

Die umfangreiche Denkschrift, mit der er sich schon im August ‹an alle› gewandt hatte, um durch eine ausführliche, mit Urkunden belegte Darstellung seines Verhaltens die Öffentlichkeit für sich einzunehmen, wird auf Vorurteilslose nicht ohne Eindruck geblieben sein. Freilich, wie viele gab es, die in der damaligen Lage noch für vorurteilslos gelten konnten? Die große Mehrzahl glaubte eher der aufreizenden Behauptung, die die Anhänger des Papstes überall verbreiteten, Innozenz habe sich nur durch die Flucht vor der drohenden Gefangennahme retten können. Sie glaubte die Anschuldigung, die der Papst in amtlichen Schriftstücken erhob und seine Sendboten allerorten wiederholten, der Kaiser habe den Frieden niemals ehrlich gewollt, den abgeschlossenen sogleich gebrochen und sei damit meineidig geworden. Mit einem so unehrlichen Fürsten, dessen Worte allemal durch seine Taten Lügen gestraft würden, gebe es keine Verständigung, keine Versöhnung, er verdiene keine Nachsicht, nur die längst verwirkte Strafe. Daß die Meinungen immerhin noch auseinandergingen, das Urteil der Menge unsicher war, lehrt die Erzählung des Chronisten von

Saint Albans von dem Pariser Pfarrer, der dem erneuten Befehl des Papstes zu öffentlicher Ausschließung des Kaisers in der Form nachkam, daß er verkündigte, er kenne den Grund der Maßregel nicht, kenne aber den gegenseitigen Haß; wer Recht habe, wisse er nicht, darum schließe er den aus, der im Unrecht und schuld am Schaden der Christenheit sei.

Auch Innozenz war seiner Sache nicht ganz sicher; er wäre sonst schwerlich auf die in letzter Stunde unternommenen Vermittlungsversuche des Deutschordensmeisters und des zufällig anwesenden Patriarchen von Antiochia, eines dem Kaiser ergebenen Oberitalieners, eingegangen. Er tat es zögernd und unlustig, aber erwiderte doch auf die Anträge des Kaisers, zog sich dann freilich auf die allgemeine Versicherung zurück, Friedrich solle losgesprochen werden, wenn er für offenkundige Missetaten Genugtuung und gegenüber bestrittenen Anklagen Bürgschaften leiste. Das war nichts Neues, Friedrich selbst hatte es schon früher angeboten und nur zu wissen verlangt, worin die Genugtuung bestehen solle. Auf so unsichere Grundlage ließ die Versöhnung sich jetzt noch weniger als früher bauen. Auch dieser letzte Versuch führte zu nichts, und das Schicksal nahm seinen Lauf.

Ende Juni versammelten sich in Lyon die Prälaten, die dem Ruf des Papstes gefolgt waren. Sie ehrten ihn mit reichen Geschenken, manche, die damit persönliche Absichten verbanden, hatten die Mittel ihrer Kirchen zu diesem Zweck erschöpft. Boshafte Zungen scheuten sich auch nicht zu behaupten, die Aussicht auf diese Gaben, nicht die Furcht vor dem Kaiser habe den Papst nach Lyon geführt. Innozenz aber soll geklagt haben, er brauche noch viel mehr, um die Schulden der römischen Kirche – angeblich 150 000 Pfund an Kapital und ebensoviel an aufgelaufenen Zinsen – zu decken. So zahlreich wie es der Größe der Aufgaben entsprochen hätte, war übrigens die Versammlung keineswegs. Schriftsteller sprechen zwar von 140 oder 150 Bischöfen, einer versteigt sich bis 250, ein anderer sogar bis 365. Davon ist nichts zu halten; man weiß ja, wie freigebig die Chronisten des Mittelalters mit Zahlen umgehen. Amtliche Angaben, die auf Vollständigkeit Anspruch machen, haben wir nicht, aber was wir zuverlässig erfahren, läßt erkennen, daß der Besuch dieser Kirchenversammlung hinter der von 1215 weit zurückblieb. Sie war nicht nur viel kleiner, sie war auch einseitig zusammengesetzt. Zahlreicher war nur Frankreich vertreten, dessen sieben Erzbischöfe vollzählig erschienen waren, auch die spanischen Bischöfe scheinen eine stärkere Gruppe gestellt zu haben. Daß aus Italien nicht mehr als zwei Erzbischöfe und drei Bischöfe und aus dem sizilischen Königreich nur zwei Ausgewanderte sich nachweisen lassen, war durch die Verhältnisse bedingt: auch gut päpstlich gesinnten Prälaten erschwerte der Kriegszustand die Reise. Noch schwächer war die Beteiligung Deutschlands, obwohl dort solche Hindernisse nicht bestanden. Die Erzbischöfe von Mainz und Köln hatten den Papst zwar zu Ostern aufgesucht, zum Konzil zu erscheinen haben auch sie verschmäht. So kam es, daß man unter den Anwesenden aus dem deutschen Reich, gegen dessen Kaiser verhandelt werden sollte, nur die Bischöfe von Lüttich und Prag erblickte. England hatte außer dem Erzbischof-Primas nur vier Bischöfe gestellt, alle andern und ebenso die meisten Äbte hatten sich entschuldigen lassen, und der Erzbischof von York, dessen Entschuldigung der Papst nicht angenommen hatte, war trotzdem ausgeblieben. Aus Ungarn, Polen, den Ostseeländern war niemand gekommen. Die Kirche des Abendlands, das ist nicht zu verkennen, hatte auf die Einladung nur widerwillig und mehr als unvollkommen geantwortet. Das war der Eindruck der Zeitgenossen, deren mehrere ganz offen von einer Versammlung der Bischöfe aus der Nachbarschaft oder aus Frankreich und Spanien sprechen, einer sogar kurzweg von einem französischen Konzil. Eine vollgültige Vertretung der abendländischen Kirche zu sein, kann das Konzil von Lyon nicht beanspruchen. Noch weniger machte das Erscheinen der lateinischen Patriarchen von Konstantinopel und Antiochia aus ihm eine allgemeine Synode der christlichen Kirche, denn hinter jenen stand der Osten längst nicht mehr. Der Konstantinopeler klagte ja selbst, sein Sprengel, das einst dreißig Bistümer umfaßt habe, zähle jetzt kaum drei. Was da in Lyon zusammenkam und sich stolz den großen allgemeinen Kirchenversammlungen anreihen ließ, war in Wirklichkeit das Rumpfparlament einer kirchlichen Partei.

In diesem Kreise hatte der Kaiser wenig Freunde, und diese wenigen haben, wie der Patriarch von Antiochia oder der von Aquileja, sich nicht getraut, offen für ihn einzutreten. Aber des Papstes Freunde waren darum noch lange nicht alle. Die Pfründenjagd und das Auftreten seiner Umgebung hatten in Lyon selbst böses Blut gemacht, seine Vettern, denen er Domherrnstellen verlieh, waren vom Kapitel bedroht worden, so daß sie nicht wagten, sich zu zeigen. Ein Prinz von Savoyen, der sich erwählter Bischof nannte, aber viel mehr Kriegsmann als Geistlicher war, sorgte für die persönliche Sicherheit des Papstes und hielt an der Spitze einer eigenen Truppe die Ordnung notdürftig aufrecht. Es gab Zusammenstöße, einem Türhüter, der einen Bürger hochmütig abgewiesen hatte, wurde die Hand abgehauen, und nur mit Mühe konnte Innozenz dafür wenigstens eine formelle Genugtuung erlangen.

Solche Zwischenfälle verrieten wohl den Hintergrund der Gesamtstimmung, konnten aber die große Entscheidung wenig beeinflussen. Ernsterer Widerstand war höchstens von einer Stelle aus zu befürchten, von England.

Heinrich III. war des Kaisers Schwager, und sein Verhältnis zur Kurie, in den späteren Jahren Gregors IX. so eng, hatte seitdem eine Trübung erfahren, ja der König glaubte sich über Innozenz ernstlich beschweren zu müssen. Daß ein Oheim der Königin, Bonifazius von Savoyen, zum Erzbischof von Canterbury erhoben wurde, war weniger dem König als dem savoyischen Grafenhaus zuliebe geschehen, das der Papst bei guter Laune erhalten mußte, weil es die Straßen von Lyon nach Italien beherrschte. Bonifaz, ein durchaus weltlicher Prinz, hat sich denn auch um England wenig gekümmert und von seinem Erzbistum, in dem er sich jahrelang nicht blicken ließ, nur die Einkünfte bezogen.

In allen andern Fällen – es waren ihrer schließlich sechs –, wo zwiespältige Wahl dazu Anlaß bot, hatte Innozenz den Wünschen des Königs keine Beachtung geschenkt. In Winchester war es darüber zu offenem Zusammenstoß gekommen, da der König den unwillkommenen Bischof zur Auswanderung nötigte, der Papst mit Nachdruck für ihn Partei ergriff. In der Auseinandersetzung hierüber hatte Innozenz sich nicht gescheut, das alte Königsrecht auf Erteilung der Wahlerlaubnis und Bestätigung des Gewählten grundsätzlich zu bestreiten. Der apostolische Stuhl, so schrieb er, hat über alle Kirchen der Welt freie Verfügung und bedarf dazu keiner Genehmigung durch den Herrscher. Mündlich soll er geäußert haben, Heinrich habe seine Vorrechte durch Mißbrauch verwirkt. Sein Versuch, den König gefügig zu stimmen, indem er den englischen Prälaten empfahl, ihrem Herrscher eine dringend benötigte Beisteuer zu bewilligen, schlug fehl, zumal die Prälaten der Mahnung nicht entsprachen, und schon begann Innozenz, dem König auch im Weltlichen Schwierigkeiten zu machen: er mischte sich in einen Zwist mit dem Fürsten von Wales und machte Miene, dessen Lossagung von der englischen Oberhoheit zu unterstützen. Vielleicht wäre ein großer Kampf um die Kronrechte wie in den Zeiten Heinrichs II. und Johanns ohne Land ausgebrochen und das zusammentretende Konzil hätte England in offener Auflehnung gegen den Papst gefunden, wäre Heinrich III. ein andrer Mann und noch Herr über sein Reich und dessen Kirche gewesen. Aber zur selben Zeit, da er mit dem Papst in Streit geriet, sah er die Barone Englands sich gegen ihn erheben, um ihm die Verwaltung des Landes aus der Hand zu nehmen, während die Prälaten, durch die Willkür seiner Regierung verstimmt, ihn im Stich ließen. Was war natürlicher, als daß er sich der Hilfe erinnerte, die er früher, wie schon sein Vater in gleicher Lage, beim Papst gefunden hatte! Wem er die Erhaltung seiner Krone in letzter Linie verdankte, hat er nie vergessen. Der Gesandte, den er im März 1245 an die Kurie schickte, sollte die alten guten Beziehungen wiederherstellen, Heinrich aber wartete den Abschluß des Geschäfts nicht einmal ab, einigte sich mit dem Bischof von Winchester, der seinen Sitz einnehmen durfte, und fügte sich auch in andern strittigen Fällen. Innozenz konnte sich des Sieges freuen.

Aber der königliche Gesandte war zugleich Überbringer eines andern Auftrags, der den Papst wohl nachdenklich machen durfte. Er legte ihm das schriftliche Ersuchen des Königs vor, mit den herkömmlichen Verleihungen englischer Pfründen an Ausländer, durch die die Rechte der Patrone verkürzt und die Werke der Barmherzigkeit geschädigt würden, wenigstens für eine Weile einzuhalten.

Es war nicht das erstemal, daß die Frage der päpstlichen ‹Provisionen› einen Mißklang in das Verhältnis Englands zur römischen Kirche brachte. Wir erinnern uns, daß schon Gregor IX. genötigt worden war, begütigende Zusicherungen zu machen, ohne sich jedoch im Grunde etwas zu vergeben [1]. Dann hatte das

---

1 Siehe oben S. 46 f.

vorsichtige Geschick des Kardinallegaten Otto es zu offenen Ausbrüchen des Unwillens nicht kommen lassen, grundsätzlich jedoch hatte sich nichts geändert, und nach dem Fortgang des Legaten (1241) waren Unwille und Mißstimmung gestiegen. Es war zwar nur ein päpstlicher Kaplan, der jetzt als ständiger Nuntius die Kurie in England vertrat, aber seine Vollmachten reichten so weit, daß ihm zum Legaten nicht viel mehr als die äußeren Abzeichen fehlten. Sein Hauptgeschäft war die Erhebung der dem Papst geschuldeten Gefälle, nebst mehr oder weniger freiwilligen Gaben, zugleich aber streckte er die Hände aus nach den reicheren Pfründen, um sie, sobald sie frei wurden, für Diener und Verwandte seines Herrn mit Beschlag zu belegen. Daß ein jugendlicher Vetter des Papstes auf diesem Wege ein Amt am Dom zu Salisbury erhielt, war ein besonders aufreizender Fall unter vielen. Daneben lief in alter Weise der Strom der von der Kurie unmittelbar ausgehenden Verleihung weiter. Um einem Streit mit unsicherem Ausgang aus dem Wege zu gehen, bequemte man sich wohl dazu, den fremden Bewerbern einen Teil der Einkünfte zu überlassen, nicht wenige englische Pfründen waren in dieser Weise mit Renten belastet. Geschädigt sahen sich dadurch in erster Linie die ordentlichen Oberen, Bischöfe und besonders Äbte, die nicht mehr dazu kamen, über die Pfarren ihres Patronats zu verfügen. In den Klöstern war denn die Unzufriedenheit auch am größten, aber auch auf die Kreise des Adels griff sie über. Es genügte nicht, daß Kurie und Nuntius nach den früher gemachten Erfahrungen sich hüteten, in die Rechte der Laienpatrone einzugreifen, die Adelsfamilien empfanden es als Verkürzung, daß die Pfründen, die ihren jüngeren Söhnen, Verwandten und Dienern hätten zufallen sollen, von Fremden eingenommen wurden und der Ertrag ins Ausland floß.

Von der herrschenden Stimmung wurde schließlich auch der König angesteckt. Dem ewig Geldbedürftigen gingen die Augen auf, als eine angestellte Untersuchung ergab, welche Summen durch die ausländischen Pfründner dem Lande entzogen wurden. Man behauptete, sie überstiegen sein eigenes Einkommen. Die in Zahlen schwelgende Phantasie der Zeitgenossen sprach von 60 000 Mark jährlich, was übertrieben sein mag, aber geglaubt wurde. Im Februar 1245 entlud sich auf dem Reichstag zu London die Erbitterung, noch gesteigert dadurch, daß der Papst von den Prälaten eine Beisteuer von 10 000 Mark verlangte zur Tilgung der Schulden, die sein Vorgänger hinterlassen hatte, während gleichzeitig der König ebenfalls Geldhilfe forderte, um die Kosten eines unglücklich verlaufenen Feldzugs gegen Frankreich zu decken. Den Versammelten drängte sich die Befürchtung auf, Papst und König könnten sich zu gemeinsamer Schröpfung von Reich und Kirche zusammentun, darum schlossen sich Prälaten und Barone zum Widerstand zusammen, der sich nun am heftigsten gegen den Papst richtete. Die Kirche Englands, so erklärte man dem König, vermöge ihrer Verpflichtung zum Kriegsdienst und zur Mildtätigkeit nicht nachzukommen, wenn ihre Einkünfte nach Rom gingen. Die römische Kirche besitze Gold und Ländereien, Städte, Festungen und Burgen; wenn ihr das nicht genüge, so möge sie die Pfründen der Römer und Italiener in England und anderen Ländern einziehen. Durch eine Steuer, wie der Papst sie fordere, würde der Kreuzzug geschädigt und der Kaiser zum Feinde Englands gemacht. Der König wurde gebeten, ihre Entrichtung nicht zuzulassen. Es steigerte die kampflustige Stimmung, daß zur gleichen Zeit eine Gesandtschaft des Kaisers eintraf. Sie überbrachte ein Schreiben, das trotz Widerspruch des Nuntius in der Versammlung der Stände verlesen wurde. Friedrich beteuerte seine Bereitwilligkeit, der Kirche zu gehorchen, verwies auf das Zeugnis des Kaisers von Konstantinopel und des Grafen von Toulouse und auf sein Erbieten, sich dem Urteil der Könige von Frankreich und England und ihrer Barone zu unterwerfen, was der Papst abgelehnt habe.

Heinrich III. war in arger Bedrängnis. Mit vieler Mühe erreichte er wenigstens von den Baronen eine Geldhilfe, die Prälaten verweigerten sie. Wie weit er damals den Forderungen der Barone nach Teilnahme an der Regierung hat nachgeben müssen, ist nicht auszumachen; doch hat er ihnen ohne Zweifel in der nächsten Zeit starken Einfluß auf seine Schritte eingeräumt. Es hat darum große Wahrscheinlichkeit, daß er nicht freiwillig handelte, wenn er den Prälaten verbot, Innozenz eine Beisteuer zu gewähren, den Papst ersuchte, mit Provisionen einstweilen einzuhalten, dem Nuntius untersagte, bis zum Einlaufen der Antwort solche vorzunehmen, und alle Kirchenstrafen aufheben ließ, die jener aus diesem Anlaß verhängt hatte. Innozenz, durch den Gesandten des Königs über die Vorgeschichte und die Lage der Dinge genügend aufgeklärt, zögerte nicht, ein wenig entgegenzukommen, ohne im wesentlichen nachzugeben. Er bestätigte Heinrich in sehr allgemein gehaltener Form seine ‹Freiheiten und sonstigen Rechte gegenüber den Kirchen, soweit er sie mit Fug besitze›, und nahm die in der wallisischen Angelegenheit ergangene Verfügung zurück. Das Begehren nach Einstellung der Provisionen schlug er ab. Noch war seine Antwort nicht in England eingetroffen, so verschärfte sich die Lage. Der Nuntius erhielt von einer Gruppe von Baronen, die den König offenbar noch mehr beiseite geschoben hatten, die Aufforderung, binnen drei Tagen das Land zu verlassen, sonst würde er samt seinen Leuten in Stücke gehauen werden. Der König, von dem Bedrohten um Schutz angerufen, erklärte sich machtlos, dem Sturm zu widerstehen, und erwiderte auf die Bitte um Geleit zuerst ärgerlich: ‹Der Teufel geleite dich zur Hölle›, ließ aber den Mann dann doch sicher an die Küste bringen. Das geschah in den Tagen, als in Lyon die Verhandlungen schon eröffnet waren.

In solcher Stimmung wurden die Beschlüsse über Englands Vertretung auf dem Konzil gefaßt. Man sieht ihnen an, daß sie von den Baronen ausgegangen sind, denen sowohl der König wie die Prälaten freie Hand ließen. Eine Gesandtschaft wurde bestellt, bestehend auf fünf Baronen und einem Magister; sie sollten dem Papst eine Beschwerde überreichen gegen die unerträgliche Belastung der englischen Kirchen und gegen den Lehnszins, dem ‹die Gesamtheit des Königreichs› niemals zugestimmt habe. Den König ließ man ein Schriftstück absenden, das den Papst ersuchte, alle England betreffenden Angelegenheiten bis zur Ankunft der Gesandtschaft zu vertagen, die Prälaten wurden unter Hinweis auf ihren Treueid aufgefordert, auf dem Konzil für die Rechte des Königs einzutreten. Dem Kaiser endlich wurde geschrieben, die Gesandten würden sich ‹ihm zu Ehren› um den Frieden bemühen und hoffentlich ‹eine Mehrung der kaiserlichen Würde nach des Königs Wünschen bewirken›. Es hatte den Anschein, als schickte England sich an, entgegen dem Vorhaben des Papstes auf dem Konzil für den Kaiser einzutreten.

Wie wenig die Feinde des Kaisers ihrer Sache sicher waren, verraten zwei Schriftstücke, die sich an das Konzil wenden, vielleicht nur zwei zufällig erhaltene aus einer zahlreicheren Gattung. Sie sind das Stärkste, was in gehässiger Anschwärzung der Regierung und Person Friedrichs geleistet worden ist. Seine ganze Herrschertätigkeit wird geschildert als eine Kette von Wort- und Eidbrüchen – ‹Eide sind bei ihm wie Morgengewölk› –, er heißt der Fürst der Tyrannei, Zerstörer des kirchlichen Glaubens und Gottesdienstes, Meister der Grausamkeit, Weltumstürzer, Hammer des Erdkreises. Die Tatschen genügen dem Verfasser nicht, er übertreibt sie, mißdeutet sie, erfindet neue und scheut vor Verleumdung nicht zurück. In seinem Königreich regiert der Kaiser mit blutiger Gewalt, läßt Priester und Mönche umbringen, Kirchen berauben und schänden, Klöster zerstören. Ein Nonnenkloster ist zum Frauenhaus gemacht worden. Am Tode Gregors IX. wie an der Niederlage der Christen im Heiligen Lande ist er schuld, hat die Papstwahl mit Ränken und Bestechungen gestört und selbst einen Papst einsetzen wollen. Seinen Sohn — gemeint ist Heinrich VII., der kürzlich seinem Leben ein Ende gemacht hatte – hat er zum Selbstmord getrieben, zwei Frauen zu Tode gequält, wenn nicht vergiftet, die dritte mißhandelt. Die Schlüssel der Kirche verachtet er, verbietet Predigt und Mariendienst, läßt sich von Ungläubigen beschützen, steht im Verdacht, nicht an die Unsterblichkeit zu glauben und – man höre – hat doch befohlen, ihn selbst heilig zu nennen. Dies und manches andere, in der leidenschaftlichen Sprache des Alten Testaments hervorgestoßen, gipfelt in der Forderung: ‹Werfet ihn hinaus aus dem Heiligtum Gottes, auf daß er nicht länger über christliches Volk herrsche!› Mit gutem Grund hat man hinter diesem wüsten Geschimpfe den Kardinal Rainer Capocci vermutet. Er war nicht der einzige, der so dachte und sprach, seine Worte fanden Widerhall, der Papst selber – wir werden es noch feststellen können – hat sie aufgefangen und weitergegeben, und noch in der Geschichte Innozenz' IV., verfaßt von seinem Beichtvater, hört man dieselben Töne. Es muß wohl nötig gewesen sein, so grobes Geschütz aufzufahren, wenn das erreicht werden sollte, was vom Konzil erwartet wurde: die Verurteilung und Absetzung des Kaisers durch die Kirche des Abendlands.

Am 28. Juni 1245 wurde das Konzil eröffnet. Innozenz war umgeben von den Patriarchen von Konstantinopel, Antiochia und Aquileja, dem Kaiser von Konstantinopel, den Gesandten Frankreichs – die englischen waren noch nicht eingetroffen – und den Grafen von Toulouse und der Provence. In ergreifender Rede behandelt er die fünf Punkte, die gemäß dem Einladungsschreiben die Tagesordnung bildeten: den allgemeinen Zustand der Kirche, Unterstützung des Heiligen Landes, Hilfe für den Kaiser von Konstantinopel, Abwehr der Mongolen und endlich den Streit der Kirche mit dem Kaiser. Der letzte Punkt wurde zuerst in Angriff genommen. Friedrich hatte mit seiner Vertretung den Patriarchen von Aquileja, den Erzbischof von Palermo und einige seiner Beamten beauftragt, Wortführer war der sizilische Oberhofrichter Thaddäus von Sessa. Dieser hatte schon zwei Tage vorher in einer vorbereitenden Versammlung die förmliche Verhandlung der Anklage abzuwenden versucht, indem er im Namen des Kaisers die Rückgabe des Kirchenstaats, Genugtuung für alle Verfehlungen, Eroberung Griechenlands, einen Kreuzzug ins Heilige Land und Feldzug gegen die Mongolen anbot. Innozenz hatte abgelehnt, da es für die Erfüllung der oft gehörten, nie gehaltenen Versprechungen keine Sicherheit gebe. Als Thaddäus die Könige von Frankreich und England als Bürgen nannte, wies Innozenz auch das zurück: die Kirche würde nur in Gegensatz zu diesen Herrschern geraten, wenn der Kaiser, wie nach allen bisherigen Erfahrungen zu erwarten sei, sein Wort bräche.

Schon jetzt konnte man wissen, daß Innozenz sich durch nichts von seinem Ziel werde ablenken lassen. In der ersten öffentlichen Sitzung erhob er Anklage gegen den Kaiser wegen Verfolgung der Kirche, ketzerischer Gesinnung, Verbindung mit den Ungläubigen und Vertragsbruch. Er malte das aus mit vielen Einzelheiten von der Art, wie sie längst die Öffentlichkeit erfüllten. Zum Beweis, daß der Kaiser eidbrüchig sei, legte er die Urkunden vor, durch die jener sich seit seinem Regierungsantritt immer wieder gegen die römische Kirche verpflichtet und deren keine er erfüllt hatte. Ihm trat Thaddäus entgegen, widerlegte oder bestritt die Anschuldigungen und setzte auseinander – gleichfalls an Hand der Urkunden – wieviel Übles die Kirche dem Kaiser zugefügt habe. Er sprach vortrefflich, fest und klug, so daß er Beifall fand und auch Zuhörer aus dem gegnerischen Lager sich des Eindrucks nicht erwehren konnten. Aber Innozenz erwiderte schlagfertig Punkt für Punkt auf alles, ‹als hätte er es vorher gekannt›.

Acht Tage später (5. Juli), in der zweiten Sitzung, wurde die Verhandlung fortgesetzt, nun schon in beträchtlich erhitzterer Stimmung. Jetzt kamen auch einzelne Teilnehmer der Versammlung zu Wort. Wieder entfaltete Thaddäus seine Beredsamkeit, brachte einen aus dem Königreich geflüchteten Bischof, der sich als Ankläger vordrängte, durch Enthüllungen über seine Person zum Schweigen und fand Beifall mit einer Anspielung auf die Geschäfte der Wucherer an der Kurie, die der Kaiser in seinem Königreich nicht dulde. Aber gegen die kalte Unerbittlichkeit des Papstes, den besonders die Spanier, wohl in Erinnerung an das Schicksal, das einigen von ihnen bei Montecristo widerfahren war [1], mit leidenschaftlichem Drängen unterstützten, kam er nicht auf. Er

---

1 Siehe oben S. 111 f.

mußte die Antwort schuldig bleiben, als Innozenz fragte, warum denn der Kaiser, wenn er am Schicksal der Kardinäle und Prälaten in jener Seeschlacht nicht schuld sein wolle, die Gefangenen nicht freigelassen habe? Das war es augenscheinlich, was für das Urteil der Menge am schwersten ins Gewicht fiel, die verübte Gewalt gegen Prälaten und Geistliche. Vollends ungünstig wirkte es, daß eine Äußerung Friedrichs verbreitet wurde, laut deren er dem Konzil die Befugnis bestritten haben sollte, über einen Kaiser zu Gericht zu sitzen. Er schien der Auflehnung gegen die Kirche überwiesen, seine Verurteilung kaum mehr abwendbar. Dennoch gelang es seinen Vertretern, einen Aufschub von zwölf Tagen zu erreichen, um noch eine letzte Weisung von ihm einzuholen. Das geschah gegen die Wünsche vieler und war wohl dem Eingreifen der inzwischen angekommenen englischen Gesandten zuzuschreiben. Sie hatten, wie wir wissen, die ausdrückliche Weisung, sich für den Frieden zu bemühen, und fanden hierfür die Unterstützung der Vertreter des französischen Königs.

Die dadurch eintretende Pause wurde ausgefüllt durch Vorbereitung der Beschlüsse über die andern zur Verhandlung stehenden Angelegenheiten. Eine ganze Reihe von Bestimmungen wurde ausgearbeitet, die das geltende Recht der Kirche ergänzten, hauptsächlich betreffend das Gerichtsverfahren. Gegen die Mongolen sollten geeignete Befestigungen an allen bedrohten Stellen angelegt werden, deren Kosten der Papst übernehmen wollte. Zur Unterstützung des Kaisers von Konstantinopel wurde den Geistlichen, die sich nicht bei ihren Pfründen aufhielten, ein Drittel eines Jahreseinkommens abgefordert, während die römische Kirche den zehnten Teil ihrer eigenen Einkünfte zu diesem Zweck anwies. Endlich der Kreuzzug. Was für ihn zu geschehen hatte, folgte dem Vorbild Innozenz' III. Ausgedehnte Predigt und Sammlung von freiwilligen Beiträgen, die gleichen geistlichen und irdischen Vorteile für Teilnehmer und Beisteuernde, wie bei früheren Kreuzzügen; endlich eine umfassende Besteuerung der ganzen Kirche; drei Jahre lang hatte jeder Geistliche den Zwanzigsten seines Einkommens an die Sammler abzuliefern, die der Papst bestellen würde. Er selbst und die Kardinäle zahlten in derselben Zeit den vollen Zehnten. Den Zeitpunkt des Aufbruchs zu bestimmen, behielt Innozenz sich vor.

Über diesen Verhandlungen war die Frist verstrichen, die man dem Kaiser bewilligt hatte, am 17. Juli trat das Konzil zu seiner dritten und letzten Sitzung zusammen. Es wurden zunächst die soeben erwähnten neuen Gesetze und die Maßregeln betreffend Konstantinopel, die Mongolen und den Kreuzzug verkündigt. Dabei gab es einen ärgerlichen Auftritt. Einer der englischen Gesandten erhob sich und legte namens der Gesamtheit der Barone Englands schriftliche Verwahrung ein gegen die Ausbeutung ihres Landes durch die Kurie. Nicht zufrieden mit der seit alter Zeit entrichteten freiwilligen Steuer des Peterspfennigs hätten die Päpste immer neue Abgaben gefordert, englische Pfarren immer häufiger an Italiener verliehen, die die einheimischen Anwärter verdrängten, ihre Gemeinden nicht kennten, sich um ihre Pflichten nicht kümmerten und nur die Einkünfte aus dem Lande trügen, das dadurch verarme. 60 000 Mark und mehr betrage ihr jährlicher Reingewinn, mehr als das Einkommen des Königs. Am weitesten treibe es der zuletzt entsandte Nuntius, belege noch nicht erledigte Pfründen im voraus mit Beschlag für den Papst, erpresse mit geistlichen Strafen von den Klöstern unmäßige Renten und verstoße durch sein legatenähnliches Auftreten gegen das alte Vorrecht Englands, daß dort kein Legat sein Amt ausüben dürfe, den der König nicht angefordert habe. Diese Belastung könne und wolle das Land nicht länger dulden. Innozenz suchte das zunächst stillschweigend beiseite zu schieben, und begnügte sich, als die Engländer dringend wurden, mit der Bemerkung, es bedürfe langer und gründlicher Überlegung. Nicht mehr erreichten jene mit einer zweiten Verwahrung gegen den von König Johann zugestandenen Lehnszins, den die Barone niemals bewilligt hätten und nicht mehr zahlen wollten. Der Papst schenkte auch dem keine Beachtung und schritt nun zum letzten Geschäft, der Sache des Kaisers.

Friedrich hatte im Juni mit seinen Anhängern in Verona eine Beratung gepflogen, an der auch sein Sohn, der deutsche König Konrad, mit einigen Fürsten teilnahm. Auf die Nachricht, daß ihm vom Konzil Gelegenheit zu einer letzten Äußerung gegeben sei, hatte er sogleich eine ansehnliche Gesandtschaft, an der Spitze den Bischof von Freising und den Meister des Deutschen Ordens, abgefertigt. Worin ihr Auftrag bestand, wissen wir nicht, aber der Kaiser muß geglaubt haben, der Gang der Dinge ließe sich noch zu seinen Gunsten wenden, denn er verlegte, den Gesandten nacheilend, seinen Sitz nach Turin, um ohne Verzug selbst in Lyon eintreffen zu können, sei es zum Verhör, sei es zur feierlichen Entsühnung. Die Gesandten waren mit Beschleunigung gereist, aber am 17. Juli befanden sie sich immer noch zwei Tagesritte von Lyon entfernt. Thaddäus von Sessa forderte darum nochmaligen Aufschub bis zu ihrer Ankunft, Innozenz aber lehnte ab und blieb in langem Wortstreit unnachgiebig. Darauf verwahrte sich Thaddäus im Namen seines Herrn gegen das zu erwartende Urteil wegen formwidrigen Verfahrens, fehlender Schuldbeweise und Feindseligkeit des Richters; er legte Berufung ein an einen künftigen Papst und ein künftiges Konzil von Königen, Fürsten und Prälaten, da das derzeitige kein allgemeines sei. Innozenz wies das zurück und schritt nach längerer Rede, in der er eine Darstellung seiner Beziehungen zum Kaiser gab, zur Verkündigung des Spruches: er erklärte Friedrich seiner Würden als Kaiser und König verlustig, forderte zur Wahl eines andern Kaisers auf und behielt sich über das Königreich Sizilien die Verfügung vor. Hierauf ließ er das schriftlich aufgesetzte Urteil verlesen, stimmte das Tedeum an und entließ die Versammlung. Die Vertreter des Kaisers begleiteten den Vorgang mit Worten und Gebärden schmerzlicher Entrüstung, und Thaddäus rief: ‹Dies ist ein Tag des Zorns!› Er sagte den Triumph der Ketzer und Ungläubigen voraus, Innozenz aber erwiderte: ‹Ich habe das Meine getan, tue Gott, was ihm gefällt.›

Wie der Bannfluch Gregors IX., so wollte auch der Spruch Innozenz' IV. das Urteil eines Richters sein und war doch nur eine politische Kampfmaßregel in der Maske des Rechts. Die Macht des Kaisers sollte gebrochen, seine Person vernichtet werden, um zu verhindern, daß der sizilisch-römische König-Kaiser über ganz Italien Herr werde, und um Platz zu schaffen für die Führerrolle in italienischen Angelegenheiten, die die römische Kirche seit Innozenz III. für sich in Anspruch nahm. Davon war freilich in Lyon mit keiner Silbe die Rede gewesen; die lombardische Frage hatte Innozenz wohlweislich aus dem Spiel gelassen, für ein Strafverfahren gegen den Kaiser bot sie schlechterdings keinen Anhalt. Das Geschick, das er bewies, indem er die Aufmerksamkeit der Versammlung, ja der ganzen Welt von der Hauptsache und dem eigentlichen Zweck seines Verfahrens auf andere Dinge abzulenken wußte, darf man anerkennen; prüft man aber seinen Spruch als das, was er sein sollte, als Ausübung des höchsten Richteramts, so fällt das Urteil nicht zu seinen Gunsten aus.

Seit Menschengedenken war es nicht vorgekommen, daß ein römischer Bischof einen römischen Kaiser abgesetzt hätte. Nicht einmal Innozenz III. hatte das gewagt, gegenüber Otto IV. sich damit begnügt, die Eide der Untertanen für gelöst zu erklären, womit er sich, mochten die Folgen auf weltlich-staatlichem Gebiet noch so weit reichen, für seine Person immer noch in den Grenzen der kirchlich-religiösen Sphäre hielt. Innozenz IV. überschritt sie ungescheut, rücksichtslos griff er hinüber in das Gebiet des staatlichen Rechts. Man durfte und darf also erwarten, daß dieser neue und unerhörte Schritt mit entsprechenden Ausführungen über die Befugnis dazu eingeleitet werde; aber man sieht sich enttäuscht. Alles was der Papst zu sagen weiß, ist die nackte Behauptung, daß er auf Erden die Stelle Jesu Christi vertrete, und daß ihm als Nachfolger des Apostels Petrus das Wort gelte: ‹Was du auf Erden bindest› und so weiter. Den Nachweis, daß sich aus der geistlichen Schlüsselgewalt das Recht ergebe, einem weltlichen Fürsten sein Reich abzusprechen, als ob schon Petrus die Vollmacht empfangen hätte, Kaiser und Könige abzusetzen, hat der Papst sich erspart.

Von einem verdammenden Richterspruch verlangt man, daß die Wahrheit der Anklage, die Schuld des Beklagten dargetan werde. In dem Erlaß Innozenz' IV. gegen Friedrich II. ist das nicht geschehen, der Richter begnügt sich — ähnlich wie einst Gregor IX. bei der Ausschließung des Kaisers — mit Anschuldigungen, die ohne Beweis und Begründung als wahr vorausgesetzt werden. Vier ‹allerschwerste› Vergehen waren dem Kaiser vorgeworfen: Eidbruch, Störung des Friedens zwischen Kirche und Reich, Heiligtumsfrevel und Verdacht der Ketzerei. Gebrochen habe er die Eide, die er der römischen Kirche als König von Sizilien und als Kaiser geschworen, gebrochen durch Wegnahme ihrer Besitzungen, Mißachtung ihrer Strafen und Gefangennahme ihrer Kardinäle. Die Tatsachen waren nicht zu leugnen, aber es fehlte der Nachweis schuldhaften Handelns. In fast allen Punkten konnte Friedrich geltend machen, daß seine Maßregeln nur der Verteidigung oder Vergeltung gedient hatten. Die Friedensstörung sollte im Bruch des Vertrags von San Germano liegen, dessen Bedingungen Friedrich nicht erfüllt habe. Gesetzt, die Behauptung träfe zu — wie vieles sich dagegen einwenden ließ, haben wir früher gesehen –, so war doch im Vertrag selbst die Strafe für seine Verletzung festgesetzt, nämlich Ausschluß aus der Kirche, längst war auch sie verhängt. Mit welchem Recht wurde jetzt noch die Absetzung hinzugefügt? Ein Heiligtumsfrevel sollte in Verhinderung des römischen Konzils, der Gefangennahme und dauernden Gefangenhaltung von Kardinälen und Prälaten liegen, deren einige dabei den Tod gefunden hätten. Ohne Zweifel war tätliche Gewalt, an einem Geistlichen verübt, nach dem Recht der Kirche ein ‹Sakrileg›. Aber niemand konnte bestreiten, daß es sich hier um eine Kriegstat handelte, und wie oft war ähnliches in der Geschichte der Jahrhunderte vorgekommen, ohne daß die Kirche darauf mit Absetzung geantwortet hätte? Endlich der Vorwurf der Ketzerei. Wir dürfen uns nicht daran stoßen, daß nicht tatsächliche Ketzerei, nur der Verdacht behauptet wurde, denn nach dem neuen, von Gregor IX. geschaffenen und von Friedrich selbst gebilligten und gestützten Recht der Kirche war schon der Verdacht ketzerischer Überzeugung strafbar. Nur mußte es ein begründeter Verdacht sein, und was Innozenz beibrachte, reicht bei ernsthafter Prüfung in keiner Weise aus, es ist zum Teil tatsächlich falsch, zum Teil unerwiesen, und in allen Fällen sind die daraus gezogenen Schlüsse willkürlich. Durch Mißachten der über ihn verhängten geistlichen Strafen leugne der Kaiser die Schlüsselgewalt der Kirche. Mochte das für die Zeiten Gregors IX. mit einem Schein des Rechtes behauptet werden – ob eine mit Unrecht ausgesprochene Strafe den Betroffenen band, ob sie nicht durch eingelegte Berufung aufgehoben wurde, mußte mindestens als strittig anerkannt werden – Innozenz IV. wußte am besten, daß der Vorwurf grundsätzlicher Leugnung der Schlüsselgewalt nicht der Wahrheit entsprach. Denn dem Urteil der Kirche sich zu unterwerfen und die von ihr verhängte Buße zu leisten, hatte Friedrich in allen Verhandlungen immer zugestanden; in diesem Punkte hatte es niemals Schwierigkeiten gegeben. In den Verdacht der Ketzerei sollte er sich gebracht haben durch seine freundschaftlichen Beziehungen zu den Sarazenen und ihre Bevorzugung, durch Annahme ihrer Gewohnheiten, wie Verwendung von Eunuchen im Hofdienst. Waren die Tatsachen offenkundig, so waren sie bei einem Herrscher von Sizilien doch nichts Neues. Am Hof und im Reich der normännischen Könige in Palermo hatte das arabische Element immer eine Rolle gespielt, vermutlich eine viel stärkere als unter Friedrich II. Sarazenische Truppen hatten diese Herrscher alle verwendet, auch Robert Guiscard, als er mit ihnen den belagerten Gregor VII. befreite. Konnte man ferner das politische Einverständnis mit dem Sultan von Kairo, vollends die Verheiratung einer Tochter an den griechischen Kaiser Vatatzes im Ernst als Zeichen des Unglaubens verwerten? Dann waren die Christen in Palästina, Templer und Johanniter an der Spitze, mehr als verdächtig, da sie erst kürzlich mit den Sarazenen von Damaskus Seite an Seite gegen Ägypter und Chowaresmier gefochten hatten. Und wie oft waren abendländische Herrscher mit den Griechenkaisern in Heiratsverbindung getreten, ohne daß deswegen ein Schatten auf ihre Rechtgläubigkeit gefallen wäre! Natürlich fehlte auch der Vorwurf nicht, daß im Frieden von

1229 den Ungläubigen die Benutzung des Tempels in Jerusalem zugestanden war. Das hatte schon Gregor IX. gegen Friedrich zu verwerten gesucht, den Vorwurf aber schließlich stillschweigend fallenlassen. Mit welchem Recht durfte sein Nachfolger ihn wieder hervorholen? Aber Innozenz ging weiter, er mißbrauchte nicht nur die Tatsachen, er bediente sich auch der Verleumdung. Das sinnlose und boshafte Gerücht, Friedrich habe den Herzog von Baiern durch Assassinen umbringen lassen, griff er als Wahrheit auf. Daß der Kaiser für die Kirche keine offene Hand hatte, keine Stiftungen und Schenkungen machte, war ebenso richtig, wie daß Kirchen und Geistliche unter seiner straffen Regierung kein leichtes Dasein hatten. Aber durfte man daraus auf ketzerische Anschauungen schließen? Als Anhang zu den vier Hauptanklagen wird zum Schluß noch vorgebracht die gewalttätige Regierungsweise, die Friedrich im Königreich übte. Der Vorwurf, oft erhoben, hier ungeheuer übertrieben – fast alle ehrenhaften Leute sollten verjagt sein, die Zurückgebliebenen in Knechtschaft leben – konnte allenfalls zur Verurteilung des Königs von Sizilien einen Grund abgeben, obwohl man verlangen dürfte, Tatsachen im einzelnen angeführt und Beweise beigebracht zu sehen, für den Prozeß gegen den römischen Kaiser kam er nicht in Betracht.

Fassen wir unsere Beobachtungen zusammen, so ergibt sich, daß der Spruch, den Innozenz IV. am 17. Juli 1245 fällte, den Anforderungen, die man an das Urteil eines Richters stellen muß, in keiner Hinsicht entsprach, ja wir dürfen fragen, ob jemals ein Aktenstück von ähnlicher Tragweite in so oberflächlicher, nicht zu sagen leichtfertiger Weise abgefaßt worden ist. Gemessen am Maßstab des Rechts mit unverzeihlichen Fehlern behaftet, ein Fehlspruch, wenn es je einen gab, erfüllte dieser Erlaß auch seinen uneingestandenen Zweck denkbar schlecht: die wahre Absicht sollte er verhüllen, aber die Hülle war zu durchsichtig, ein aufmerksames Auge vermochte sie nicht darüber zu täuschen, daß der scheinbare Richterspruch nur dazu diente, die Willkür eines politischen Entschlusses zu verdecken. Die Frage drängt sich auf, wie so etwas möglich war. Innozenz IV. muß seiner Sache außerordentlich sicher gewesen sein, um der Welt die Anerkennung dieses Verdammungsurteils zuzumuten, das der Chronist von St. Albans ‹schauerlich und entsetzlich› (horribilis et stupenda damnatio) nennt. Daß der Papst im Konzil die Mehrheit für sich hatte, ist kein Zweifel, aber man wundert sich doch, daß überhaupt kein Widerspruch laut geworden ist. Wo blieben denn zum Beispiel die Engländer, deren Führer ja den Auftrag hatten, für den Kaiser einzutreten? Die Frage beantwortet sich, wenn man bemerkt, daß die wenigen englischen Bischöfe, die am Konzil teilnahmen, sämtlich dem Papst ergeben waren, sei es, daß sie ihm ihre Erhebung verdankten, oder, wie der gelehrte und streitbare Robert Grossetête von Lincoln, sich rückhaltlos zu den römischen Lehrsätzen von Papst und Kirche bekannten. Die Gesandten des Königs aber, fast lauter ungelehrte Laien, haben sich damit begnügt, für das Erbrecht des Kaisersohnes an der Krone Siziliens ein gutes Wort einzulegen, das der Papst unbeachtet ließ. Sonst dachten sie nur an die Abwehr der päpstlichen

Provisionen und haben darüber außerhalb der Öffentlichkeit mit Papst und Kardinälen gestritten, aber, von den Bischöfen im Stich gelassen, nicht viel erreicht. Wir haben gesehen, mit welcher Geringschätzung Innozenz ihre Verwahrung in öffentlicher Sitzung behandelte. Er konnte es sich erlauben, wußte er doch, daß hinter ihnen nicht der König stand, und daß die halb revolutionäre Mitregierung der Barone sich behaupten werde, war noch lange nicht erwiesen, nicht einmal wahrscheinlich. Es fiel dem Papst auch nicht schwer, die zum Ausdruck gekommene Unzufriedenheit nachträglich durch einige recht unverbindliche Zugeständnisse zu beschwichtigen. Die wichtigsten davon waren eine Verfügung, daß der Nuntius künftig nicht mehr als zwölf englische Pfründen für die Kurie beschlagnahmen dürfe, und das Versprechen, die Angehörigen der Barone zu begünstigen und mit der Erlaubnis zur Pfründenhäufung für sie nicht zu kargen. Damit gaben die Gesandten sich zufrieden. Die Bischöfe aber ließen sich sogar bestimmen, ohne Vollmacht und Auftrag namens der englischen Kirche jene im Frühjahr abgelehnte Beisteuer von 10 000 Mark für den Papst zu bewilligen. Von den Mitteln, mit denen dieser Erfolg erreicht wurde, verraten die Urkunden nur wenig. Ein paar geistliche Gnaden für den König und einen der Gesandten, für den Erzbischof-Primas das Recht, sieben Jahre lang von jeder freiwerdenden Pfründe seiner Provinz die Einkünfte des ersten Jahres, die Annate, für sich einzuziehen, sind schwerlich das einzige gewesen, womit die Stimmung beschwichtigt wurde.

Wenn es so leicht war, den von England her drohenden Angriff abzufangen, wo doch die Mißstimmung gegen die Kurie tief und verbreitet war, so wundert man sich nicht, daß der Papst im Konzil sonst keinem Widerspruch begegnet ist. Er beherrschte die Versammlung, sein Ansehen, das Ansehen des apostolischen Stuhles und wohl auch das seiner Person, ließ unter Bischöfen und Prälaten keinen ernsten Widerstand aufkommen. Dazu kam, daß in den Augen der halben Welt die Sache des Kaisers zu schlecht und er persönlich, mochte man auch längst nicht alles glauben, was ihm nachgesagt wurde, zu schwer belastet war, als daß selbst solche, die ihm im Grunde günstig oder von der Berechtigung der Anklage nicht überzeugt waren, es über sich gewonnen hätten, offen dem Urteil des Papstes entgegenzutreten. Sie schwiegen.

Was Innozenz in vertraulicher Verhandlung unter Ausschluß der Öffentlichkeit zu hören bekommen hat, ist eine andere Frage. Da mag die Mißbilligung deutlich genug laut geworden sein. Von den Vertretern Venedigs wissen wir, daß sie empört waren über das Erlebte. Sie beeilten sich, auf dem Rückweg den Kaiser aufzusuchen und mit ihm Frieden zu schließen. Freilich hatten die Venetianer besondere Gründe, sich vom Papst loszusagen: Innozenz hatte sie sich entfremdet, indem er offen für seine Vaterstadt Partei nahm. Darüber werden sie ihm keinen Zweifel gelassen haben, wie sie sich auch gegenüber dem Kaiser offen aussprachen: in dem Urteil von Lyon wollten sie geradezu das Ende der Christenheit sehen. Aber vor der Öffentlichkeit schwiegen sie wie alle andern, die etwa ihre Ansicht teilten.

Um dieses Schweigen wie überhaupt die Haltung des Konzils ganz zu verstehen, muß man beachten, daß eine Abstimmung in Lyon nicht stattgefunden hat. Innozenz wird gewußt haben, warum er sich damit begnügte, die Prälaten einzeln zu befragen. Wenn es heißt, alle hätten ihm zugestimmt, so läßt sich das nicht nachprüfen. Dagegen hören wir, daß sein Verfahren in weiten Kreisen beanstandet worden ist. So laut sprach man von überstürztem Vorgehen, daß Innozenz für nötig hielt, sich zu rechtfertigen. Dem Generalkapitel der Zisterzienser versicherte er, nie sei ein Geschäft so gründlich durchberaten worden, sogar eine schulmäßige Erörterung habe stattgefunden, bei der das Für und Wider geprüft worden sei und einige Kardinäle die Verteidigung des Kaisers geführt hätten. Was von einer solchen Scheinverhandlung nach Art der heutigen Prozesse der Heiligsprechung zu halten ist, wo ein bestellter Teufelsanwalt auftritt, das mag jeder mit sich abmachen. Als Ersatz für eine freie und öffentliche Verhandlung, bei der die Meinungen klar zum Ausdruck kommen, kann sie keinesfalls gelten, sie hat es in Lyon nicht gegeben, und solange Friedrich II. lebte, ist die Behauptung, es sei überstürzt und ungerecht gegen ihn verfahren worden, selbst in hochkirchlichen Kreisen nicht verstummt. Vom Konzil ist auch kein Beschluß gefaßt worden, weder in dieser noch in einer andern Angelegenheit. Der Papst allein war es, der beschloß, verfügte und verkündete, die Synode war lediglich Zeugin. Etwas anderes war schon nach dem Wortlaut der Einberufung nicht beabsichtigt: nicht um selbst zu entscheiden, waren die Prälaten nach Lyon befohlen, nur um dem Papst Rat und Unterstützung zu leihen. Dementsprechend sind denn auch die Erlasse als Kundgebungen des Papstes gefaßt, er spricht im eigenen Namen und nicht einmal ‹mit Zustimmung›, wie noch Innozenz III. gesagt hatte, sondern lediglich ‹in Gegenwart des heiligen Konzils›. Auch dem hat niemand widersprochen, schweigend verzichtete das Konzil auf sein altes Recht. Einen doppelten Sieg also hatte das Papsttum mühelos errungen: zugleich mit seinem oberherrlichen Richtertum sah es seine schrankenlose Alleinherrschaft über die Kirche von dieser selbst anerkannt. Neben dem großen Schauspiel der Absetzung des Kaisers verschwand ein kleineres Stück gleichen Inhalts, das eine Woche später sich abspielte. König Sancho von Portugal hatte durch vielfache Mißregierung, insbesondere durch rücksichtsloses Verfahren gegenüber Kirchen und Geistlichen schon längst zu lauten Klagen Anlaß gegeben und Innozenz ihm nach mehreren vergeblichen Mahnungen eine letzte Frist bis zum Konzil gesetzt, die natürlich nicht benutzt wurde. Darum ließ nun der Papst an Prälaten, Barone, Städte, Ritter und Volk den Befehl ergehen, dem Bruder des Königs die Regierung des Reiches auszuliefern. Daß Portugal dem päpstlichen Stuhl zinspflichtig war, erwähnte er dabei nur nebenher zu verstärkter Begründung seines Eingriffs, damit andeutend, daß er auch ohne jenes besondere Verhältnis sich für befugt halte, einem weltlichen Herrscher die Regierung aus der Hand zu nehmen, um sie einem andern zu übertragen. In Portugal hat er damit Erfolg gehabt. Sancho mußte weichen und ist nach Jahren als Flüchtling in Kastilien gestorben. Hier hat die Entwicklung der Dinge den Anspruch des Papstes anerkannt. Würde es gegenüber dem Kaiser ebenso gehen?

Das Urteil war gesprochen, nun handelte es sich um seine Vollstreckung.

Die Art, wie der Kaiser die Nachricht von seiner Absetzung entgegennahm, verrät, daß er sich ernsthafte Hoffnungen gemacht hatte. Er geriet in zornige Entrüstung. Um zu zeigen, daß er die Sprüche des Papstes verachte, schritt er zu einer eindrucksvollen Schaustellung. Die Kaiserkrone ließ er sich bringen, setzte sie auf und rief den Anwesenden zu: noch habe er sie, und ohne blutigen Kampf solle niemand sie ihm nehmen. Er fand sogar, seine Lage sei günstiger geworden, da er auf den Papst nun keine Rücksicht mehr zu nehmen brauche. Immerhin hat er einen letzten Versuch für nötig gehalten, den Vorwurf des Unglaubens von sich abzuwälzen. Im Frühjahr 1246 hat er sich einer förmlichen Glaubensprüfung durch einige hohe Geistliche und zwei Predigerbrüder unterzogen und sich darüber und über seine Bereitwilligkeit, sich auch vor dem Papst zu rechtfertigen, ein Zeugnis ausstellen lassen. Damit sandte er die Herren – den Erzbischof von Palermo und den Abt von Monte Cassino an der Spitze – an den Papst. Innozenz empfing sie sehr ungnädig, erteilte ihnen eine scharfe Rüge wegen ihrer Eigenmächtigkeit und erklärte das Zeugnis für ungültig und wertlos, weil es den Tatsachen widerspreche. Friedrich zu hören, sei er übrigens bereit, wenn er sich unbewaffnet und mit geringer Begleitung einstelle. Das ließ er veröffentlichen. Es bedeutete nichts anderes, als daß gegen den Kaiser, wenn er sich stellte, der Ketzerprozeß in den schon eingebürgerten harten und demütigenden Formen eröffnet worden wäre. Friedrich antwortete mit der Bekanntmachung, der Papst habe ihm das Gehör verweigert. Ein zweiter Versuch, im Herbst des Jahres durch französische Vermittlung die Aussöhnung zu erreichen, hatte kein besseres Ergebnis. Kein Zweifel, daß es für Innozenz schon damals feststand, wenn er es auch noch nicht aussprach, es handle sich für ihn nicht mehr um Friedrich allein, sondern auch um seine Nachkommen, die nach dem neuen Ketzerstrafrecht nicht erbfähig waren. Sturz und Vernichtung des gesamten schwäbischen Königshauses war sein Ziel.

Friedrich hat wie früher in ähnlicher Lage geglaubt, bei andern Herrschern Unterstützung zu finden. Mit überraschender Schnelligkeit erschien ein Rundschreiben – es ist schon vom 31. Juli datiert –, worin er zunächst den zwingenden Nachweis für die Nichtigkeit des Lyoner Spruches führte. Gefällt von einem unzuständigen Richter – denn mag der Papst in geistlichen Dingen unumschränkte Gewalt haben, so liest man doch nirgends, weder im göttlichen noch im menschlichen Recht, daß ihm erlaubt sei, über Kronen nach Belieben zu verfügen oder Könige und Fürsten mit Absetzung zu strafen – nach einem Verfahren, das alle Vorschriften der Form verletzte, gestützt auf unwahre Anschuldigungen, eröffnet es für alle weltlichen Herrscher bedrohliche Aussichten. ‹Mit uns wird der Anfang gemacht, bei euch wird es enden; denn wenn erst unsere Macht zertreten ist, wird man keinen weiteren Widerstand fürchten. Darum steht uns bei und verteidigt euer eigenes Recht in unserem Streit.› Was Friedrich fordert, ist nichts Geringeres als Abbruch der Beziehungen zur Kurie: ihre Boten sollen nicht mehr zugelassen werden. Eine zweite, etwas später erlassene Kundgebung verschärft den Ton. ‹Was habt ihr, Könige›, so heißt es hier – ‹von solchem Priesterfürsten nicht alles zu befürchten, wenn er es wagt, uns abzusetzen, die wir durch feierliche Fürstenwahl erhoben und mit Billigung der ganzen Kirche gekrönt sind?› Hier begnügt sich der Kaiser nicht mehr mit Verteidigung, er schreitet zum Angriff. ‹Wenn eure schlichte Gutgläubigkeit› – so schreibt er – ‹sich in acht nehmen wollte vor dem Sauerteig der Zöllner und Pharisäer, wieviel Anlaß hättet ihr, die Schimpflichkeiten jenes Hofes zu verwünschen, die zu nennen Anstand und Scham uns hindern?› Es folgt ein Hinweis auf den Reichtum, den die Kurie aus der Verarmung anderer Länder ziehe. ‹Bei euch betteln die Christen, damit bei uns die Ketzer zu essen haben, eure Häuser stürzen ein, damit hier die Burgen der Gegner gebaut werden.› Und nun folgt das aufsehenerregende Bekenntnis, es sei seine Absicht, die Geistlichen zurückzuführen in den Stand der Armut und Niedrigkeit, den sie im Anfang der Kirche einnahmen, als sie ‹Wunder taten, Kranke heilten, Tote auferweckten und sich Könige und Fürsten nicht mit den Waffen, sondern durch ihre Heiligkeit unterwarfen, während die heutigen, der Weltlust hingegeben, in Schwelgerei berauscht, sich um Gott nicht kümmern und ihre Frömmigkeit im Zustrom von Reichtümern erstickt. Ihnen diese schädlichen Reichtümer zu entziehen, ist ein gutes Werk. Darauf, daß sie allem Überfluß entsagen und mit wenigem zufrieden Gott dienen, solltet ihr und sollten alle Fürsten mit uns jeden Eifer verwenden.›

Wie zu erwarten war, ist Innozenz die öffentliche Antwort auf die kaiserlichen Rundschreiben nicht schuldig geblieben. Was er in Lyon versäumt hatte, holte er jetzt nach. In breiter Auseinandersetzung suchte er darzutun, daß ihm als Stellvertreter des Königs der Könige das Urteil über weltliche Herrscher zustehe, weil dem, der im Geistlichen unbeschränkte Vollmacht habe – man glaubt nach fünf Menschenaltern unvermutet wieder die Stimme Gregors VII. zu hören [1] – das Weltliche als das Niedere nicht entzogen sein könne; weil ferner eine geordnete Staatsgewalt nur innerhalb der Kirche bestehen könne; weil Petrus beide Schwerter, das weltliche ebenso wie das geistliche, und neben der priesterlichen auch die königliche Allherrschaft (*monarchia*) erhalten habe. Das gilt nach Innozenz – der hier einen Gedanken aufnimmt, den schon Gregor IX. geäußert hatte [2] – insbesondere gegenüber dem Kaisertum, das von Konstantin der Kirche überlassen und von ihr auf die Deutschen übertragen, dessen Träger nicht erblicher Fürst wie andere Könige, sondern gewählt und dem Papst, der ihn krönt, durch das Band der Treue und Unterwerfung verpflichtet ist. Was die Schuld Friedrichs betrifft, so brauche sie nicht erst erwiesen

1 Vgl. Bd. 2, S. 298.
2 Siehe oben S. 81 f.

zu werden, sie sei offenkundig. Als Feind der Kirche aber verrate er sich jetzt vollends durch die Aufforderung, sie zu berauben. Zum Schluß verfehlt Innozenz nicht, auch seinerseits vor einer angeblich allen Herrschern drohenden Gefahr zu warnen: Friedrich sei in seinem Bestreben, sich fremde Reiche zu unterwerfen, auf den Widerstand der Kirche gestoßen, die die Pflicht habe, Recht und Freiheit ihrer Kinder zu verteidigen. Mit besonderem Nachdruck wandte sich Innozenz gegen die Absicht Friedrichs, den ursprünglichen Zustand der Kirche wiederherzustellen. Mit beredten Worten wurden die Prälaten aufgefordert, ‹dem Feinde Gottes und der Menschen› zu widerstehen, der ‹wie ein Löwe brüllend in wilder Wut› sie alle in Armut stürzen wolle, indem er ihre Mutter, die Kirche, ihrer von Christus empfangenen Herrschaft über alle Zonen der Erde zu berauben sich vermesse.

Von der Wirkung dieser Schriften berichtet der englische Chronist, während die Warnung des Kaisers vor der Herrschsucht der Prälaten dem Papst Abbruch getan, habe sein Plan, die Kirche ihrer Vorrechte und Vornehmheit zu berauben, Könige und Adel abgeschreckt und den Rest seines guten Namens in allem Volk zerstört. Es war wirklich ein verwegener Gedanke, die Armutsbewegung im Kampf gegen das Papsttum zu benutzen, da sie doch längst in Gestalt der Bettelorden für die herrschende Kirche eingefangen und ihr dienstbar gemacht war. Das konnte nicht glücken und ist völlig mißlungen. Wohl hat die von Friedrich ausgegebene Losung hier und da Anklang gefunden, sogar an einer Stelle – wir werden es bald bemerken –, wo man es nicht erwarten sollte. Aber von Worten zu Taten überzugehen, ist nirgends versucht worden. Nur aus Süddeutschland wird vom Auftreten von Predigern berichtet, die nach Art Arnolds von Brescia und der Waldenser die gesamte Hierarchie für die Todsünde verfallen und ihre Sakramente für unwirksam, sich selbst aber für Verkünder der Wahrheit und für echte Priester ausgaben. In diesem Kreise betete man für den Kaiser und seinen Sohn, den deutschen König, als für ‹Gerechte und Vollkommene›. Auch sind Schriften vorhanden, in denen Innozenz IV. für den Antichrist erklärt und behauptet wird, Friedrich habe nach Kenntnisnahme dieser Lehren den Plan freudig gebilligt, die Kirche zu retten und zu erneuern durch Beseitigung ihrer Fürsten, die sie mit ihren Lastern und Ketzereien zugrunde richteten. Wie weit diese Sektierer ein Recht hatten, sich auf Friedrich zu berufen, läßt sich nicht sagen, helfen konnten sie ihm nicht. Die Bewegung ist klanglos erloschen und Friedrich auf solche Gedanken nicht wieder zurückgekommen. Er wird bald erkannt haben, daß er sich mit einer Losung, die ihn in die Nachbarschaft von ketzerischen Umstürzlern brachte, nur schaden konnte. Es war ein innerer Widerspruch, daß der Kaiser, der höchste Würdenträger einer durchaus aristokratisch gestalteten Welt, sich anheischig machte, die Kirche ihres aristokratischen Charakters zu entkleiden. Der Kaiser als Herold einer Revolution, die alle staatliche und gesellschaftliche Ordnung erschüttert hätte – man wundert sich, Friedrich auf einem so starken Mißgriff zu betreffen, geeignet, seinen Appell an die Gemeinsamkeit der monarchischen Anliegen aller Könige um jede

Wirkung zu bringen. Stärker wirkte auf jeden Fall die Mahnung des Papstes an die Prälaten, sich bewußt zu bleiben, daß durch die Wendung, die Friedrich seinem Angriff gegeben hatte, sie alle mit getroffen wurden.

Übrigens wäre ohne diesen Fehler der Erfolg des Kaisers bei Frankreich und England kaum größer gewesen. Zwar seine Absetzung ist weder hier noch dort anerkannt worden. Sowohl Ludwig IX. wie Heinrich III. haben mit Friedrich weiterhin als mit dem römischen Kaiser und König von Sizilien gute Beziehungen unterhalten. Auch Ludwig IX., so fromm er der Kirche ergeben war. In schwerer Krankheit hatte er schon gegen Ende des Jahres 1244 das Kreuz genommen und lebte fortan ganz dem Gedanken an die Erfüllung des Gelübdes. Den Krieg des Papstes gegen den Kaiser, der seinem Unternehmen wertvolle Kräfte entzog, hat er sicherlich nicht gebilligt und sich wiederholt um Vermittlung bemüht, auch die Förderung seines Planes durch Friedrich sich dankbar gefallen lassen. Aber weder er noch der Engländer haben je daran gedacht, mit dem Papst zu brechen.

Von Ludwig persönlich konnte das auch niemand erwarten. Gewiß ist sein königliches Selbstgefühl nicht unempfindlich gewesen für den Appell an das gemeinsame Interesse aller weltlichen Herrscher. Aber seine tiefe Ergebenheit gegen die Kirche hätte ihm offene Auflehnung gegen einen rechtmäßigen Papst nie gestattet. Vielleicht wäre er, wenn es auf ihn ankam, in der Parteinahme für den Papst noch weitergegangen. Aber bei allem Ansehen, das er persönlich genoß, war er doch keineswegs Alleinherrscher in dem Sinn, daß er Politik nach eigenem Gutdünken hätte machen können. Über ihm stand der Einfluß seiner willensstarken Mutter, und ihm gegenüber standen seine Barone. Vor der überlegenen Staatsklugheit Blancas pflegte der gehorsame und nicht sehr einsichtige Sohn sich stets zu beugen, und über den ausgesprochenen Willen der Barone hinwegzugehen, durfte ein König von Frankreich sich nicht erlauben. Der französische Adel aber teilte die kirchliche Gesinnung des Königs keineswegs ganz, in seinen Reihen war — wir werden noch davon hören — zwar nicht Abwendung von der Kirche, aber starke Abneigung gegen die Geistlichkeit verbreitet. Innozenz IV. hatte also immerhin Grund, nichts unversucht zu lassen, um Frankreich an sich zu fesseln.

Seit seinem Regierungsantritt hat er sich bemüht, das hergebrachte nahe Verhältnis zur französischen Krone zu pflegen, hat bei Besetzung von Bistümern dem König zuliebe über gesetzliche Hindernisse hinweggesehen, dort dagegen, wo der König Schwierigkeiten machte, um Anerkennung seiner Verfügungen nur gebeten, ja gebettelt, anstatt zu fordern oder gar zu drohen. Reibungen zwischen Kirche und Staatsgewalt, die anderswo helles Feuer entzündet hätte, richteten in Frankreich keinen Schaden an, weil Innozenz sich auf zahme Vorstellungen beschränkte. Ludwigs Person wurde mit geistlichen Vorrechten überschüttet: er darf mit Ausgeschlossenen verkehren, ist selbst gegen Ausschluß und Kirchensperre geschützt, sein Beichtvater erhält fast unbegrenzte Vollmachten, und die Seinen dürfen bitten, worum sie wollen, es soll erhört werden.

französischen Krone für diese Erhöhung ihrer Hausmacht bestanden haben kann? Wir werden bald davon zu reden haben, wie wertvoll für den Papst in kommenden kritischen Augenblicken der feste Rückhalt am französischen Königshaus gewesen ist. Daß die Grundlage hierfür in den Besprechungen zu Cluny im November 1245 gelegt wurde, dürfen wir auch ohne ausdrückliches Zeugnis unbedenklich annehmen. War es denn nicht eine beredte Tatsache, daß ein französischer Prinz mit päpstlicher Hilfe sich eines Landes bemächtigen konnte, das zum Reich des Kaisers gehörte, ohne daß dessen Oberhoheit irgend beachtet worden wäre? Seitdem wußte Innozenz, daß ihm, was immer geschehen möge, im Notfall der Beistand Frankreichs sicher war.

Stärkere Hoffnungen als auf Frankreich hat Friedrich sich auf England gemacht, wo seine Verschwägerung mit dem König und der allgemeine Unwille über die Kurie ihm entgegenkamen. Zwei seiner höchsten Beamten sandte er hinüber, und wirklich hat es längere Zeit so ausgesehen, als sollten die Umstände ihm zu einem Erfolg verhelfen. An offene Auflehnung des Königreichs gegen die Kirche wird er selbst nicht gedacht haben, aber es war schon viel, wenn verhindert wurde, daß der Papst aus England Geld erhielt. Fast zwei Jahre ist darum gekämpft worden, bis schließlich der Papst doch Sieger blieb. Zunächst erregten die Steuerforderungen des Konzils – für den Kreuzzug drei Zwanzigste von allen Geistlichen, für Konstantinopel ein Drittel von allen denen, die ihre Pfründen nicht selbst versahen, dazu die Beisteuer, die die englischen Bischöfe in Lyon bewilligt hatten – große Entrüstung. Die Zugeständnisse und Versprechungen des Papstes befriedigten nicht, zumal sie nicht einmal gehalten und durch Anwendung des Vorbehalts ‹unbeschadet› (non obstante) hinfällig gemacht wurden. Böses Blut machte auch die Überlassung der Annaten an den landfremden und nach wie vor abwesenden Primas. Dazu kam, vorerst nur im geheimen, die Forderung, daß jeder Prälat fünf, zehn oder fünfzehn Ritter zum Dienst der Kirche stelle oder eine entsprechende Loskaufsumme zahle. Auf dem Reichstag im Frühjahr 1246 erhob sich von allen Seiten ein solcher Sturm, daß der König darein willigen mußte, die Beschwerden der Städte dem Papst durch eine Gesandtschaft schriftlich vorlegen zu lassen. Bischöfe, Äbte und Prioren, Lords und Gesamtheit des Königreichs erklärten in gesonderten Schreiben, England sei nicht gesonnen, solche Belastung zu ertragen. Die englische Kirche gehe dabei zugrunde, die Patrone drohten ihre Stiftungen zurückzunehmen, Aufstand und Bürgerkrieg kündigten sich an, König und Kirche liefen Gefahr. Am schärfsten äußerten sich die Lords. In der Beratung hatten sie erklärt, lieber sterben als solches länger ertragen zu wollen, dem Papst hielten sie eine Vorlesung über die Pflichten der Kirche als Mutter gegen ihre Kinder und kündigten an, sie würden ‹sich als Mauer aufrichten vor dem Hause des Herrn und der Freiheit des Königreichs›. Der König, wider Willen vom Strom mitgerissen, konnte nicht umhin, diese Beschwerde bei Papst und Kardinälen in einem ziemlich lauen Schreiben zu unterstützen.

Die Gesandtschaft wurde von Innozenz sehr ungnädig empfangen und heimgeschickt, ohne mehr zu erreichen als die Zusicherung, daß Provisionen an Römer nur mit Genehmigung des Königs ausgeführt werden sollten. Auf den geforderten Abgaben, insbesondere der für seinen eigenen Bedarf, bestand der Papst und beauftragte mit ihrer Verteilung und Erhebung zwei englische Bischöfe, deren einer den Auftrag übernahm und auch schon Zahlungen erhielt.

Immer deutlicher wurde, was für die Kurie längst kein Geheimnis war, daß hinter den scheinbar so einmütigen Vorstellungen der Engländer das Gegenteil wirklicher Einigkeit stand. Die Bischöfe machten nur mit halbem Herzen mit, sie hatten über die Krone, die in Gericht und Verwaltung tagtäglich die Freiheiten von Kirche und Geistlichkeit verletzte, nicht weniger zu klagen als über den Papst, dem einige von ihnen sich aus Überzeugung, andere aus Eigennutz zur Verfügung stellten. Denn wer anders als der Papst konnte ihnen den Gehorsam ihrer nicht immer fügsamen Untergebenen erhalten, wer zu gelegentlicher Besteuerung ihres Klerus verhelfen? Der König schielte längst nach päpstlicher Hilfe gegen seine unbotmäßigen Barone und widerspenstigen Prälaten, die ihm die Steuern verweigerten und die Regierung aus der Hand zu nehmen suchten. Die Barone endlich, die am lautesten getobt hatten, bildeten nur scheinbar eine geschlossene Front, die sich auflöste, als es dem Papst gelang, ihren Führer, den eigenen Bruder des Königs, Richard von Cornwall, durch Auslieferung der für den Kreuzzug gesammelten Vermächtnisse zu gewinnen. Als im Frühjahr 1247 der Reichstag wieder zusammentrat, sah die Geistlichkeit sich allein gegenüber erneuten und verschärften Steuerforderungen des Papstes – Innozenz hatte mit Kirchensperre über ganz England gedroht. Wohl ging noch einmal eine ausführliche Beschwerde an Papst und Kardinäle ab, die die Unmöglichkeit, das Verlangte zu leisten, dartat. Aber vom König im Stich gelassen, der bisher die Zahlung verboten hatte und jetzt keinen Einwand mehr erhob, fügte man sich schon zwei Monate später und bewilligte dem Papst neben den Abgaben für Kreuzzug und Konstantinopel nun ganze 11 000 Mark. Die Summe sollte wohl als Ablösung der geforderten bewaffneten Mannschaft dienen. Die Geschichte dieses Abgabenstreites erzählt der Chronist von St. Albans mit viel wehklagenden Worten über die traurige Lage der englischen Kirche zwischen den beiden Mühlsteinen Papst und König. Was er weiter über die Rücksichtslosigkeit der päpstlichen Sammler berichtet, braucht uns nicht aufzuhalten. Es wird übertrieben sein, wenn er behauptet, aus Irland allein seien 6000 Mark in die Kasse des Papstes geflossen. Das Wesentliche ist: Innozenz IV. hatte seinen Zweck erreicht, das Geld Englands diente ihm zum Kampf gegen den Kaiser.

Wie ein weltlicher Herrscher sich zu dem anhebenden Entscheidungskampf zwischen Kaisertum und Papsttum stellte, hat König Haakon von Norwegen ausgesprochen, als er dem Legaten, der ihn zum Eingreifen gegen den Kaiser drängte, zur Antwort gab, die Feinde der Kirche wolle er stets bekriegen, nicht aber alle Feinde des Papstes. So haben sie wohl alle gedacht, die Könige des Abendlands, die dieses verzweifelten Ringens Zeugen waren; Partei gegen den Kaiser haben sie nicht ergriffen, alle erkannten sie, daß hier in Wirklichkeit nicht die Kirche bedroht war und nur die weltliche Herrschaft des Papstes im Kirchenstaat und in Italien in Frage stand. Innozenz aber, mochte er auch, wie er in Norwegen tat, zunächst mehr erwartet und verlangt haben, wagte nicht darauf zu bestehen und begnügte sich damit, daß ihm niemand in den Arm fiel. Keinen hat er es fühlen lassen, daß die aufrechterhaltenen Beziehungen zum abgesetzten Kaiser ein stummer Widerspruch gegen den Spruch der Kirche waren. Tätige Beihilfe hat er von keinem gefordert. Er hätte ja niemand zwingen können, und er glaubte es auch nicht nötig zu haben, die Mittel der Kirche schienen ihm zu genügen. Von ihr, vom Klerus hoch und niedrig, forderte er Heeresfolge und suchte sie zu erzwingen, wenn sie nicht gutwillig geleistet wurde.

Dies vor allem in Deutschland, wo die Kirche ihm nicht nur mit ihrer Predigt, ihren geistlichen Strafen und ihrem Gelde dienen konnte, wo Bischöfe und Äbte zugleich weltliche Machthaber waren, Fürstentümer regierten, über Heere und Festungen verfügten und eigene Politik trieben, neben dem König und nach Gelegenheit gegen ihn. Friedrich II. selbst hatte diese Unabhängigkeit der geistlichen Reichsfürsten, die einst die festesten Stützen des Thrones gewesen waren, in kaum abschätzbarem Maße gestärkt, indem er ihnen — es war in den Anfängen seiner Regierung, als er sich auf die Gunst der Kirche angewiesen fühlte — die wesentlichsten bisher dem König zustehenden Hoheitsrechte abtrat und zugleich auf jeden Anteil an der Erhebung von Bischöfen und Äbten verzichtete. Als Kirchenfürsten von jeher und jetzt noch mehr denn früher Diener des Papstes, brauchten sie als Reichsfürsten dem Kaiser nur noch soweit zu dienen, wie ihre persönliche Gesinnung und das Interesse ihrer Landesherrschaft es ihnen Vorschrieb. Nicht so bald hat der verführerische Reiz zur Untreue, der in den neuen Rechten lag, über jahrhundertealte Überlieferungen gesiegt. Die Päpste haben lange warten und nicht geringe Anstrengungen machen müssen, bis es ihnen gelang, die deutsche Kirche im großen und ganzen vom Kaiser zu trennen und auf ihre Seite herüberzuziehen. Gregor IX. hatte nichts erreicht, beide Male, da er mit dem Kaiser zusammenstieß, sowohl 1227 wie 1239, hatten die Bischöfe sich ihm versagt. Innozenz IV. war glücklicher: bei seinem Regierungsantritt fand er in Deutschland die Anfänge des kirchlichen Abfalls vom Kaiser vor.

Schon bald nach dem Tode Gregors IX. war es geschehen, daß die Erzbischöfe von Mainz und Köln sich verbündeten, den Ausschluß des Kaisers aus der Kirche in ihren Sprengeln bekanntmachten und über das Reichsgut in der Wetterau herfielen. Bald gesellte sich Trier zu ihnen. Die Führung hatte der Mainzer, seine Beweggründe sind nicht klar. Siegfried von Eppstein, herrschlustig und ehrgeizig, mag wohl empfunden haben, daß er als Reichsregent für den jungen Konrad IV. neben andern ihm nicht genehmen Einflüssen nicht die Rolle spielte, die ihm zukam. Auch sein Streben nach dem Besitz der reichen Fürstabtei Lorsch fand wohl nicht die Unterstützung, die er wünschte. Konrad von

Hochstaden wiederum, der stolze und herrische Kölner, sah die Krone in seinem Streit mit den weltlichen Nachbarn am Niederrhein für diese Partei nehmen. Beim einen wie beim andern war das nicht erst neuerdings der Fall, es hatte auch keinen von beiden gehindert, an dem gemeinsamen Eintreten der Fürsten für den Kaiser gegenüber Gregor IX. teilzunehmen und die Bekanntmachung seines Ausschlusses zu verweigern.[1] Was sie zum Abfall trieb, bleibt dunkel, wenn man nicht annehmen will, die Gefangennahme und dauernde Gefangenhaltung von Kardinälen und Bischöfen habe ihr geistliches Standesgefühl so tief verletzt und das Ansehen des Kaisers so schwer erschüttert, daß sie sich von ihm loszusagen beschlossen, eine Annahme, die der Wahrscheinlichkeit nicht entbehrt. Was immer der wahre und letzte Grund gewesen sein mag, seit dem Herbst 1241 hatte Friedrich die drei vornehmsten Kirchenfürsten Deutschlands zu Feinden, und daß es die drei Krönungsbischöfe waren, machte ihre Gegnerschaft doppelt gefährlich.

Innozenz IV. hat nicht gezögert, das zu benutzen. Wenn es gelang, in Deutschland einen Gegenkönig aufzustellen, so waren dort Kräfte gebunden, die dem Kaiser fehlen mußten. Außerdem erhielten die Kaiserfeinde in Italien ein Oberhaupt, das ihnen als rechtmäßiger Träger der kaiserlichen Rechte dienen, vielleicht sogar zweifelhaften Freunden Friedrichs den Abfall erleichtern konnte. Auf dieses Ziel richteten sich noch vor Abschluß des verunglückten Friedensvertrags von 1244 die heimlichen Bemühungen des Papstes. Dem Mainzer und dem Kölner lieh er wirksame Unterstützung, ermächtigte sie zu Steuerforderungen an Klerus und Städte ihrer Sprengel, den Mainzer außerdem zu Untersuchungen und Besserung der kirchlichen Zustände in den Provinzen Trier und Magdeburg. Auch der künftige Gegenkönig war schon gefunden in der Person des Landgrafen von Thüringen. Heinrich genannt Raspe blieb den Überlieferungen seines Hauses treu, bei dem sich glühende Kirchlichkeit – die Thüringer waren eifrige Gönner Konrads von Marburg gewesen und als Förderer der Inquisition von Gregor IX. besonders belobt worden – mit einer kein Bedenken kennenden fürstlichen Selbstsucht aufs beste vertrug. Den Staufern blutsverwandt, hatte Heinrich erst kürzlich vom Kaiser Amt und Titel des Reichsregenten an Stelle des abgefallenen Mainzers angenommen; aber seit dem Frühjahr 1244 sehen wir ihn in mehr als verdächtigen Beziehungen zum Papst, von diesem mit geistlichen Gnaden und Bestätigung seines Besitzes bedacht und über den Stand der Beziehungen zum Kaiser vertraulich unterrichtet. Daß seine Erwählung zum Gegenkönig den Zweck des Besuches gebildet hat, den die Erzbischöfe von Mainz und Köln am Vorabend des Konzils dem Papst in Lyon abstatteten, unterliegt keinem Zweifel. Heinrich selbst zögerte zunächst, nach der Absetzung des Kaisers sträubte er sich nicht länger.

Seit dem Herbst 1245 wirkte in Deutschland der erwählte Bischof von Ferrara, ausgestattet mit weitestgehenden Vollmachten. Eine jener merkwürdigen

---

1 Siehe oben S. 104.

Doppelnaturen, die für diese Zeit bezeichnend sind, ist dieser Philipp Fontana: glühender Verehrer des heiligen Franziskus und großer Gönner der Minderbrüder, zugleich harter Kriegsmann von recht ungeistlichem Wandel. Einen Sohn und eine Tochter erkannte er offen an, huldigte dem Trunk und verschmähte die Bischofsweihe jahrelang, auch nach seiner Erhebung auf den Erzstuhl von Ravenna. Der sollte nun die Wahl des Landgrafen von Thüringen zum römischen König betreiben, und es ist ihm gelungen, wenigstens eine Handlung zustande zu bringen, die man der Form halber für eine Königswahl ausgeben konnte. Einem ausdrücklichen Befehl des Papstes folgend versammelten sich am 22. Mai 1246 die Erzbischöfe von Mainz und Köln mit drei andern deutschen Bischöfen und einer Schar von Grafen und Herren in dem Städtchen Veitshöchheim bei Würzburg und vollzogen die Wahl, die der Papst befohlen hatte. Innozenz hatte seine Weisung an alle deutschen Fürsten gerichtet, von den weltlichen hatte kein einziger gehorcht. Von einer rechtsgültigen Wahl konnte also nicht die Rede sein, aber der Erfolg schien dem Gewählten zu lächeln. Als Konrad IV. ihm mit Heeresmacht entgegentrat, um ihn an der Abhaltung eines Reichstags in Frankfurt zu hindern, wurde er am 5. August 1246 vor den Toren der Stadt geschlagen, ein Opfer des Verrats: während der Schlacht gingen die schwäbischen Grafen von Wirtemberg und Grüningen mit ihren Truppen zum Gegner über. Dessen Anhang verstärkte sich jetzt, der Erzbischof von Trier erklärte sich für ihn, und aus den Reihen der westfälischen und thüringischen Grafen und Herren bekam er Zuzug. Die Laienfürsten, mit Ausnahme des Brabanters, seines Schwagers, hielten sich fern, aus ihrer Mitte hörte man erklären, den Papst gehe die Wahl eines Königs nichts an, und Heinrich Raspe blieb, wie er von Anfang an hieß, ein Pfaffenkönig. Aber auch unter den Geistlichen war sein Anhang spärlich. Die meisten verhielten sich ablehnend, der Erzbischof von Salzburg, die Bischöfe von Regensburg und Freising hatten den Befehl des Papstes mit Hohn zurückgewiesen, der Regensburger seiner Zunge auf einer Bistumssynode freien Lauf gelassen. Über zwölf Bischöfe und fünf Äbte verhängte darum der Legat Ausschluß und Amtssperre unter angedrohter Absetzung. Kein Zweifel, bei der großen Mehrheit der Fürsten fand das Vorgehen des Papstes keinen Beifall.

Warum, fragt man, war ihr Widerspruch nicht stärker, warum wahrten sie ihr freies Wahlrecht nicht entschlossener? Sie haben keinen Einspruch erhoben, weder einzeln noch insgesamt, wie es doch gegenüber der Einmischung Innozenz' III. geschehen war. Es ist wohl nicht anders: für die Fürsten des Reiches hatte der Gedanke des Kaisertums, der Herrschaft der Deutschen in Italien, seine Anziehungskraft verloren. Was dazu am meisten beigetragen hatte, war die dauernde Abwesenheit des Kaisers. Friedrich II. war den Deutschen und sie waren ihm fremd geworden. Es werden zwar nicht alle so gedacht haben wie jener Herzog von Baiern, der dem päpstlichen Werber Albert Behaim auf die Drohung, der Papst könnte das Kaisertum einem Franzosen oder Italiener geben, die gelassene Antwort erteilte: ‹O hätte der Papst das schon getan! Ich würde zu diesem Zweck mit Vergnügen auf meine beiden Wahlstimmen als Herzog und Pfalzgraf verzichten, urkundlich und für alle meine Erben!> Aber aufs Ganze gesehen ist es doch richtig, daß den Reichsfürsten, geistlichen wie weltlichen, ihre Landesangelegenheiten bei weitem wichtiger waren als Kaiser und Reich. Auch die kleinen Herren, bei denen von eigener Landespolitik nicht die Rede war, richteten ihre Blicke nicht mehr über die Alpen, wo für sie weder Ehre noch Reichtum zu holen war, seit der Kaiser begonnen hatte, die Ämter der Verwaltung Reichsitaliens nicht mehr mit Deutschen, nur noch mit Sizilianern zu besetzen und sich mit dem Dienst der Ritter und Knechte zu begnügen, die er für Geld in Deutschland anwerben ließ. Das Kaisertum Friedrichs II. war italienisch geworden, kann man sich wundern, daß es den Deutschen gleichgültig wurde? Und mit dem Kaisertum zugleich wurde das deutsche Königtum der Staufer wurzellocker und begann zu welken. Es bedeutete ja längst nicht viel mehr, als was ihm sein angestammtes Herzogtum in Schwaben mit dem dortigen Eigengut darbot. Aber auch dort regte sich schon die Empörung. Die Grafenhäuser des Landes, zum Teil von früher her im Gegensatz zum Herzog, wurden frei, wenn er verschwand, konnten ihn vielleicht beerben. Schon hatte der Verrat von Wirtemberg in der Schlacht bei Frankfurt gezeigt, welches Feuer dort glomm; man brauchte es nur zu schüren, so stand das Haus in Flammen.

Innozenz IV. muß über die deutschen Verhältnisse nicht schlecht unterrichtet gewesen sein, als er es unternahm, die Stellung des Kaisers von Deutschland aus durch einen Gegenkönig aufrollen zu lassen. Er hatte damit zunächst kein Glück. Heinrich Raspe benutzte zwar seinen ersten Erfolg zu einem Vorstoß in das Herz der staufischen Macht, nach Schwaben, kam auch bis Ulm, aber hier mußte er umkehren, ein kranker Mann, dessen Tage gezählt waren. Am 16. Februar 1247 ist er gestorben, und Konrad IV. beherrschte wieder das Feld. Aber Innozenz ließ sich nicht entmutigen, sogleich ging er an die Aufstellung eines neuen Gegenkönigs. Mit diesem Auftrag wurde im März 1247 der Kardinal Peter Capocci nach Deutschland geschickt. Ihm gelang es schon bald, eine zweite Königswahl zustande zu bringen, die sich von der ersten nur durch eine größere Anzahl geistlicher Teilnehmer unterschied. Am 3. Oktober 1247 fanden sich in Worringen bei Köln die Erzbischöfe von Mainz, Köln, Trier und Bremen mit sieben Bischöfen, dem Herzog von Brabant und einigen niederländischen und westfälischen Grafen zusammen und wählten den Schwestersohn des Brabanters, den achtzehnjährigen Grafen Wilhelm von Holland, zum römischen König. Mehr als ein Pfaffenkönig wie sein Vorgänger konnte der ehrgeizige Jüngling zu sein nicht beanspruchen. Durch seine Verwandtschaft in den Niederlanden nicht machtlos, bedeutete er etwas im übrigen Reich doch nur als Werkzeug des Papstes und seiner jeweiligen Legaten. In diesem wichtigen Amt lösten sich nach der Abberufung Capoccis (Ende 1248) die Erzbischöfe von Mainz und Köln ab, bis zu Anfang 1250 wieder ein Kardinal, der Bischof Peter von Albano, es übernahm und drei Jahre lang bis zu seinem Tode führte. Von diesen Männern mit fast unbegrenzten Befugnissen geleitet, ergoß sich nun die

Werbung gegen den abgesetzten Kaiser und seinen Sohn und für den Gegenkönig über das ganze Reich, getragen hauptsächlich von den Bettelmönchen. An allen Sonn- und Festtagen, an Märkten und Kirchweihen wurden jetzt die Strafen verkündigt, die der Papst über Friedrich und alle, die es mit ihm hielten, verhängt hatte und von Zeit zu Zeit zu erneuern nicht unterließ. Ihre Folgen für Diesseits und Jenseits wurden dem Volk erläutert und die Pflicht eingeschärft, den Verfolger der Kirche und Zerstörer des Glaubens zu meiden und zu bekämpfen. In den schwärzesten Farben wurde sein Bild gemalt, schreckliche Geschichten wußte man zu erzählen von unerhörten Grausamkeiten, die er, in Italien gegen Bischöfe und Mönche verüben lasse. Den Stoff hatte die giftgetränkte Feder von Friedrichs altem Todfeind Rainer Capocci von Viterbo in einer Schmähschrift geliefert, die weithin verbreitet, von den Predigern ausgebeutet und mit eigenen Erfindungen bereichert wurde. Gegen Friedrich hatte Innozenz schon am 27. Juni 1246 zum Kreuzzug aufgerufen und, damit die Kräfte sich nicht zersplitterten, die Prediger in Deutschland insgeheim angewiesen, die Werbung für das Heilige Land vorläufig einzustellen. Frühere Gelübde durften jetzt in solche zum Kampfe gegen Friedrich umgewandelt werden.

Ob die Zahl der Deutschen sehr groß gewesen ist, die gegen ihren ehemaligen Herrscher das Kreuz nahmen, darf man bezweifeln. Wilhelms kriegerische Leistungen und Erfolge blieben gering, was nicht auf große Truppenstärke schließen läßt. Immerhin hören wir sogar von französischen Herren, die in Deutschland unter der Kreuzesfahne gefochten haben. Vor allem aber war es auf das Geld abgesehen, das aus dieser Quelle sich gewinnen ließ. Längst war es üblich, daß alle derartigen Gelübde durch entsprechende Zahlungen abgelöst werden konnten. Jetzt wurden innerhalb Deutschlands auch alle Vermächtnisse und Schenkungen, die für Palästina gemacht waren, dazu der ganze in Lyon ausgeschriebene Zwanzigste von drei Jahren dem Gegenkönig überwiesen. Mit Geld hauptsächlich ist der Kampf gegen die Staufer in Deutschland geführt worden. Zeitgenossen war das bekannt, die Chronisten nennen die Summen, die erst Heinrich, dannn Wilhelm vom Papst erhalten haben: 15 000, 25 000, 50 000 Mark sollen es gewesen sein. Sie wissen auch, daß die erste Sendung an den Legaten von Leuten Konrads abgefangen wurde, so daß man später den Erzbischof von Mainz als Vermittler benutzte.

Lassen wir die Einzelheiten auf sich beruhen, so ist die Hauptsache doch nicht zweifelhaft. Ohne Geld, das versteht sich, konnte man nicht Krieg führen. Aus päpstlichen Mitteln waren die Truppen geworben und ausgerüstet, die der Gegenkönig ins Feld führte. Aber die Summen, die der Papst zur Verfügung stellte, fanden noch eine andere, nicht weniger nützliche Verwendung, sie dienten der Bestechung. Das hat von Anfang an stark gewirkt. Es ist durch mehr als ein Zeugnis erwiesen, daß die schwäbischen Grafen, deren Verrat in der Schlacht bei Frankfurt dem Gegenkönig den Sieg brachte, mit Versprechungen und Geld gewonnen waren, und daß das Geld aus Lyon gekommen war. Wie oft mag sonst noch die Handsalbe mit barem Geld der Sache der Kirche Anhänger zugeführt haben!

Es gab indes eine weniger plumpe, weniger auffällige Form der Bestechung, für deren häufige Anwendung die urkundlichen Beweise in Menge vorliegen. Nach längst eingebürgerter Ansicht verfügte der Papst ja über die irdischen Güter der Kirche ebenso wie über ihre geistlichen Gnadenschätze, mit beiden konnte er Wünsche erfüllen, Begierden stillen und Unrecht in Recht verwandeln. In diesen nie zu erschöpfenden Sack hat Innozenz unbedenklich gegriffen und mit vollen Händen Dispense, Verleihungen und Anwartschaften ausgestreut, wo immer es galt, geleistete Dienste zu belohnen oder sich künftige zu sichern. Um sich die Mächtigen zu verpflichten, stiftete oder erleichterte er Heiraten, beseitigte gern die gesetzlichen Hindernisse der Verwandtschaft, bemühte sich auch um eine passende Gemahlin für Wilhelm, die sich allerdings nicht gefunden hat. Unbedenklich wurden die Wünsche der Parteigänger oder solcher, die es werden konnten, erfüllt, wenn sie für ihre Verwandten oder Diener um Versorgung mit Pfründen baten, ins Unübersehbare dehnt sich die Reihe dieser Provisionen und Anwartschaften. Als Bittende oder Empfehlende begegnen in buntem Wechsel die großen Grafen- und Herrenhäuser aus Nord und Süd, die Oldenburg, Berg, Teklenburg, Ravensberg, Salm, die Isenburg, Münzenberg, Bolanden, Löwenstein, Leiningen, die Habsburg, Kiburg, Urach, Wirtemberg, Grüningen, Calw, Dillingen usw. Die Legaten hatten in dieser Beziehung völlig freie Hand, Innozenz selbst griff unausgesetzt mit besonderen Weisungen ein und scheute sich nicht, auch kirchliche Würden, Prälaturen, Bistümer und Abteien, was noch nie vorgekommen war, mit Anwartschaften zu belasten. Anwartschaft auf eine Prälatur erhält ein Trierer Propst; ein Neffe des Erzbischofs von Mainz, ein Geroldsecker, ein Speyrer Propst und ein Graf losen Nützlichkeit auch den Vorzug, daß es nichts kostete: die Stellen und Äm- von Urach sollen Bistümer, ein Bruder des Grafen von Toggenburg zum Lohn für mehrfache Verwundung im Kriege gegen Friedrich eine Abtei erhalten, eine Nichte des Grüninger Grafen irgendwo Äbtissin werden, der Bischof von Speyer ein reicheres Bistum bekommen. Dieses Verfahren hatte neben seiner zweifelter der deutschen Kirche dienten als Münze ~~r Entlohnung oder Anwerbung von Parteigängern. Wurde der Zweck einmal nicht erreicht, enttäuschte der Begnadete die Erwartungen, so hatte man wenigstens nichts verloren.

Natürlich empfingen auch die Bischöfe mit Verwandten und Dienern ihr Teil an diesen Gaben, gegen besonders Verdiente öffnete sich die Hand des Papstes entsprechend weiter. So erhielten der Erzbischof von Mainz für fünf Jahre den Bezug der doppelten Annate von allen Pfründen seines Sprengels, ebenso der Bischof von Lüttich, dieser zugleich mit der Erlaubnis, die Weihen nicht zu nehmen, um sich ganz dem Kampf für die Kirche widmen zu können.

Gegen die Prälaten freilich hat Innozenz nicht nur sanfte Mittel angewandt. Während er die Laienfürsten im allgemeinen mit geistlichen Strafen verschonte und sogar über den Baiernherzog, seit kurzem Schwiegervater Konrads IV., erst nach vier Jahren den Ausschluß und über sein Land die Kirchensperre verhängte, fuhren er und seine Legaten gegen Bischöfe und Äbte mit Vorladungen und angedrohter Amtsenthebung drein. Da die Kapitel und Konvente sich nicht gefügig zeigten, griff Innozenz zu der außerordentlichen Maßregel ihr Wahlrecht bis auf weiteres außer Kraft zu setzen. Nur durch den Papst oder seinen Legaten konnte man jetzt noch Bischof oder Abt werden. Der Erfolg ist nicht ausgeblieben, Bistümer und Reichsklöster wurden nach und nach von kaisertreuen Vorstehern gesäubert. Bis zu förmlicher Absetzung brauchte man nur ausnahmsweise zu schreiten, bei den meisten genügten Befehl und Drohung, damit sie sich fügten, einige wenige zogen es vor, freiwillig den Platz zu räumen. Nicht immer freilich wurde der Zweck ganz erreicht, an manchen Orten behauptete sich eine gegnerische Partei, anderswo leistete die Hauptstadt Widerstand, weithin war die deutsche Kirche gespalten, und niemand wird behaupten, entgegengesetzte Überzeugungen allein hätten das bewirkt. Wenn Papst und Kirche so ausgiebig den Rat befolgten, sich Freunde zu machen mit dem ungerechten Mammon, wie konnte es anders sein, als daß Umworbene und Bekämpfte nun auch in erster Linie an ihren Vorteil dachten!

Innozenz IV. hat sich nicht einmal Mühe gegeben, die Nüchternheit seines Verfahrens zu verhüllen, bei dem der Zweck die Mittel allemal heiligte. Nicht nur, daß er bei Anhängern gern fünf gerade sein ließ – sie durften, wo das Gegenteil unbequem war, ungescheut den Verkehr mit ausgeschlossenen Gegnern aufrechthalten –, er hat sich nicht gescheut, für Raub an staufischem Gut einen Freibrief auszustellen und, einem Wunsch Wilhelms nachkommend, anzuordnen, daß im Bistum Utrecht die Ehelosigkeit der Geistlichen nicht streng durchgeführt werde. Daß er die Grenze zwischen kirchlichem und weltlichem Recht nicht beachtete, ungescheut in Verfassung und Verwaltung des Reiches hinübergriff, ist bezeichnend, wenn auch kaum mehr überraschend. Dem Bischof von Verdun hat er mit der Ernennung zugleich die weltlichen Hoheitsrechte verliehen, hat Einziehung von Lehen befohlen, Stadtrechte bestätigt, städtischen Beamten Vorzugsrechte erteilt, Rechtsansprüche und richterliche Befugnisse aufgeboten, über das erledigte Herzogtum Österreich verfügt und in die Besetzung des Kanzleramts sich eingemischt, als wäre er der eigentliche Regent oder ein Diktator im Ausnahmezustand.

Bei den Folgen, die das für das deutsche Reich hatte, brauchen wir nicht lange zu verweilen, sie lassen sich mit wenig Worten kennzeichnen. Dem Papst ist es nicht gelungen, Deutschland ganz zu erobern, die Meinungen blieben dauernd geteilt. Unter Geistlichen wie unter Laien trotzten viele den römischen Befehlen, und im Predigerorden scheint die Parteinahme für den Staufer stellenweise vorgeherrscht zu haben, so daß Innozenz zwei schwäbischen Brüdern den Übertritt in einen andern Orden gestatten mußte, weil sie sich im eigenen nicht halten konnten. Damit war der Bürgerkrieg, der Italien seit einem Menschenalter zerriß, nach Deutschland verpflanzt, nicht so erbittert, nicht so blutig und grausam wie dort, aber in der Wirkung kaum weniger schlimm. Eine geschichtliche Auseinandersetzung erster Ordnung war herabgewürdigt zu einer Menge kleiner und kleinlicher Kämpfe, in denen die nackte Selbstsucht und Habgier sich mit der Fahne der Kirche decken konnte. Das Ergebnis war hier wie dort die Auflösung des Staates. In Italien hatte das um die Vorherrschaft ringende Papsttum diesen Zustand vorgefunden und benutzt, in Deutschland hat es ihn geschaffen. Was hat es damit für sich gewonnen? Wenn es die Absicht Innozenz' IV. war, die Macht des staufischen Hauses mit der Wurzel auszureißen und die deutschen Kräfte unter einem andern, gefügigen König gegen den abgesetzten Kaiser in Italien ins Feld zu führen, so war der Zweck verfehlt. Konrad IV., gestützt auf Baiern, behauptete sich im größeren Teil Süddeutschlands als König – der Norden ging schon länger eigene Wege – und konnte auch aus Schwaben, wo der Parteikrieg am schärfsten war, nicht verdrängt werden. Wilhelm dagegen hat nur mit Mühe und mit Hilfe friesischer Kreuzfahrer in etwa Jahresfrist wenigstens seine Krönung in Aachen erzwungen, nach Süddeutschland vorzudringen ist ihm in zwei angestrengten Feldzügen nicht gelungen, und in Italien haben die Gegenkönige niemals etwas bedeutet. Ihre Wahl haben sie zwar den Parteigängern der Kirche angezeigt, Wilhelm hat sogar ein paar belanglose Verfügungen erlassen, das war aber auch alles, was der Papst mit so großem Aufwand erreichte. Weder er noch sein Gegner hat aus Deutschland Unterstützung oder Störung erfahren in dem italischen Krieg, in dem das Schicksal sich nun entscheiden mußte.

Diesen Krieg in seiner verwickelten, scheinbar planlosen Kette von einzelnen Unternehmungen, Schlachten und Belagerungen eingehend darzustellen, ist nicht unsere Aufgabe; es genügt, daß wir seinen Verlauf in großen Zügen überblicken. Friedrich hat ihn von Anfang an so aufgefaßt, daß jetzt das Schwert eine Frage zu entscheiden habe, deren friedliche Lösung umsonst von ihm erstrebt, vom Papst vereitelt worden sei. Dazu gedachte er nun seine ganze Macht und alle Mittel zu gebrauchen. Amboß sei er lange genug gewesen, jetzt wolle er Hammer sein, so schrieb er in einem Erlaß, der die Einziehung des dritten Teiles aller kirchlichen Einkünfte anbefahl. Zugleich ordnete er an, daß alle Erwachsenen im ganzen italischen Reich ihm und seinem Sohn Konrad Treue zu schwören hätten. Große Rüstungen waren schon seit dem Frühling im Gange, mit dem Aufgebot aller Kräfte sollte diesmal dem Bürgerkrieg ein Ende gemacht werden. Es kam ihm zustatten, daß die Venetianer unmittelbar nach dem Konzil Frieden mit ihm geschlossen hatten, so daß ihre Unterstützung den Gegnern fortan fehlte, es erleichterte ihm die Kriegführung in Oberitalien beträchtlich. Im Herbst 1245 eröffnete er den Feldzug, Mailand war sein Ziel. Von Norden und Süden zugleich angegriffen, eng eingeschlossen, sollte die Stadt zur Ergebung gezwungen werden. Der Plan scheiterte an der geschickten Verteidigung durch den Legaten Gregor von Montelongo, der es verstand, den Feind von der näheren Umgebung der Stadt abzuwehren, so daß die Aushungerung mißlang. Ebenso scheiterten die Bemühungen des Kaisers um die Stadt Rom. Es gab dort immer noch Leute, die zum Kaiser neigten und dem Papst das Verlassen seiner Hauptstadt – das für diese den Verlust ihrer größten Einnahme bedeutete – zum Vorwurf machten. Wie da gerungen worden ist, lehrt eine Flugschrift, in der die Römer von angeblichen Freunden ihrer Stadt vor den Versprechungen und dem Gelde des Kaisers gewarnt und aufgerufen werden, ihre Freiheit zu verteidigen gegen ihn, dessen tyrannische Regierungsweise man kenne, der noch dazu gedroht habe, Rom als seinen Forst zu behandeln, dessen Bäume er fällen, in dem er die Bewohner als Wild erlegen werde. Die Braut Gottes ist Rom, niemand als Gott soll es gehören. Aus der Lehre von den zwei Schwertern und der Schenkung Konstantins werden hier die äußersten Schlüsse gezogen: im Kaisertum und Königreich dürfe nur der regieren, der vom ewige Allkönig, Jesus Christus, beide Schwerter empfangen habe. Diese Mahnungen – und natürlich auch andere Mittel – haben gewirkt, Rom ist dem Papst auch aus der Ferne treu geblieben, und der Kaiser hat seine nutzlosen Werbungen eingestellt.

Dafür glückte die Unterwerfung von Florenz, der rasch aufblühenden Hauptstadt Toskanas. Hier endete der Parteikampf, den die Kirche unter der Maske der Ketzerverfolgung betrieb, in der Verjagung der mit ihr verbündeten Guelfen und dem Anschluß der Gibellinen an den Kaiser, der die Verwaltung der Stadt in die eigene Hand nahm. Freilich hatte die Austreibung und Zerstreuung der Guelfen zur Folge, daß der verschärfte Gegensatz der Parteien zugleich mit ihren Namen sich über die Nachbarstädte und mit der Zeit über ganz Mittel- und Oberitalien ausbreitete. Überall verbanden sich nun Kirche und Guelfen, überall wurden diese zur Partei der Kirche schlechthin, während der Zusammenhang der Gibellinen mit dem Kaisertum niemals die gleiche Festigkeit erlangt hat. Gab es doch sogar Kardinäle, die sich als Gibellinen fühlten und dennoch dem Papste dienten. Einen Vertreter dieser Spielart werden wir sogleich kennenlernen.

Die Schwäche in der Stellung des Kaisers lag darin, daß er außerhalb des Königreichs kaum irgendwo völlig Herr war. Überall, in jeder Landschaft, auch dort, wo man ihm im ganzen gehorchte, entzogen sich einzelne Städte oder Herrengeschlechter seiner Gewalt, hielten es mit der Kirche oder standen abseits. Selbst in Toskana, das seit der Unterwerfung von Florenz am vollständigsten in seiner Hand war, mußte er mit der Gegnerschaft der Grafen im Apennin und des abgefallenen Lucca rechnen. Zudem war er auch der kaiserlichen Orte fast niemals ganz sicher. Überall bedurfte es schärfster Wachsamkeit, überall gab es eine widerstrebende Partei, die nur auf den günstigen Augenblick wartete, die Führung an sich zu reißen und den Übergang ins gegnerische Lager zu vollziehen.

Gleichwohl war es eine gewaltige Macht, über die Friedrich II. verfügte. Sein Erbkönigreich gehorchte ihm unbedingt, auch die Geistlichkeit folgte mit wenigen Ausnahmen dem Befehl, die Sprüche des Papstes nicht zu beachten, den Gottesdienst nirgends auszusetzen. Im übrigen Italien war die Regierung durch jederzeit absetzbare Beamte nach sizilischem Muster seit 1239 nach und nach

163

fast überall durchgeführt, kaiserliche Legaten und Vikare geboten in den Provinzen, vom Kaiser ernannte Stadthäupter (Podestà) in den Städten. Alle Fäden der Verwaltung liefen zusammen am Kaiserhof in der alten sizilischen Oberbehörde des Hofgerichts, deren Befugnisse sich jetzt auf ganz Italien erstreckten, die staatliche Einheit der Halbinsel, das Ziel des Kampfes, vorwegnehmend. Für die Ausübung der Macht standen in der geschulten sizilianischen Beamtenschaft geeignete Kräfte in Fülle zur Verfügung, als Statthalter dienten des Kaisers Söhne Enzo und Friedrich von Antiochia neben vielen andern. Nirgends im ganzen Abendland gab es eine gleiche Machtfülle, wie Friedrich II. sie als Haupt eines nach dem Grundsatz schrankenloser Staatshoheit geleiteten Reiches in seiner Hand vereinigte, er selbst eifrig an allem beteiligt, unermüdlich tätig, geistvoll und erfinderisch, tatkräftig, unternehmend und nie entmutigt, der größte Gegner, mit dem das Papsttum in seiner langen und kampferfüllten Geschichte zu tun bekommen hat.

Verglichen mit ihm mochte das Oberhaupt der Kirche sich wohl unscheinbar ausnehmen, aus seiner Hauptstadt entwichen, in freiwilliger Verbannung lebend, des eigenen Landesstaats und seiner Einkünfte größtenteils beraubt, angewiesen auf fremde Gastfreundschaft und Dienste. Wo waren die Machtmittel, die ihm erlaubten, gestützt auf die Bundesgenossenschaft einer Anzahl italischer Städte gegen den mächtigsten Herrscher der Zeit einen Kampf auf Tod und Leben aufzunehmen? Der äußere Eindruck ließ das Wagnis vermessen erscheinen, wer tiefer blickte, wußte es anders und konnte wohl von vornherein ahnen, wer in diesem Ringen der Stärkere sein, wer Sieger bleiben würde. Wäre der Papst nur der Bischof von Rom gewesen, der von den Erträgnissen seines Gebiets und den Opfern der Pilger am Grabe des Apostels lebte! Er war es einmal gewesen, aber das war längst vorbei. Hinter ihm stand die Kirche des Abendlands mit ihrem gewaltigen Einkommen und Besitz, einer schier unerschöpflichen Geldquelle. Das Geld aber gab in diesem Kriege nicht weniger als sonst den Ausschlag, von der Steuerkraft des sizilisch-italischen Reiches einerseits, der Kirche des Westens andererseits hing also in letzter Linie Sieg oder Niederlage ab. Nur darauf kam es an, daß die Zahlungsfähigen auch zahlungswillig blieben. Im Vertrauen darauf, daß der geistliche Gehorsam auch die Widerwilligen nötigen werde, sich ihm nicht zu versagen, hat Innozenz IV. den Kampf gewagt, und der Ausgang hat ihm Recht gegeben.

Die kirchliche Partei hat den Versuch nicht gescheut, sich den Kampf zu ersparen, indem sie die Person des Gegners beseitigte, und an einem Haar hat es gehangen, so wäre es ihr geglückt. Ausgehend von Parma und den dortigen Verwandten des Papstes bildete sich im Winter 1245 auf 1246 eine Verschwörung gegen das Leben des Kaisers. Anstifter war des Papstes Schwager Bernardo Rossi, bis vor kurzem Friedrichs bevorzugter Günstling, Teilnehmer waren eine Anzahl hochgestellter Beamter und Hofleute, nächste Vertraute des Herrschers, darunter das Haupt der Staatsverwaltung, der Großrichter Jakob von Morra,

Mitwisser war Innozenz so wie einst Coelestin III. gegen Heinrich VI.[1] Die Ermordung des Kaisers sollte das Zeichen zum Aufstand im Königreich sein, in den der Kardinal Capocci von Viterbo mit Truppenmacht helfend einzugreifen bereitstand. Einen Tag bevor in Grosseto, wo der Kaiser sich gerade aufhielt, der Anschlag zur Ausführung kam, Ende März 1246, wurde der Kaiser durch einen Eilboten gewarnt, den ihm die Mutter seines Schwiegersohnes, die Gräfin von Caserta, gesandt hatte. Das Komplott war entdeckt, einige der Verschworenen wurden gefaßt und gestanden, die andern flüchteten nach Rom unter den Schutz des päpstlichen Vikars oder warfen sich in apulische Festungen. Kardinal Capocci aber wurde schon an der Grenze vom Statthalter des Kaisers geschlagen, und zum geplanten großen Aufstand kam es gar nicht. Friedrich eilte selbst herbei, den glimmenden Funken auszutreten. Ein Vierteljahr hielten sich die Häupter der Verschwörung in der Burg Capaccio, Mitte Juli ergaben sie sich, durch Hunger und Durst bezwungen. Sie wurden grausam verstümmelt, zur Abschreckung im Lande umhergeführt und unter Martern hingerichtet. Gegen den Papst erhob der Kaiser Anklage vor der ganzen Welt, er beschuldigte ihn der Anstiftung. Der Vorwurf läßt sich nicht beweisen, aber an Innozenz' Teilnehmerschaft ist kein Zweifel. Er hat sie nie bestritten, sich der entkommenen Verschwörer angenommen, ihr Vorhaben nachträglich mit salbungsvollen Worten gebilligt, das Volk des Königreichs, Geistliche und Laien, zum Aufstand, die Nachbarn und Verbündeten und sogar Venedig zur Unterstützung aufgerufen. Zwei Legaten sandte er aus, um ‹die Sache Gottes› zum Siege zu führen. In seinen Augen war die Tötung eines verurteilten Ketzers – das war Friedrich für ihn – nicht nur erlaubt, sondern verdienstlich, und es kennzeichnet die Denkweise der Menschen, es kennzeichnet die moralisch unangreifbare Stellung eines Papstes von damals, daß die Aufdeckung seiner Mitschuld ihm nichts geschadet hat. Weder am englischen noch am französischen oder einem andern Königshof hat man durch irgendein Zeichen verraten, daß man Anstoß daran nahm, das Oberhaupt der Kirche zur Waffe des Meuchelmords gegen einen Monarchen greifen zu sehen. Wie die weiteren Kreise geurteilt haben, erfahren wir nicht, aber scharfe Mißbilligung, wie man sie mindestens teilweise erwarten könnte, wird nirgends laut. So weit hatte der fanatisierende Einfluß der päpstlichen Kreuzprediger, wie es in Zeiten des Parteikampfes zu geschehen pflegt, das Urteil über Recht und Sitte schon verwirrt. Immerhin scheint man an der Kurie das Bedürfnis gefühlt zu haben, die peinliche Erinnerung an das Vorgefallene zu verwischen: man setzte Gerüchte in Umlauf von angeblichen Anschlägen des Kaisers auf das Leben des Papstes, Gerüchte, die sich durch ihre Albernheit selbst widerlegten.

Der Kaiser unterließ nicht, seinen Erfolg gegenüber dem gescheiterten Anschlag in alle Welt auszurufen. Bis zum Jahresende beschäftigte ihn die Neuordnung der Verhältnisse im Königreich, dann machte er sich auf nach Norden.

---

1 Siehe Bd. 3, S. 218 f.

Er ließ verbreiten, seine Absicht sei, nach Deutschland zu gehen, um dort den Gegenkönig zu vernichten. Unter glücklichen Sternen begann für ihn das Jahr 1247: Viterbo, das lange umkämpfte, unterwarf sich und erhielt Verzeihung.

Inzwischen bereitete auch Innozenz IV. sich zu neuem Schlage vor. Bald nach dem Konzil hatte er einmal, um alle Bedenken gegen sein hartes Verfahren zu zerstreuen, die Versicherung gegeben, er wolle hinfort nicht mit den Waffen, nur mit dem Wort gegen den Feind kämpfen. Wenn er das jemals ernst gemeint hatte, so hat er es bald vergessen. Wir wissen, daß er von den englischen Prälaten die Stellung von Truppen forderte; das gleiche muß in Frankreich geschehen sein, da wir von Widerspruch dagegen hören. Im Frühjahr 1247 wurde in Lyon ein Heer ausgerüstet, das der Kardinal Oktavian Ubaldini nach Italien führen sollte. Dessen Vollmachten waren groß, er durfte Bischöfe absetzen und einsetzen, Pfründen nehmen und geben und alle geistlichen Strafen verhängen. Als Legat in Oberitalien hat er in den nächsten Jahren neben Gregor von Montelongo am Kriege teilgenommen und nach Innozenz' Tode eine noch bedeutendere Rolle gespielt. Seine Person hat sich dem Gedächtnis der Zeitgenossen tief eingeprägt, so daß Dante ihn unter die führenden Gestalten der Zeit einreihte. Er läßt ihn in der Hölle als den Vertreter des materialistischen Unglaubens büßen, zu dem er sich ungescheut bekannt haben soll. Aus einem gibellinischen Geschlecht, das im nördlichen Apennin, zwischen Florenz und Bologna, mächtig war, reich und prachtliebend wie wenige, hat Oktavian neben dem Dienst der Kirche die Anliegen seines Hauses und der Partei nie aus den Augen verloren. Hätte er eine Seele, soll er gesagt haben, so würde er sie für die Gibellinen opfern. Der sollte nun dem Kaiser in der Lombardei mit den Waffen entgegentreten. Aber er kam nicht dazu. Der Graf von Savoyen sperrte ihm die Straßen, seine Truppe löste sich auf, und er mußte allein mit geringer Begleitung das Ziel seiner Sendung aufsuchen.

Der Kaiser war zuvorgekommen, es war ihm gelungen, Savoyen zu sich herüberzuziehen. Unterpfand des Bündnisses war die Verlobung des Kaisersohnes Manfred mit der Tochter des Grafen. Inzwischen war in Deutschland der Gegenkönig gestorben, die Fahrt dorthin eilte nicht mehr, und der Kaiser beschloß, seinen Weg über Lyon zu nehmen, um, wie er erklärte, sich persönlich vor dem Papst zu reinigen. Zugleich entbot er deutsche Fürsten, Vasallen aus dem burgundischen Reich und Verbündete aus Frankreich mit bewaffnetem Gefolge zu einem Reichstag nach Chambéry, sie sollten ihn zum Papst begleiten. In Lyon erschrak man. Wie Savoyen, so war auch der Herr von Vienne gewonnen, der Weg zum Papst also frei. Rückte der Kaiser mit Heeresmacht an, so mußte Innozenz ausweichen oder sich nach Hilfe umsehen. Beides war ihm erschwert, da seit kurzem das Unwahrscheinlichste vom Unwahrscheinlichen eingetreten war: in Frankreich hatte der hohe Adel sich offen gegen die Kirche aufgelehnt, und auch die Prälaten waren unsicher und schwierig geworden.

Wir wissen, daß die ständigen Reibungen zwischen staatlicher und kirchlicher

Gerichtsbarkeit in Frankreich schon einmal unter Gregor IX. zu einer Auseinandersetzung zwischen Kurie und Königshof geführt hatten.[1] Vom Ergebnis schweigt die Überlieferung, es scheint jedoch, als ob die Verordnung, die damals den Anstoß gegeben hatte, ohne größere Wirkung geblieben sei. Denn im November 1246 taten sich neunzehn Mitglieder des hohen Adels, an der Spitze der Herzog von Burgund, zusammen und beschworen einen Bund, um den Übergriffen der Geistlichen in ihre Gerichtsbarkeit ein Ende zu machen. Sie verboten bei Strafe der Enteignung und Verstümmelung jede Ladung ihrer Untertanen vor einen kirchlichen Gerichtshof, ausgenommen wegen Ketzerei, Ehebruch und Wucher, setzten einen Ausschuß ein, der für Ausführung des Beschlossenen sorgen und den Mitgliedern des Bundes auf Erfordern Beistand leisten sollte, und besteuerten sich zu diesem Zweck mit einem Hundertstel ihres jährlichen Einkommens. Als letzten Zweck ihres Vorgehens bekannten sie sich dazu, die reichgewordene Pfaffheit in ihren ursprünglichen Zustand zurückzuversetzen, damit sie, in Beschauung lebend, denen, die im tätigen Leben ständen, wieder das längst entschwundene Schauspiel der Wunder der Vorzeit biete. Daß dieser Satz den Einfluß von Friedrichs II. Rundschreiben gegen den Papst verrät, haben schon die Zeitgenossen bemerkt. Es gab Leute, die den Kaiser für den Anstifter des Ganzen hielten, und man möchte ihnen nicht widersprechen, wenn man sieht, daß von den Führern dieser Eidgenossenschaft einer, der Graf von St. Pol, des Kaisers geschworener Bundesgenosse war. Friedrich wird also der Sache nicht ferngestanden haben.

Innozenz beeilte sich, den König zu ersuchen, daß er die Auflösung des Bundes veranlasse. Er schrieb zugleich an die französischen Prälaten, verwies sie – ganz wie seinerzeit Gregor IX. – auf das angebliche Gesetz Karls des Großen und die Strafbestimmungen Honorius' III. und forderte sie auf, sich wie eine Mauer vor das Haus des Herrn zu stellen, sich um die Beschlüsse der Barone – ‹die die Kirche, die sie zur Freiheit erlöst hat, zur Magd erniedrigen wollten› – nicht zu kümmern, sie für nichtig zu erklären und gegen Widerspenstige in geeigneter Weise vorzugehen. Der Kardinallegat, der zur Zeit in Frankreich den Kreuzzug des Königs betrieb, wurde beauftragt, Urheber und Mitglieder des Bundes und alle, die ihm Folge gäben, mit Ausschluß, Verlust der Kirchenlehen und Unfähigkeit ihrer Kinder zum Empfang kirchlicher Würden zu strafen. Innozenz erwartete, als er so schrieb, das Zusammentreten einer Reichssynode, die entsprechende Beschlüsse fassen würde. So sicher fühlte er sich des Gehorsams der Franzosen, daß er auf die Nachricht von der bevorstehenden Ankunft des Kaisers die Prälaten ersuchte, ihm Truppen zur Verfügung zu stellen. Statt dessen erfuhr er, daß im März ein Reichstag in Pontoise stattgefunden hatte, auf dem unter anderem beschlossen worden war, Vertreter des Klerus und der Barone nach Lyon zu senden, um Klage zu führen über die Ausbeutung der französischen Kirche. Der König selbst hatte nicht umhin gekonnt, sich dem

---

1 Siehe oben S. 82 f.

Schritt anzuschließen. Und wirklich erschien in den ersten Tagen des Mai vor dem Papst eine Abordnung der französischen Geistlichkeit, begleitet von einem Gesandten des Königs, und überreichte ihm eine lange Beschwerdeschrift. Der König, so hieß es da, sei befremdet und beunruhigt durch die Belastung der Kirchen und des Reichs, die trotz seiner wiederholten Vorstellungen täglich zunehme. Er erhalte Vorwürfe von den Baronen, weil er ‹das Reich so zerstören lasse›. Das ganze Königreich sei in Aufregung und die hergebrachte Ergebenheit gegen Rom schon fast erloschen, ja in wilden Haß und Ingrimm verwandelt. Ungeheuerliches kann daraus hervorgehen. Denn was soll andernorts geschehen, wenn in Frankreich, wo man am ergebensten war, schon fast alle Welt – wenigstens im Herzen – schismatisch geworden ist? Bei den Laien besteht kein Zweifel, daß nur die Macht des Königs sie im Gehorsam gegen die Kirche erhält, von den Geistlichen aber weiß Gott und wissen viele, mit welcher Gesinnung sie das Joch tragen. Darauf wird dem Papst das Verzeichnis der drückenden Neuerungen vorgehalten, die erst unter ihm aufgekommen sind. Von den Kirchen Frankreichs fordert er, so oft er dessen zu bedürfen glaubt, Abgaben von ihrem weltlichen Gut, das doch nur dem König leistungspflichtig ist, und erzwingt sie durch angedrohten Ausschluß. Das ist seit Jahrhunderten ebenso unerhört wie die Besteuerung der Geistlichen, die sogar bei den Heiden und Juden steuerfrei waren. Als unter Gregor IX. der Kardinal von Palestrina das zuerst mit erpresserischen Künsten tat, untersagte es der König [1], jetzt aber hat Innozenz es ebenso gemacht, bis wiederum der König dagegen einschritt. Belastet sind die Kirchen durch die freiwillig übernommenen Steuern für Konstantinopel und den Kreuzzug, belastet durch die päpstlichen Boten, die ihren Unterhalt fordern, auch wenn sie Bettelmönche sind. Endlich die Belastung mit Provisionen, Pensionen und Anwartschaften. Die letzten insbesondere widersprechen dem Recht, dem der Papst, wenn er auch nicht daran gebunden ist, um des Anstands willen Rechnung tragen sollte. Mit diesem Verfahren – so meint die Eingabe irrigerweise – habe erst Innozenz III. den Anfang gemacht, Honorius und Gregor hätten es fortgesetzt, sie alle zusammen aber noch nicht so viel getan wie Innozenz IV. in der kurzen Zeit seiner Regierung, zumal mit Versorgung von Ausländern. Sollten seine Nachfolger darin fortfahren, so würde den Landeskindern nichts übrigbleiben, als auszuwandern oder die Fremden zu verjagen (*fugere aut fugare*). Schon ist es soweit, daß die Bischöfe für ihre gelehrten Beamten und angesehene Personen nichts mehr tun können, auch König und Adel sind davon betroffen. Die allerneueste Forderung der Stellung von Truppen übersteigt die Kräfte der Kirchen, auch ist das Bedürfnis noch gar nicht erwiesen. Bettelmönche durchziehen das Land und schröpfen den Klerus auf alle Arten. Was Palestrina nicht tun durfte, das tun sie ungescheut. Es werden Beispiele angeführt, unter anderem sei in Burgund die Entrichtung von einem Siebentel des Einkommens in kurzer Frist mit Androhung des Ausschlusses gefor-

1 Siehe oben S. 108.

dert worden. Durch dieses alles verarme das Königreich, die Fremden würden reich. Schon habe der Gottesdienst abgenommen, und die Kirchen könnten dem König den geschuldeten Dienst nicht mehr leisten, da doch alle ihre Schätze und weltlichen Güter ihm gehörten und er sich in der Not ihrer bedienen dürfe. Diese Verknechtung kann der König nicht ruhig dulden, er sieht Enterbung und unerträgliche Gefahr drohen. ‹Wollet darum fürderhin› — so schließt die Eingabe — ‹mit dergleichen aufhören, und was neuerdings geschehen ist, widerrufen!›

Die Weise, die hier an das Ohr des Papstes drang, war nicht neu, aus England hatte er sie seit zwei Jahren gehört; jetzt erklang sie mit entsprechenden Abwandlungen auch aus dem Lande, auf dessen Treue er zu allermeist angewiesen war. Wenn Frankreich sich ernstlich gegen ihn auflehnte, war er verloren, zumal auch militärisch die Dinge in Oberitalien nicht zum besten standen. Es ging das Gerücht, Mailand sei kriegsmüde, in England verzeichnete ein Chronist bereits die angebliche Unterwerfung der Stadt. Anderswo wollte man wissen, die Kurie verhandle mit dem Kaiser über Frieden, an ihr selbst fehlte es nicht an Stimmen, die ihn wünschten, den ferneren Kampf für aussichtslos erklärten und die Absetzung des Kaisers als Übereilung bereuten. Kein Geringerer als der Erzbischof von Canterbury, der savoyische Prinz, seit dem Abfall seines Hauses vom Papst nicht mehr so päpstlich wie früher, machte sich zum Sprachrohr dieser Stimmung. Innozenz blieb unerschüttert. Dem Gerücht vom Frieden widersprach er bestimmt: es werde nicht verhandelt, erklärte er, und von den französischen Vorstellungen ließ er sich nicht einschüchtern. Er erriet, wenn er es nicht im geheimen geradezu erfahren hatte, daß hinter den großen Worten der Franzosen nicht mehr Entschlossenheit zum Handeln stand als in England. In der Tat, wenn man sich nur die Zusammensetzung der Gesandtschaft genauer ansah, konnte man an dem Gewicht ihres Auftretens zweifeln. Zwei Bischöfe aus der Provinz, ein Archidiakon und ein Propst waren keine sehr eindrucksvolle Vertretung der französischen Kirche, die an ihrer Spitze acht Erzbischöfe sah. Wenn für den König vollends nur der Hofmarschall, ein einfacher Ritter, auftrat, so hätte es kaum deutlicher gemacht werden können, daß die Regierung keinen Nachdruck auf einen Schritt zu legen gedachte, bei dem sie mit dem Herzen nicht dabei war.

Danach fiel die Antwort des Papstes aus. Soweit sein Verfahren wirkliche Neuerung sei, an die er nicht glaube, war er bereit, sie abzustellen, das Recht der Kirche aber werde er nicht preisgeben. Die angeführten Mißbräuche sollten durch Beauftragte an Ort und Stelle untersucht, Pensionen aufgehoben, stattgehabte Verleihungen dagegen aufrechterhalten werden. Wegen der Besteuerung werde er mit dem nächsten Reichstag alles zur Zufriedenheit ordnen, Sammler, die ihr Amt mißbrauchten, abberufen. Man begreift, daß die Gesandten davon nicht befriedigt waren. Verstimmt reisten sie schon am dritten Tage ab. Ob die Vertreter des Bundes der Barone, die für die nächsten Tage erwartet wurden, überhaupt empfangen und wie sie beschieden worden sind, erfahren wir nicht, erreicht haben sie nichts. Der Bund zwar löste sich nicht auf; wiederholt begegnen in den folgenden Jahren kirchliche Maßnahmen, Synodalbeschlüsse und päpstliche Erlasse, die auf kirchenfeindliche Satzungen von Laien Bezug nehmen, aber die Anhängerschaft bröckelte ab. Es heißt, der Papst habe einzelne Mitglieder durch Gunstbeweise, Pfründenverleihungen und verheißene Beförderungen ihrer Angehörigen zu gewinnen verstanden. Auch mag es zutreffen, was ein englischer Chronist berichtet, der Hinweis auf die Wiederherstellung der urkirchlichen Zustände in der Urkunde des Bundes habe viele abgeschreckt. Die scheinbar so bedrohlichen Vorstellungen von König und Prälaten aber sind ohne erkennbare Wirkung geblieben. Innozenz hatte richtig gerechnet, die Absicht, den Worten Taten folgen zu lassen, bestand nicht. Da hatte wohl eine Gruppe von erbitterten Geistlichen und Laien, beeinflußt vom Beispiel der Engländer, es verstanden, den König, der schon um seines eigenen Kreuzzugsplans willen den Krieg des Papstes gegen Friedrich nicht billigte, zu einem Schritt fortzureißen, der drohender aussah als er war. An einen ernstlichen Bruch mit der Kurie dachte der König so wenig wie die große Mehrzahl der Prälaten, deren gesamte Stellung in Kirche und öffentlichem Leben kaum zu halten war ohne den Schutz, den das geistliche Ansehen des Papstes bot. Mochten noch so viele, wie der englische Chronist behauptet, an der rechtmäßigen Befugnis eines Nachfolgers Petri zweifeln, der dem heiligen Petrus so unähnlich sah, von ihrem Oberhaupt konnte die aristokratische Hierarchie sich nicht lossagen, ohne dem Strom eines kirchlichen Volksaufstands die Schleusen zu öffnen, der die Grundlagen ihres eigenen Bestehens in Frage stellen mußte. Daß der Stoff dafür in Frankreich vorhanden war, hat sich schon wenige Jahre später gezeigt. Der König aber war am wenigsten in der Lage, mit dem Papst zu brechen. Er brauchte ihn für seinen Kreuzzug, für den die Mittel aus eben den Belastungen der Kirchen stammten, über die er sich beschwerte. Auf Empfehlung des Papstes hatten die französischen Prälaten den dreijährigen Zwanzigsten des Lyoner Konzils in einen Zehnten verwandelt, der dem König ohne Abzug überlassen blieb.

Des Königs konnte der Papst sich noch aus einem anderen Grunde sicher fühlen. Wenn der Kaiser wirklich, wie es den Anschein hatte, mit Heeresmacht gegen Lyon anrückte, so war es um die Herrschaft Karls von Anjou in der Provence geschehen. Noch waren dort die örtlichen Widerstände nicht überwunden, das Erscheinen des Kaisers, des rechtmäßigen Oberherrn, im Land an der Rhone mußte sie neu anfachen, und ob der Graf sich dann noch behaupten konnte, war immerhin die Frage. Für das französische Königshaus war es darum ein dringendes Gebot des eigenen Vorteils, das Kommen des Kaisers nach Lyon zu verhindern. Ob es da noch besonders geschickter Beeinflussung bedurft hat, um den französischen Hof zum Eintreten für den Papst zu veranlassen, bleibe dahingestellt. Wenn man dort jemals gegen die Kurie ernstlich aufgebracht gewesen ist, so ist die Stimmung auf die Kunde von den Absichten des Kaisers völlig umgeschlagen. Mitte Juni konnte der Papst dem König nebst Mutter und Brüdern in überschwenglichen Worten danken, daß sie sich bereit erklärt hatten, ihm auf seinen Ruf persönlich mit Heeresmacht gegen den ‹Störer der Welt› zu

Hilfe zu eilen. Da trug nun der Dienst, den Innozenz dem französischen Königshaus beim Erwerb der Provence geleistet hatte, seine Früchte.

Dem Beispiel des Herrschers sollen übrigens – so konnte der Papst seinen Vertretern in Italien mitteilen – Prälaten, Barone und Edelleute Frankreichs in großer Zahl zu folgen entschlossen gewesen sein, so daß der Kaiser, wenn er seine Absicht ausführte, auf ein starkes französisches Heer gestoßen wäre, das ihm den Weg nach Lyon vertrat. Sollte er es darauf ankommen lassen? Die Frage brauchte er sich nicht mehr vorzulegen, denn eben damals, als er schon bis Turin gekommen war, erhielt er eine Hiobsbotschaft, die ihn zu schleuniger Umkehr veranlaßte. Einen Tag bevor Innozenz den Franzosen für ihre Hilfsbereitschaft dankte, am 16. Juni 1247, war Parma, das bis dahin kaiserliche, von den Gegnern genommen worden. Eine Unachtsamkeit Königs Enzos benutzend, der des Kaisers Heer in der Lombardei befehligte, hatten die vertriebenen Verwandten des Papstes samt ihren Freunden sich im Handstreich der Stadt bemächtigt und die kaiserlich Gesinnten verjagt. Sie erhielten sofort Unterstützung von allen Seiten, setzten sich in Verteidigungszustand, und Montelongo selbst eilte herbei, um den Oberbefehl zu übernehmen.

Abgesehen von dem Schlag, den dieser Verlust seinem Ansehen versetzte, die Stadt, die am Knotenpunkt der beiden Heerstraßen über Bologna nach der Romagna und über den Apennin nach Toskana lag, konnte der Kaiser dem Feinde nicht überlassen. Er leitete persönlich ihre Belagerung, gedachte sie, koste es, was es wolle, zu bezwingen und dann zu zerstören. An ihre Stelle sollte die neugegründete Lagerstadt treten, der er im voraus den Namen Vittoria gab. Den Sommer, Herbst und Winter hielt er dort Hof, ohne indes auch nur die Sperrung aller Zufahrtswege erreichen zu können. Da geschah es, daß die Belagerten am 18. Februar, während er zur Jagd ausgeritten war, einen Ausfall machten. Sie fanden das Lager schlecht bewacht, die Truppen ohne Führung, töteten, verstümmelten und zersprengten die Besatzung und zerstörten die neue Stadt, in der sie den ganzen Schatz, die Kriegskasse und viele Kostbarkeiten, darunter die Kaiserkrone, erbeutet hatten.

Im Lager der Päpstlichen war der Jubel groß, in Gedichten wurde der Erfolg gefeiert, und am päpstlichen Hof in Lyon atmete man leichter. Mit ängstlicher Spannung hatte man dort nach Parma geschaut, ob es sich halten könne. Nun war man dieser Sorge ledig und mehr als das: der Kaiser hatte einen der wichtigsten Stützpunkte verloren, sein Heer war zertrümmert und, was wohl das meiste war, die Schwäche seiner Stellung war offenkundig geworden. Wenn ein geglückter Handstreich genügte, ihm einen solchen Verlust beizubringen, so war er nicht unbesiegbar, wie bis dahin viele geglaubt hatten. Friedrich selbst wollte das nicht wahrhaben, leugnete in einer Kundgebung an seine Untertanen die Größe der Verluste und mahnte zur Festigkeit. Einen gelungenen Überfall auf die Ritter von Parma, bei dem der Schwager des Papstes, der treulose Bernardo Rossi, gefallen war, ließ er ausrufen, als wäre es ein großer Sieg. Die furchtbare Grausamkeit, die seine Kriegführung jetzt zeigte, die unbarmherzige Verwüstung des Gebietes rings um das verhaßte Parma, von der ein Augenzeuge noch nach einem Menschenalter mit Grauen erzählt, verraten seinen im Grunde ohnmächtigen Zorn. Die Zeitgenossen hatten recht, wenn sie in den Ereignissen um Parma einen Wendepunkt im Kampfe sahen. Von da an war der Kaiser aus dem Angriff in die Verteidigung gedrängt, und diese Verteidigung war nicht einmal glücklich.

Das Jahr 1248 wurde für ihn sogar ein ausgesprochenes Jahr des Unheils. Dem Kardinallegaten Ubaldini glückte es, in die Romagna einzudringen und Ravenna zu unterwerfen, die andern Städte der Provinz folgten dem Beispiel. In der Mark Ancona und im Herzogtum Spoleto kämpfte Rainer Capocci nicht ohne Erfolg. Daß Savoyen und die Markgrafen im Piemontesischen sich enger an den Kaiser anschlossen, war gewiß erfreulich, aber es war nicht umsonst erreicht. Die Hand der savoyischen Grafentochter, die gegen Ende des Jahres den Kaisersohn Manfred heiratete, mußte bezahlt werden mit Ernennung ihres Oheims zum Statthalter in der westlichen Lombardei und Abtretung wichtiger Plätze in Piemont. Es ist der entscheidende Schritt zur Festsetzung des Hauses Savoyen in diesem Lande geworden. In ähnlicher Weise mußte Pisa in seiner Treue bestärkt, Lucca zur Rückkehr zum Gehorsam bewogen werden durch Überlassung der Landschaften an der Küste und im nördlichen Apennin. In der östlichen Poebene hatte Ezzelin von Verona längst begonnen, durch Unterwerfung der Nachbarstädte sich eine ausgedehnte Landesherrschaft zu schaffen; der Kaiser hatte es geduldet und ihn nur durch Verheiratung mit einer seiner Töchter (1238) an sich zu fesseln gesucht. Das Band war später verstärkt worden, indem Enzo, dessen Ehe mit der sardinischen Erbin längst gelöst war, sich mit einer Nichte Ezzelins vermählte. Hat Friedrich nicht gefühlt, wie er durch solche Maßregeln sein ursprüngliches Kampfziel, die Herstellung der unmittelbaren Herrschaft des Kaisers in Mittel- und Oberitalien, verleugnete?

Er muß seine Lage selbst als wenig aussichtsreich angesehen haben, da er sich dazu herabließ, den Frieden mit der Kirche, zuerst durch Ludwig IX., der im Aufbruch zum Kreuzzug deswegen persönlich in Lyon vorsprach, dann nochmals durch Vermittlung Savoyens zu suchen. Über die Verhandlungen erfahren wir nichts Zuverlässiges, aber das Ergebnis war beide Male ein Fehlschlag. Als Grund des Scheiterns gab Friedrich an, der Papst habe verlangt, daß die lombardische Frage ihm zur Entscheidung überlassen werde, Innozenz dagegen machte kein Hehl daraus, daß er jeden Vorschlag zurückzuweisen entschlossen war, der einen Verzicht auf rücksichtslose Durchführung des Lyoner Urteils enthalten würde: weder Friedrich noch sein Sohn dürften im Besitz von Kaisertum oder Königreich bleiben. Was er hier öffentlich bekanntgab, hatte er schon früher bei Gelegenheiten vertraulich wissen lassen: es handelte sich für ihn um die Verdrängung des ganzen staufischen Königshauses aus Sizilien und Italien. Das Geschlecht, das der Kirche in drei Menschenaltern so viel Übel zugefügt hatte, sollte für immer unschädlich gemacht werden.

Innozenz hielt den Augenblick für gekommen, den Stoß ins Herz des Gegners zu führen. Ende August wurde ein Erlaß aufgesetzt, der die Einwohner des Königreichs aufforderte, das Joch des Friedensstörers, des ‹unbändigen Fürsten der Pestilenz› abzuschütteln, dessen Tyrannei die Kirche zusammenbrechen lasse, den Glauben untergrabe, die Freiheit zerstöre und das einst so blühende Reich zugrunde gerichtet habe. Wer sich unterwürfe, sollte Begnadigung und die gleiche Freiheit wie die übrigen Untertanen der Kirche erhalten, allen andern wurde mit Verlust von Gütern und Rechten gedroht. Im Dezember folgte ein zweiter Erlaß, der alle Gesetze Friedrichs —‹Vorläufer des Antichrist, wilder als jedes wilde Tier, herodischer als Herodes› wird er genannt — betreffend die Kirchen des Königreichs aufhob und statt dessen völlig freie Wahl der Prälaten ohne königliche Erlaubnis, sogar ohne Treueid, völlige Freiheit der Geistlichen von jedem weltlichen Gericht und ungehinderte Ausübung der geistlichen Gerichtsbarkeit vorschreibt. Dadurch sollte die Eroberung mit den Waffen vorbereitet werden.

Mit der Ausführung indes hatte es noch gute Wege, den ganzen Winter über und bis in den Frühling geschah nichts. Die bisherigen Vertreter des Papstes in Rom und im Kirchenstaat scheinen sich der Aufgabe nicht gewachsen gezeigt zu haben, Anfang April 1249 wurden sie ihres Amtes enthoben und Kardinal Peter Capocci aus Deutschland herbeigerufen, um als Legat an die Spitze des Eroberungsfeldzugs zu treten, der unter der Fahne des Kreuzes vor sich gehen sollte. Sein Amtsbezirk war der ganze Kirchenstaat, dessen gesamte Kräfte ihm zur Verfügung gestellt wurden. Er durfte Truppen werben, Steuern erheben, Besitzungen, Ämter und Pfründen nehmen und geben, Anleihen unter Verpfändung von Land und Leuten und Kirchengütern bis zu 10 000 Mark Silber und 10 000 Unzen Gold abschließen. Ubaldini, der erfolgreiche Legat in der Romagna, hatte ihm sein Heer zu überlassen. Zugleich verfügte der Papst zugunsten zahlreicher Ausgewanderter und bisheriger oder künftiger Anhänger über Lehen, Burgen, Pfründen und Rechte im Königreich, als gehörte ihm dieses schon. So erhielten ein Frangipani auf Grund einer gefälschten angeblichen Verleihung Konstanzes das Fürstentum Tarent und die Leute von Ancona abgabefreien Verkehr. Unverkennbar schwebte Innozenz nichts Geringeres vor als die Einziehung des Königreichs, zum mindesten des festländischen Teils, zu unmittelbarem Besitz der Kirche.

Des Papstes Pläne eilten den Ereignissen allzu weit voraus. Das Jahr 1249 ging zu Ende, und noch hatte der Legat nicht mehr erreicht als die Unterwerfung der noch fehlenden Städte in der Mark, der Provinz, die ihm als Ausgangspunkt seines Feldzugs dienen sollte. Als er um die Jahreswende den Vormarsch antrat, wurde er von deutschen Truppen des Kaisers geschlagen. Im Königreich blieb der erwartete allgemeine Aufstand auch diesmal aus, weder die Verkündigung der Kirchensperre, noch die angebotene volle Begnadigung, noch der Kreuzzugsablaß für Mitkämpfer taten ihre Wirkung. Insbesondere die Haltung der Geistlichkeit widersprach den Klagen des Papstes über ihre angeblich so traurige Lage, Prälaten und Priester gehorchten dem Kaiser ebenso wie die

Laien. Die strenge Polizeigewalt, mit der die Werbung für den Papst unterdrückt, seine Boten, die Bettelmönche, verfolgt oder zu Tode gemartert wurden, erklärt das nicht allein. Augenscheinlich hat das Königreich sich nicht in dem beklagenswerten Zustand befunden, die Bevölkerung nicht so geschmachtet, wie es in den Kundgebungen des Papstes behauptet wurde. Seit dem Mai leitete der Kaiser, von Pisa zu Schiff herbeigekommen, persönlich die Verteidigung; er sammelte neue Mittel, um im kommenden Jahr den Kampf im Norden mit stärkeren Kräften wieder aufzunehmen.

Den Angriff auf das Königreich hatte er glücklich abgeschlagen, sonst aber, welche Verluste hatte ihm das Jahr 1249 gebracht! Como, das die Verbindung der westlichen Lombardei mit Deutschland beherrschte, war verlorengegangen, Modena hatte sich nach langer Belagerung den Bolognesen angeschlossen, nur mit Mühe war wenigstens Reggio behauptet worden. Mit dem Abfall von Pontremoli, das die Paßstraße über den Apennin beherrschte – ‹einziger Schlüssel und Türe unserer Getreuen› nannte es Friedrich –, war die Verbindung zwischen Toskana und der westlichen Lombardei gesperrt. Dazu kamen Verluste persönlicher Art. Zu Anfang des Jahres war ein Giftanschlag auf sein Leben entdeckt worden, der vertrauteste und einflußreichste Diener, Peter della Vigna, sollte die Hand im Spiel gehabt haben. Seine Schuld ist mehr als zweifelhaft, aber der Kaiser hielt sie für erwiesen, und der eben noch allmächtige Minister endete als Geblendeter im Kerker durch Selbstmord. Das war im Februar 1249 geschehen, drei Monate später folgte ein noch härterer Schlag: König Enzo fiel am 26. Mai in einem unglücklichen Gefecht in die Gefangenschaft der Bolognesen, die ihn nicht mehr freigaben. In kurzem hatte der Kaiser seinen besten Staatsmann und seinen besten Heerführer verloren, der zudem sein Lieblingssohn und sein körperliches Ebenbild war.

Was er empfand, hat er die Welt nicht merken lassen, ungebrochenen Mutes setzte er den Kampf fort, und wirklich schien das Jahr 1250 eine Wendung zum Besseren bringen zu wollen. In der Mark gelang die Rückeroberung der südlichen Hälfte des Landes, im August schlug Markgraf Hubert Pallavicini, der in der Lombardei an Enzos Stelle getreten war, die Parmesen auf der Stätte von Vittoria, in Piacenza vertrieb die aufständische Bürgerschaft die kaiserfeindlichen Ritter, Anfang Oktober wurde Ravenna genommen. Daß um dieselbe Zeit Florenz verlorenging, wo die bis dahin herrschenden Ritter durch eine Volkserhebung vertrieben und damit zugleich die kaiserliche Verwaltung beseitigt wurde, scheint den Kaiser nicht gestört zu haben. Seine Erfolge übertreibend, wie es seine Art war, sprach er schon von geglückter Unterwerfung der ganzen Romagna und des Herzogtums Spoleto.

Die Fortschritte des Kaisers waren es nicht allein, die den Papst besorgt machten. Während die kaiserlichen Fahnen Schritt vor Schritt vorrückten, war er von einem schweren Unglück heimgesucht worden: der Kreuzzug des Königs von Frankreich war kläglich gescheitert.

Ludwig IX. war Ende August 1248 auf genuesischen Schiffen aufgebrochen, begleitet von seiner Gemahlin, zwei Brüdern mit deren Frauen und einem päpstlichen Legaten. In Menge hatte sich der Adel Frankreichs beteiligt, das Heer war groß, so groß wie nur je ein Kreuzheer, vielleicht größer als alle früheren, und die Vorbereitungen waren sorgfältig getroffen. Auf Zypern, das zum Stützpunkt ausersehen war, hatte man den Winter hindurch die Nachzügler erwartet und war im Mai mit 600 bis 800 Segeln in See gestochen. Das Ziel hatte nicht von vornherein festgestanden, erst nach einigem Schwanken war die Entscheidung für Ägypten gefallen. Dadurch hatte der Feind sich täuschen lassen, so daß am 7. Juni die Landung vor Damiette gelang. Ohne Widerstand räumten die Sarazenen die Stadt. Hier wurde der Sommer, die Zeit der Überschwemmungen, abgewartet, im Herbst weiterer Nachschub empfangen, Franzosen unter des Königs drittem Bruder Alfons von Poitou und der Graf von Salisbury mit einigen Engländern. Wieder schwankte man über das Ziel, ob Kairo oder Alexandria. Den Ausschlag für Kairo gab schließlich die Rechnung auf Verrat im Lager der Gegner, da der Sultan im Sterben lag und ein Streit um seine Erbschaft sich voraussehen ließ. Erst Ende November wurde der Vormarsch angetreten. Er stieß, genau wie vor dreißig Jahren, bei Mansura auf die Stellung der Feinde. Ein Friedensangebot des Sultans, so verlockend es aussah, wurde als wertlos abgelehnt, weil die Bürgschaft für den Fall des Regierungswechsels fehlte. Wiederholte Angriffe während des Dezembers und Januars scheiterten an der Unmöglichkeit, den Nilarm zu überschreiten, der die beiden Heere trennte. Erst am 8. Februar 1250 glückte es, nachdem ein Beduine eine Furt verraten hatte. Bald jedoch zeigte sich, daß damit weniger als nichts gewonnen war: das türkische Heer sammelte sich, der Vormarsch stockte, und als es den Ägyptern gelang, den Fluß zu sperren, blieb die Verpflegung aus. Sich durch rechtzeitigen Rückzug zu retten, verschmähte der König, und als er ihn, durch Hunger und Seuchen gezwungen, am 5. April antrat, war er schon vom Feinde eingeschlossen und sah sich am folgenden Tage zur Waffenstreckung gezwungen. Das ganze Heer, der todkranke König samt seinen Brüdern inbegriffen, war gefangen. Thronstreitigkeiten unter den Türken – der Sultan war inzwischen gestorben – verzögerten die Friedensverhandlungen, erst nach einem Monat kam der Vertrag zustande. Gegen Auslieferung von Damiette und Zahlung von 400 000 Pfund, wovon die Hälfte sofort zu erlegen war, erhielten der König, die Prinzen und ihr Gefolge die Freiheit, das Heer blieb gefangen bis zur Auszahlung des übrigen Lösegeldes. Dazu ist es nicht mehr gekommen: da die Türken einen Teil der Gefangenen niedergemacht hatten, verweigerte Ludwig, der am 13. Mai 1250 in Akka gelandet war, die Restzahlung.

Das ist die traurige Geschichte des letzten und vielleicht größten aller Kreuzzüge. Unter günstigsten Aussichten begonnen – denn zwischen den Sultanen von Aleppo und Kairo herrschte offener Krieg – mit einer Truppe, wie sie zahlreicher nie gewesen war, hatte das Unternehmen zum zweitenmal mit schwerstem Mißerfolg geendet, wieder hatte Mohammed über Christus triumphiert, und diesmal sollte sein Sieg endgültig sein. Ludwig IX. machte zwar Anstrengungen, die Scharte auszuwetzen. Nach langem Schwanken entschloß er sich, in Syrien zu bleiben und das Eintreffen eines neuen Kreuzheeres abzuwarten, das er sogleich aus Frankreich aufbot. Es ist niemals ausgerückt, niemals zusammengetreten, obgleich sich jetzt auch der König von England dazu meldete. Umsonst verlängerte Ludwig seinen Aufenthalt im Osten. Er konnte hier wohl schlichtend und ordnend inmitten der Streitigkeiten zwischen Moslim und Christen und mehr noch zwischen Christen untereinander wirken, das Schicksal des Landes hat er nicht gewendet, bis der Tod seiner Mutter, die indes Frankreich für ihn regiert hatte, ihn im Sommer 1254 zurückrief.

Es war mehr als ein Mißerfolg wie schon mehrfach früher, es war ein Abschluß. Wohl sind auch weiterhin jahrzehntelang Jahr für Jahr einzelne Herren und Ritter, mitunter auch Fürsten mit stärkerem Gefolge ausgezogen, um sich den Ablaß im Kampf gegen die Ungläubigen zu verdienen, wohl hat die Kirche sich immer wieder bemüht, das erlöschende Feuer zur hohen Flamme anzufachen, es war umsonst. Einen wirklichen Feldzug wie in früheren Zeiten hat das Land nicht mehr gesehen. Die Geschichte der Kreuzzüge war zu Ende, und alle Anstrengungen, sie fortzusetzen, haben nicht mehr hervorgebracht, als ein immer matter und lahmer werdendes Nachspiel zu dem Stück, das einst so glänzend begonnen hatte.

Die Niedergeschlagenheit hat damals nicht so weite Kreise ergriffen wie im Jahre 1221, weil das untergegangene Heer fast nur aus Franzosen bestanden hatte. In Frankreich aber war der Schmerz um so größer. Der Eindruck der Unglücksbotschaft, die sich seit dem Hochsommer 1250 im Westen verbreitete, war um so erschütternder, als man nicht lange vorher ganz andere Nachrichten erhalten hatte. Die schnelle Einnahme von Damiette, das für stärker befestigt galt als früher, hatte die Hoffnung aufs höchste gesteigert. Dann hieß es, Kairo sei genommen, der Sultan in dreitägiger Schlacht in die Flucht geschlagen, Alexandria geräumt. Der Bischof von Marseille hatte Briefe gesehen, die das mit vielen Einzelheiten meldeten, und hatte sich beeilt, es dem Papst mitzuteilen. Als die bittere Wahrheit bekannt wurde, fand sie zunächst keinen Glauben, Königin Blanca ließ die ersten Überbringer der Nachricht aufhängen. Dann aber trafen die Zeugen der Ereignisse ein und machten der Selbsttäuschung ein Ende.

Innozenz IV. war aufs tiefste betroffen, einige Tage setzten die Geschäfte der Kurie aus. An dem Zusammenbruch hatte er unmittelbar keine Schuld, für die ungeschickte Führung des französischen Königs – kein Geringerer als Napoleon I. hat sie scharf getadelt – war er nicht verantwortlich, aber den Folgen konnte auch er sich nicht entziehen. Seine Sache war das Unternehmen, das da an den Ufern des Nil zuschanden wurde, er war es gewesen, der auf dem Konzil zu Lyon zur Teilnahme aufgerufen hatte, auf sein Geheiß steuerte dafür die Geistlichkeit aller Lande seit drei Jahren. Und nun diese Niederlage!

Dazu kam ein Vorwurf, der ihn ganz persönlich traf. Das Unglück wäre vermieden worden, der Sieg sicher gewesen ohne die Spaltung der Kräfte des Abendlands, die der Kampf zwischen Papst und Kaiser verursachte. Wer wollte bezweifeln, daß die Mitwirkung der sizilischen Flotte genügt hätte, ein doppelt so starkes Heer in kürzester Zeit hinüberzuwerfen, das die Eroberung Jerusalems mühelos ausgeführt haben würde, während die Franzosen die Streitkräfte des Ägypters im eigenen Lande banden? Das hatte der Papst verhindert, indem er des Kaisers wiederholte Anerbieten verschmähte und ihm den Frieden verweigerte. Er also war in letzter Linie an allem Unheil schuld. Friedrich ließ es sich nicht entgehen, diese Anklage öffentlich zu erheben, und nicht wenige mögen ihm zugestimmt haben. Vor allem im Orient, wo die Sarazenen das gleiche Urteil fällten und die Christen nicht widersprachen. Die Brüder des französischen Königs, Alfons und Karl, die nach ihrer Befreiung eilends heimgekehrt waren, sagten es dem Papst in scharfem Wortwechsel ins Gesicht, ein Johanniter schloß seinen Bericht über die Ereignisse mit den Worten: ‹Man sagt, dieses Verhängnis habe die Christen ereilt infolge der Überheblichkeit des Papstes und seines unerbittlichen Hasses gegen Herrn Friedrich. Auf Friedrich ruht unsere Hoffnung, aber der Zorn des Papstes müßte unter allen Umständen gezügelt werden.› Bitter war das Urteil auch in den Kreisen, wo man für das Unternehmen hatte zahlen müssen. In seinem Scheitern wollte man die Strafe Gottes für des Papstes Steuermaßnahmen sehen.

So ging für Innozenz IV. das Jahr 1250 unter Sorgen zu Ende. Der Versuch, das Königreich zu erobern, gescheitert, der Kirchenstaat zum größten Teil wieder verloren, das Heer des Legaten geschlagen, vermutlich aufgelöst, ungeheures Geld umsonst verschwendet, das eigene Ansehen geschädigt, die Stimmung in weiten Kreisen widerwillig, sogar Frankreich, das allezeit getreue, beinahe feindselig, so daß man an der Kurie schon die Übersiedlung unter englischen Schutz nach Bordeaux erwog – woher sollten die Mittel zur Fortsetzung des Krieges in Italien kommen, ohne daß die Unterstützung Ludwigs im Orient litt?

Innozenz glaubte trotzdem an seinen Plänen festhalten zu können. An Nachgeben dachte er nicht, mit eigenen Mitteln vorwärtszukommen, durfte er nicht hoffen, er sah sich nach Hilfe bei einem weltlichen Fürsten um und trug die Führung des Krieges in Unteritalien Richard von Cornwall an. Als Lohn wird er ihm die Krone von Sizilien gezeigt haben. Der Graf lehnte es ab, dem eigenen Schwager sein Erbreich zu entreißen; würde ein anderer sich bereit finden lassen? Die Zukunft war dunkel und sorgenschwer. Nicht die Furcht zu unterliegen war es, die den Papst bedrückte. Daß diese Gefahr nicht bestand, hatten die vergangenen fünf Kriegsjahre gelehrt. Seit dem Ausbruch des Kampfes waren die Kräfte des Kaisers trotz stärkster Anspannung nicht gewachsen, sie mußten mit der Zeit abnehmen, und was ihm bisher nicht gelungen war, konnte ihm auch künftig nicht gelingen. Aber die Kirche mußte ja siegen, sie mußte dem Verfolger, den Zerstörer des Glaubens, den sie verflucht und abgesetzt hatte, den ‹Vorläufer des Antichrist› vernichten. Behauptete er sich nur, so hatte sie das Spiel schon verloren, und doch war nach menschlichem Ermessen keine Aussicht, ihn zu überwinden.

Da traf in den ersten Tagen des neuen Jahres eine Nachricht ein, die mit einem Schlag die Wolken verscheuchte und die Sonne der Siegeshoffnung aufs neue scheinen ließ: Kaiser Friedrich war am 13. Dezember 1250 im Städtchen Fiorentino in Apulien nach kurzer Krankheit gestorben. Müßiger Streit, ob es ihm bei längerem Leben gelungen wäre, sein Ziel zu erreichen, ganz Italien unter sein Zepter zu beugen und die Halbinsel unter der unmittelbaren Regierung des römischen Kaisers und Königs von Sizilien zu einigen! Selbst wer an diese Möglichkeit noch glaubte, nachdem die Erfahrung gelehrt hatte, wie schwach die Aussichten waren, mußte zugeben, daß mit dem Verschwinden seiner überragenden Persönlichkeit seine großen Pläne von selbst versanken. Daß seine Erben den Kampf um ihr Recht fortsetzen würden, war freilich sicher, aber sie waren junge Leute ohne Erfahrung, keiner dem Verstorbenen an Fähigkeiten und Ansehen gleich. Was schon ihm zu schwer geworden war, konnte ihnen noch weniger gelingen. Sein Tod hatte die Entscheidung gebracht. Wenn die Kirche den Kampf geschickt und kraftvoll führte, konnte ihr der Sieg nicht mehr entgehen.

Friedrich II. als Mensch und Herrscher hat schon die Zeitgenossen wie kaum ein anderer und nicht weniger die Nachlebenden immer aufs neue beschäftigt. Wie bei seinen Lebzeiten die Dichter in Feindschaft oder Bewunderung von ihm sangen, so hat nach seinem Tode die Sage sich seiner bemächtigt, um in Furcht oder Hoffnung von seiner Wiederkunft zu träumen. Die Wissenschaft ist nicht müde geworden, sein Bild von allen Seiten zu beleuchten und um das Verständnis seiner Persönlichkeit zu ringen. Gibt es ein stärkeres Zeugnis für die außerordentliche Größe seiner Erscheinung, als wenn noch heute, nach sieben Jahrhunderten, die Darsteller seiner Geschichte zwischen Feindseligkeit und Verherrlichung schwanken, als lebte er noch, Furcht und Schrecken verbreitend für die einen, andere zu blinder Hingabe reizend? Auch wir können von dem Herrscher, den wir den größten Gegner des Papsttums genannt haben, nicht Abschied nehmen ohne einen Versuch, uns diese einzigartige Gestalt in ihren wesentlichen Zügen anschaulich zu machen.

Aus unvereinbaren Gegensätzen zusammengesetzt hat seine Erscheinung etwas Rätselhaftes, das der Erklärung zu spotten scheint. Deutscher vom Vater her, dem Großvater in der äußeren Erscheinung und manchen Wesenszügen ähnlich, und doch ganz Südländer, ganz Sizilianer. Römischer Kaiser, von der Kirche gesalbt, aber nicht wenig beeinflußt von der Geisteswelt der Araber, mit denen er sich so gut, die Gegner behaupteten allzugut, verstand, denen er wesentliche Teile seiner Bildung, auch manche Formen des Lebens, den sultanartigen Hofhalt und das Forschen nach den Geheimnissen der Natur verdankte. Diese Zwienatur des christlichen Kaisers und arabischen Gelehrten haben die Moslim, so scheint es, fast besser begriffen als die christlichen Zeitgenossen, und die Späteren haben sich bis in die neueste Zeit auf mannigfache Art bemüht, sie zu erklären. Daß er bei Lebzeiten für weite Kreise als Materialist und Gottloser gebrandmarkt war, so daß ihn Dante, bei aller Ehrfurcht vor der Kaiserwürde, in die Hölle versetzt, beweist zum mindesten, daß er durch Wort und Tat dem Zweifel an seiner Rechtgläubigkeit Nahrung gegeben hat. Man wird ihn sich als Skeptiker vorstellen dürfen, der seinen Bedenken gegen die Wahrheit der kirchlichen Lehre zwar keine praktischen Folgen gab, ohne sie jedoch immer zu verbergen, gelegentlich auch durch geistreich verfängliche Äußerungen ängstliche Gemüter zu erschrecken liebte. Solche hingeworfene Bemerkungen, vielleicht nur das kecke Spiel eines schillernden Geistes, mögen Anlaß geworden sein, ihm den Christenglauben schlechthin abzusprechen und ihm das berüchtigte Wort von den drei Betrügern in den Mund zu legen, das nachweislich nicht von ihm herrührt. Wie weit seine Skepsis ging, wer wollte das entscheiden? Daß er die äußeren Formen des kirchentreuen Christen stets, bei Gelegenheit sogar mit Betonung beobachtete — den Tempel in Jerusalem betrat er barfuß —, sagt uns nur, daß er als rechtgläubiger Christ erscheinen wollte, wohl auch den Bruch mit der Kirche für seine Person gescheut hat. Im politischen Verhalten ist er ohne jeden Vorbehalt — modern gesprochen — zu den Erzklerikalen zu rechnen, mochte er auch durch die unerbittliche Gegnerschaft des Papstes — es ist eine der paradoxesten Ironien der Weltgeschichte — zum Kampf gegen die Kirche gedrängt worden sein, den er mit steigender Schärfe, zuletzt ohne jede Rücksicht auf die Vorrechte des geistlichen Standes geführt hat, so daß an seinem Namen der Ruf eines blutigen Verfolgers und Vorboten des Antichrist, ja des Schreckens der Welt, *stupor mundi*, hängenblieb.

Die Höhe und Vielseitigkeit seiner Fähigkeiten wußten auch Gegner zu rühmen. Er war Dichter und Sänger, die Tonkunst wurde an seinem Hofe gepflegt, von seinen Bauten zeugen die erhaltenen Reste, als Schriftsteller lebt er fort in dem merkwürdigen Buch über die Falkenjagd. Wieviel von den großen Staatsschriften seiner Regierung aus des Kaisers eigener Feder geflossen ist, läßt sich schwer entscheiden. Solche Vorzüge haben den Minderbruder Salimbene von Parma zu dem Geständnis gedrängt: ‹Wäre er gut katholisch gewesen und hätte er Gott, die Kirche und die eigene Seele geliebt, so hätte er unter den Herrschern der Welt wenige seinesgleichen gehabt.›

Von seinem Charakter hat derselbe Zeuge weniger Gutes zu sagen. Zwar weiß er, daß Friedrich, wo er wollte, heiter und gesellig sein konnte, aber es überwiegt der Eindruck seiner Schlauheit, Habgier, Sinnlichkeit, seines Jähzorns. Kein Zweifel, daß Friedrich II. auch in der Regierungsweise viel vom orientalischen Despoten hatte; die furchtbare Grausamkeit, mit der er Feinde und Verräter strafte, ist auf manchen Seiten seiner Geschichte blutig eingetragen. Da verband sich wohl sizilianisch-normännische Königsüberlieferung mit ererbten Anlagen: auch Vater und Großvater hatten durch grausame Handlungen die Welt erschreckt. Aber Friedrich verstand auch großmütig zu sein: dem Minderbruder, der bei der Bestattung des unglücklichen ehemaligen Königs Heinrich VII. so freimütig gesprochen hatte, daß man für seinen Kopf fürchtete, geschah kein Leid, weil die Schönheit der Predigt dem Kaiser gefiel. Friedrich herrschte durch Gewalt, das ist nicht zu bestreiten, und die Leute gehorchten ihm vor allem aus Furcht. So hatten seine Vorfahren auf dem sizilischen Thron alle regiert, er folgte ihren Spuren und übertrug ihre Art auf das übrige Italien. Aber er hat auch selbstlose Treue und unverbrüchliche Anhänglichkeit gefunden, bei Deutschen und Italienern, und keineswegs nur bei denen, die der Eigennutz oder die politische Leidenschaft unter seine Fahnen führte. Das Urteil Salimbenes, er habe keinen Freund festzuhalten gewußt, wird widerlegt durch Fälle wie den des Schwestersohnes Innozenz' IV., des Parmesen Hugo Boterio, den keine Bemühung vom Kaiser zu trennen vermochte, als sein ganzes Geschlecht zu den Feinden übergegangen war.

Was er als Herrscher erstrebt hat, darüber hat er nie einen Zweifel gelassen: die Wiederherstellung des Kaisertums, nicht mehr in der maßvollen Form, die ihm der Großvater im Frieden von Konstanz gegeben hatte, sondern ohne Vorbehalt als unbedingte Staatsgewalt, der gegenüber es keine verbrieften Freiheiten gibt, weil der Monarch selbst die Quelle alles Rechts ist und wohl Gnaden austeilen, aber kein anderes Recht neben dem seinen anerkennen kann. In diesem Streben ist Friedrich gescheitert an dem vereinten Widerstand lombardischer Städte und der römischen Kirche. Daß es ihm nicht gelang, diesen Bund zu sprengen und mit der Kirche zum Sonderfrieden zu kommen, war sein Verhängnis. Der Großvater war glücklicher, freilich auch geschickter, biegsamer gewesen, hatte auch die Städte zu gewinnen und nach Bedarf gegen den Papst auszuspielen verstanden. Friedrich II. blieb in seinen Ansprüchen gegenüber den Städten unerbittlich, gegen die Kirche ist er stets zum Nachgeben bereit gewesen. Daß er an die Möglichkeit des Friedens mit ihr noch glaubte, als die Unzugänglichkeit des Papstes längst kein Geheimnis mehr war, könnte gegen die Klarheit seines Blickes sprechen, wenn es nicht vielmehr das Eingeständnis enthielte, daß er gegen diesen Gegner keine Waffen besaß. Damit aber war über sein ganzes Unterfangen das Urteil gesprochen: es war zum Scheitern verdammt, wenn ihm nicht gelang, den Widerstand der Städte mit Gewalt zu brechen. Auf den Sieg der Gewalt hatte Friedrich gerechnet, und die Rechnung wollte nicht aufgehen.

Ob ein anderer, vorsichtigerer Weg zum Ziel geführt haben würde? Bei der mißtrauischen Wachsamkeit der Kurie, der zähen Widerspenstigkeit der Städter ist das kaum wahrscheinlich, und so mag man urteilen, Friedrich habe seinen glänzenden Geist und starken Willen an eine Aufgabe gesetzt, die nicht gelöst werden konnte; die wichtigste der staatsmännischen Gaben habe ihm gefehlt, der Sinn für das Mögliche. Vielleicht täuschte ihn sein Blick, weil er die Mächte, gegen die er kämpfte, nicht verstand. Wie immer er im Innersten über die letzten Dinge gedacht haben mag, dem echten Kirchenglauben seines Jahrhunderts war er entwachsen, die unheimliche Gewalt, die die Prediger des Kreuzes über die große Masse der Zeitgenossen, hoch und niedrig, übten, die Fessel des Gewissens, die auch Widerstrebende, Laien wie Geistliche, Fürsten und Prälaten, zum Gehorsam gegen die Befehle des Papstes zwang, entzog sich seinen Berechnungen. Nicht weniger verständnislos stand er dem Freiheitsbegriff gegenüber, der in den Menschen außerhalb Siziliens, in den Städtern ebenso wie im Adel, allenthalben mächtig war. Daß der Staatsgedanke, den er vertrat, jenseits der Grenzen seines Königreichs auch denen im Grunde zuwider war, die aus selbstischen Berechnungen, Nachbarhaß und Rachsucht mit ihm gingen, empfand er schwerlich. Mit seiner arabisch beeinflußten Jugendbildung, mit den Erfahrungen, die er in seinem halb orientalischen Inselreich gemacht hatte, gehörte er geistig und seelisch einer andern Welt, nicht der kirchlich-feudal-städtischen des Mittelalters, des übrigen Italien, noch weniger der Frankreichs und anderer Länder. Das war der letzte Grund, warum sein Werben für den erhabenen Reichsund Kaiserplan bei Deutschen und Römern nur schwachen oder gar keinen Anklang fand, warum sein wiederholtes dringendes und nur zu berechtigtes Mahnen an die Gemeinsamkeit königlicher und staatlicher Anliegen gegenüber priesterlicher Herrschsucht bei andern Herrschern auf taube Ohren stieß. Er war ein Fremder in seiner eigenen Zeit, und wenn es nach dem Ausspruch Bismarcks, der es wissen mußte, das Geheimnis des Erfolges für den Staatsmann ist, daß er in die Zahnräder der Geschichte passe, so war der Mißerfolg Kaiser Friedrichs II. unausbleiblich.

4

Endkampf

Die Nachricht vom Tode des Kaisers löste am Hof des Papstes wahren Jubel aus, dem Innozenz in einem Schreiben an seine lombardischen Anhänger ungehemmten Ausdruck gab. Anspielend auf die volkstümliche Vorstellung von der Tagesheiligen des 13. Dezembers, an dem Friedrich gestorben war, schrieb er, St. Lucia habe der Welt in trüber Zeit einen lichten Tag gebracht und allen Gläubigen Anlaß gegeben zu ewigem Entzücken. ‹Gänzlich dahingeschwunden ist die schon abnehmende Finsternis des ehemaligen Kaisers Friedrich, die alles Land bedeckt hatte. O festlicher Tag, feierlicher Erinnerung würdig! O Tag der Freude und ungeheurer Fröhlichkeit! O willkommener Tod, erwünschter Tod!› Zugleich öffnete Innozenz die Schleusen seiner pastoralen Beredsamkeit, um die kaiserlichen Städte Oberitaliens zum Übertritt zu bewegen. An die Bewohner des sizilischen Königreichs wandte er sich mit einem feurigen Glückwunsch zu ihrer Befreiung von der Tyrannei Friedrichs. ‹Es freue sich der Himmel und jauchze die Erde, daß das schreckliche Ungewitter, unter dem euch der Herr so lange hat leiden lassen, in sanften Tauwind verwandelt ist.› Sie wurden eingeladen, sich der Kirche zu unterwerfen. Dabei machte der Papst kein Hehl aus seiner Absicht, das Königreich dem Kirchenstaat einzuverleiben, lockte mit der Aussicht auf die Freiheit, die alle päpstlichen Untertanen genössen, kündigte

Gesandte an und stellte sein eigenes Kommen in Aussicht. Dem Kardinallegaten Peter Capocci wurde befohlen festzustellen, ob es noch großer Anstrengungen bedürfe, um das Königreich in Besitz zu nehmen, in diesem Fall wollte der Papst selber mit starker Heeresmacht erscheinen. Mit Eifer nahm er sich auch Deutschlands an, trat dem Gerücht entgegen, er wolle sich mit den Staufern vertragen, schickte einen Sondergesandten aus, der Fürsten und Städte zur Anerkennung Wilhelms bestimmen, nötigenfalls zwingen sollte, bemühte sich selbst mit Briefen an die Mächtigeren, sogar den Baiernherzog, und trat als Brautwerber für seinen Schützling auf. Den aufständischen schwäbischen Herren, die den Wirtemberger abgesandt hatten, um sich über des Papstes Absichten zu vergewissern, gab er die bündige Zusicherung, daß kein Nachkomme des Kaisers jemals mit Zustimmung des apostolischen Stuhles Kaiser, König oder Herzog von Schwaben werden solle. Die Kreuzpredigt gegen den deutschen Staufer ließ er erneut und mit Nachdruck betreiben und bedrohte mit Ausschluß alle – gemeint waren Konrad IV. und sein Anhang –, die ‹ihre räuberischen Hände› nach Sizilien ausstrecken würden. ‹Das erhabene Königreich ist der harten Knechtschaft entronnen, hat das Joch Pharaos abgeschüttelt, die Folter Neros überstanden, seit der gefallen ist, der die Ursache des Niedergangs war.› Auf der ganzen Linie sehen wir Innozenz bemüht, das verlorengegangene Gesetz des Handelns wieder an sich zu bringen.

Zu diesem Zweck hatte er, wie er den Sizilianern schrieb, sogleich die Rückkehr nach Italien ins Auge gefaßt.

Die Absicht stieß auf Widerstand bei Frankreich. Dort dachte man vor allem an erneute Anstrengungen für den Orient, wo König Ludwig, um etwas auszurichten, kräftiger Unterstützung dringend bedurfte. Innozenz hatte sich dem auch bisher nicht verschlossen, hatte nicht nur brieflichen Trost gespendet und zum Zuge nach Osten aufgefordert, hatte alle Loskaufgelder und Vermächtnisse und dazu zwei weitere volle Jahreszehnten von den Kirchen Frankreichs der Regierung zugewiesen. Daß trotzdem keine lebhaftere Teilnahme sich einstellen wollte, war nach den vergeblichen Anstrengungen der letzten Jahre nicht verwunderlich. Wenn nun der Papst nach Italien ging, um die Leitung des Krieges gegen Sizilien in die Hand zu nehmen, so war vorauszusehen, daß über dem sizilischen Kreuzzug der syrische zu kurz kommen werde. Der Unwille hierüber äußerte sich ungehemmt, ein Reichstag der Barone legte förmliche Verwahrung dagegen ein, daß der Papst den König, der für den Glauben dulde, im Stich lasse, um seine eigene Herrschaft auszudehnen, und die Regentin verbot die Werbung für den sizilischen Krieg. Bis in die Tiefen des Volkes drang die Empörung. In der Pikardie rotteten sich Scharen von Landarbeitern und Hirten unter dem Namen Pastorellen, Hirtlein, zusammen, um aus eigener Kraft den Kreuzzug zustande zu bringen, den Kirche und Prälaten versäumten. Der Führer, ein Abenteurer, dessen Person rätselhaft bleibt, nannte sich Meister von Ungarn, war nicht ohne Gelehrsamkeit, beherrschte mehrere Sprachen, fand mit seiner heftigen Predigt gegen Kleriker und Mönche starken Zulauf aus dem niederen Volk, aber auch Anklang bei andern und machte anfangs so starken Eindruck, daß die Regentin ihn empfing, in der Hoffnung, sich seiner zu bedienen. Bald aber brachen die rohen Triebe des Pöbels durch, die Kreuzesträger gingen zu Raub und Plünderung über, und immer mehr kehrte die Bewegung ihre Spitze gegen Geistlichkeit und Mönche, die mißhandelt und umgebracht wurden, während das Laienvolk seine Abneigung gegen den Klerus durch untätiges Zusehen verriet. Ungehemmt ergoß sich der Strom über halb Frankreich, in die Bretagne, über die Loire und bis in die Gascogne und Provence, bis schließlich der Unfug zu toll wurde und die städtische Bevölkerung allenthalben — zuerst geschah es in Bourges — von sich aus zu den Waffen griff, die Horden vertrieb, verfolgte, zersprengte und niedermachte. Der Führer selbst kam dabei um, ein Haufe, dem es gelungen war, nach England überzusetzen, hatte hier das gleiche Schicksal. Der Schrecken hat nicht lange gedauert, im April hatte er begonnen. Im Juli schon war der Spuk verscheucht, ohne Nachwirkungen zu hinterlassen, aber es hatte sich verraten, welcher Zündstoff in den Massen des Laienvolks vorhanden war. Ihr naives Empfinden wurde tief verletzt durch das Verhalten der römischen Kirche, die ihr eigenes Herrschaftsgelüste über das große gemeinsame Anliegen der abendländischen Christenheit stellte.

Innozenz IV. hat sich dadurch in seinen Plänen keinen Augenblick irremachen lassen. Mit kalter Zähigkeit hielt er an seinem Entschlusse fest, lehnte den Besuch der Königin Blanca ebenso wie den Heinrichs III. von England unter höflichen Vorwänden ab, weil er voraussah, sie würden seiner Abreise Schwierigkeiten machen, empfing dagegen Wilhelm von Holland und beriet mit ihm zwei volle Wochen hindurch, worüber sonst, wenn nicht über Romzug und Kaiserkrönung, zu denen die Aufforderung schon ergangen war? In Gegenwart Wilhelms nahm er am Karfreitag mit einer öffentlichen Ansprache Abschied von Lyon, am Mittwoch der Osterwoche — es war der 19. April 1251 — brach er auf, fuhr die Rhone hinab nach Marseille und ritt von hier die Küste entlang auf Straßen, die eigens für ihn instand gesetzt waren, nach Genua. Einen glänzenden Empfang bereitete ihm die Vaterstadt, einen noch glänzenderen Mailand, als er hier am 7. Juli einzog. So groß war der Andrang des Volkes, daß man, damit der Papst nicht von der Menge erdrückt würde, den Baldachin zum Käfig umgestaltet hatte. Auf zehn Meilen schätzte man die Länge des Festzugs. Es war der triumphierende Einzug eines Siegers. Von allen Seiten strömten die Anhänger zusammen, überallhin öffneten sich die Wege, als die Reise im September weiterging über Brescia, Mantua, Ferrara nach Bologna. Hier wurde den Oktober hindurch gerastet, Anfang November in Perugia der eigene Boden erreicht. Wenn die ursprüngliche Absicht gewesen war, nach Rom selbst zu gehen, so ist sie nicht festgehalten worden. In den sieben Jahren der Abwesenheit des Papstes hatte die Hauptstadt sich an volle Unabhängigkeit gewöhnt, ungestört durch Eingriffe des Stadtherrn führten ihre Senatoren die Verwaltung und wollten davon nichts preisgeben. Das bewog Innozenz, Rom fernzubleiben. Perugia bot ihm durch Gehorsam und Lage Schutz und Sicherheit und nach Bedarf freie

Bewegung. Es hat auch seinen Nachfolgern in der nächsten Zeit wiederholt zum dauernden Aufenthalt gedient.

Es war kein blinder Optimismus, wenn der Papst sich die Besitznahme des Königreichs zum Ziel setzte; die Umstände luden förmlich dazu ein. Was die Persönlichkeit Friedrichs II. bedeutet hatte, war sogleich nach seinem Tode hervorgetreten: kaum hatte er die Augen geschlossen, so lockerte sich das Bündel verschiedengearteter Kräfte, das seine gewaltige Hand zusammengehalten hatte, und die Auflösung der staufisch-sizilischen Macht kündigte sich an. Des Kaisers letzter Wille hatte den ältesten seiner überlebenden Söhne, den römischen König Konrad IV., zum Erben auch des Königreichs und bis zu dessen Ankunft den zweiten, Manfred, zum Regenten bestimmt und mit dem Fürstentum Tarent ausgestattet. Manfred, außerehelicher Verbindung mit einer piemontesischen Markgräfin Lancia entsprossen, aber später für vollbürtig erklärt, zählte beim Tode des Vaters 18 Jahre, es war daher natürlich, daß er sich von den Brüdern seiner Mutter leiten ließ. Neben ihm stand der Großseneschall Berthold von Hohenburg, ein bairischer Herr, dessen Vater schon in Italien gedient und der in der letzten Zeit das besondere Vertrauen des Kaisers genossen hatte. Er und seine zwei Brüder waren die letzten Deutschen am Hof des Kaisers gewesen. Als Befehlshaber der deutschen Truppen war Berthold eine wichtige Person, und da er mit einer Lancia vermählt war, konnte man erwarten, daß er mit deren Familie zusammengehen werde. Das war zunächst auch der Fall, änderte aber nichts daran, daß keiner der regierenden Herren für einheimisch im Königreich gelten konnte, die Lancia als Piemontesen so wenig wie die Hohenburger als Deutsche.

Die Folgen ließen denn auch nicht auf sich warten: schon im Frühling 1251 brachen in verschiedenen Teilen des Königreichs Aufstände aus. Nicht auf der Insel, auf der das altererbte straffe Verwaltungssystem zunächst unerschüttert fortarbeitete. Auch die Geistlichkeit hielt mit verschwindenden Ausnahmen wie bisher an der Regierung fest und bestärkte damit die Zweifel, die man schon früher an den Klagen des Papstes über ihre trostlose Lage hegen konnte. Anders war es in den festländischen Provinzen. Hier lebten die Freiheitswünsche sowohl der Städte wie des normännisch-langobardischen Adels wieder auf, die den Herrschern des Landes so oft zu schaffen gemacht hatten. Seit dem März 1251 befand sich die Regentschaft im Kampf gegen einige apulische Städte wie Foggia und Barletta und gegen Adel und Städte der Terra di Lavoro, an deren Spitze die Grafen von Caserta und Acerra-Aquino standen. Ihre nahe Verwandtschaft mit dem Kaiserhaus – beide waren sie Schwiegersöhne Friedrichs – hat die Gegnerschaft gegen die derzeit regierenden Männer wohl eher verschärft als gehindert. Auch in den Abruzzen regten sich Abfall und Empörung. Mit den apulischen Städten wurde die Regentschaft bald fertig, die Terra di Lavoro zu unterwerfen gelang ihr nicht, die Belagerung von Capua und Neapel mußte aufgegeben werden.

Ein Bild des Zusammenbruchs und der Auflösung boten die Verhältnisse außerhalb der Grenzen des Königreichs, am vollständigsten in Toskana, wo der Statthalter, der Kaisersohn Friedrich von Antiochien, sogleich das Land verlassen hatte und die kaiserliche Verwaltung aufhörte. Aber auch in Oberitalien zeigte sich bald, wie wenig die Ideen und politischen Überzeugungen in dem blutigen Ringen des letzten halben Menschenalters bedeutet hatten, wie wenig die Anhängerschaft des Kaisers durch den Reichsgedanken zusammengehalten war. Es genügte, daß der Träger der Krone verschwand, der Erbe nicht augenblicklich zur Stelle war, damit der Abfall einsetzte. Das Beispiel gab der kaiserliche Statthalter der oberen Lombardei selbst, Graf Thomas von Savoyen, dem staufischen Hause als Oheim von Manfreds Gemahlin so nahe verbunden. Als einer der ersten vollzog er den Übergang zum Papst, als dieser ihm die vom Kaiser verliehenen Besitzungen und Rechte in Piemont bestätigte und ihm eine seiner Nichten zur Frau gab, nicht ohne entsprechende Mitgift, wie sich versteht. Sie bestand in den Geldern, die als Kirchenbuße für Zinsnehmen und andere Sünden in den burgundischen und piemontesischen Bistümern von Besançon bis Turin zusammenkamen. Wenn sein Amtsgenosse in der östlichen Hälfte des Landes, Markgraf Hubert Pallavicini, noch vom Kaiser an Stelle des gefangenen Königs Enzo eingesetzt, sich anders verhielt, so war doch bald zu merken, daß er sein Reichsamt weniger zur Wahrnehmung von Rechten und Anliegen des Reichs als zum Erwerb persönlicher Herrschaft zu benutzen gedachte.

Innozenz hatte also nicht so unrecht, wenn er die Kämpfe in Reichsitalien vorerst in die zweite Reihe stellte und sein Augenmerk auf das Königreich Sizilien richtete. Durch Briefe und Boten, die er auszusenden nicht zögerte, suchte er hier den Abfall von der Regentschaft in Gang zu bringen. Freigebig verteilte er Versprechungen und Vergünstigungen aller Art, lockte und belohnte Überläufer, verlieh Stadtrechte, vergab Lehen und gebärdete sich durchaus, als wäre er bereits Herr des Landes, der über Rechte und Besitz zu verfügen habe. Den aufständischen Grafen bestätigte er ihre Herrschaften, beschenkte Neapel und Capua mit den Rechten der Städte des Kirchenstaats und verlieh dem Sohn des Dogen von Venedig die Grafschaft Lecce. Den Höhepunkt bildete die Einverleibung der Stadt Neapel in den Kirchenstaat, die der Papst zu Ende des Jahres ‹für ewige Zeiten› verfügte. Sogar die Regenten selbst hat er geglaubt durch Befriedigung ihres Eigennutzes ködern zu können: er war bereit, Manfred sein Fürstentum Tarent, Hohenburg die Grafschaft Andria zu lassen, wenn sie der Kirche huldigten. Indessen solche Mittel verfingen doch nicht recht, der Abfall zur Kirche machte keine Fortschritte, Kardinal Capocci, der als Legat die Eroberung mit den Waffen von der Mark Ancona aus unternehmen sollte, kam nicht von der Stelle und verlor zu Ende des Jahres seinen Auftrag, um später wieder nach Deutschland zu gehen, wo er erfolgreicher gewirkt hatte. Augenscheinlich war die sizilische Regentschaft, gestützt auf die vom Kaiser hinterlassenen Truppen, stark genug, sich zu behaupten.

Noch mehr verschob sich das Bild zu Ungunsten des Papstes, als in den ersten

Tagen des Jahres 1252 Konrad IV. selbst im Lande erschien, um sein Erbreich in Besitz zu nehmen. Vor die Wahl gestellt, ob er auf Sizilien verzichten und in Deutschland bleiben, oder Deutschland seinem Schicksal überlassen und sein Glück im Süden suchen wolle, hatte er sich ohne Zaudern für Sizilien entschieden. Die Gründe sind leicht zu verstehen. Was konnte ihm Deutschland weiter bieten als ein machtloses, bestrittenes Königtum und ein Herzogtum, in dem die Kirchen und ein Teil des Adels in Auflehnung und nur Ritterschaft und Städte gehorsam waren? In Sizilien dagegen lockten große Macht und eine immer noch hoffnungsvolle Zukunft, wenn der rechtmäßige Erbe erschien und selbst die Zügel ergriff. Darum hatte Konrad sogleich durch Verkäufe und Verpfändungen an Mitteln flüssig gemacht, was er bekommen konnte, hatte im Herbst 1251 die Alpen überschritten, mit seinen lombardischen Anhängern Rücksprache gehalten, war im Dezember auf venetianischen Schiffen in dem kleinen Hafen Latisana bei Triest in See gestochen und, längs der dalmatinischen Küste segelnd, in Siponto, dem heutigen Manfredonia, gelandet. Er kam mit starkem kriegerischem Gefolge und übernahm sogleich die Regierung, die Manfred ihm ohne Zögern übergab. Hohenburg war ihm schon nach Oberitalien entgegengeeilt. Dann wandte er sich an den Papst, schickte eine Gesandtschaft, an deren Spitze Hohenburg stand, nach Perugia und suchte um Anerkennung und Belehnung nach. Unter den Kardinälen sprachen manche für den Frieden, aber Innozenz lehnte ab. Von der Verhandlung, die sich bis in den Sommer hinzog, haben wir nur unsichere Kunde. Der Biograph des Papstes behauptet, Konrad habe auch um die Kaiserkrönung sich beworben. Davon konnte für Innozenz erst recht nicht die Rede sein; es wäre das Eingeständnis der Niederlage gewesen, und dazu lag nicht der mindeste Grund vor. Für den Papst stand es fest, daß der Staufer in Sizilien so wenig wie in Deutschland oder Italien herrschen dürfe. Inzwischen hatte Konrad mit Unterdrückung des Aufstandes begonnen, die schnelle Fortschritte machte. Bis Anfang August 1252 hatten die Grafen von Acerra-Aquino und Caserta und die Stadt Capua sich unterworfen, während in den Abruzzen die Erfolge der Päpstlichen dahinschmolzen. Nur Neapel leistete noch hartnäckigen Widerstand. Innozenz ließ sich dadurch nicht stören, fuhr fort, im Königreich Verfügungen zu treffen, und hob unter anderem sämtliche Gesetze Friedrichs in kirchlichen Angelegenheiten mitsamt ihren Folgen auf.

Das zähe Festhalten des Papstes an seinen Plänen könnte befremdlich erscheinen, denn seine Lage besserte sich keineswegs. Vielmehr tauchte während des Frühlings 1253 eine neue Wolke auf: die Stadt Rom drohte ins gegnerische Lager überzugehen. Seit dem Herbst 1252 stand an ihrer Spitze als Senator zum erstenmal ein Fremder, ein vornehmer Bolognese, Brancaleone Andalò, vom Volk im Gegensatz zum Adel berufen in Nachahmung der Sitte anderer italischer Städte, die sich ihre Regenten (Podestà) stets von auswärts zu holen pflegten. Brancaleone hatte das Amt unter der Bedingung angenommen, daß er es drei Jahre führen dürfe, um seine Aufgabe, Brechung der Macht der Adelsgeschlechter, erfüllen zu können. Das verwickelte ihn in Kämpfe in der Umgebung, hinter denen die Absicht auf Unterwerfung der Nachbarschaft sichtbar wurde. Im Frühjahr mußte Innozenz die Städte und Barone der Campagna aufrufen zur Verteidigung des angegriffenen Terracina. Gleichzeitig hatte Konrad IV. begonnen in Rom Anhänger zu werben. Gesandtschaften und Briefe wurden gewechselt, Rom schien staufisch werden zu wollen. In die Absichten Brancaleones paßte das nicht; er war nie kaiserlich gewesen und wollte wohl auch jetzt keinen Kaiser in Rom. So fanden sich Senator und Papst. Im Herbst 1253 gab Innozenz sein Asyl in Umbrien auf und zog Anfang Oktober in Rom ein, wo der Senator für angemessenen Empfang gesorgt hatte. Unter dessen Schutz lebte nun die Kurie nach mehr als neunjähriger Abwesenheit wieder an dem Ort, an den sie gehörte. Dafür war denn von Plänen der Ausbreitung der Stadtherrschaft nicht mehr die Rede.

Derweilen befestigte sich der Staufer allen Schwierigkeiten zum Trotz. Seit dem Sommer 1253 belagerte er Neapel, im Oktober ergab sich die ausgehungerte Stadt. Das Königreich gehorchte seinem angestammten Herrn im ganzen Umfang. So stark war seine Stellung schon zu Anfang des Jahres gewesen, daß ein Ereignis, das unter andern Umständen hätte lebensgefährlich werden können, ihm nichts schadete, der Abfall der Lancia. Worin ihr Verschulden bestanden hat, ist nicht zu erkennen. Eifersucht auf den Hohenburger, der als Deutscher bei Konrad mehr galt, wird die Ursache gewesen sein. Konrad strafte die ganze Familie mit Ausweisung und Enteignung. Auch Manfred, der Kaisersohn, hatte darunter zu leiden. Er wurde mit Mißtrauen behandelt, sah sein Fürstentum Tarent beschnitten und mußte sich Eingriffe des Königs in dessen Verwaltung gefallen lassen.

Im vollständigen Besitz des Königreichs unternahm Konrad einen zweiten Versuch zur Aussöhnung mit der Kirche. Auf eine erste Anknüpfung im Winter 1253/54 erhielt er die förmliche Vorladung mit Angabe der Vorwürfe, gegen die er sich verantworten sollte. Sie waren zum Teil ebenso böswillig wie albern, zum Teil nur Wiederholungen der alten Beschwerden, gegen die schon Friedrich II. sich vergeblich gewehrt hatte. Seinen Neffen, den Sohn des unglücklichen Königs Heinrich sollte er vergiftet, seinen kürzlich verstorbenen jungen Stiefbruder Heinrich, den jüngsten Sohn des Kaisers von der englischen Prinzessin, dauernd gefangengehalten haben. Die Strafgewalt der Kirche erkenne er nicht an, indem er seine eigene Ausschließung nicht beachte; in seinen Landen dulde er die Ketzer, begünstige den als Ketzer verurteilten Ezzelin von Verona, beraube Kirchen und Klöster, bekämpfe die römische Kirche, führe in seinem Reich eine tyrannische Regierung, greife in die Rechte des Römischen Reiches ein und störe das gegen ihn schwebende Verfahren, indem er Belastungszeugen festhalten lasse. In seiner Antwort widerlegte oder bestritt Konrad die Vorwürfe Punkt für Punkt, berief sich auf sein Erbrecht und seine Wahl zum römischen König, auf seinen Kampf gegen die Ketzerei in Deutschland, während in den von der Kirche bevorzugten Städten Mailand, Brescia und Mantua die Ketzerlehre öffentlich gepredigt werde. Hatte er sich davon Erfolg versprochen, so täuschte er sich. Innozenz blieb gegen alle Vorstellungen taub, vertagte zwar seinen Entscheid auf Wunsch einflußreicher Vermittler noch einmal, sprach aber schließlich doch das Urteil, wie es zu erwarten war. Am Gründonnerstag (9. April) 1254 verkündigte er öffentlich die Strafe des Ausschlusses gegen den jungen König, der bis dahin nur mittelbar, als Anhänger seines Vaters, für ausgeschlossen gegolten hatte.

Inzwischen schickte sich Konrad zu bewaffnetem Einschreiten in Oberitalien an. Schon vor Jahresfrist hatte er sein Kommen dort angekündigt, jetzt ließ er für einen Feldzug umfassende Rüstungen betreiben. Da erkrankte er im Februar 1254, erlitt, halb genesen, einen Rückfall und siechte nun langsam seinem Ende entgegen. Am 21. Mai 1254 beschloß er, 26 Jahre alt, sein kurzes und freudloses, an Mühen und Gefahren um so reicheres Leben. Mit dem Vater wird ihn niemand vergleichen wollen, aber daß es ihm an Herrschergaben nicht gefehlt hat, beweist die rasche und sichere Art, wie er sich in seinem Erbreich zum Herrn zu machen verstanden hatte. Wie weit seine Fähigkeiten reichten, hätte er erst bei längerem Leben zeigen können; Gelegenheit dazu würde er bald gefunden haben.

Hinter der Festigkeit, mit der Innozenz, durch die Erfahrungen dreier Jahre scheinbar unbelehrt, auf der Verwerfung des Staufers bestand, verbarg sich ein neuer, weitausgreifender Plan. Die Absicht, das Königreich für sich selbst in Besitz zu nehmen, hatte er aufgegeben. Daß dazu seine Kräfte nicht reichten, hatte er begriffen und schon vor zwei Jahren angefangen, sich nach einem auswärtigen Fürsten umzusehen, der ihm mit eigenen Mitteln zu Hilfe kommen sollte, um sich die Krone von Sizilien zu verdienen. Dabei war er zunächst auf Richard von Cornwall verfallen, mit dem ja schon einmal verhandelt worden war. Aber Innozenz war doch so vorsichtig, gleichzeitig eine zweite Sehne auf seinen Bogen zu spannen: er dachte auch an Karl von Anjou. Aus den gleichen Tagen, Anfang August 1252, stammen die Vollmachten für einen Vertrauten des Papstes, seinen Notar Albert aus Parma, zur Verhandlung sowohl mit dem Engländer wie mit dem Franzosen. Wie sich versteht, wurden beide im Unklaren darüber gelassen, daß sie einen Nebenbuhler hatten. Zunächst ist während des Herbstes und Winters mit Richard verhandelt worden, aber einig wurde man nicht. Richard hat selbst gestanden, er habe das Unternehmen für zu gewagt gehalten. Es komme ihm vor, so soll er gesagt haben, als wolle ihm jemand den Mond verkaufen, mit der Aufforderung, ihn sich zu holen. Darauf wandte sich der Unterhändler nach Frankreich und fand hier offenere Ohren. Im Juni 1253 war es so weit, daß er mit allen erforderlichen Vollmachten zum Abschluß ausgestattet und zum Legaten für ganz Frankreich bestellt werden konnte. Er brauchte das, handelte es sich doch vor allem um Aufbringung der erforderlichen Geldmittel, für die es keinen andern Weg als die Besteuerung sei es der englischen, sei es der französischen Kirchen gab; dazu aber bedurfte es der vollen päpstlichen Autorität und – der Zustimmung der Regierung. In Frankreich führte sie, da Blanca unlängst gestorben war und Ludwig IX. immer noch im Osten weilte, des Königs ältester Bruder, Alfons von Poitou. Er hat keine Schwierigkeiten gemacht, den Plan gutzuheißen, durch den der Papst, wie er versicherte, Frankreich eine besondere Gunst erweisen wollte. Auch Karl selbst war nicht abgeneigt, bewies aber schon hier neben einer ans Kleinliche streifenden Genauigkeit jene harte Selbstsucht, durch die er später berüchtigt geworden ist. Alle Vorteile des Unternehmens wollte er sich sichern, aber kosten sollte es ihn nichts. Die Mittel mußte die Kirche aufbringen in Gestalt einer Anleihe von 400 000 Pfund jährlich bis zur vollendeten Besitzergreifung vom Königreich, wofür dessen Einkünfte, nicht aber Karls andere Länder verpfändet blieben. Zahlungsfristen waren nicht ausbedungen, es sollte von Karl abhängen, wie bald er sich seiner Schuld entledigen wollte. Die Riesensumme selbst konnte, da des Papstes Kasse leer war, wiederum nur durch Anleihen flüssig gemacht werden, und Notar Albert hatte unbegrenzte Vollmacht, solche aufzunehmen, ‹auch gegen hohe Zinsen› (*sub gravibus usuris*). Als Deckung waren die Kreuzzugsgelder und Abgaben der Prälaten aus Frankreich und der Provence vorgesehen. Es versprach ein gewaltiges Finanzgeschäft zu werden, bei dem die vorschießenden Banken die Gewinner waren. Bedingungen machte natürlich auch der Papst. Karl sollte versprechen, alle Kirchengesetze Friedrichs II. und seiner Vorgänger, insbesondere betreffend den Gerichtsstand der Geistlichen, aufzuheben, jedem Einfluß auf die Bischofswahlen zu entsagen, das Königreich niemals mit dem Kaisertum zu vereinigen, den Feldzug bis zum 1. November anzutreten, und vieles andere mehr. Über die Höhe des Lehnszinses gingen die Ansichten auseinander, Karl suchte ihn herabzudrücken, der Papst in seiner derzeitigen Geldnot verlegte sich aufs Bitten. Überhaupt war noch nicht alles geklärt, Karls Räte nahmen Anstoß an einigen Punkten, auf die der Papst ungern verzichtet hätte. Innozenz verfiel darum auf einen Ausweg, der für ihn bezeichnend ist. Ein Schiedsgericht sollte entscheiden, Karl jedoch vorher eine geheime Erklärung ausstellen, daß diese Entscheidung ungültig und er an die Bedingungen des Papstes gebunden sei. Die eigenen Diener so zu hintergehen, mag Karl widerstanden haben; es kam aber hinzu, daß sich ihm eben damals die Aussicht eröffnete, durch Eingreifen in einen schwebenden Erbstreit um Flandern den Hennegau zu erwerben. Diese Provinz lag ihm und vor allem der französischen Krone näher als das Königreich Sizilien, so verlockend es war. Im Herbst 1253 trat Karl von dem Geschäft zurück.

Dafür meldete sich England aufs neue, aber es war nun nicht mehr durch Richard von Cornwall vertreten, Heinrich III. selbst trat als Bewerber auf. Er hat behauptet, er habe sich bisher gescheut, zur Enterbung seines Schwestersohnes aus der Ehe Friedrichs II. mit Isabella von England, des jungen Heinrich von Sizilien, die Hand zu bieten. Da dieser nun (im Dezember 1253) gestorben, so sei er bereit, die Krone für seinen jüngsten Sohn Edmund anzunehmen. Heinrich III. handelte nicht aus eigenem Antrieb: seit dem Herbst 1253 weilte bei ihm in geheimer Sendung der Neffe des Papstes, Kardinal Ottobuono Fieschi. Wahrscheinlich hat auch der Oheim der Königin, Thomas von Savoyen, zugleich Schwager des Kardinals, dazu mitgewirkt; er hat seine Hände dauernd in der sizilischen Frage gehabt, ebenso eigennützig und achselträgerisch wie früher gegenüber dem Kaiser. Vielleicht war er sogar der Erfinder des neuen Planes, auf den man sich rasch einigte. Schon Anfang März 1254 stellte Albert von Parma die entsprechende Urkunde aus, Mitte Mai erteilte der Papst die Bestätigung. Nun hätte die förmliche Übertragung erfolgen sollen, aber sie unterblieb. Man sieht nicht ganz klar, warum. Hatte der Tod Konrads IV. in den Augen des Papstes den englischen Beistand überflüssig gemacht und die früheren Absichten auf Einverleibung des Königreichs in den Kirchenstaat wieder aufleben lassen, oder hat der kluge Albert auf eigene Verantwortung den letzten Schritt unterlassen, weil er durchschaute, daß es dem König nur um den Kirchenzehnten zu tun und wirksames Handeln von ihm nicht zu erwarten war? Beides ist möglich. Seit dem Sommer 1254 hatte also Innozenz wieder freie Hand, die neue Lage zu benutzen, die sich ihm durch Konrads IV. Tod eröffnete.

Sie hätte kaum günstiger sein können. Konrad hatte einen Sohn gleichen Namens hinterlassen, der erst nach des Vaters Fortgang aus Deutschland am 26. März 1252 geboren war und unter der Obhut der Mutter und des Oheims von Baiern aufwuchs. Als Konradin, *il Corradino*, wie die Italiener ihn nannten, lebt er in der Geschichte. Daß ihm nach Erbrecht die Krone des Königreichs gebühre, wurde nur von der Kirche bestritten, für die der Ketzerenkel — Friedrich II. war ja in Lyon als Ketzer verurteilt worden — kein Erbrecht besaß. Aber daß das zweijährige Kind im fernen Baiern für die Leute von Apulien und Sizilien nicht der König war, dessen sie bedurften, war ebenso klar. Zudem hatte Konrad durch letztwillige Verfügung zum Vormund des Knaben nicht, wie man hätte erwarten dürfen, Manfred, sondern Berthold von Hohenburg bestellt, sei es, daß ihm der Stiefbruder als Neffe der Lancia verdächtig erschien, oder daß er auf den Hohenburger persönlich größeres Vertrauen setzte. Gegen die Regentschaft des Deutschen, die Zurückdrängung des einheimischen Prinzen regte sich bald der Unwille im Adel des Landes, die verbannten Lancia kehrten zurück, der Kreis, der die Sache des staufischen Hauses zu vertreten hatte, war nicht mehr geschlossen.

Innozenz zögerte nicht, das zu benutzen. In einem Ränkespiel, das seinesgleichen sucht, glaubte er das Königreich in seine Hand bringen zu können. Als die Regentschaft, zunächst noch äußerlich einig, im Juli eine Gesandtschaft an ihn schickte, an der Spitze Manfred und Friedrich von Antiochia, um die Anerkennung Konradins zu erwirken, hielt er sie zwei Wochen mit nicht ernstgemeinten Verhandlungen hin, um sie schließlich unverrichteter Dinge heimzuschicken. Dann erließ er Mitte August eine Vorladung an Manfred, Hohenburg und alle an der Regierung beteiligten Herren auf den 8. September, sie sollten sich wegen Vorenthaltung des erledigten Königreichs rechtfertigen und ihre Lehen von der Kirche in Empfang nehmen. Es war ein deutlicher Wink, daß auf Lohn hoffen dürfe, wer sich füge. Damit war der Erisapfel unter die Regenten geworfen, die Spaltung unter ihnen brach offen hervor. Hohenburg wurde gezwungen, die Vormundschaft niederzulegen, die Manfred übernahm. Die Ansicht fand Vertreter, man dürfe den Frieden mit dem Papst nicht verscherzen, zumal dieser zu verstehen gab, daß er Konradins Anspruch nicht unbedingt verwerfen würde, während er zu gleicher Zeit ein starkes Heer, zu dessen Besoldung die italischen Kirchen kräftig besteuert wurden, unter der Führung seines Neffen, des Kardinals Wilhelm Fieschi, an der Südgrenze des Kirchenstaats aufmarschieren ließ. Den tatsächlichen Oberbefehl führte ein Bruder des Papstes, und so eifrig und zahlreich beteiligte sich die gesamte weit zerstreute Verwandtschaft, daß es aussah, als handle es sich um eine Familienangelegenheit der Fieschi von Lavagna. Man sprach sogar davon, des Papstes Bruder solle König von Sizilien werden. Innozenz selbst gebärdete sich durchaus als Herr des Reiches. Der Kardinal, zum Legaten bestellt, hatte weitgehende Vollmacht, über Ämter, Lehen, Besitz und Rechte, geistliche wie weltliche, zu verfügen, unbeschadet der Rechte Konradins, die auch bei Huldigungen vorbehalten werden dürften.

Als der 8. September verstrich, ohne daß einer der Geladenen erschienen wäre, wurde über Manfred, Friedrich von Antiochia und alle drei Brüder Hohenburg der Ausschluß verhängt, ihre Lehen wurden für verwirkt erklärt und dem Legaten Befehl zum Einmarsch gegeben. Nun begann im festländischen Teil des Königreichs der Übergang zur Kirche: Barone und Städte huldigten dem Papst, ließen sich ihre Rechte bestätigen und nahmen Gnaden von ihm an. Die Grenze stand seinen Truppen offen, an vielen Stellen im Innern hatte er Einverständnisse angeknüpft, sogar den Statthalter von Sizilien und Kalabrien für sich gewonnen. Im Lager Manfreds verlor man den Mut. Bewaffneten Widerstand mit dem zunehmenden Abfall im Rücken zu leisten, schien aussichtslos, Verständigung mit dem Papst der einzige Weg zu retten, was noch zu retten war. Zeit war nicht zu verlieren, wenn die Gegenpartei, Hohenburg und Genossen, nicht zuvorkommen sollten. In aller Eile, beraten vom Oheim Galvano Lancia, entschloß sich Manfred zur Unterwerfung. Am 27. September schon war das Abkommen fertig. Manfred behielt als Lehen der Kirche das Fürstentum Tarent, bekam dazu die Grafschaft Andria und wurde zum Statthalter der Kirche im festländischen Teil des Reiches bestellt, von der Meerenge bis zu einer Linie, die vom Golf von Salerno zur Mündung des Trigno ins Adriatische Meer führte. Etwaige Rechte Konradins, deren Prüfung des Papst in Aussicht stellte, sollten vorbehalten bleiben.

Innozenz triumphierte. ‹Erhobenen Geistes› — so schrieb er an seine Vaterstadt Genua — ‹kann man zur Ehre Gottes sagen, daß die Lage der Kirche heute glorreicher ist als jemals früher.› In der Tat, wenn die getroffene Anordnung von Dauer war, durfte das siegende Papsttum einen Machtgewinn buchen, der sogar die Errungenschaften Innozenz' III. übertraf. Das so oft erstrebte Ziel war erreicht, das südliche Königreich in der Hand des Obereigentümers, und nur von diesem schien es abzuhängen, in welcher Form er es sich nutzbar machen wollte. Daß der Vorbehalt zugunsten Konradins praktisch bedeutungslos war, lag am Tage; er sollte nur die wahre Absicht verschleiern. Worauf diese gerichtet war, verrät die räumliche Lücke in der Bestallung Manfreds zum Statthalter: weder von der Insel Sizilien noch von den nördlichen Provinzen, dem alten Fürstentum Salerno mit Capua und Neapel, war darin die Rede, die Abruzzenlandschaft war sogar ausdrücklich ausgenommen. Diese wie jene sollten dem Kirchenstaat unmittelbar einverleibt werden, und man kann sich denken, daß der Papst einen seiner Verwandten damit zu belehnen vorhatte. Welches Schicksal der Insel zugedacht war, ist zweifelhaft, vermutlich war auch hier eine Statthalterschaft in Aussicht genommen, nur ihr Träger noch nicht bestimmt. Daß Manfred, der unerfahrene junge Mann, keine Schwierigkeiten machen würde, dafür war gesorgt: der Papst hatte sich die Einkünfte des Landes vorbehalten und den Statthalter mit einem Jahresgehalt von 8000 Goldunzen abgefunden, einer Summe, die für einen anständigen Hofhalt allenfalls, niemals aber für selbständige politische oder militärische Unternehmungen ausreichte.

Manfred schien sich in seine Lage finden zu wollen. Als der Papst sich aufmachte, um von den neuerworbenen Gebieten persönlich Besitz zu ergreifen, empfing er ihn an der Grenze bei Ceprano, führte sein Roß eine Strecke weit, wie es sich für den Vasallen ziemte, und geleitete ihn auf seiner weiteren Reise. Ob er im stillen entschlossen war, die Abmachung immer zu halten, wissen wir nicht, Innozenz dagegen machte kein Hehl daraus, wie er das Verhältnis auffaßte. Indem er als Herr des Königreichs die Regierung an sich nahm, überall Verfügungen traf, Gnaden austeilte, Belehnungen vollzog, Ämter und Rechte bestätigte und verlieh, griff er ungescheut über die Grenzen von Manfreds Fürstentum und Statthalterschaft hinweg und übertrug sogar einem persönlichen Gegner des Staufers eine Herrschaft, die von Rechts wegen diesem gehörte. Nicht weniger rücksichtslos trat der Legat auf, ließ sich überall huldigen, ohne daß Konradins gedacht wurde, und stellte die gleiche Zumutung an Manfred selbst. Zur endgültigen Ordnung der Verhältnisse sollten Barone und Städte sich in Capua zum Reichstag versammeln.

Dazu kam es nicht mehr. Manfred, der sich nachgerade über die ihm zugedachte Rolle nicht mehr täuschen konnte, verließ am 18. Oktober den Hof, und nun entwickelten sich die Dinge mit großer Schnelligkeit. War es Zufall oder lag ein Anschlag zugrunde, auf seinem Ritt begegnete Manfred jenem Feinde, dessen Begünstigung durch den Papst ihn so aufgebracht hatte; sein Gefolge, einen Angriff befürchtend, stürzte sich auf den Mann und erschlug ihn. Sofort eröffnete Innozenz ein Strafverfahren wegen Mordes gegen Manfred, lud ihn vor und verweigerte ihm sicheres Geleit. Das war für Manfred das Zeichen zum Bruch. Er dachte zunächst an Vereinigung mit Hohenburg. Der aber wich ihm aus; er stand schon im Begriff, ganz ins Lager des Papstes überzugehen, hat auch gleich darauf mitsamt seinen Brüdern von Innozenz Bestätigung aller Besitzungen und Ämter, für sich selbst dazu noch beträchtliche Einkünfte aus den Hafenzöllen Apuliens angenommen. Nicht lange, so treffen wir ihn als militärischen Berater bei der Führung der päpstlichen Truppen.

Manfred hatte sich indessen mit wenigen Begleitern nach Apulien gewandt und in schleunigem Ritt, dessen abenteuerliche Umstände ein Augenzeuge höchst lebendig geschildert hat, zwischen den Truppen des Papstes und Hohenburgs hindurch, am 2. November Lucera erreicht, von der sarazenischen Besatzung mit Jubel aufgenommen, obgleich der Befehlshaber schon im Dienste des Papstes stand. In Lucera fand er die gefüllte Staatskasse, die ihm erlaubte, Truppen anzuwerben. Manfreds Name und sein Gold übten ihre Anziehungskraft auf Hohenburgs deutsche Söldner, sie gingen zu ihm über. Mit seinem neugebildeten Heer trat er dem Legaten entgegen, der sich bei Foggia festsetzte, aber mit seinen schlechten Truppen einen Kampf nicht wagte und durch Verpflegungsmangel und Krankheiten in zunehmende Schwierigkeiten geriet. Während Hohenburg Verhandlungen anknüpfte, überhaupt eine mehr als zweideutige Haltung annahm, gelang es Manfred, die Vorhut des Gegners zu schlagen. Dem Legaten blieb nichts übrig, als den Rückzug anzutreten, der in Flucht ausartete – sein Heer, das nach dem Abfall der Deutschen aus unbrauchbarem Gesindel bestand, löste sich auf. Das geschah im Anfang Dezember. Der junge Staufer hatte seinen ersten vollständigen Erfolg errungen. Ganz auf sich allein gestellt, hatte er mit rasch entschlossenem, kühnem und geschicktem Handeln die Welt ahnen lassen, wer er sei und was man von ihm zu erwarten habe. Die Kirche hatte einen Gegner gefunden, der ihr noch zu schaffen machen würde.

Innozenz hatte indessen seinen Sitz über Capua nach Neapel verlegt und im Palast weiland Peters della Vigna Wohnung genommen. Hier erfuhr er, was in Apulien geschah, das Hinschwinden seiner so stolz verkündigten Erfolge. Er mußte sich gestehen, daß er doch nicht imstande sei, das begonnene Unternehmen aus eigener Kraft zu Ende zu führen, und richtete Mitte November einen dringenden Hilferuf nach England. Seit einiger Zeit schon lag er krank, nun traf ihn die Nachricht von der Vernichtung seines Heeres bei Foggia. Der Schlag war zu viel für ihn; am 7. Dezember 1254 ist er gestorben. Man wollte wissen, in seinen letzten Stunden habe er die erlittene Demütigung als Strafe begangenen Unrechts empfunden.

Elf Jahre und ein halbes hat Innozenz IV. regiert, Jahre voll der größten Ereignisse, Kämpfe und Gefahren. Er hatte alles überstanden, zuletzt noch einmal den Wechsel des Glückes in schroffster Form erlebt, den für sicher gehaltenen vollen Erfolg wieder in Frage gestellt, die Zukunft in Ungewißheit gehüllt gesehen. Einen erhebenden Anblick bietet seine Erscheinung nicht. Es macht keinen heldenhaften Eindruck, wenn man ihn sich vorstellt, wie er wohlgeborgen im bischöflichen Palast zu Lyon sitzt und an seiner Erläuterung der Dekretalen arbeitet, während draußen in Italien und Deutschland seine Diener und Anhänger mühevolle und blutige Kämpfe ausfechten. Dennoch kann niemand bestreiten, daß Innozenz IV. zu den großen Gestalten auf dem Stuhle Petri gehört. Unter den Zeitgenossen fanden sich schmeichelnde Stimmen, die ihn über alle früheren Träger seines Namens stellen wollten. Was ihn so groß erscheinen ließ, war sein Sieg über den Kaiser, auch seine Grabschrift im Dom zu Neapel rühmt ihm nach, daß er ‹den Feind Christi, den Drachen Friedrich niedergestreckt› habe, und wer wollte leugnen, daß nur ein so außerordentliches Maß von unbeirrbarer Festigkeit des Wollens, ein so unerschütterlich zähes Festhalten an dem einmal Beschlossenen, wie es Innozenz bewiesen hatte, verbunden mit ebensoviel geschmeidiger Klugheit das gesteckte Ziel zu erreichen vermochten? Es war erreicht, die Wiedererrichtung des Kaisertums verhindert, die Einigung Italiens zu einer einzigen Monarchie hintertrieben, allen Anstrengungen eines Herrschers von außerordentlichen Fähigkeiten zum Trotz. War der letzte Erfolg, wie Innozenz ihn sich gedacht hatte, nicht festgehalten worden, mußte man auch weiterhin auf Kämpfe, harte und opferreiche Kämpfe gefaßt sein, so durfte die Gefahr, die dem Papsttum einen Augenblick nahe genug gedroht hatte, daß es genötigt würde, auf die Rolle der führenden Macht im Staatsleben Italiens, vielleicht auf den eigenen Landesstaat überhaupt zu verzichten – diese Gefahr durfte als überwunden gelten, wenn die Nachfolger ihre Aufgabe verstanden und ihr gewachsen blieben. Eine gewaltige Leistung war vollbracht, ein großer Sieg errrungen. Um welchen Preis?

Innozenz IV. hatte alles diesem einen Zweck geopfert, hinter die Erhaltung des eigenen Landesstaats, hinter den Anspruch auf Vormacht in Italien mußte anderes, mußten auch die größten und dringendsten Anliegen der Kirche zurücktreten. Für ihre vornehmste Aufgabe hatte bis dahin gegolten und galt noch immer die Rückeroberung des Heiligen Landes. Wir wissen, was dafür geschehen war: die Anstrengungen, die Frankreich machte, führten zur Niederlage, weil des Papstes Kampf gegen den Kaiser die Kräfte des Abendlands spaltete. Und noch mehr als das. Hatte schon Gregor IX. das Seine getan, die Regierung Friedrichs in Jerusalem zu erschüttern, so ist Innozenz doch weitergegangen. Dem Kreuzzug des französischen Königs hat er geglaubt vorarbeiten zu sollen, indem er die von jeher schwache Ordnung im Lande vollends aufzulösen suchte. Dem Patriarchen befahl er, den Statthalter des Kaisers aus dem Lande zu treiben, verbot die kaiserliche Fahne zu zeigen und rief die Prälaten, die Ritterorden, die Einwohner von Akka zum Widerstand gegen Friedrichs Regierung auf. An Friedrichs Stelle, den ein früherer Papst zur Annahme der Krone von Jerusalem gedrängt hatte, suchte Innozenz den König von Zypern zu schieben, den er von seinem dem Kaiser geleisteten Eide entband und in den unmittelbaren Schutz des apostolischen Stuhles nahm. Er erreichte damit nichts weiter, als daß die Kräfte des Landes sich gegenseitig lähmten und aufrieben. Wie ein unbefangener Beobachter darüber urteilte, konnte der Papst vom armenischen Patriarchen lernen, der ihn aufforderte, um Palästinas willen mit dem Kaiser sich zu vertragen. Das hat Innozenz IV. ferngelegen, und so verzeichnet seine Regierung das tatsächliche Ende der Kreuzzüge.

Umsonst fragen wir auch, was unter ihm und durch ihn für Erhaltung und Wiederaufrichtung des lateinischen Kaisertums im Osten, was zur Abwehr der Mongolen geschehen ist. Mit um dieser Zwecke willen war das Konzil berufen, waren auf ihm weitgehende Beschlüsse gefaßt worden, die Ausführung ist unterblieben. Nach wie vor irrte Kaiser Balduin hilfesuchend im Abendland umher, der Kampf gegen die Mongolen war örtlichen Kräften überlassen. Wir wissen, wie der schlichte Menschenverstand der Menge darüber dachte.

Hätten die Leute alles gewußt, was sich im Dunkel geheimer Verhandlungen abgespielt hatte, sie hätten noch schärfer geurteilt. Sie erfuhren nur, daß seit Jahren zwischen dem Papst und dem griechischen Kaiser Gesandtschaften gewechselt wurden wegen Einigung der Kirchen des Ostens und Westens; sie würden gestaunt haben, hätten sie erfahren, wie nahe man dem Ziele schien und welches der Preis sein sollte. Innozenz IV. ist am Ende seiner Regierung bereit gewesen, das lateinische Kaisertum und die Reste der lateinischen Kirche im Osten in aller Form aufzuopfern, als der griechische Kaiser ihm dafür die Anerkennung des römischen Primates anbot. Ja noch mehr: der Papst verstand sich dazu, auch die Verschiedenheit des Bekenntnisses in der Lehre vom Heiligen Geist zu dulden, für den Fall – so hieß es in seiner Antwort –, daß das geplante Unionskonzil hierüber keine Einigung zustande brächte; ein Fall, den man als gewiß voraussetzen durfte. Daß es ihm einzig um die Ausdehnung seines obersten Richtertums über den griechischen Osten zu tun gewesen sei, ist schwer zu glauben. Denn wie weit es gelingen würde, diese Befugnis mit Erfolg auszuüben, war doch höchst ungewiß; das hing vom guten Willen der Griechen ab. Außerdem war die Erklärung des Kaisers von vornherein mit dehnbaren Vorbehalten umgeben, die es erlaubten, römische Entscheidungen jederzeit nach Bedarf zurückzuweisen. Wenn Innozenz sich dadurch nicht abschrecken ließ, so ist ihm die recht äußerliche Unterwerfung der griechischen Kirche nicht die Hauptsache gewesen. Der stärkste Beweggrund seines Entgegenkommens lag anderswo. Friedrich II. war der Bundesgenosse des griechischen Kaisers Vatatzes und sein Schwiegervater geworden; das staufisch-griechische Bündnis zu sprengen, war das eigentliche Ziel des Papstes, als er den Griechen auf politischem wie auf kirchlichem Gebiet mit jener Fähigkeit der Anpassung an augenblickliche praktische Nützlichkeiten entgegenkam, die man immer an ihm beobachtet. Den Abschluß des Geschäfts hat der Tod des Kaisers Vatatzes verhindert, dem der Tod des Papstes auf dem Fuße folgte.

Über Innozenz IV. hat schon das Urteil der Zeitgenossen nicht günstig gelautet, und die Geschichte kann nicht anders als es unterschreiben. Nicht, daß er selbst der Nachrede Stoff geliefert hätte; es will etwas sagen, daß man auch im leidenschaftlichsten Kampf niemals zur Anschwärzung seiner Person gegriffen hat. Was man an ihm auszusetzen hatte, war die starke Begünstigung seiner zahlreichen Verwandten. ‹Er erbaute Zion aus dem Blut›, urteilt kurzweg Bruder Salimbene, der vielwissende und offenherzige Barfüßer. Das war schon manchem Papste nachgesagt worden. Anfechtbarer waren die Werkzeuge und das Verfahren, deren Innozenz sich bediente, Prälaten wie Oktavian Ubaldini, Gregor von Montelongo und Philipp Fontana eigneten sich schlecht zu Vertretern der Kirche, wo sie vorgab, einen weltlichen Herrscher als grausamen Tyrannen und Gottesleugner zu bekämpfen. Abgesehen davon, daß alle drei sich über die sittlichen Anforderungen ihres Standes hinwegsetzten – man kannte ihre Mätressen und unehelichen Kinder – an Grausamkeit konnte es Montelongo, an Härte Fontana mit jedem aufnehmen, und der Unglaube Ubaldinis war sprichwörtlich. Diese Mängel mußten in den Augen der Gläubigen ausgeglichen werden durch die Verdienste der Bettelmönche, unter denen Innozenz die Minderbrüder besonders bevorzugte. Was er persönlich auf dem Gewissen hatte, war etwas anderes. Mit seinem bedenkenlosen, rein auf Zweckmäßigkeit gerichteten Verfahren hat er das Ansehen des Papsttums und das Vertrauen zur Leitung der Kirche untergraben.

Zu allen Zeiten, das wissen wir, hatte das Gold am Hof der Päpste eine große Rolle gespielt, und seit Innozenz III. war der Umfang der Geldgeschäfte so gewachsen, daß die Kurie schon als bedeutendster Geldmarkt der Zeit angesehen werden konnte. Aber was unter dem vierten Träger des Namens in dieser Beziehung geschah, hatte man doch noch nicht erlebt. Nicht nur daß infolge der starken Besteuerung der gesamten Kirche die einlaufenden Summen gewaltig anwuchsen und Innozenz in den Ruf brachten, reich zu sein wie noch keiner seiner Vorgänger, der dauernde Krieg, den der Papst in Italien führte, brachte es mit sich, daß das Geld anfing der Punkt zu werden, um den sich alles drehte. Begreiflich genug: wenn die Heere um Sold geworben werden mußten – denn die das Kreuz aus reinem Glaubenseifer nahmen, waren wohl in den seltensten Fällen gute Soldaten, und auch sie mußten genährt werden –, wenn also der Ausgang des Krieges schließlich eine Geldfrage war, so wunderte man sich nicht, den Papst nach Einnahmequellen suchen und das Geld nehmen zu sehen, wo er es fand.

Der dreijährige Zwanzigste von der ganzen Kirche des Abendlands hätte, so meint man, wohl genügen sollen. Aber bei Licht besehen erscheint es zweifelhaft, ob davon so sehr viel in die päpstliche Kasse geflossen ist. Wie gewissenhaft die Steuer gezahlt wurde, wieviel unterwegs versickerte oder an unredlichen Händen kleben blieb, entzieht sich der Beobachtung. In Frankreich wurde der ganze Ertrag dem König überwiesen, in Deutschland erhielt Wilhelm von Holland mindestens einen großen Teil, aus dem sizilischen Königreich kam nichts, im übrigen Italien wird der Kriegszustand die Erhebung weithin unmöglich gemacht haben, aus den spanischen Reichen fehlen alle Nachrichten. Von diesem Zwanzigsten ist also nur ein Bruchteil für den Papst unmittelbar verfügbar geworden. Ergiebiger war eine andere Quelle, die gleichfalls durch den Kreuzzug gespeist wurde. Seit Honorius III. war es mehr und mehr in Übung gekommen, daß man sich vom Gelübde loskaufte, indem man den Betrag erlegte, den die Pilgerfahrt gekostet haben würde. Da die Höhe der Summe nach dem Vermögen des Zahlenden bemessen wurde, so war das ein bequemer Weg, sich den Ablaß des Kreuzfahrers ohne Wagnis und Beschwer zu verschaffen. Er wurde immer öfter beschritten, ja es war keine Seltenheit, daß das Gelübde schon unter Vorbehalt des Loskaufs abgelegt wurde. Von seiten der Kirche geschah nichts dawider, im Gegenteil, die Prediger drängten selbst dazu. Denn da die Menge der einfachen Pilger in ernstem Kampf eher hinderlich war, da auch viele Untaugliche, Kranke und sogar Frauen das Kreuz nahmen, so konnte es der Leitung nur recht sein, wenn diese unnützen Teilnehmer zahlten und zu Hause blieben. Unter Innozenz artete das Verfahren zu wirklichem Unfug aus, an dem die Leute Anstoß nahmen. Ernste Beobachter hielten mit ihrem Tadel nicht zurück. ‹Der Papst und sein ganzer Hof verloren dadurch›, so sagt ein englischer Chronist, ‹bei Geistlichen und Laien täglich mehr an Gunst.› Rechnet man dazu die Vermächtnisse – der Papst bedachte sich nicht, alles was zu frommen Zwecken ohne besondere Bestimmung hinterlassen wurde, desgleichen alle Bußzahlungen, für den Kreuzzug einzuziehen –, so müssen die auf diesem Wege erzielten Einnahmen sehr bedeutend gewesen sein, vielleicht bedeutender – denn die Quelle strömte ja dauernd – als das, was Zehnte und Zwanzigste jeweilen erbrachten. Einen gewissen Anhalt, mag die Zahl auch übertrieben sein, bietet die Angabe, aus Irland, einem der ärmsten Länder, seien in drei Jahren 40 000 Mark aus Vermächtnissen und Loskauf eingegangen. Die Verwendung schließlich, wer war in der Lage, nachzuprüfen, wieviel wirklich dem Kreuzzug zugute kam? Ein Kreuzzug war ja auch der Krieg gegen den Kaiser und der Papst als Herr der Kirche ohnehin befugt, die Zwecke zum Heil der Kirche zu vertauschen. Nur zu berechtigt war die Frage des englischen Chronisten nach dem Verwalter, dem Buchführer dieser Sätze, den niemand kenne.

Nur ganz ausnahmsweise erfahren wir etwas von den ‹Geschenken›, die der Papst aus besonderem Anlaß erhielt. Sie waren von jeher eine Hauptquelle seiner Einnahmen, und es versteht sich, daß sie bei gestiegener Volkszahl, größerem Reichtum und leichterem Verkehr zunahmen. Wieviel beispielsweise von Konzilsteilnehmern dargebracht wurde – wir erinnern uns, wie schon Innozenz III. die gleiche Gelegenheit ausgenutzt hatte [1] –, entzieht sich jeder Vermutung. Und solche Gelegenheiten gab es immer wieder. Als Innozenz IV. zur Begegnung mit dem französischen König nach Cluny kam, wurden ihm außer voller Verpflegung während vier Wochen noch dreißig gezäumte Reitpferde und ebenso viele Lasttiere gestellt, dazu behielt er von dem Zehnten, den er dem Abt zur Deckung seiner Unkosten von allen Klöstern des Ordens zu erheben gestattete, 3000 Mark für sich. Ein ergiebiges Geschäft war die Krönung, durch die König Haakon von Norwegen die Unregelmäßigkeiten seiner Thronbesteigung auszugleichen suchte; er zahlte dem Papst für die Entsendung eines Legaten 15 000 Mark. Auch hier mußten die Landeskirchen die Kosten tragen: der König bekam das Recht, ein Drittel ihrer Einkünfte für sich zu erheben, natürlich für den Kreuzzug – den er niemals angetreten hat. Eine Geldquelle, die jetzt immer stärker sprudelte, war die häufiger geübte Bestätigung und Ernennung von Bischöfen, für die das ‹Servitium› gezahlt wurde. End-

1 Siehe Bd. 3, S. 351.

lich, jeder genaueren Beobachtung entzogen, die außerordentlichen Beisteuern, die der Papst für Kriegszwecke von den Bischöfen Italiens fordern ließ. Sie scheinen zu einer allgemeinen Verschuldung der Kirchen geführt zu haben.

Über sichere Zahlen verfügen wir nicht, aber sehr groß müssen die Einnahmen schon gewesen sein, die der Kurie aus nah und fern zuflossen, da sie ihr die Aufstellung von Söldnerheeren in Italien, die Unterhaltung des Bürgerkriegs in Deutschland möglich machten neben den laufenden Ausgaben des Hofhalts, der Verwaltung und des diplomatischen Verkehrs. Von den Kosten des letzten Punktes freilich konnte ein gut Teil, vielleicht alles auf fremde Schultern abgewälzt werden. Schon die einfachen Briefboten des Papstes hatten Verpflegungsgelder zu fordern und mußten durch strenge Verbote abgehalten werden, ihren Auftrag zur eigenen Bereicherung zu mißbrauchen. Legaten und Nuntien lebten von jeher auf Kosten des Bezirks, in den sie gesandt waren, der dann möglichst weit abgesteckt wurde, und die altüblichen Klagen über ihr räuberisches Auftreten vernehmen wir auch in dieser Zeit. Von einem zurückkehrenden Legaten erwartete man, daß er Schätze mitbringe. Einer, der Ludwig IX. auf dem Kreuzzug begleitet hatte, nahm sich vor, all sein Geld für die Befestigung von Akka auszugeben, damit bei seiner Ankunft an der Kurie die Leute nicht ‹sich auf seine Hände stürzten ›. Aber so hoch die Summe der Einnahmen sein mochte, sie liefen nur allmählich in Bruchteilen und längeren Zeiträumen ein, für Aufstellung von Heeren mußten die Ausgaben im großen auf einmal und rasch geleistet werden. Daraus ergab sich notgedrungen eine Anleihewirtschaft, bei der der Papst immer tiefer in die Kreide geriet und die Kaufleute reich wurden. Mit ihren Vertretern und Angestellten folgten sie der Kurie wie ein Schwarm von Krähen dem gejagten Wild, sie werden zu kirchlichen Aufträgen benutzt — 1251 traf die Kirchensperre den Besitz eines burgundischen Herrn, der vier von ihnen in Geschäften des Papstes reisend gefangen hatte —, sie sind unentbehrlich und genießen großes Ansehen. Einen Buonsignori aus Siena trifft man als Mitglied des päpstlichen Haushalts (*familiaris*). Seine Vaterstadt war kaiserlich, also gehörte er zu den Ausgewanderten. Aber das Geld überbrückte auch die Kluft des Parteigegensatzes: während der Belagerung von Viterbo 1243 verschaffte sich Rainer Capocci, als die Mittel seiner Freunde erschöpft waren, insgeheim eine große Anleihe von Kaufleuten im Lager des Kaisers. In jenen Jahren, als während des dauernden Krieges in Italien und Deutschland die hohen Abgaben und kostbaren Geschenke in Gestalt von Vorschüssen zu hohen Zinsen durch die Hände von Leuten aus Siena, Lucca und Florenz in die Schatzkammer des Papstes strömten, ist die Geldmacht der toskanischen Städte begründet worden, die es unter anderem den Florentinern erlaubte, im Jahre 1252 die Goldwährung einzuführen. An das kirchliche Zinsverbot durfte man freilich nicht denken, wo der Papst selber einmal, wie wir hörten, seine Vertreter anwies, nötigenfalls vor Wucherzinsen nicht zurückzuschrecken.

Wie es an der Kurie herging, war weltbekannt. Daß Ämter und Pfründen dort käuflich waren, galt für so ausgemacht, daß man dem Nachfolger Innozenz' IV. auf eine Bewerbung dieser Art die Antwort zuschrieb: ‹Nicht doch, Bruder, der Pfründenkrämer ist tot.› Und nicht nur Pfründen, auch Urteile waren für Geld zu haben. Von der unerwünschten Visitierung durch den Erzbischof-Primas befreite sich der Klerus Englands durch Beschwerde an der Kurie und erreichte seinen Zweck mittels Zahlung von 6000 Mark. Sogar der fromme und strenge Bischof Robert Grossetête von Lincoln griff zu diesem Mittel, um gegen sein Kapitel Recht zu bekommen. Angesichts solcher Beobachtungen kann man nur annehmen, daß es auf Gewinnung größerer Mittel abgesehen war, wenn Innozenz im Anfang seiner Regierung den Gedanken Honorius' III. wiederaufgenommen hat, der Kurie feste Einnahmen aus den Landeskirchen anzuweisen. Daß er damit auf Widerstand stieß, der ihn veranlaßte, den Plan aufzugeben, wundert einen nicht mehr.

Von den Klagen der Geistlichen, aber auch des Laienvolkes über den Papst, der unermüdlich nach Geld gierte, der sein Vertrauen aufs Geld statt auf die Gebete der Gläubigen setzte und mit seinen fortdauernden Besteuerungen Klöster und Kirchen ausplünderte, ist die Chronik des Mönchs von St. Albans erfüllt. Dieser Chronist ist nicht der einzige, der dem Papste schuld gibt, die Kirche zugrunde gerichtet zu haben. Wir haben ja gehört, wie schließlich sogar aus Frankreich und unter Teilnahme des allerfrömmsten Ludwig IX. eine ernste Vorhaltung gegen diese Ausbeutung und ihre verhängnisvollen Folgen einlief.

Aus dem ständigen Geldbedarf erklärt sich auch die unerhörte Häufung der ‹Provisionen›. Daß für den Empfang einer Pfründe oder Anwartschaft gezahlt wurde, versteht sich von selbst. Wenn die Tatsache auch selten bezeugt ist, wie im Fall des Abtes von St. Edmundsbury, dessen Wahl der Papst verwarf, um ihn nach Zahlung von 800 Mark selbst zu ernennen, so begreift man, daß Innozenz in seiner steten Geldnot dieses nicht mehr bestrittene Recht als Einnahmequelle behandelte und dabei mit einer Freigebigkeit verfuhr, die man unter seinen Vorgängern nicht gekannt hatte. Eine Untersuchung, die der Bischof von Lincoln anstellte, ergab, daß Innozenz in England mehr Provisionen verteilt hatte als seine Vorgänger zusammen. Wir wissen, was er sich deswegen von England und Frankreich sagen lassen mußte. Eine Bestätigung der Klagen bieten die Privilegien, durch die sich einzelne Stifter von der Pflicht zur Annahme von Provisionen loskauften. Aus Deutschland kennen wir Fälle, die den Mißbrauch näher beleuchten. So waren in Konstanz schon 1248 die 20 Domherrenpfründen mit 38 Anwartschaften belegt. Vier Jahre später verschaffte sich das Domkapitel von Mainz das Recht, päpstliche Verleihungen wenigstens in den Fällen nicht zu beachten, wenn die Anwärter Kinder, schwachsinnig, unbrauchbar oder unwissend waren. Keine Rolle spielte bei Innozenz die Altersgrenze; wir kennen aus Frankreich allein neun Fälle, in denen er sich darüber hinwegsetzte. Ebenso sah er ab von der Verpflichtung, das Amt oder die Pfründe an Ort und Stelle selbst zu versehen, und die Genehmigung zu Pfründenhäufung – ein Mißbrauch, der nach strengem Urteil für Todsünde galt – war bei ihm leicht zu haben. In England hat er sie fünfmal öfter erteilt als sein Vorgänger in der gleichen Zeit, ja er bot sie selbst an. Sie war das Mittel, durch das er, wie wir gesehen haben, den englischen Adel gefügig zu machen gedachte. Hierin mußte der Papst sich von König Ludwig IX. beschämen lassen, der im Bereich seines Patronats niemandem mehr als eine kirchliche Stelle gab und auch seinem Erben empfahl, daran festzuhalten.

Innozenz IV., der große Rechtsgelehrte, hat in seinen Regierungshandlungen wenig Achtung vor Recht und Gesetz bewiesen, Nutzen und Vorteil galten ihm überall mehr. Größere Biegsamkeit konnte man kaum verlangen, als er sie gegen Freund und Feind übte. Daß der Übertritt bisheriger Gegner zur Partei der Kirche auf jede Weise erleichtert wurde, ist noch das wenigste; auch der Freibrief zur Aneignung von Gütern der Feinde, von Innozenz in Italien wie in Deutschland als Belohnung und Lockung angewandt, kann als Kampfmaßregel entschuldigt werden. Aber es überrascht, wenn man sieht, daß die Stadt Ascoli in der Mark, deren gänzlicher Abfall um jeden Preis verhütet werden sollte, die Erlaubnis bekam, mit Konrad IV. Waffenstillstand zu schließen ohne den Vorbehalt des Gehorsams gegen die Kirche. Auch die strengen Ketzergesetze störten den Papst in solchem Fall wenig. Ezzelin von Verona, wegen Ketzerei verklagt, erhielt sicheres Geleit angeboten und durfte sich den Ort der Verhandlung wählen, wenn er sich nur stellte; die Absicht ist durchsichtig. Handel mit den Ungläubigen zu treiben, war längst streng verboten. Innozenz dehnte das Verbot auf die zum Kaiser haltenden Pisaner aus, er untersagte alle Geschäfte mit ihnen. Dagegen gestattete er den Venetianern ausdrücklich, ihren Handelsverkehr mit den Sarazenen fortzusetzen, gegen den der Kreuzzugslegat mit gutem Grunde eingeschritten war. Das Unverfrorenste an Mißachtung des Rechts ist wohl die dem Erzbischof von Mainz erteilte Erlaubnis, Schulden seiner Kirche nicht anzuerkennen, wenn nicht nachgewiesen wurde, daß sie zum Nutzen der Kirche gemacht waren. Wie oft mag dieser Nachweis wohl geglückt sein? Und wieviel hatte der Mainzer für diese Begünstigung gezahlt?

Die Mißwirtschaft, die unter seiner Regierung eingerissen war, hat Innozenz IV. schließlich wenigstens in einem Punkte selbst eingestehen müssen. Im Mai 1252 erklärte er alle Anwartschaften auf Bistümer, Abteien und Priorate für ungültig, die er bisher unter dem Druck der bösen Zeit und ‹auf unverschämtes Drängen der Bewerber› ausgestellt habe. Anderthalb Jahre später erließ er eine zweite Verordnung, die wie ein reumütiges Schuldbekenntnis klang. Mit gefühlvollen Worten beklagte er es schmerzlich, gegen seine Absicht infolge der schlimmen Zeit und der Zudringlichkeit der Bittsteller durch unmäßiges Ausstellen von Versorgungsbriefen Anstand und Ordnung verletzt, Kirchen und Klöster geschädigt zu haben. Der wenig würdige Erlaß, durch den der Papst die eigene Schuld auf andere abzuwälzen suchte, war schwerlich eine freiwillige Maßregel, alles spricht dafür, daß Innozenz dazu gezwungen worden und daß der Anstoß von England gekommen war.

Wir kennen die Lage der Dinge, die es dem Papst erlaubte, in diesem Lande ausgiebiger als anderswo von seinem Recht Gebrauch zu machen, wir wissen auch, wie böses Blut er damit bei den Betroffenen, Prälaten, Kapiteln und Konventen, machte, insbesondere durch die berüchtigte Klausel *non obstante*, die alle etwa entgegenstehenden Vorrechte von Fall zu Fall außer Kraft setzte. Nun geschah es zu Anfang 1253, daß dem Bischof von Lincoln ein Befehl dieser Art zur Versorgung eines Papstneffen mit einer Domherrnpfründe vorgelegt wurde. Bischof war Robert Grossetête, berühmt als Gelehrter, angesehen und gefürchtet als Eiferer für Frömmigkeit und strenge Zucht, kampflustig und rechthaberisch. Er hatte bisher in allen Streitigkeiten zum Papst gehalten, ihn auch auf dem Konzil in Lyon unterstützt und in der Kirchenpolitik sich zu Grundsätzen bekannt, die man in späteren Zeiten ultramontan genannt haben würde. Welches Aufsehen machte es da, daß dieser Mann dem neuesten Befehl des Papstes nachzukommen sich weigerte! In der Antwort an die mit der Ausführung Beauftragten gab er die schneidende Erklärung ab, päpstliche Weisungen seien nur verbindlich, soweit sie mit der Lehre Jesu und der Apostel übereinstimmten, dem Papste sei seine Vollmacht von Gott verliehen zur Erbauung der Kirche, nicht zu ihrer Zerstörung. In seiner hitzigen Art ging Grossetête so weit, die Außerkraftsetzung bestehender Vorrechte für einen Mißbrauch zu erklären, der den Papst an die Seite des Fürsten der Finsternis führen werde. In einem andern Fall nannte er es geradezu Götzendienst, einen Provisionsauftrag auszuführen. Auch das Recht, die Kirche zu besteuern, bestritt er jetzt dem Papst. Seine Äußerungen, durch Briefwechsel in England verbreitet, konnten an der Kurie nicht unbekannt bleiben, und Innozenz geriet in begreiflichen Zorn: er wollte gegen den Abtrünnigen einschreiten. Aber unter den Kardinälen fand Grossetête Fürsprecher, die auf das Ansehen des Bischofs hinwiesen und vor den Folgen warnten. Ihm geschah nichts, unbehelligt ist er nach mehreren Monaten gestorben, nachdem er auf dem Todbett die Regierungsweise des Papstes mit bitteren Worten gegeißelt haben soll. Ja, man erzählte sich, er sei dem kranken Papst erschienen, habe ihm seine Vergehen vorgehalten und damit seinen Tod beschleunigt. Mehr als ein Zeugnis der herrschenden Stimmung sind solche Fabeln nicht, aber als solches wiegen sie um so schwerer, da die Verehrung Grossetêtes nach seinem Tode zunahm. An seinem Grabe wollte man Wunder erlebt haben, als Heiligen verehrte ihn das englische Volk auch ohne die Anerkennung durch Rom.

Das Vorgehen des Bischofs von Lincoln hat schwerlich allein gestanden, Beschwerden über das Verfahren der Kurie müssen von verschiedenen Seiten dem Papst zu Ohren gekommen sein, nicht nur aus England, wenn von dort auch am lautesten. Das Ergebnis waren die beiden vorhin erwähnten Erlasse. Schon der zeitliche Abstand, in dem sie erschienen, verrät, daß um sie gekämpft worden ist, und daß der Papst sich gesträubt hat. Sie sollten offenbar die wachsende Mißstimmung beschwichtigen, an eine wirkliche Änderung seiner Verwaltung hat Innozenz nicht gedacht. Denn was er zur Abhilfe des angerichteten Schadens verordnete, war dürftig: er hob die Anwartschaften von Ausländern auf, und auch das unter mancherlei Vorbehalten und Klauseln, die den Sinn schwer verständlich machten und verschiedene Deutungen zuließen. Die merkwürdigste der Klauseln besagt, daß dort, wo der ausländische Anwärter gewaltsam ums Leben gekommen sei, der neue Bewerber ein glaubwürdiges Zeugnis für seine Unschuld an dem Mord beibringen müsse. Daß damit nur ein Bruchteil des Übels abgestellt wurde, liegt auf der Hand. Überdies hielt der Papst sich nicht einmal an die eigenen Verordnungen. Noch war kein Jahr seit dem ersten dieser Erlasse vergangen, so befahl er die Ausführung der Anwartschaft des Bischofs von Speyer auf ein anderes deutsches Bistum oder Erzbistum und erteilte einem Kölner Propst auf Verwendung Wilhelms von Holland eine ähnliche, ‹unbeschadet› des früheren Widerrufs.

Verluste an Geld und Gut lassen sich berechnen, sie lassen sich auch wieder ausgleichen, unberechenbar und kaum zu heilen ist der seelische Schaden, den eine gewissenlose Regierung anrichtet, indem sie das Gesetz mißachtet und Recht und Wahrheit andauernd verletzt. Dies hat Innozenz IV. getan. Einer weltlich-politischen Aufgabe zuliebe hat er die höheren Anliegen der Kirche vernachlässigt, hat den echten Kreuzzugsgedanken verleugnet, um sich seiner für einen Krieg zu bedienen, in dem die Religion nur den Vorwand für eine nackte Machtfrage abgab, hat das Glaubensgericht, das geschaffen war zum Schutz der Kirche gegen die drohende Auflösung von innen her, als Waffe in einem Kampf mißbraucht, in dem weder Bestand noch Lehre der Kirche, einzig und allein ihre weltliche Macht bedroht war, und hat Mal auf Mal die religiösen Ideen materiellen und profanen Zwecken untergeordnet. Er war darin nicht der erste. Mit dem Mißbrauch von Kreuzzug und Inquisition zu politischen Zwecken hatte Gregor IX. den Anfang gemacht, über Mißwirtschaft an der Kurie war in früheren Zeiten bitter geklagt worden; man denke an Urban II., Paschalis II. und die Zeiten Bernhards von Clairvaux. Jetzt aber hatte der Unfug nicht nur ungleich größeren Umfang angenommen, was früher gelegentlicher Mißbrauch, Abweichen im einzelnen gewesen, war zur Regel geworden, ja förmlich zum System erhoben. Und die Zeiten waren andere. Was einst Sache der Geistlichen allein gewesen, wurde eine öffentliche Angelegenheit, an der alles Volk teil hatte, die auch die Laien anging, zu ihrem Vorteil oder Schaden. Was früher im Dämmerlicht der Sakristei geschehen war, spielte sich jetzt am hellen Tage auf dem Markt des Lebens vor aller Augen ab. Die Folgen waren ernst. Wie weit mußte es gekommen sein, wenn jene Abordnung des französischen Klerus dem Papst ins Gesicht sagen konnte, nur durch die Macht des Königs werde das Volk noch im Gehorsam gegen die Kirche erhalten! Das war vielleicht übertrieben, grundlos war es nicht, wenn man unter Kirche die geordnete Pristerschaft mit dem Papst an der Spitze verstand. Der Aufstand der Pastorellen bewies es. Zieht man die Summe der Regierung Innozenz' IV., so ergibt sich ein Fehlbetrag. Für eine Macht wie das Papsttum, deren stärkste Wurzel der Glaube der Menschen war, wog die Erschütterung des Vertrauens auf den sittlichen Wert ihres Waltens schwerer als die größten Erfolge auf dem Felde weltlicher Politik. Die Zeitgenossen haben keinen Zweifel gelassen, wie sie über diesen Papst dachten. An sein Lebensende knüpften sich Erzählungen, die, ob auch erfunden, an Deutlichkeit nichts zu wünschen übrigließen. Auf dem Todbett, als er die Nachricht von der Vernichtung seines Heeres durch Manfred erhielt, sollte er geseufzt haben: ‹Herr, du hast mich gedemütigt wegen meiner ungerechten Handlungen!› Ein Kardinal, ein andermal sein eigener Nachfolger sollten ihn im Traum vor dem Richterstuhl Gottes gesehen haben, angeklagt, die Kirche zur elenden Magd erniedrigt, sie zur Bank der Wechsler gemacht, Glauben und Sitten ins Wanken gebracht, die Gerechtigkeit verfälscht, die Wahrheit verdunkelt zu haben. Und der Herr habe ihn verdammt an den Ort, der ihm gebührte: ‹Du hast die Kirche zerrüttet und, selbst ganz fleischlich geworden, das Werk deiner heiligen Vorgänger zerstört und zunichte gemacht, darum sei auch das Deine vernichtet.› So hatte man, seit das Papsttum eine Weltmacht geworden, über keinen seiner Träger zu urteilen gewagt. Seine Nachfolger fanden viel zu tun, wenn sie den Schaden heilen wollten.

Nach dem Tode Innozenz' IV. wollten die elf Kardinäle, die an seiner Leiche standen, nach Rom zurückkehren. Aber der Podestà von Neapel, aus Parma gebürtig, mit einer Nichte des verstorbenen Papstes vermählt und noch von diesem eingesetzt, zwang sie — so wird berichtet — zu bleiben und wurde darin durch Berthold von Hohenburg unterstützt. Beide wünschten wohl, die Wahl nach ihren Bedürfnissen zu lenken. Sie machte Schwierigkeiten, eine Woche verging, ehe man sich einigte. Der Anhang Innozenz' wird sich angestrengt haben, die Herrschaft zu behaupten. Allein so stark war unter den Kardinälen die Unzufriedenheit mit der Verwaltung des Verstorbenen, daß aus ihrer Wahl schließlich doch ein Mann hervorging, der in allem das Gegenteil seines Vorgängers darstellte. Bischof Rainald von Ostia, der sich Alexander IV. nannte — wohl in Erinnerung an den letzten Papst dieses Namens, dem seine Familie ihren Besitz verdankte — war zwar ein Schwestersohn Gregors IX. und als solcher früh zum Kardinal erhoben, aber schon unter dem Oheim nur selten zu politischen Geschäften verwendet worden und unter Innozenz völlig zurückgetreten. Seine väterlichen Vorfahren, dem kleinen Adel zugehörig, saßen als Vasallen des Klosters Subiaco im Aniotal auf bescheidenem Grundbesitz. Er selbst genoß den Ruf eines nicht ungelehrten, frommen Mannes, von heiterer, umgänglicher Natur und milder Gesinnung, dem die weltlichen Staatshändel keine Freude machten. Er war auch bescheiden genug, zu wissen, daß er als Regent der Kirche einer starken Ergänzung bedürfe. Noch nie hatte ein Papst bei dem Bekenntnis seiner eigenen Unzulänglichkeit so ausführlich verweilt, wie es dieser in seiner Wahlanzeige tat, indem er so weit ging — es machte Aufsehen — mit gehäuften Worten die Geistlichkeit aller Welt um ihre stete Fürbitte zu ersuchen. Dem Kardinal Ubaldini, der als Stimmensammler bei der Wahl ihm als erster huldigte, soll er geantwortet haben: ‹Dem Titel nach werde ich Papst sein, die Last des Amtes mußt du tragen.›

Es dauerte auch nicht lange, so erfuhr die Welt, daß sie es mit einem Papst von anderer Art als sein Vorgänger zu tun hatte. Das Regierungsprogramm, das sein erstes Rundschreiben enthielt, sprach von Frieden für Staaten und Kirchen, Eintracht der Völker und Zucht der Sitten. Wer an dem bisherigen Lauf der Dinge Anstoß nahm, konnte sich Hoffnung machen auf einen weniger politischen Papst, dessen vornehmstes Anliegen die Besserung der kirchlichen Zustände sein würde. Und wirklich erschien nach einem Vierteljahr eine Verordnung, die eine Umkehr vom bisherigen Wege ankündigte: an keiner Kirche sollten künftig mehr als vier vom Papst bestellte Pfründenanwärter berücksichtigt werden, alle von Innozenz verliehenen Anwartschaften auf Bistümer, Abteien, Priorate und mit Namen bezeichnete Pfründen sollten ungültig sein. Die Verleugnung des Vorgängers war, nach dessen eigenem Vorbild, in die Wendung gekleidet, er sei durch die Notlage und die Begehrlichkeit der Bittsteller gezwungen worden zu tun, was er sonst nicht getan hätte. Es folgten Erlasse, in denen alle Befreiungen von der Zucht der ordentlichen Oberen – Innozenz hatte deren nicht wenige ausgestellt – aufgehoben und der Tätigkeit der Almosensammler Schranken gezogen wurden. Am guten Willen Alexanders, der unter Innozenz eingerissenen Mißwirtschaft ein Ende zu machen, war danach nicht zu zweifeln.

Aber nur zu bald zeigte sich, daß ihm die Kraft fehlte, seinen Willen durchzusetzen. Die von Innozenz begnadeten Anwärter wollten ihre Ansprüche und die darauf verwandten Kosten nicht verloren geben, sie beschritten den Rechtsweg gegen Prälaten und Kapitel, und immer öfter wurde die Kurie um Entscheidung angerufen. Zunächst also war die Verwirrung nur größer geworden, und noch größer war die Unzufriedenheit. Es ließ sich auch nicht bestreiten, daß die Streichung der meisten Anwartschaften, wie jede Maßregel mit rückwirkender Kraft, eine Ungerechtigkeit enthielt. Denn die ungezählten Papstbriefe, die nun mit einem Schlage ihren Wert verloren, waren nicht umsonst gegeben worden. Mit der Zeit mag Alexander das selbst gefühlt und die Unzweckmäßigkeit seiner Maßregel eingesehen haben. Jedenfalls hat er sie seit seinem dritten Regierungsjahr nicht mehr aufrechterhalten. Seit der Jahreswende 1256/57 mehren sich die Fälle, wo er selbst beim Erteilen von Anwartschaften die Begrenzung auf vier für jede Kirche außer Kraft setzt. Zu Anfang 1259 gab es an der Domkirche zu Besançon schon wieder 25 und mehr Pfründenanwärter. Im gleichen Jahr führte der Unwille der Engländer über die päpstlichen Eingriffe dazu, daß ein Italiener unmittelbar nach der Einführung in seine Pfründe an der Kirchtür ermordet wurde. Die Verhältnisse waren stärker gewesen als der gute Wille des Papstes.

Wer etwa gemeint hatte, der neue Papst werde in der sizilischen Frage die friedlichen Absichten verfolgen, von denen seine Wahlanzeige sprach, der wurde bald eines Bessern belehrt. So sehr er sich im übrigen von seinem Vorgänger unterschied, in dieser Angelegenheit hat Alexander IV., ob aus Überzeugung oder unter fremdem Einfluß, nur die Bahn weiter verfolgt, die Innozenz gewiesen hatte. Wir erinnern uns, daß dieser am Ende seiner Regierung, unter dem Eindruck der Niederlage bei Foggia, die zeitweilig zurückgestellte Verhandlung mit England wieder aufgenommen hatte. Alexander setzte sie mit Nachdruck fort, und noch regierte er wenig über ein Vierteljahr, so war der Handel abgeschlossen. Der König von England verpflichtete sich, dem Papst die bisher aufgewandten Kosten, 135 841 Pfund Sterling, ratenweise in zweieinhalb Jahren zu erstatten und bis Ende September 1256 die Eroberung des Königreichs anzutreten. Die bis dahin erforderliche Kriegführung übernahm die Kirche gegen Verpfändung der nördlichen Landesteile. Auf diese Bedingung hin wurde Heinrichs III. zweiter Sohn, Prinz Edmund, am 9. April 1255 in der Person eines englischen Bischofs mit dem Königreich belehnt. Das Geld für den ins Auge gefaßten Krieg mußte die englische Kirche aufbringen. Ein dreijähriger Zehnte, den Innozenz schon früher dem König zum Zweck des Kreuzzugs bewilligt hatte, wurde jetzt auf das sizilische Unternehmen übertragen und auf zwei weitere Jahre erstreckt. Dazu kamen aus Schottland ein dreijähriger Zwanzigster und alle Kreuzzugsgelder. Bei Nichterfüllung der übernommenen Verpflichtungen sollte der König persönlich dem Ausschluß, unter Umständen sogar der Absetzung, England der Kirchensperre verfallen.

Damit glaubte man die finanzielle Grundlage des Unternehmens gesichert zu haben. Für die Ausführung boten sich die Hohenburger als willige Werkzeuge dar. Alles was sie bisher im Königreich an Amt und Herrschaft besaßen, wurde ihnen bestätigt und durch Verleihung von Amalfi vermehrt, auch Entschädigung für alle etwaigen Verluste zugesichert. Die rechtliche Seite der Sache war bereinigt worden, indem Manfred Anfang Februar zur Verantwortung vorgeladen und am 25. März mit allen seinen Anhängern aus der Kirche ausgeschlossen wurde. Um ihm vollends jeden Rechtsboden zu entziehen, hatte Alexander einen Versuch nicht gescheut, den kleinen Konradin gegen ihn auszuspielen: er lud den bairischen Hof zu Vorhandlungen über die angeblich beabsichtigte Anerkennung, ja Vermehrung der Rechte des Knaben ein. Das mißlang, der Baier durchschaute das Spiel, und Manfred erhielt die Vollmacht zur Regierung des Königreichs im Namen seines Neffen. Als wohlbestallter Regent nach der Auffassung der staufischen Partei stand er dem Papst gegenüber, der ihn zu verdrängen sich anschickte. Er war jetzt 23 Jahre alt, ein junger Mann von hervorragenden Gaben, nicht mehr das Werkzeug der Oheime. Der Vater soll ihn für den bedeutendsten seiner Söhne erklärt haben. Im Preise seiner Schönheit und Liebenswürdigkeit sind die Zeitgenossen, auch die Gegner einig. Seine Bildung war vielseitig und gründlich, als Dichter und Musiker eiferte er dem Vater nach, wenn er ihn nicht übertraf; eine angebliche Schrift des Aristoteles hat er aus dem Arabischen übersetzt und mit den Pariser Magistern brieflich Verbindung aufgenommen. Daß es ihm auch an Eigenschaften des Herrschers nicht fehlte, hat er bald bewiesen.

Während noch die Verhandlungen mit England schwebten, hatte der Papst schon zu rüsten begonnen. Seit Gregor IX. war man es gewohnt, die Päpste ihre weltlichen Kriege unter der Fahne des Kreuzes führen zu sehen. So wurde auch dieses Mal das Kreuz gepredigt, in Italien sowohl wie in England, und in Norwegen erhielten die, die schon das Kreuz genommen hatten, den Befehl, gegen Manfred statt nach dem Orient auszurücken. Es war auch ein zahlreiches Heer, das Ende April 1255 den Vormarsch antrat unter dem Oberbefehl des Kardinallegaten Ubaldini, den Alexander selbst bei seiner Wahl als den wirklichen Papst begrüßt hatte. Die militärische Führung lag bei Berthold von Hohenburg. Er scheint seinen Truppen nicht viel zugetraut zu haben, und in der Tat, wie konnten sich diese bezahlten Glaubensstreiter – sie erhielten außer dem Ablaß noch Tagessold – trotz ihrer überlegenen Zahl mit Manfreds kampfgeübten deutschen Reitern und Sarazenen vergleichen? So lagen die Heere einander wochenlang östlich von Benevent gegenüber, ohne daß es zur Schlacht kam, die Manfred suchte, Hohenburg vermied. Ein Waffenstillstand bot Zeit zu Verhandlungen, die zu nichts führten. Gegen Ende Juli kam endlich Bewegung in die päpstliche Masse. Während der Legat mit der Hauptmacht auf Foggia marschierte und sich dieser Stadt bemächtigte, wandte sich Hohenburg mit einer Abteilung gegen die apulischen Küstenstädte, deren er einige nehmen konnte. Als er sich jedoch mit dem Legaten wieder zu vereinigen suchte, wurde seine Truppe unvermutet von Manfred angegriffen und zersprengt und darauf der Legat in Foggia eingeschlossen. Um sich der Aushungerung zu entziehen, blieb ihm nichts übrig, als Frieden zu schließen. Manfred sollte als Regent anerkannt werden gegen Abtretung der Terra di Lavoro an die Kirche. Der Hohenburger wurde in den Frieden einbezogen, unterwarf sich Manfred und behielt seine Güter. Daß er Verrat geübt, sich insgeheim mit dem Gegner verständigt und dadurch die Niederlage des Legaten verschuldet habe, ist sogleich behauptet worden, auch vom Papst selber, und es ist nicht unwahrscheinlich, daß Berthold, die Schwäche des päpstlichen Heeres und die Aussichtslosigkeit der päpstlichen Anstrengungen erkennend, versucht hat, sich rechtzeitig auf die Seite des Stärkeren zu schlagen. Es hat ihm nichts genützt. Sobald Manfred sich in der Regierung befestigt hatte, wurde er verhaftet, des Verrats überwiesen und zu lebenslänglichem Kerker verurteilt, in dem er umgekommen, vielleicht umgebracht worden ist.

Zum zweitenmal war Foggia das Grab päpstlicher Siegeshoffnungen geworden. Der Feldzug war verloren, das Kreuzheer auseinandergelaufen, der Papst hatte fast keine Truppen mehr. Aber seine Pläne gab er nicht auf. Dem Frieden, den sein Legat geschlossen hatte, versagte er die Bestätigung. Er konnte nicht anders, seit er durch den Vertrag vom April an England gebunden war, und er brauchte es auch nicht. Denn noch durfte er auf den Aufstand in Sizilien, Kalabrien und den apulischen Städten zählen, die sich ihm unterworfen hatten und den Kampf gegen Manfred fortsetzten. Im Königreich nahm er auch weiterhin Regierungshandlungen vor, Rechte und Besitzungen verleihend, Anhänger belohnend und durch Abgesandte die Flammen schürend. Die Absicht war, wie schon Innozenz begonnen hatte, die Einheit des Königreichs aufzulösen und seine Verwaltung zu zerstören, indem die großen Städte dem Papst unmittelbar unterworfen wurden. Mit der Losung der Freiheit in dieser Form konnte man hoffen, den Aufstand unüberwindlich zu machen. Man durfte überdies auf England rechnen, dessen Heer binnen Jahresfrist auf dem Kampfplatz erscheinen mußte.

Die Aussichten dafür hatten sich allerdings verschlechtert. Einmal hatte das üble Ende des päpstlichen Feldzugs entmutigend gewirkt, dann war Graf Thomas von Savoyen, in dem man wohl den heimlichen Vater, jedenfalls die Seele des Planes sehen darf – hatte er sich doch schon im voraus das Fürstentum Capua verleihen lassen –, im Spätherbst 1255 in die Gefangenschaft seiner unbotmäßigen Stadt Turin gefallen, aus der er erst nach Jahr und Tag freigekommen ist. Vor allem aber wuchs in England die Mißstimmung gegen das Unternehmen, je mehr man erfuhr, daß die Kosten von den Kirchen des Landes getragen werden sollten, während niemand den Nutzen einzusehen vermochte. Schon im Oktober mußte der König im Parlament den Vorwurf hören, er habe sich von den Einflüsterungen der Italiener betören lassen, anstatt seine Barone zu fragen. Das geforderte Geld bekam er nicht. Auf einer Synode im Januar 1256 ging es sogar recht stürmisch zu. Als der päpstliche Gesandte so unbesonnen war, seine Geldforderung mit dem Satz zu begründen, alle Kirchen seien des Papstes, bekam er vom Sprecher der Prälaten die Antwort: freilich, aber nur zum Schutz, nicht als Eigentum oder zur Ausbeutung.

Alexander ließ sich nicht abschrecken. Von Gläubigern gedrängt, die das Geld für den gescheiterten Feldzug vorgeschossen hatten, schickte er Boten auf Boten, schrieb Brief auf Brief, um den König zum Handeln, die Prälaten zum Zahlen zu bewegen. Schon zu Anfang des Jahres 1256 ließ er die Drohung hören, den Vertrag für gebrochen erklären zu wollen. Es erweckt beinahe Mitleid, wenn man ihn um Bezahlung einzelner verhältnismäßig geringfügiger Posten, einmal 1057, dann 1541 oder 2000 Mark, sich bemühen sieht. Gegenüber den Prälaten, besonders den Äbten der römischen Eigenklöster wirkten zur Not die angedrohten Strafen, so daß sie einzeln sich dazu verstanden, die päpstlichen Schulden zu bezahlen, im allgemeinen lehnte die englische Kirche jede neue Belastung ab, und der König vollends war zu nichts zu bewegen. Als der Zeitpunkt vor der Türe stand, zu dem das englische Heer im Felde erscheinen sollte, waren noch nicht einmal die Rüstungen begonnen. Statt dessen benutzte der König die Gelegenheit, weitere Vergünstigungen – man darf schon sagen – zu erpressen. Vor allem einen Aufschub für den Feldzug! Dem Papst blieb nichts übrig, als die Frist bis zum Juni, nötigenfalls bis zum September 1257 zu erstrecken. Auch seinen Zahlungspflichten war Heinrich bestenfalls nur zum Teil nachgekommen, auch für sie erhielt er den gleichen Aufschub. Dazu kam ein neuer tüchtiger Aderlaß an den englischen Kirchen. Während der nächsten fünf Jahre durfte der König die erste Jahreseinnahme aller freiwerdenden, das gesamte Einkommen der von ihren Inhabern nicht persönlich versehenen und der wegen zu langer Erledigung dem Papst heimgefallenen Pfründen, dazu alle für den Kreuzzug gestifteten oder als Ablösung der Kreuzzugspflicht gezahlten Summen und die Hinterlassenschaft aller ohne Testament verstorbenen Geistlichen einziehen. Nur die eine Bedingung machte der Papst, daß die Gelder weder für andere Zwecke verwandt noch zurückbehalten, sondern an seine Gläubiger zur Tilgung ihrer Forderungen ausgezahlt würden. Er hat auch das nicht durchsetzen können, der König verbot jede Zahlung an die Gläubiger der Kirche, und es ist sehr fraglich, ob des Papstes Befehl, sich an dieses Verbot nicht zu kehren, den gewünschten Erfolg gehabt hat.

Ein neuer Anlauf wurde im Frühjahr 1257 genommen. Seit im Januar 1257 der Bruder des Königs, Richard von Cornwall, von einem Teil der deutschen Fürsten zum römischen König gewählt war, hoffte man wohl, etwas von dem gehobenen Stolz des Herrscherhauses auch in den Lords und Rittern zu entflammen, zumal die Ausführung des sizilischen Feldzugs, bisher ein phantastisches Abenteuer, sich leichter gestaltete, wenn das englische Heer den Weg durch Deutschland, nunmehr das Reich eines englischen Prinzen, nehmen konnte. Zu Ostern 1257 stellte Heinrich dem Parlament den Prinzen Edmund in süditalischer Tracht als König von Sizilien vor und machte den Versuch, das Unternehmen von sich auf die Stände seines Reiches abzuwälzen. Als Vertreter des Papstes unterstützte ihn der – von seinem Sitz gewichene – Erzbischof von Messina. Die Antwort war eine runde Ablehnung: der Plan sei aussichtslos, die Kosten unabsehbar und die Bedingungen des Vertrags gefährlich für die Krone. Wozu der König sich verpflichtet hatte, erfuhr man erst jetzt, als er den englischen Kirchen zumutete, für die Zahlung von mehr als 135 000 Mark zu bürgen, die er dem Papst bereits schuldete, während der Nuntius die Urkunden vorlegte, aus denen hervorging, welche Lasten der Papst den Kirchen aufgebürdet hatte. Die bestürzten Prälaten boten dem König als Abfindung 52 000 Mark, reichten ihm aber zugleich ein langes Verzeichnis von Beschwerden ein, deren Abstellung sie zur Bedingung machten. Darauf ging der König nicht ein, und als Ergebnis monatelanger Verhandlungen wurde eine Gesandtschaft an die Kurie beschlossen; sie sollte eine gründliche Abänderung des sizilischen Vertrags oder dessen Aufhebung erwirken. Dem Papst wurde die Wahl gestellt, entweder alle geistlichen Strafen, mindestens die Kirchensperre über England zu streichen, oder einen Aufschub für den Feldzug zu gewähren und inzwischen mit Manfred zu verhandeln auf der Grundlage, daß er seine Tochter an den Prinzen Edmund verheirate, seine Herrschaften im Königreich behalte und selbst Regent bleibe, bis die Schulden der Kirche bezahlt wären. Falls das nicht beliebte, wurden dem Papst verschiedene Wege vorgeschlagen, die darauf hinausliefen, daß England sich von dem Unternehmen zurückzöge unter Befreiung von seiner Zahlungspflicht.

An der Kurie muß die Bestürzung groß gewesen sein. Allzu deutlich trat hervor, was man vielleicht schon längst ahnte, daß Heinrich III., der ewig geldbedürftige, von den savoyischen Oheimen und französischen Stiefbrüdern ausgesogene, das Füllhorn kirchlicher Abgaben, das der Papst vor ihm ausgeschüttet hatte, nur benutzen wollte, um sich finanziell über Wasser zu halten, ohne ernstlich an die Ausführung des sizilischen Eroberungsplanes zu denken. Die ganze Verlegenheit, in die Alexander geraten war, spiegelt sich darin, daß er auch jetzt noch sich an die Hoffnung auf England klammerte. Auf Verhängung der angedrohten Strafen verzichtete er und gewährte dem König einen weiteren Aufschub, zuerst bis zum Juni, dann bis zum September 1258.

Im Frühling des neuen Jahres erschien wieder ein päpstlicher Bevollmächtigter in England, um über die Umgestaltung des Vertrages zu verhandeln. Jetzt hoffte man sogar Frankreich zur Unterstützung des sizilischen Feldzugs heranzuziehen. In dem endgültigen Frieden, den der Papst zu vermitteln sich anheischig machte, sollte Ludwig IX. sich zur Stellung von Hilfstruppen verpflichten. Aber für auswärtige Unternehmungen war in England die Zeit vorbei; die Stunde schlug, da der König den schon lange drohenden Kampf um seine Krone aufnehmen mußte. Der Bote des Papstes war Zeuge des Ausbruchs der offenen Empörung, in der sich das Königreich unter lebhafter Teilnahme des hohen und niedern Klerus gegen die Willkür und Unfähigkeit der bisherigen Regierung erhob. Im Juni sah Heinrich III. sich gezwungen, die Verwaltung seines Reiches in die Hände eines Ausschusses zu legen, in dem die Vertreter der Aufständischen die Mehrheit hatten, nachdem gegen die vornehmsten Anhänger der Krone die Ausweisung verfügt war.

Daß unter solchen Umständen für den Papst die Aussichten auf wirksame Unterstützung schwanden, versteht sich von selbst. Auf erneute Mahnung an die bestehenden Zahlungspflichten antwortete die nunmehrige Regierung mit einer Gesandtschaft, die vor allem die Unterstützung des Papstes gegen die Königstreuen in Anspruch zu nehmen und zu diesem Zweck die Sendung eines Legaten zu fordern hatte. Zur Eroberung Siziliens, die gegen ihren Widerspruch beschlossen sei, wollten die Regenten nur mitwirken, wenn die Bedingungen geändert würden. Sie verbanden damit die früher gehörte Beschwerde über die Häufung päpstlicher Provisionen, die zur Verarmung des Landes führe, und drohten mit Einziehung der Stiftungen. In seiner Antwort auf den letzten Punkt bestritt Alexander die gerügten Tatsachen, wollte sich mit Laien auf keine Erörterung einlassen und versprach nur im allgemeinen, für Aufhören jedes Beschwerdegrundes sorgen zu wollen. Betreffs der übrigen Wünsche und Anträge wich er aus: er wolle sich nicht binden. Er wird leicht durchschaut haben, daß von der neuen Regierung eine wirksame Förderung des sizilischen Unternehmens noch weniger als von der alten zu erwarten war, auch wenn er ihr zur Überwindung ihrer Gegner seine Unterstützung lieh. Damit war der Plan, Sizilien durch England erobern zu lassen, begraben. Wenn Alexander trotzdem davon absah, den Vertrag für gebrochen zu erklären und die in Aussicht genommenen Strafen über König und Reich zu verhängen, so wollte er wohl nicht nur das beschämende Eingeständnis seines politischen Bankerottes vermeiden. Selbst der unerfüllte Vertrag diente vielleicht noch, um Zahlungen zu erzwingen, mit denen man wenigstens einen Teil der eigenen Schulden zu decken hoffte. Der Staatsvertrag, in dem eine Königskrone verhandelt wurde, war zur faulen Hypothek geworden.

Die Lage des Papstes war nicht beneidenswert. Denn während er mit England ergebnislose Verhandlungen führte, war Manfred nicht müßig gewesen. Nach einem vergeblichen Versuch zur Verständigung mit dem Papst hatte er die Unterwerfung der aufständischen Provinzen begonnen. Während er selbst sich nach der Terra di Lavoro wandte, die Kapitulation von Neapel und Capua, der Grafen von Caserta und Acerra empfing, Aversa nehmen ließ und bis zum Sommer 1256 das ganze Land in seinen Besitz brachte, warf sein Oheim Friedrich Lancia als Statthalter in Kalabrien und Sizilien Schritt für Schritt den Aufstand der Städte nieder. Gegen Ende 1256 war die Insel bezwungen, auf dem Festland widerstanden nur noch Brindisi, Otranto und Oria in Apulien und in den Abruzzen Aquila. Auch hier siegte schließlich der Staufer. Anfang 1257 unterwarfen sich ihm die apulischen Städte, ein Jahr später gab auch Aquila den Widerstand auf. Das Königreich in seiner ganzen Ausdehnung gehorchte Manfred als Regenten im Namen Konradins. Ihm fehlte nur noch der Königstitel, und auf ihn zu verzichten war er nicht gewillt. Als er im April 1258 nach Sizilien ging, verbreitete sich bald die Nachricht – Briefe aus Baiern sollten sie gebracht haben –, Konradin sei gestorben. Sie war falsch, offenbar von der Regierung selbst ausgestreut, aber sie fand Glauben. Auf einem Reichstag der sizilischen Prälaten, Barone und Städte zu Palermo wurde Manfred zum König gewählt und am 10. August von einigen Bischöfen gekrönt.

Über die sittliche Natur der Tat ist kein Wort zu verlieren, gegen ihre politische Berechtigung läßt sich wenig sagen. Was sollte dem Lande ein Kind, das seine mütterlichen Verwandten im fernen Deutschland hüteten, ohne jemals Miene gemacht zu haben, es dorthin zu bringen, wohin es als Träger des Herrschertitels gehörte? Und wenn der Knabe eines Tages erschien, um seine Rechte geltend zu machen, sollte Manfred dann bescheiden zur Seite treten, um dem Fremden, von dem man nichts wußte, der selbst Land und Leute nicht kannte, sich nie um sie bekümmert hatte, das Reich auszuliefern, das er, Manfred, mit Mühen und Gefahren vor den Anschlägen des Papstes gerettet und wieder aufgerichtet hatte? War es nicht besser, über das niemals ernsthaft gemachte Erbrecht des Ausländers hinwegzuschreiten und – wie vor einem halben Jahrtausend ein Papst den Franken geraten hatte – dem die Ehre zu geben, der die Macht besaß und sich der Krone vollauf würdig gezeigt hatte? So dachten die Sizilianer. Manfred aber braucht man keinen verbrecherischen Ehrgeiz nachzusagen – es stünde mit allem, was wir von ihm wissen, in Widerspruch –, um zu verstehen, daß er nach der Krone griff, die vor ihm lag.

So war denn die Kirche besiegt. Allen ihren Richtersprüchen und kriegerischen Anstrengungen zum Trotz hatte der Gegner sich ihres Lehens bemächtigt, die inneren Widerstände überwunden, seine Herrschaft befestigt. Daß eine Handvoll Barone und eine Anzahl Bischöfe die Auswanderung der Unterwerfung vorzogen, hatte wenig zu bedeuten. Ihn zu vertreiben, schien aussichtslos; die Mittel der Kirche waren mehr als erschöpft, eine schwere Schuldenlast war das Ergebnis der bisherigen Anstrengungen, und aus England, wo Krone und Adel um die Regierungsgewalt im Kampfe lagen, keine Hilfe, weder an Truppen noch an Geld, mehr zu erwarten. Gegenseitig warfen Papst und König einander vor, getäuscht worden zu sein. Die Niederlage war vollständig. Ohne jede Wirkung prallten die kirchlichen Strafen – Ausschluß, Absetzung, Verlust der Weihen –, die der Papst gegen alle an der Krönung Manfreds beteiligten Geistlichen wie gegen ihn selbst schleuderte, an den Betroffenen ab. Ein Aufstand auf der Insel, vom Papst angestiftet und von einem Betrüger geführt, der sich für Friedrich II. ausgab, wurde bald erstickt. Unangreifbar stand der neue König von Sizilien da. Zu Lande hatte er niemand zu fürchten, und zur See war seine Stellung nicht weniger gesichert, seit es ihm (im Juli und September 1257) gelungen war, erst mit Genua, dann mit Venedig, Verträge abzuschließen, die ihm die wohlwollende Neutralität beider Seemächte für alle Fälle verbürgten. Er hatte die Hände frei und konnte daran denken, über die Grenzen seines Königreichs hinaus in die italienischen Angelegenheiten einzugreifen, wozu sich seit kurzem die Gelegenheiten förmlich aufdrängten.

Mit dem Tode Friedrichs II. hatte in Italien der staufische Einfluß aufgehört, ihn wiederherzustellen hatte Konrad IV. keine Zeit gehabt. Aber wieviel fehlte daran, daß der Papst nun die Lage beherrscht hätte! Zwar hatten die von Friedrich besetzten Teile des Kirchenstaats sich ihm sogleich unterworfen, päpstliche Rektoren walteten wieder in Spoleto und der Mark ihres Amtes, aber sie fanden nur mangelhaften Gehorsam, zumal in der Mark herrschte vielerorts Unbotmäßigkeit. In Toskana vollends war mit dem Verschwinden der kaiserlichen Verwaltung der doppelte Bürgerkrieg in hellen Flammen entbrannt. In erbitterter Fehde standen einander die Fronten der Nachbarstädte gegenüber, Florenz, Lucca und einige kleinere auf der einen, Pisa und Siena auf der andern Seite, während innerhalb der Mauern einer jeden Guelfen und Gibellinen in ererbtem Haß um die Herrschaft rangen und, wo sie sie gewannen, die Gegner in die Verbannung trieben. Geboten in Florenz und Lucca die Guelfen, so in Pisa und Siena die Gibellinen, und hier wie dort wurden die fechtenden Reihen verstärkt durch die nach Heimkehr strebenden vertriebenen Bürger der Gegnerin. Den Streit der Adelsparteien benutzte das reich gewordene ‹Volk› der Kaufleute und Handwerker, um die Herrschaft an sich zu reißen, die nun von drei Seiten zugleich erstrebt wurde – Gelegenheiten in Fülle für den Papst, in der Rolle des Friedensstifters den eigenen Einfluß zur Geltung zu bringen und seinen Freunden zur Macht zu verhelfen. Innozenz IV. hat sie nur vorsichtig benutzt, und Alexander IV. ist seinem Beispiel gefolgt. Wohl war die Verbindung der Guelfen mit der Kirche so fest, daß sie überall auf das Wohlwollen des Papstes zählen konnten. Seine Erfolge waren die ihren, guelfische Siege stärkten seinen Einfluß, seine Vermittlung kam ihnen stets zugute. Aber so ist es doch nicht gewesen, daß die Kirche überall versucht hätte, den Guelfen zur Herrschaft zu verhelfen, um selbst durch sie zu herrschen. Vielmehr ist bei den Päpsten das Bestreben unverkennbar, über den Parteien stehend die Gegensätze auszugleichen. Sie hatten denn auch die Genugtuung, nach einigen Jahren die Guelfenstädte Florenz und Lucca gegenüber Pisa und Siena siegreich zu sehen. Der Friede, der 1257 zustande kam, gab die Führung Toskanas in die Hand der Guelfen, und wie eine Siegesfeier der Kirche nahm es sich aus, als Pisa, seit sechzehn Jahren – seit dem Tage von Montecristo – mit Ausschluß und Kirchensperre beladen, im Mai 1257 seine Unterwerfung vollzog und die Lossprechung erhielt.

Weniger befriedigend war der Verlauf der Dinge in Oberitalien: hier war es neben Pallavicini vor allem Ezzelin von Verona, der die Überlieferung der staufischen Partei fortsetzte. Ein Versuch des Legaten Ubaldini, ihnen an der Spitze der erneuerten lombardischen Liga entgegenzutreten, scheiterte an der allgemeinen Unlust. Ungehindert konnte Pallavicini sich in Cremona, Piacenza, Pavia und Vercelli zum Herrn machen, während Ezzelin seine Regierung in Verona, Padua, Vicenza und benachbarten Städten befestigte. Innozenz IV. hat eine Weile geglaubt, den stärkeren und gefährlicheren Gegner zu sich herüberziehen zu können. Das war Ezzelin, dessen unheimliche Tyrannengröße uns durch den abstoßenden, aber von einer ausnahmslos feindseligen Überlieferung allzu ausschließlich betonten Zug der Grausamkeit entstellt erscheint. Schon 1251 hatte Innozenz das Verfahren wegen Ketzerei gegen ihn eröffnet und ihm mit dem Kreuzzug gedroht, aber drei Jahre hat er gezögert, ihm sogar ein auffälliges Entgegenkommen gezeigt, ehe er im April 1254 die Verdammung aussprach, der zwei Monate später der Befehl zur Kreuzpredigt gegen die Ketzer in der Lombardei folgte. Die Wirkung war, daß Ezzelin und der mitbetroffene Pallavicini sich zu Schutz und Trutz verbanden. Der Kreuzzug der Nachbarn unter Führung des kriegerischen Erzbischofs Philipp Fontana von Ravenna – wir kennen die Rolle, die er 1246 in Deutschland gespielt hatte – machte nur langsame Fortschritte, war aber nicht ganz erfolglos: Ezzelin verlor Padua, Pallavicini wurde aus Pavia und Piacenza verdrängt. Das bewog ihn, zu Anfang des Jahres 1258 sich mit einer Bitte um Hilfe an Manfred zu wenden.

Am Hofe des Fürsten von Tarent lag um jene Zeit noch ein zweites Hilfegesuch vor. Die Freude über den Erfolg der toskanischen Guelfen war von kurzer Dauer gewesen, Siena hatte sich gegen die Vorherrschaft von Florenz wieder erhoben und Manfred um Unterstützung angerufen. Noch zögerte dieser. Aber als es ihm geglückt war, sich zum König zu machen, als die Krönung in Palermo hinter ihm lag und nirgends Anzeichen von Auflehnung oder Widerstand zu bemerken waren, da griff er zu. Im Herbst des Jahres sandte er einen Statthalter mit Truppen nach Toskana, einen andern in die Mark, das Herzogtum Spoleto und die Romagna, im Dezember ernannte er Pallavicini zu seinem obersten Feldhauptmann (*capitaneus generalis*) in der Lombardei und schickte auch ihm Truppen und Geld. Sofort unterwarf sich eine Anzahl von Städten in der Mark, und in Toskana und in der Lombardei nahmen die Dinge eine andere Wendung.

Manfreds Entschluß war außerordentlich. Auf einen Rechtstitel konnte er sich nicht stützen. Der Vater hatte in Italien regiert als Kaiser, Manfred war nur König von Sizilien. Ob er schon damals an die Kaiserkrone gedacht, wie er sich etwa den Weg zu ihr vorgestellt hat, wissen wir nicht, doch ist unverkennbar, daß die Vorherrschaft in ganz Italien, die staatliche Einigung der Halbinsel sein Ziel war, als er die Reste der Anhängerschaft seines Vaters um sich zu sammeln und die Ausübung kaiserlicher Rechte für sich in Anspruch zu nehmen begann. Sein Vorgehen war revolutionär, aber – man kann es nicht leugnen – es entsprach der Lage der Dinge. Das Kaisertum war tatsächlich erloschen, Wilhelm von Holland hatte in Italien auch nach 1250 keinen Einfluß geübt. Ob die Aufforderung zum Romzug ernst gemeint war, die Innozenz ihm nach Konrads Tode hatte zugehen lassen, ist recht fraglich. Ihr zu folgen hat er weder Gelegenheit noch Zeit gehabt. Ende Januar 1256 fand er in Friesland den Tod, und nun gab es nicht einmal einen anerkannten Bewerber um die römische Krone. Nach ihr streckte – für die Auflösung der überlieferten Rechtsbegriffe bezeichnend – zum erstenmal ein auswärtiger Herrscher mit Übergehung der deutschen Fürsten die Hand aus. König Alfons von Kastilien, Sohn einer Tochter Philipps von Schwaben, ließ sich zum römischen König wählen von – der Stadt Pisa. Das hatte zunächst keine Folgen. Dann schienen sich die Vorgänge von 1198 zu wiederholen. Der König von England, der die Hoffnung, seine verlorenen französischen Provinzen wiederzugewinnen, noch nicht aufgegeben und darum noch keinen dauernden Frieden, nur wiederholte Waffenstillstände mit Frankreich geschlossen hatte, wünschte die deutschen Kräfte zur Unterstützung im künftigen Kriege zu gewinnen und ließ für seinen Bruder, Richard von Cornwall, bei den deutschen Fürsten werben. Das veranlaßte Frankreich, seinerseits den Kastilier zu entsprechenden Schritten zu bestimmen. Beide erreichten ihr Ziel, aber die Engländer waren schneller: am 13. Januar 1257 wurde Richard von einer Gruppe von Fürsten gewählt, die Wahl Alfons' kam erst am 1. April zustande.

Was der eine, was der andere dabei eigentlich erstrebte, braucht uns nicht aufzuhalten. Um so mehr fragen wir nach der Haltung des Papstes. Sie ist für Alexander IV. bezeichnend. Anstatt von Anfang an, wie es das Beispiel Innozenz' III. nahelegte und dessen Äußerungen eigentlich vorschrieben – sie waren inzwischen in das kirchliche Gesetzbuch Gregors IX. übergegangen –, anstatt die Entscheidung kraft seiner Oberhoheit über das Kaisertum für sich zu fordern, begnügte er sich damit, den Parteien, als sie Bestätigung heischend vor ihm erschienen, seinen Richterspruch anzubieten, ließ jedoch, als beide ablehnten, die Sache auf sich beruhen. Zwar hatte er ursprünglich den Deutschen die Wahl Alfons' empfohlen, aber weder tat er nachher etwas für ihn, noch hinderte er, daß auch Richards Anhänger sich auf ihn beriefen, ja er ging nach einiger Zeit so weit, diesem die Förderung seiner Pläne in warmen Worten zuzusagen. Von Alfons deswegen zur Rede gestellt, verlegte er sich aufs Leugnen, und es war sein Glück, daß weder der eine noch der andere Bewerber mit der wiederholt angekündigten Absicht des Romzugs Ernst machte. War das nun lediglich Ausfluß der Schwäche, die zwischen den widerstreitenden Einwirkungen der Umgebung keine Entscheidung fand, oder war es schlaue Berechnung, es ergab sich daraus, daß das Kaisertum für lange Zeit aussetzte und revolutionäre Bestrebungen freies Spiel hatten. Zwar stand die Verwaltung des Reiches, solange es keinen Kaiser gab, nach kirchlicher Auffassung von Rechts wegen dem Papste zu, von dem ja das Kaisertum abhängen sollte. In diesem Sinne hatte sich Innozenz IV. geäußert, und sein Nachfolger handelte gelegentlich danach. Aber von einer wirklichen Beherrschung Reichsitaliens waren, wie wir gesehen haben, beide gleich weit entfernt. Für Manfred war also die Bahn frei.

In der Lombardei fand sein Eingreifen schon eine veränderte Lage vor: Ende August 1258 war der Legat von den vereinigten Heeren Pallavicinis und Ezzelins geschlagen worden und selbst in Gefangenschaft gefallen. Das hatte zur Folge, daß Brescia, die alte, zähe Feindin der Kaiser, sich den Siegern unterwarf. Nun aber entzweiten sich diese über der gemeinsamen Beute: wem sollte Brescia gehören, Ezzelin oder Pallavicini? Daraus ergab sich eine merkwürdige, aber höchst bezeichnende Wendung: Pallavicini schloß sich den bisherigen Feinden des Rivalen an, um gemeinsam mit ihnen der Herrschaft Ezzelins den Garaus zu machen. Im Juni 1259 wurde das befremdlichste aller Bündnisse geschlossen zwischen dem von der Kirche als Ketzer verfluchten Pallavicini samt den von ihm beherrschten Städten und dem bisherigen Vorkämpfer der Kirche und Herrn des päpstlichen Ferrara, Azzo von Este. Dahinter standen Venedig und – Manfred. Die 200 deutschen Reiter, die er geschickt hatte, bildeten jetzt den Kern des Heeres, das sich gegen Ezzelin aufmachte unter der Fahne des Kreuzes. Der Form halber verpflichtete sich der Este, die Aussöhnung Manfreds und Pallavicinis mit der Kirche zu bewirken. Wie gründlich hatte sich alles seit dem Tode Friedrichs II. verschoben! Die Parteien von Kaisertum und Kirche, in denen Italien so lange sich selbst zerfleischt hatte, waren in Auflösung und hatten ihren Sinn eingebüßt, örtliche Gegensätze nahmen ihre Stelle ein. Hatte der Reichsgedanke schon längst seine Kraft verloren – entscheidend war sie ja nie gewesen –, so sah man nun auch die Fahne der Kirche mißbraucht als Mantel, in dem der Eigennutz seine Blöße zu verbergen suchte.

Der Sieg war auf der Seite von Ezzelins Feinden. Nach einem mißlungenen Handstreich auf Mailand Ende September 1259 unter ungünstigen Bedingungen bei Cassano zur Schlacht gestellt, wurde er geschlagen, fiel schwerverwundet in Gefangenschaft und starb schon nach wenigen Tagen. Sein ganzes Geschlecht wurde ausgerottet, seine Herrschaft zerfiel. Das war das Ende des sonderbarsten Kreuzzugs. Wer aber hatte da gesiegt? Das Bündnis gegen Ezzelin war an der Kurie mit begreiflichem Mißfallen zur Kenntnis genommen, die Kreuzpredigt sofort eingestellt worden. Das Gerücht fand sogar Nahrung, Alexander habe schon mit dem Verdammten über seine Aussöhnung verhandelt. Sein Untergang, obwohl vom Papst öffentlich freudig begrüßt, war kein Erfolg der Kirche, viel eher ein solcher Manfreds, dessen Truppen zum Siege von Cassano entscheidend beigetragen hatten. Die Folgen ließen nicht auf sich warten: noch war das Jahr 1259 nicht um, so hatte Mailand, das alte Haupt aller Gegner der Staufer, die Vorkämpferin der Kirche, den Kapitän Manfreds, Hubert Pallavicini, zum Herrn angenommen. Später unterwarfen sich ihm auch Piacenza und Parma, unangefochten gebot er im größeren Teil der westlichen Lombardei, nicht gestört durch die Ladungen und Sträfen, die der Papst gegen ihn verkündigte.

Einen nicht geringeren Schlag brachte das Jahr 1260 in Toskana. Hier drängte der Krieg zwischen Siena und Florenz der Entscheidung zu. Sie fiel, als am 4. September 1260 in der denkwürdigen Schlacht bei Montaperti Florenz von den Sienesen und seinen eigenen Gibellinen geschlagen war und die bis dahin regierenden Guelfen gestürzt und vertrieben wurden. Damit erlangte in Toskana die gibellinische Partei das Übergewicht, geführt vom Statthalter Manfreds, dessen deutsche Reiter bei Montaperti den Sieg erfochten hatten. Der Sommer 1261 sah den Abschluß eines bewaffneten Bundes toskanischer Städte, dem auch Pisa beigetreten war und von den größeren nur Lucca fernblieb, unter der Führung Manfreds. Ohne jede Wirkung verhallten die Machtsprüche, die der Papst dagegen schleuderte.

Während sein Einfluß draußen dahinschwand, war er nicht einmal Herr im eigenen Hause. Die Mark gehorchte mit Ausnahme von Ancona dem Statthalter Manfreds, und als Alexander versuchte, wenigstens die Städte des nördlichen Kirchenstaats zum Bündnis gegen die Gibellinen Toskanas zu vereinigen, scheiterte sein Plan an allgemeiner Lauheit, wenn nicht gar offener Weigerung. Nicht größer war seine Macht in Rom selbst. Seine ganze Regierung hindurch war er Zeuge des Kampfes der Bürgerschaft, des *popolo* der Krämer und Handwerker, gegen die vornehmen Geschlechter, für die er schon wegen seiner Verwandtschaft Partei nehmen mußte. Als er die Regierung antrat, gebot in der Stadt noch Brancaleone Andalò, dessen dreijährige Amtszeit erst im nächsten Jahr ablief. Die folgenden Ereignisse sind dunkel, an örtlicher Überlieferung fehlt es so gut wie ganz, und die bruchstückhaften Nachrichten, die einige Chronisten in England und Frankreich aufgezeichnet haben, geben kein klares Bild. Brancaleone muß noch 1255 wiedergewählt worden sein, vermutlich wiederum auf längere Zeit, wurde aber gleich darauf durch den Adel gestürzt und eingekerkert. Vor dem Tode schützten ihn die jungen römischen Edelleute, die ihm beim Amtsantritt als Geiseln gestellt und in seiner Vaterstadt Bologna untergebracht waren. Erst jetzt wagte Alexander, der bis dahin in Anagni bei seinen mütterlichen Verwandten Unterkunft gefunden hatte, seinen Sitz im Lateran einzunehmen. Daß er beim Sturz Andalòs die Hand im Spiel gehabt, ist mehr als wahrscheinlich, versuchte er doch sogar, übrigens vergeblich, die Bolognesen durch Verhängung von kirchlichen Strafen zur Herausgabe der Geiseln zu zwingen. Erst im Spätsommer 1256 kam es zur Befreiung Brancaleones, der den ihm abgenötigten Verzicht auf seine Rechte sogleich verleugnete und im Frühling des nächsten Jahres zurückgerufen wurde, nachdem der vom Adel erhobene Senator im Volkstumult erschlagen war.

Alexander war schon im Vorjahr für einige Monate nach Anagni gewichen, jetzt verließ er Rom für lange Zeit und nahm seinen Sitz erst in Viterbo, dann wieder in Anagni. Daß der zurückgekehrte Podestà mit drakonischem Verfahren, Hinrichtungen, Verbannung, Zerstörung der Türme – nicht weniger als 140 sollen ihrer damals niedergelegt worden sein – die Macht des Adels zu brechen suchte, konnte er so wenig hindern wie das gewaltsame Umsichgreifen der Stadtherrschaft in der umgebenden Landschaft, das nicht einmal vor den Besitzungen des Papstes selbst und seiner Verwandten haltmachte. Daß Brancaleone schon 1258 starb, änderte zunächst nicht viel, da man auf seine Empfehlung seinen Oheim zum Podestà machte. Erst im folgenden Jahr gelang es dem Adel, diesen zu stürzen und zwei Männer aus den eigenen Reihen, einen Orsini und einen Annibaldi, als Senatoren an die Spitze der Stadt zu stellen. Diesmal vermochte Alexander durch starken Druck auf Bologna wenigstens äußerlich den Frieden herzustellen: die Bolognesen gaben die Geiseln heraus, und der Andalò erhielt die Freiheit. Aber der Einfluß des Papstes in der Stadt wurde dadurch nicht größer. Die neuen Stadthäupter setzten die Politik ihrer Vorgänger fort, indem sie Terracina zu unterwerfen und die Tätigkeit der Inquisition in der Landschaft zu hindern suchten. Alexanders Widerspruch dagegen war ohne Wirkung. Als er im November 1260 nach Rom zurückgekehrt war, mußte er erleben, daß bei der Senatorenwahl für 1261 gegen Richard von Cornwall, den erwählten, aber noch nicht anerkannten römischen König, ein zweiter Anwärter von einer starken Partei aufgestellt und erhoben wurde, der niemand anderes war als – Manfred. Der eine war für den Papst so unannehmbar wie der andere. Dem Machtlosen blieb nichts übrig, als der Stadt eilig den Rücken zu kehren und sich wieder nach Viterbo zurückzuziehen. Hier verfiel er in eine Krankheit, die nach wenigen Wochen, am 25. Mai 1261, seinem Leben ein Ende machte.

Das Bild hilfloser Schwäche, das seine Regierung uns bisher gezeigt hat, verstärkt sich, wenn wir auf den Stand der entfernteren Angelegenheiten blicken. Ja, dort, wo die größte der überkommenen Aufgaben des Papsttums lag, im Orient, näherte sich in diesen Jahren die Entwicklung dem völligen Zusammenbruch. Seit Ludwig IX. (1254) Syrien verlassen hatte, war hier die Macht der Ungläubigen von zwei Seiten im Vordringen. Drohten die Ägypter von Süden, so die Mongolen von Osten. Das Jahr 1258 brachte diesen die Einnahme und Zerstörung von Bagdad, zwei Jahre später fielen ihnen Aleppo und Damaskus zu. Der Tod des Großkhans und anschließende Erbfolgekriege retteten Ägypten, es hatte Zeit, unter dem Mamelukensultan Bibars sich aufzurichten und die Rückeroberung Syriens erfolgreich zu beginnen. Was hier an Resten lateinisch-christlicher Herrschaft sich noch hielt, beschränkte sich auf die Küstenplätze, ein Königreich ohne wirklichen König, da der von Zypern zwar den Titel führte, aber vorzog, seine Insel zu regieren und das Festland seinen eigenen Fehden und Erbstreitigkeiten zu überlassen. Nur noch vom Gegensatz der Nachbarmächte, Ägypter und Mongolen, lebend, schwankten Barone und Ritterorden dauernd, bei wem von beiden sie Hilfe suchen, wem sie sich anschließen sollten.

Alexander IV. hat im Beginn seiner Regierung einen Versuch gemacht, die Verteidigung Syriens zu stärken. Auf den Gedanken zurückkommend, der unter Gregor IX. einmal aufgetaucht war, wollte er die Herrscher des Abendlands veranlassen, gemeinsam ein stehendes Heer in Syrien zu unterhalten. Ein jährlicher Zwanzigster von kirchlichen Einkünften sollte die Kosten bestreiten. Aber es ging damit wie mit andern guten Absichten dieses Papstes: schon im Anfang blieb der Anlauf stecken. Wir hören nicht, daß die Anregung irgendwo zu Taten geführt hätte. Ebenso erfolglos war Alexanders Bemühen, zwischen den streitenden Parteien der syrischen Christen Frieden zu stiften. Als der alte Wettkampf von Venedig und Genua um die Märkte des Ostens zum offenen Krieg ausartete, in dem das ganze Land Partei ergriff, hat Alexander zu vermitteln gesucht, nachdem er durch ungeschicktes Eingreifen den Zwist in Akka vollends verschärft hatte. Er hatte zwar erreicht, daß beide Teile ihn als Schiedsrichter annahmen, aber als er schließlich einen Spruch fällte, war es zu spät: in Akka war die Entscheidung schon gefallen, die Venetianer hatten die Flotte Genuas im Hafen vernichtet (24. Juni 1258) und alle Genuesen aus der Stadt vertrieben. Der Legat, den der Papst an Ort und Stelle sandte, wurde von ihnen zurückgewiesen, der Krieg ging weiter, zog das ganze Land in seinen Strudel und nahm eine gefährliche Ausdehnung an, als Genua, um die Gegnerin in ihrem vornehmsten Machtgebiet zu treffen, sich mit den Griechen von Nikäa verband. Damit drohte Konstantinopel, dem letzten Rest des lateinischen Kaisertums, den Balduin II. noch mit Hilfe der Venetianer zähe verteidigte, der Untergang.

Auch in Konstantinopel hat Alexander IV. nur Mißerfolge zu verzeichnen gehabt. In seinen Anfängen schien die Aussicht auf Vereinigung der Kirchen wieder nahegerückt, der Nachfolger des Vatatzes, Theodor Laskaris, nahm durch eine Gesandtschaft die unterbrochenen Verhandlungen wieder auf, und Alexander beeilte sich, nach der dargebotenen Hand zu greifen. Er sandte einen Legaten hinüber, wies ihn an, auf die Bedingungen, die Innozenz gestellt hatte, abzuschließen, war also wie jener bereit, die Frage des Bekenntnisses auf unbestimmte Zeit zu vertagen, wenn die kirchliche Oberhoheit Roms im Osten anerkannt würde. Dem glücklichen Abschluß glaubte der Papst so nahe zu sein, daß er seinem Legaten schon die Vollmacht erteilte, das Konzil der Einigung zu berufen und zu leiten. Er wurde bald enttäuscht. Kaiser Theodor, von plötzlich ausgebrochenem Krieg gegen Bulgarien in Anspruch genommen, empfing den Legaten nicht, der auf halbem Wege umkehren mußte. Seitdem nahmen die Dinge im Osten eine Wendung, die den Griechen die Unterstützung durch Rom entbehrlich erscheinen ließ – die Verhandlungen sind zu Alexanders Lebzeiten nicht mehr aufgenommen worden. Erfolglos waren auch seine Bemühungen, Genua von den Griechen zu trennen. Es nützte nichts, daß er über die Stadt und ihre Bürger den Ausschluß verhängte, der Krieg ging weiter, und der Papst mußte ohnmächtig zusehen, wie das Verhängnis sich über dem belagerten Konstantinopel zusammenzog.

Der unmittelbaren Gefahr, die dem Abendland immer noch von den Mongolen drohte, hat Alexander seine Aufmerksamkeit geschenkt, aber sein Verdienst war es nicht, daß es bei der Drohung blieb. Als ihn der König von Ungarn um eine Hilfstruppe von 1000 Reitern bat und warnend auf das Verschulden Gregors IX. hinwies, der gegen den ersten Einbruch der Mongolen nichts getan habe, verteidigte Alexander seinen Vorgänger mit vielen erbaulichen Worten, die Bitte um bewaffneten Beistand erfüllen konnte er nicht und stellte statt dessen den fünften Teil aller kirchlichen Einkünfte Ungarns zur Verfügung. Sehr viel kann das bei dem Zustand der Verwüstung, der das Land verfallen war, nicht gewesen sein. Erlasse an Fürsten und Prälaten, die zur Unterstützung Ungarns aufriefen, hatten keine erkennbare Wirkung, und als Alexander am Ende seiner Regierung sich dazu aufraffte, einen Kongreß von Vertretern der Regierungen und Kirchen an die Kurie zu berufen, um über gemeinsame Abwehr gegen die Mongolen zu beraten, da ersparte ihm der Tod die Enttäuschung, daß nur wenige Teilnehmer sich einfanden, und diese ohne genügende Vollmachten, während andere die Notwendigkeit besonderer Maßnahmen leugneten, da die Gefahr vorüber, der Feind abgezogen sei.

In den Akten der Regierung Alexanders IV. spielen die Angelegenheiten Osteuropas eine ziemliche Rolle, aber von nachhaltiger Wirkung seiner Erlässe ist nichts zu spüren. Die kirchliche Ordnung Livlands hat er bestätigt, die Mission jenseits der Grenzen dieses Landes ermutigt, aber das ging nicht von ihm aus und kostete ihn nichts. Den Abfall des Fürsten von Galizien zum griechischen Bekenntnis haben seine strafenden Mahnungen nicht rückgängig gemacht, und das Entgegenkommen, das er dem Großfürsten von Litauen bewies, hat diesen nicht dauernd für das römische Christentum gewonnen. Schon bald hat der Papst in den benachbarten Ländern das Kreuz gegen ihn predigen lassen. In allen diesen Fragen handelte er nicht aus eigenem Antrieb und darum auch ohne Nachdruck und Folge. Daß sein Ansehen nicht groß war, sein Wort nicht viel galt, erkennt man weniger an der Fruchtlosigkeit seines Einschreitens gegen die unerlaubte Ehe des Königs von Portugal – auf diesem Gebiet hatten auch seine größeren Vorgänger oft nicht viel erreicht – eher schon an der Unbefangenheit, mit der König Ottokar von Böhmen eine neue Heirat einleitete, nachdem der Papst ihm die Scheidung von seiner ersten Gemahlin verweigert hatte; noch mehr an dem Trotz, den ihm deutsche Bischöfe entgegensetzten. Seine Befehle und Urteile im Streit um Salzburg blieben ebenso unbeachtet wie seine Drohungen gegen den Kölner in dessen Fehde mit Paderborn. Über Worte kam Alexander nicht hinaus, es folgten keine Taten.

So war es auch, als in Frankreich der stets vorhandene Grenzstreit zwischen weltlicher und geistlicher Gerichtsbarkeit wieder einmal offen ausbrach. Zum französischen Königshaus zwar war das Verhältnis zunächst durchaus das hergebrachte, Ludwig IX. genoß die Vergünstigungen, die Rom gewähren konnte, in überreichem Maße. Für sich und alle seine Nachfolger erhielt er das Vorrecht, von keinem geistlichen Richter und auch von einem Legaten nur auf ausdrücklichen Befehl des Papstes mit Strafe belegt zu werden, Kirchensperre galt nicht für seinen Hof, Teilnahme am Gottesdienst verschaffte ihm und allen Anwesenden Ablaß, Ablaß erhielten alle, die für den König im Leben und zehn Jahre lang nach seinem Tode beteten. Auch Karl von Anjou bekam an solchen Vorrechten sein bescheidenes Teil. Kein anderes Herrscherhaus durfte sich solcher Bevorzugung rühmen. Wie wurde dabei Frankreich gepriesen, ‹das erhabene Königreich, der überragende Thron, im Ruhm der Vornehmheit, des Hochsinns und der Tapferkeit heller und höher strahlend als andere›! Und gerade dieses auserwählte Land bereitete dem Papst den Schmerz, von den Satzungen nicht abzulassen, die unter Innozenz IV. gegen die Gerichtsbarkeit der Kirche in weltlichen Rechtshändeln aufgestellt waren. Niemals hat sich die Art, wie Alexander IV. regierte, deutlicher gekennzeichnet als bei dieser Gelegenheit. Was den Anstoß gegeben hat, wissen wir nicht; es muß ein Zwischenfall gewesen sein, den man nicht übersehen durfte. Genug, im Juli 1257 befahl der Papst den Prälaten die Bekanntgabe einer Verfügung, durch die er die Vernichtung jener kirchenfeindlichen Satzungen anordnete und über alle, die an ihrem Erlaß beteiligt seien oder sie beobachteten, den Ausschluß, im Fall der Hartnäckigkeit Lehnsverlust und Unfähigkeit der Nachkommen zu Pfründenbesitz aussprach. Es klang, als sei das Schwert aus der Scheide gefahren und der Papst gerüstet zu unerbittlichem Kampf für das Recht. Aber von Kampf hört man keinen Laut, vielmehr überrascht uns schon drei Vierteljahre später ein päpstlicher Auftrag an den Erzbischof von Rouen, den Streit zwischen Prälaten und Baronen zu schlichten. Er soll die Prälaten zusammenrufen und den König ersuchen, daß er auch die Barone zum Erscheinen veranlasse. Käme eine Einigung nicht zustande, so soll der Erzbischof die Prälaten zur Abstellung ungerechter Ansprüche nötigen und durch den König bewirken, daß die Barone desgleichen tun. Der Papst hat also den Kampf aufgegeben und es den Streitenden überlassen, mit Hilfe der Krone sich friedlich zu einigen. Von angedrohten Strafen und nachteiligen Rechtsfolgen ist nicht weiter die Rede, für den Papst ist die ganze Angelegenheit nicht mehr vorhanden.

Die gewünschte Einigung ist nicht zustande gekommen, die Reibungen dauerten fort, und eine deutliche Verstimmung der Kurie gegen Frankreich blieb übrig. Der Vorfriede mit England, den Ludwig IX. 1258 nach langen Verhandlungen einging, kam ohne stärkere Beteiligung des Papstes zustande, und als Ludwig um einen Legaten bat, der den endgültigen Abschluß durch seine Gegenwart verherrlichen sollte, blieb sein Wunsch unerfüllt. Die Verstimmung muß seitdem noch gewachsen sein, denn als zwei Jahre später die Einladungen zum Kongreß wegen der Mongolengefahr erlassen wurden, fand sich – es ist kaum zu glauben –, daß der König von Frankreich übergangen war. Er nahm es bitter übel, beschwerte sich beim nächsten Papst, und dieser hatte Mühe, ihn mit der

Ausrede zu beschwichtigen, es handle sich um ein Versehen der Kanzlei. Wovon denn jeder denken mochte, was ihm beliebte.

So endete diese Regierung, deren Unzulänglichkeit, mag man auch in manchem, wie in den Verlusten, die Syrien und Konstantinopel betrafen, nur die natürliche unabwendbare Entwicklung sehen, doch überall das Fehlen einer führenden Hand erkennen läßt. Alexander IV., das haben schon die Zeitgenossen gewußt, besaß die Eigenschaften nicht, die der Augenblick erforderte, er hat aber auch in seiner von Gegensätzen gespaltenen Umgebung die Ergänzung nicht gefunden, auf die er bei der Übernahme des Amtes gehofft hatte. Die Enttäuschung — wie hätte es anders sein können? — war am größten dort, wo man erwartete, sein Regierungsantritt werde das endgültige Verlassen der Bahnen bringen, die seine Vorgänger, am meisten Innozenz IV., gegangen waren. Mit starken Worten, in denen sich eine wahre Erbitterung Luft macht, hat das der Mönch von St. Albans ausgesprochen. Er sieht auch unter Alexander die Wechsler am Werke, die aus dem Tempel vertrieben und gegeißelt werden sollten. Die Kurie, meint er, treibe die Gläubigen fort zum Götzendienst, vorbei sei es mit der gewohnten Ergebenheit von Prälaten und Volk gegen die römische Kirche und den Papst. ‹Weil es aber vornehmer ist, unschuldig zu leiden als unrechte Gewalt zu üben, so wollen wir glauben, daß unser Klageruf zum Gott der Rache dringe.›

Wieviel hing da von der Wahl des Nachfolgers ab! War es wieder einer, dem es an Entschlossenheit und Festigkeit gebrach, der wohl nicht einmal die ganze Tragweite des Geschehens empfand, so versank das Papsttum im Strudel des italischen Parteikampfes, der staufische König befestigte sich als Führer der Gibellinen und wurde mit der Zeit vielleicht Herr in ganz Italien. Was dabei aus der Macht Roms über Kirche und Volk in andern Ländern geworden wäre, wer vermöchte es zu sagen? Um das abzuwenden, bedurfte es eines Mannes von überlegener Einsicht und Tatkraft. In ihrer Mitte hatten die Kardinäle mehr als einen, dem man diese Eigenschaften zutraute, aber sie waren uneins und ihr Zwist um so unversöhnlicher, je kleiner der Kreis. Um die vorhandenen Gegensätze nicht zu verschärfen und niemand zu verletzen, hatte Alexander IV. in seiner ganzen Regierung keinen Kardinal ernannt, so daß das Kollegium auf acht Köpfe zusammengeschmolzen war, von denen überdies einer fehlte: Ubaldini war durch den Tod seines Vaters ferngehalten. Die erforderliche Mehrheit zu bekommen, hatte keiner Aussicht, ohne Ergebnis zog sich die Beratung in Viterbo ein Vierteljahr hin. Schließlich griff man über den eigenen Kreis hinaus und fand den, dem alle ihre Stimme geben konnten, im Patriarchen von Jerusalem, der sich seit einiger Zeit an der Kurie aufhielt. Am 29. August 1261 wurde er gewählt, Urban IV.

Seiner Herkunft nach paßte er schlecht zu den vornehmen Herren, Römern und Italienern, die seit mehr als einem Jahrhundert in ununterbrochener Folge den Stuhl Petri eingenommen hatten. Er war Franzose und hatte nicht einmal einen Familiennamen, man nannte ihn nach seinem Vater, einem Flick-schuster in Troyes, Jakob den Sohn des Pantaleon. Daß ein Mann von so ge-ringer Herkunft Papst werden konnte, erschien den Zeitgenossen wie ein Wun-der, und es bildete sich eine Legende, die sich festsetzte. Als armer Geistlicher sollte er an die Kurie gekommen sein, um eine kleine Pfründe von 20 Pfund Einkommen zu erbetteln. Nicht ahnend, daß die streitenden Kardinäle in ihrer Verzweiflung schon gelobt hatten, den ersten, der an ihre Türe pochen werde, zum Papst zu machen, meldete er sich und wurde gewählt. So ist es freilich nicht gewesen. Mit voller Überlegung haben ihn die Kardinäle erhoben, und wenn es galt, das Papsttum aus der Versenkung wieder aufzurichten, in die es unter Alexander IV. geraten war, so hätten sie keinen Besseren finden können als diesen Emporkömmling. Seine Vorbereitung auf das Amt war die beste. In Paris hatte er Kirchenrecht und Theologie studiert, war Domherr in Laon. Archi-diakon in Lüttich geworden, hatte auf Sendungen nach Livland, Pommern und ins deutsche Reich die Geschäfte der Kirchenpolitik, einmal auch die Gefangen-schaft kennengelernt und war von Innozenz IV. (1251) mit dem Bistum Verdun belohnt worden, das er durch geschickte Verwaltung in kurzer Zeit aus Ver-schuldung und Verfall befreite und wieder in die Höhe brachte. Drei Jahre spä-ter (1255) zum Patriarchen von Jerusalem ernannt, fand er dort Verhältnisse vor, die ihn veranlaßten, persönlich die Entscheidung des Papstes zu suchen. Ein weltkundiger, willensstarker und geschäftskluger Prälat, verriet er auch äußer-lich nichts von seiner niedrigen Herkunft. Man bewunderte seine schöne Erschei-nung, seine klangvolle Stimme. Einem italienischen Beobachter machte er den Eindruck eines Mannes von größter Tatkraft und Festigkeit, er trete auf wie ein weltlicher Herrscher. Das Lob der Sittenreinheit, das sein Biograph ihm spendet, hat er nicht ganz verdient: er brachte einen Sohn mit, den er für seinen Neffen ausgab, alsbald zum Kardinal erhob und stark bevorzugte. Nur wenige Wochen über drei Jahre hat er regiert, aber seine kurze Amtszeit ist von größ-ter Bedeutung geworden. Denn er führte die Wendung herbei, die dem Kampf der Kirche gegen Kaisertum und Staufer ein Ende gemacht hat.

Bei seiner Erhebung hat die Rücksicht auf die östlichen Angelegenheiten zwei-fellos mitgesprochen. Bei wem konnte man sie besser aufgehoben glauben als beim bisherigen Patriarchen von Jerusalem? An sie wird Urban selbst gedacht haben, als er sich den Namen wählte, den der Papst des ersten Kreuzzugs ge-tragen hatte. Aber die Verhältnisse brachten es mit sich, daß er gerade für diese Dinge am wenigsten hat tun können. Daß die Eroberung Syriens durch die Ägypter nach Vertreibung der Mongolen schnelle Fortschritte machte, das Land zwischen Aleppo und Jerusalem bis vor die Tore von Akka ihnen zufiel, daß Bethlehem und Nazareth zerstört, Cäsarea genommen wurde, vermochte der Papst nicht zu hindern. Er ließ wohl das Kreuz in Frankreich und England, in Deutschland, Dänemark und Norwegen predigen, erlebte auch noch, daß ein französischer Reichstag den Zug beschloß und einige vornehme Herren ihn zu unternehmen gelobten, aber den Lauf des Schicksals zu hemmen, war ihm nicht beschieden. Im Abendland war der Eifer für das Heilige Land im Erlöschen, sogar in Frankreich, der Heimat der Kreuzzüge, stieß die bescheidene Abgabe – ein Hundertstel der kirchlichen Einkommen auf fünf Jahre –, die der Papst forderte, auf Widerspruch.

Eine Hiobspost erreichte ihn gleich nach seiner Thronbesteigung: Michael Paläologos, der siegreiche Feldherr der Griechen, hatte am 25. Juli, unterstützt von den Genuesen, Konstantinopel durch Handstreich genommen, den unmündigen Kaiser Johannes beseitigt und sich selbst zum Kaiser gemacht. Mit Mühe war Balduin II. entkommen. Urban konnte nicht anders als die Partei des Vertriebenen ergreifen. Über Genua verhängte er erneut den Ausschluß, mahnte es mit strafenden Worten, vom Bündnis mit dem Griechen zu lassen und mit Venedig Frieden zu schließen, rief unter beweglicher Klage über den Verlust der edlen Stadt zu bewaffneter Hilfe für Balduin auf, verhieß den Ausziehenden den Ablaß der Kreuzfahrer und schrieb eine allgemeine Abgabe von den Kirchen aus, die indes nicht bloß in Spanien und England, auch in Frankreich Widerspruch fand. Aber während er mit der einen Hand das Kriegsbeil zu schärfen suchte, griff er doch schon mit der andern nach der Friedenspalme.

Überraschend genug, die Einnahme von Konstantinopel eröffnete für Rom die Aussicht auf einen Gewinn, der den Verlust reichlich wettmachen konnte. Der neue Griechenkaiser hatte nicht gesäumt, mit dem Papst Verhandlungen wegen Vereinigung der Kirchen von Ost und West anzuknüpfen. Urban zögerte mit der Antwort, aber als Michael seinen Antrag durch eine feierliche Gesandtschaft wiederholte, ihn als geistlichen Vater anredete, ging er darauf ein. Der Kaiser hatte, entsprechend dem Programm, das schon Innozenz IV. gebilligt hatte, gewünscht, die kirchliche Einigung nebst dem Frieden mit den Lateinern sofort zu schließen, die Fragen des Glaubens späterer Erörterung vorzubehalten. So weit gedachte Urban nicht entgegenzukommen. In seiner Antwort begrüßte er den Entschluß des Kaisers mit vielen frohen und erbaulichen Worten, aber die Glaubensfragen hinter den Frieden zurückzustellen, lehnte er ab. Seine Gesandten, vier Minderbrüder, waren beauftragt, über beides zugleich zu verhandeln.

Anfang August 1263 machten sie sich auf. Ihre Reise kreuzte sich mit einer erneuten Botschaft des Kaisers. Dieser hatte im Frühjahr 1264 im Krieg gegen den Fürsten von Achaja, den letzten der lateinischen Landesherren, der sich noch behauptete, eine schwere Niederlage erlitten und fürchtete, ob mit oder ohne Grund, einen starken Angriff auf seine Hauptstadt. Das mag ihn zu einem entscheidenden Schritt bewogen haben: er erklärte sich überzeugt, daß das römische Glaubensbekenntnis auch das ursprüngliche der Griechen sei, wollte ebenso die römische Lehre von den sieben Sakramenten annehmen und stellte, wenn die Einigung zustandekäme, die Unterwerfung des gesamten christlichen Orients unter Rom in Aussicht. Urban erwiderte förmlich entzückt: noch nie sei man der Vereinigung so nahe gewesen, ja sie schien ihm schon so gut wie erreicht. Er drängte zu schleunigem Vollzug, sandte den Überbringer der kaiserlichen Botschaft, einen kalabrischen Bischof griechischer Herkunft, zurück und beauftragte ihn, in Gemeinschaft mit den Minderbrüdern die Verhandlung zu beenden. Alsdann sollte auf einer Synode beider Kirchen ihre Vereinigung vollzogen werden. Die Zeit der Erfüllung, so schrieb Urban, sei gekommen; der gnadenreiche Tag erschienen.

Ganz so weit, wie er meinte, waren indes die Dinge doch nicht. Seine Gesandten wurden in Konstantinopel in lange Verhandlungen verwickelt, konnten nicht alles durchsetzen und mußten Zugeständnisse machen. Mit dem Ergebnis an die Kurie zurückgekehrt, fanden sie Urban nicht mehr am Leben. Der Personenwechsel ließ die Verhandlung stocken, und als sie nach einiger Zeit wieder aufgenommen wurde, war die Lage gründlich verändert. Das Ziel, das schon zum Greifen nahe geschienen, wich aufs neue zurück.

Die Bereitwilligkeit, mit der Urban das lateinische Kaisertum opfern wollte, erklärt sich – nicht anders als einst bei Innozenz IV. – aus dem Zusammenhang, der zwischen der orientalischen und der sizilischen Frage bestand: Balduin II. war der Verbündete Manfreds. Die gewaltsame Thronbesteigung des Paläologen hatte das Bündnis der Griechen mit den Staufern gesprengt, durch die Gefangennahme der Witwe des Vatatzes, einer Schwester Manfreds, war dieser zum Feinde des neuen Kaisers geworden, hatte sich mit dessen Gegnern verbunden, hatte die Tochter des Fürsten von Epirus-Albanien geheiratet, dessen andere Tochter die Gemahlin des Fürsten von Achaja wurde. Der neue Griechenkaiser sah sich gegenüber die drei Mächte Sizilien, Epirus und Achaja zum Kampf vereint. Nichts natürlicher, als daß der vertriebene Balduin bei Manfred Hilfe suchte, aber ebenso natürlich, daß der Papst nun dem Gegner Siziliens vor dem Verbündeten den Vorzug gab. Denn die Aufgabe, die Urban als nächste und dringendste von Anfang an sich vorgenommen hatte, war die Lösung der sizilischen Frage, der Sturz und die Vernichtung Manfreds.

Die Aufgabe war lösbar. Manfreds Stellung hatte ungeachtet aller Erfolge der letzten Zeit ihre Schwächen. Die Wahl zum Senator in Rom hatte ihm keinen Erfolg gebracht, die Herrschaft in der Stadt hatte er nicht erlangt. Im eigenen Königreich glomm stets das Feuer der Widersetzlichkeit und flackerte von Zeit zu Zeit in örtlichen Erhebungen auf. Von den Landesbischöfen lebte eine Anzahl in der Verbannung, andere standen mit der Kurie in Fühlung, empfingen Briefe und Weisungen von dort. Im übrigen Italien war der König von Sizilien nicht Herr, nur Haupt und Führer einer Partei, von den Bundesgenossen, ihren Kräften, ihrem guten Willen abhängig. Mochte seine gewinnende Persönlichkeit ihm die Herzen leichter öffnen als einst seinem Vater, der mehr gefürchtet als geliebt worden war, seine Macht war doch geringer und weniger festgewurzelt als die Friedrichs in seinen besten Zeiten. Ob die Bündnisse, auf die er sich stützte, geschlossen mehr aus Selbstsucht und Feindschaft gegen die Nachbarn als aus Eifer für ein allgemeines Ziel, ob diese lockeren Verbindungen eine ernste Probe bestehen würden, war sehr die Frage. Es kam nur darauf an, eine entsprechende Macht gegen ihn ins Feld zu stellen, so war der Erfolg nicht unwahr-scheinlich. An solcher Macht hatte es bis dahin gefehlt, die Päpste selbst besa-ßen sie nicht, und England, auf das sie rechneten, hatte versagt. Aber ihre stärk-ste Karte hatten sie noch gar nicht ausgespielt: Frankreich. – An Frankreich hatte schon Gregor IX. gedacht, mit Frankreich hatte Innozenz IV. verhandelt, und nicht allzuviel hatte gefehlt, so wäre man schon damals handelseinig ge-worden. Auch ohne ausdrückliches Zeugnis darf man annehmen, daß die Rich-tung, die ihre Hoffnung auf Frankreich setzte, auf Frankreich, das sich so oft als Zuflucht und Stütze der Päpste bewährt hatte, an der Kurie in all diesen Jahren niemals ausgestorben war. Unter Alexander IV. war sie nicht zu Wort gekom-men, sei es, daß dieser Papst – oder seine Berater – trotz allem noch an England glaubten, sei es, daß sie sich durch die Aussicht auf einen französischen Herr-scher in Unteritalien abgeschreckt fühlten oder daß ihnen einfach die Entschluß-kraft fehlte. Zuletzt war ja, wie wir wissen, sogar eine Entfremdung zwischen dem Papst und dem französischen Hof eingetreten. Alle diese Hemmungen fielen bei Urban IV. hinweg. Er war Franzose mit Bewußtsein und bekannte sich offen dazu: durch natürliche Notwendigkeit (*quadam materiali necessitudine*) fühlte er sich seinem Vaterland verpflichtet. In den französischen Königen sah er die vornehmsten Verteidiger des Glaubens und der kirchlichen Freiheit, Lud-wig IX. erklärte er lieber zu haben als alle andern Könige und Fürsten, bereit, allen seinen Wünschen zuvorzukommen. Daß die geistlichen Gnaden erneuert wurden, mit denen Alexander den König und sein Haus gesegnet hatte, ver-steht sich von selbst. Dieser Papst war französisch wie noch keiner vor ihm seit mehr als hundertfünfzig Jahren, und er hat dafür gesorgt, daß auch sein Hof französisch wurde. Als er im Laufe eines Jahres 14 neue Kardinäle ernannte, war die Hälfte davon Franzosen, und unter diesen befanden sich zwei ehemalige Kanzler und ein Geheimer Rat des Königs. Bei Urbans Wahl war diese Nation nur durch zwei Stimmen gegenüber vier Italienern, einem Engländer und einem Ungarn vertreten gewesen, jetzt stellte sie mit acht oder neun von zweiund-zwanzig [1] nahezu ein Drittel. Wie groß mag der Schwarm von Beamten, Die-nern, Trabanten gewesen sein, den sie mitbrachten?

Schon in den ersten Monaten seiner Regierung hat Urban bei Ludwig IX. an-geklopft. Zunächst vergeblich, Ludwig, immer friedfertig, wo es sich nicht um Feinde des Christenglaubens handelte, bot seine Vermittlung an. Urban lehnte sie ab unter Berufung auf Manfreds wiederholt bewiesene Unzugänglichkeit. Das war das Gegenteil der Wahrheit, aber es diente dazu, den Franzosen gegen Manfred einzunehmen, ein Bemühen, in dem der Papst auch weiterhin vor einer groben Unwahrheit nicht zurückgeschreckt ist. Manfred war so wenig unzu-gänglich, daß er eben um dieselbe Zeit aus eigenem Antrieb ein verlockendes

---

1 Den großen Rechtslehrer Heinrich von Susa, als Bischof von Ostia unter dem Namen Ostiensis bekannt, kann man nach seiner Lebensstellung – er war Bischof von Sisteron und Erzbischof von Embrun – ebenso zu den Franzosen wie nach seiner Her-kunft aus Piemont zu den Italienern zählen.

Friedensangebot machte. Für Belehnung und Krönung bot er 300 000 Unzen Gold (1,5 Millionen Gulden) und wollte den jährlichen Lehnszins, bisher 1000 Unzen, auf das Zehnfache erhöhen. Urban lehnte ab und eröffnete das Gerichtsverfahren; er lud Manfred auf den 1. August 1262 zu persönlicher Verantwortung vor. Die Anklagen waren zum Teil die alten, schon gegen Friedrich erhobenen: Unterdrückung der Untertanen und Mißachtung der Kirchenstrafen, die ihn der Ketzerei verdächtig mache. Dazu kam eine Reihe angeblich politischer Morde, von denen die Mehrzahl Hinrichtungen, andere nicht bewiesen waren. Stark unterstrichen war die Bevorzugung der Sarazenen, deren Sitten der König angenommen haben sollte. Das war auf Ludwig IX. berechnet, mit dem die Verhandlungen schon im Gange waren, in aller Form war ihm das Königreich Sizilien für einen seiner Söhne angeboten worden. Die Ablehnung, die nicht ausblieb, wird Urban erwartet haben, aber anstandshalber mußte, wenn man französische Kräfte in Anspruch nahm, zunächst der regierende Zweig des Hauses berücksichtigt werden. Der eigentliche Kandidat war von Anfang an niemand anderes als der Prinz, der schon vor neun Jahren beinahe die Ehre mit der Last empfangen hätte, Ludwigs jüngster Bruder Karl, Graf von Anjou und der Provence. Wir wissen, was ihn das erstemal abgehalten hatte zuzugreifen, die Aussicht auf den Erwerb von Flandern. Sie war bald zunichte geworden. Durch Wilhelm von Holland aus dem Felde geschlagen, hatte Karl mit einer Entschädigung von 160 000 Pfund sich zurückgezogen. Dann waren kampfreiche Jahre gefolgt, in denen er sich als Herr in der Provence gegen vielfache Widerstände durchsetzte und befestigte. Eben jetzt, im Sommer 1261, wurde der letzte der widerstrebenden Barone überwunden, im Spätherbst unterwarf sich als letzte Stadt Marseille. Der Augenblick für den Antrag des Papstes hätte nicht günstiger gewählt sein können.

Überbringer war derselbe Meister Albert von Parma, der vor neun Jahren mit Karl verhandelt hatte. Er stand auch diesmal vor keiner leichten Aufgabe. Karl, der sich schon genügend als Mann von rücksichtsloser Härte und unerbittlich auf seinen Vorteil bedacht erwiesen hatte, war kein bequemer Verhandlungspartner, zudem gab es am französischen Hof ernste Widerstände zu überwinden. Königin Margarete, die ehrgeizige und herrschlustige Schwester von Karls Gemahlin – ihrem Sohn, dem Kronprinzen, hat sie das Versprechen abgenommen, falls der Vater stürbe, ihr bis zu seinem 30. Lebensjahr die Regentschaft zu überlassen – haßte ihren Schwager, von dem sie sich bei der Besitznahme der Provence um ihr Erbteil betrogen glaubte. Ihren Einfluß fürchtete der Papst so sehr, daß er sie schriftlich bat, seinen Plan nicht zu stören. Die persönlichen Beziehungen innerhalb des Königshauses müssen schon ungewöhnlich schwierig gewesen sein und große Vorsicht nötig gemacht haben, wenn wir sehen, daß die Königin den Kronprinzen eidlich verpflichtet hatte, niemals mit dem Oheim Karl sich zu verbinden, und daß der Papst die Lösung dieses Eides anbot. Vor allem aber war es König Ludwig selbst, der erst gewonnen werden mußte. In seiner ehrenwerten Beschränktheit, die man später als besondere Tu-

225

gend gepriesen hat, liebte er es, politische Dinge nach rechtlichen und sittlichen Begriffen zu behandeln, und tat es auch diesmal, indem er den Nachweis forderte, daß Manfred mit Recht aus seinem Reich zu vertreiben sei. Auf Ludwigs Genehmigung konnte aber nicht verzichtet werden, denn von Anfang an war Karls Unternehmen als die Sache von ganz Frankreich gedacht. Mit gutem Grund; gelingen konnte es nur, wenn Adel und Ritterschaft des Königreichs in genügender Zahl der Fahne des Eroberers folgten, abgesehen davon, daß auch die Geldmittel von Frankreich aufgebracht werden mußten. Mit Gut und Blut sollte Frankreich einstehen, um dem Papst das sizilische Königreich zu erobern, darum mußte vor allem der König gewonnen, er mußte überzeugt werden, daß es eine gerechte Sache, eine Sache des Christenglaubens sei.

Zu diesem Zweck sah Urban sich genötigt, zunächst die Verhandlung mit Manfred ernsthafter, als ursprünglich beabsichtigt, zu betreiben. Manfred war sogleich dazu bereit, stellte bis zur Entscheidung die Feindseligkeiten ein, wünschte eine persönliche Begegnung, kam bis an die Grenze des Kirchenstaats und forderte sicheres Geleit. Urban, der sich in Orvieto aufhielt, konnte nicht umhin, die Frist zu verlängern, wollte Manfred auch ein zahlreiches Gefolge – 800 Personen und 700 Wagen –, aber nicht mehr als 100 Bewaffnete mitzubringen erlauben. Ob das allein der Grund war, daß die Begegnung nicht zustande kam, weil Manfred, eingedenk früherer Erfahrungen, eine Falle befürchtete? Ein gut unterrichteter Zeitgenosse aus dem Kreise der Kurie läßt durchblicken, der Papst habe absichtlich die Verhandlungen zum Scheitern gebracht, indem er eine unannehmbare Bedingung stellte: Manfred sollte sich verpflichten, die verbannten Barone aus dem Königreich in ihre früheren Würden und Herrschaften wiedereinzusetzen. Das war, da diese längst vergeben waren, eine ehrenrührige Zumutung. Manfred lehnte ab, und Urban benutzte das, ihn bei Ludwig IX. zu verklagen, als hätte er, durch Entgegenkommen nur noch widerspenstiger gemacht, sich gegen das Gericht der Kirche aufgelehnt. Diese falsche Berichterstattung, die mündlich erläutert und verschärft worden sein wird, erreichte ihren Zweck, Ludwig war gegen Manfred eingenommen. Dieser war nicht ohne angesehene Fürsprecher geblieben. Kaiser Balduin II. und ein Vertreter des syrisch-französischen Adels, Herr Johann von Valenciennes, Herr von Haifa, waren an der Kurie Zeugen der Verhandlungen gewesen und hatten sich überzeugt, daß ein Ausgleich möglich war. Sie wünschten ihn dringend, weil dann ihre Sache, Kreuzzug nach Syrien und gegen die Griechen, wirksame Unterstützung finden konnte. Solchem Kreuzzug hätte auch jetzt noch niemand größeren Vorschub leisten können als der König von Sizilien, der ja mit dem Paläologen bereits im Kriege lag. Balduin sowohl wie Valenciennes traten darum eifrig am französischen Hof für ihn ein, aber das nützte ihm nichts, ja es schadete ihm sogar. Ein Brief Balduins, in dem er seine Parteinahme für Manfred allzu offen betonte, war von den Päpstlichen aufgefangen worden und wurde benutzt, um nun auch ihn bei Ludwig IX. anzuschwärzen.

Von dem Kampf um die Seele des französischen Königs, der da bis zum Som-

mer 1263 geführt worden ist, dringt nur hier und da ein Laut zu uns. Wir erfahren, daß Ludwig Bedenken hegte, ob, wenn Manfred schon keine Rücksicht
verdiente, das Erbrecht Konradins wirklich erloschen sei, und ob der Anspruch
Edmunds von England nicht noch bestehe. Der erste Punkt muß ihm irgendwie
ausgeredet worden sein, vermutlich mit dem Hinweis auf Konradins Abstammung von dem Ketzer Friedrich II., der zweite war leicht zu beseitigen. Urban
brauchte sich nur an die Bestimmungen des Vertrags von 1255 zu halten, um
festzustellen, daß England seine Verpflichtungen nicht erfüllt hatte und die Belehnung des Prinzen somit hinfällig war. Das geschah Ende Juli; als Bote des
Papstes ging ein sizilischer Verbannter, der Erzbischof von Cosenza – wir werden ihn noch näher kennenlernen – mit diesem Bescheid an den englischen Hof,
und Heinrich III. fügte sich um so eher, da Urban ihn von allen vertraglichen
Verpflichtungen und verwirkten Kirchenstrafen befreite. Schon vorher hatte ihm
der Papst einen wertvollen Dienst geleistet: auf seine Bitte hatte er die Eide
gelöst, die den König an seine aufständischen Barone banden. Es hat zwar noch
eine Weile gedauert, bis der förmliche Verzicht Heinrichs III. vorlag, aber ein
Hindernis bildeten die englischen Ansprüche nicht mehr. Der unglückliche sizilische Vertrag war beseitigt, mit dem Innozenz IV. seine eigenen Nachfolger
und England zum Schaden beider belastet hatte. Die Päpste hatten dadurch un-
geheure Summen verloren, England durch die hohen Steuern, die mit der Eroberung Siziliens begründet wurden, den Keim der Revolution empfangen, soeben
war sie im Begriff, in offenen Bürgerkrieg überzugehen.

In denselben Wochen, wo er den Vertrag mit England in den Papierkorb
wandern ließ, Ende Juni 1263, hat Urban seinem Unterhändler, dem Meister
Albert, die Bedingungen mitgeteilt, auf die hin er mit Karl abzuschließen gedachte. Sie verraten das Bewußtsein, daß man im Begriffe stand, einen gewag-
ten Schritt zu tun. Nicht weniger als 34 Punkte zählt das merkwürdige Aktenstück, durch das der künftige König von Sizilien für alle Zeiten gefesselt werden
sollte, um für die Kirche niemals der gefährliche Nachbar zu werden, der so
mancher seiner Vorgänger in alter und neuester Zeit gewesen war. Karl sollte
für sich und seine Erben schwören, niemals sein Königreich mit dem Imperium
zu vereinigen, weder das römische Kaisertum noch die deutsche Königswürde,
noch irgendwelche Herrschaft in der Lombardei und Toskana zu erstreben oder
anzunehmen, auch keine Heiratsverbindung mit einem Kaiser oder deutschen
König einzugehen; im Königreich die Freiheiten der Untertanen wiederherzustellen, die vor 1194 bestanden hatten, den Kirchen und Geistlichen Befreiung
von Steuern und weltlichem Gericht zu gewähren, die kirchlichen Wahlen völlig freizugeben, sich mit einem einfachen Treueid der Prälaten zu begnügen und
auf den Genuß der Einkünfte erledigter Bistümer und Klöster zu verzichten, auch
für erlittene Verluste Entschädigung zu leisten, in zweifelhaften Fällen nach
dem Entscheid des Papstes. Neben dem jährlichen Zins hatte er der römischen
Kirche alle drei Jahre einen weißen Zelter und auf Verlangen 300 Ritter mit
1200 Pferden oder eine entsprechende Zahl von Kriegsschiffen zu stellen. Zur

Eroberung des Reiches sollte er innerhalb eines Jahres mit 1000 Rittern, 300 Armbrustern und einer angemessenen Menge Fußvolks seine Grenze überschreiten, drei Monate später an der Grenze des Königreichs stehen und nach der Besitzergreifung in noch zu bestimmenden Fristen dem Papst 50 000 Pfund zahlen. Jedes Abweichen von einer dieser Verpflichtungen berechtigte den Papst, Ausschluß und Kirchensperre zu verhängen oder den Vertrag für gebrochen und Karls Anrechte für erloschen zu erklären. Damit nicht genug, sollten nach vollzogener Eroberung die Einwohner des Reiches alle zehn Jahre auf den Vertrag vereidigt werden. Dem Vasallen, dem er so strenge Bedingungen auferlegte, glaubte der Papst außerdem eine empfindliche Kürzung des Lehens zumuten zu können. Den jährlichen Lehnszins wollte er von 1000 auf 2000 Goldunzen heraufsetzen und die Belehnung nur für das Gebiet erteilen, das Manfred im nicht vollzogenen Vertrag von Foggia (1255) sich vorbehalten hatte. Die Provinzen von Capua, Neapel, Amalfi und den Abruzzen wären danach zum Kirchenstaat geschlagen worden. Würde Karl darauf nicht eingehen, so war Urban bereit, ihm das Ganze zu überlassen, aber gegen Erhöhung des Zinses auf jährlich 10 000 Unzen (50 000 Gulden). Als Gegenleistung des Papstes wurden Karl in Aussicht gestellt: der Zehnte von kirchlichen Einkünften und die Loskaufgelder vom Kreuzzug in Frankreich, Provence und Burgund für drei Jahre, Kreuzpredigt gegen Manfred in denselben Gebieten und in Italien, Ausschluß Konradins und jedes andern Staufererben von der Kaiserwürde, feierliche Absetzung und Ausschluß Manfreds samt Dienern und Anhängern aus der Kirche, dazu gute Dienste zur Gewinnung der Bundesgenossen, die Karl bezeichnen würde. Wenn auf dieser Grundlage der Vertrag zustande kam, so durfte man damit rechnen, daß bis zur Jahreswende 1264 auf 1265 ein starkes französisches Heer in Italien erscheinen und der Herrschaft des staufischen Hauses für immer ein Ende machen werde.

Urban hat sich nicht auf das allein verlassen, was Karl leisten würde, er hat das Seine getan, den Erfolg vorzubereiten. Was er an eigenen Mitteln vorfand, war wenig. Alexander IV. hatte auch in der Verwaltung des Kirchenstaats keine feste Hand gezeigt, hatte Güter und Burgen durch Verpfändungen und Vergabungen an seine Verwandten verlorengehen lassen. Seine Kriegspolitik hatte die Finanzen völlig zerrüttet. Die Schulden bei Kaufleuten in Rom, Florenz und Siena, die er hinterließ, beliefen sich auf 150 000 Pfund. Wie einst als Bischof von Verdun, ging Urban an die Wiederherstellung. Die abgekommenen Orte im Patrimonium wurden mit Güte oder Gewalt zurückgenommen, die Verwaltung der Kammer neu geordnet, die Rechnungen gründlich geprüft. In alle Lande zogen die Boten und Sammler, um Rückstände einzuziehen und freiwillige Beisteuern zur Erleichterung der Not der Kirche zu fordern. Wieweit sie Erfolg hatten, steht dahin, doch versichert der Biograph des Papstes, es sei gelungen, die Bankschulden innerhalb Jahresfrist abzutragen, ohne daß der Hofhalt gelitten hätte. Daß dazu die Zahlungen für reichlich bewilligte Provisionen und für Erlaubnisse zur Pfründenhäufung mitgeholfen haben, kann man sich denken. Da zeigte sich wieder einmal, über welche unerschöpflichen Reserven ein Papst verfügte, der seine Befugnisse zu nutzen und seine Einkünfte zu verwalten verstand. Rechnet man dazu den Kredit, den die römische Kirche eben um dieser Reserven willen genoß, so versteht man, daß es Urban IV. gelungen ist, in diesen Jahren der herannahenden Entscheidung immer zahlungsfähig zu bleiben.

Mit dem Krieg, den er zur Wiedereroberung der verlorenen Provinzen des Kirchenstaats noch während der Verhandlung mit Manfred begann, hat er nur zum Teil Glück gehabt. Im Herzogtum Spoleto gelang es, die Hauptstadt und einige andere Ortschaften zu nehmen, der Statthalter, Manfreds Neffe Konrad, Friedrichs von Antiochien Sohn, wurde geschlagen und gefangen, konnte aber wieder entkommen. Dafür hatte in der Mark der päpstliche Vertreter nach anfänglichen Erfolgen schließlich das gleiche Schicksal, er fiel in Gefangenschaft. Einen in Sizilien erneut aufgetretenen falschen Friedrich ließ Urban zum Ausharren ermuntern, konnte aber nicht hindern, daß der Betrüger rasch dasselbe Ende fand wie sein Vorgänger. Von der Wirkung päpstlicher Briefe an einzelne Bischöfe des Königreichs wissen wir nichts, die Aufforderung an Manfreds deutsche Söldner, durch Übertritt in die Dienste der Kirche die Schuld zu sühnen, die sie ‹unter dem Fürsten der Finsternis› auf sich geladen hätten, ist ohne Zweifel ebenso abgeprallt wie die mit einem verdächtigen Lob für gute Haltung verbundene Mahnung an Konradin, die Deutschen aus Manfreds Heer heimzurufen.

Um so wirksamer war des Papstes heimliche Arbeit in den großen Städten Toskanas. Ihr Bündnis mit Manfred hatte insofern etwas Unnatürliches, als die reichen Kaufleute, die den wichtigsten Teil ihrer Bürgerschaft bildeten, durch ihren Vorteil auf die Seite der Kirche gewiesen wurden. Die besten Kunden der Bankhäuser von Siena, Florenz und Pistoja waren schon in gewöhnlichen Zeiten die Bischöfe und Prälaten, die ohne Vorschüsse kaum je in der Lage waren, ihre Abgaben an die päpstliche Kammer zu entrichten. Der Markt, auf dem das Bankgeschäft immer seine größten Umsätze erzielte, war die Kurie, und nun gar, wenn der Papst Krieg führte, wie es Innozenz und Alexander getan hatten! Da wurde ihr Hof zu einer fetten Weide ohnegleichen, mit dem geldreichen König von Sizilien, der keine Anleihen brauchte und fremde Kaufleute in seinem Lande nicht zuließ, war kein Geschäft zu machen. Welche Verlockung, wenn von Kriegsplänen des Papstes etwas durchsickerte, bei denen so viel zu verdienen sein mußte! Sollte man sich das entgehen lassen? Unmittelbar bedroht aber war man, wenn der Papst zum Angriff schritt, indem er den Boykott gegen die Bürger gegnerischer Städte anwandte. Das hat Urban IV. ohne Rücksicht getan. Zuerst wurde Siena getroffen, seit dem Siege über Florenz (1260) die führende Stadt Toskanas. Den Ausschluß hatte schon Alexander IV. über sie verhängt. Urban fügte dazu das Verbot, irgendwelche Zahlungen an die Leute von Siena zu leisten. Nicht lange, so traf die Florentiner die gleiche Strafe. Es folgten Verbote, den Kaufleuten, die zu Manfred hielten, ihre Waren abzunehmen, Befehle zur Verhaftung ihrer Vertreter und Beschlagnahme ihrer Waren und Gelder. Für

die betroffenen Handelshäuser ein harter Schlag! Er traf, da sie ihr Hauptgeschäft in Frankreich und der Provence machten, wo man den Befehlen des Papstes gehorchte. Wir haben Zeugnisse dafür, wir hören unter anderem, daß den
Sienesen 10 000 Pfund in Frankreich abgenommen worden und in die Kasse des
Papstes geflossen sind. Die Wirkung blieb nicht aus: die reichen Kaufleute verließen ihre Vaterstädte, machten Frieden mit dem Papst, ließen sich unter seinem Schutze nieder und – fanden bald ihren Lohn in den großen Anleihen, mit
denen sie ihm und ihrem eigenen Vorteil dienten. Mochten nun die Städte weiterhin zu Manfred halten, sie hatten ihre besten Steuerzahler verloren, ihre ganze Wirtschaft, die vom Außenhandel lebte, war gelähmt. Wieviel Eifer, welche
Opferfreudigkeit durfte man für die Sache Manfreds und der Gibellinen unter
solchen Umständen noch erwarten? Die Front, die der Gibellinenbund Toskanas, ohnehin brüchig durch die eifersüchtige Gegnerschaft zwischen Siena und
Florenz, dem Papst entgegenstellte, war durch die wohlberechnete Wühlarbeit
der Kurie schon zermürbt, ehe der Kampf begonnen hatte.

Die Verhandlungen mit Karl waren in gutem Fortgang, man sah ihrem Abschluß entgegen, da trat unerwartet ein Ereignis ein, das sie störte und verzögerte. Seit zwei Jahren, seit der ergebnislosen Doppelwahl von 1261, entbehrte
die Stadt Rom eines Hauptes. Während ein Ausschuß vorläufig die Verwaltung
führte, dauerte in der Bevölkerung der Zwiespalt fort: ein Teil hielt noch an
Manfred fest, andere waren für seinen Schwager, den Infanten Peter von Aragon. Da geschah es zu Anfang August 1263, daß der städtische Ausschuß Karl
von Anjou zum Senator wählte, und zwar auf Lebenszeit. Wie es dazu gekommen ist, bleibt dunkel, aber daß Karl selbst seine Wahl veranlaßt hat, ist nicht
zu bezweifeln.

Urban zeigte sich überrascht. War er wirklich in seiner Residenz in Orvieto
von dem, was in Rom vorging, so wenig unterrichtet, hatte Karl hinter seinem Rücken gehandelt, oder gab der Papst sich nur den Anschein, ahnungs-
los vor eine vollendete Tatsache gestellt zu sein, und hatte er in Wirklichkeit
die Hand im Spiele gehabt? Gegen die Wahl selbst erhob er keinen Widerspruch,
sie war ihm willkommen, da Rom im Besitze Karls die Eroberung des Königreichs wesentlich erleichterte. Nur die lebenslängliche Dauer des Amtes konnte
er nicht hinnehmen; wir wären, so hat er später gesagt, dadurch aus der Scylla
in die Charybdis geraten. In seiner Umgebung waren die Ansichten geteilt. Einige Kardinäle bestanden darauf, Karl dürfe das Amt nur für drei, höchstens
fünf Jahre übernehmen; die Mehrheit, fürchtend, er könnte auf Sizilien verzichten, wenn ihm die Verwaltung Roms nicht auf Lebenszeit zugestanden
würde, suchte nach einem Mittelweg. Dieser Meinung war auch Urban, zögerte
aber mit der Entscheidung. Andererseits erhob auch Karl gegen den ihm vorgelegten Vertrag über Sizilien in vierzehn Punkten Bedenken. Er forderte –
außer einigen nebensächlichen Dingen –, daß ihm das ganze Festland verliehen,
die Vereidigung der Untertanen auf den Vertrag erspart, die Zahlung von
50 000 Mark erlassen und die Kosten der Eroberung auf den Lehnszins ange-

rechnet würden. Dazu wollte der Papst sich nicht gleich verstehen, er wollte auch, ehe er abschloß, sicher sein, daß Ludwig IX. einverstanden, Karl mit der Königin ausgesöhnt sei und die Erhebung des dreijährigen Zehnten bei den Prälaten nicht auf Widerspruch stoße. Darüber zogen sich die Verhandlungen in die Länge. Erst Ende April 1264 war die Lage so weit geklärt, daß Urban einen Kardinal als Legaten – es war der Franzose Simon von S. Cäcilia – zum Abschluß des Geschäfts aussenden konnte. Er wies ihn an, Karl einen Eid abzunehmen, daß er das Amt des römischen Senators, gleichviel ob er es fürs Leben oder auf unbestimmte Zeit übernähme, nicht länger als fünf Jahre behalten, es schon vor dieser Frist, wenn er das Königreich in Besitz genommen, auf Verlangen des Papstes niederlegen und zugleich dem Papst die Bestellung des Nachfolgers verschaffen werde. Wenn Karl darauf nicht einging, sollten die Verhandlungen wegen des Königreichs abgebrochen werden. In den strittigen Punkten durfte der Kardinal nur Schritt vor Schritt nachgeben und vom Lehnszins nicht mehr als 2000 Unzen nachlassen, erhielt jedoch im allgemeinen freie Hand, die Bedingungen nach dem Rat König Ludwigs zu ändern. Das Vereinbarte sollte in Gegenwart Ludwigs verlesen werden, die Ausführung dem Papst vorbehalten bleiben. Käme wegen des Königreichs keine Einigung zustande, so wurde Karl die Annahme des Senatorenamts ‹bei Gefahr seiner Seele› verboten. Anfang Mai 1264 machte Simon sich auf den Weg, ausgestattet mit Briefen an Karl und das französische Königspaar und mit Vollmacht, das Kreuz gegen Manfred zu predigen.

Während man an der Kurie noch beriet, stritt und schwankte, hatte Karl seine Entschlüsse bereits gefaßt und zu handeln begonnen. Mitte Mai sehen wir ihn ein Schutz- und Trutzbündnis mit dem piemontesischen Markgrafen von Monferrat schließen, das ihm den Einmarsch in die oberitalische Ebene öffnete. Und schon im April war der provenzalische Ritter Gaucelm [1] in Rom erschienen, um als Vertreter Karls die Herrschaft über die Stadt in die Hand zu nehmen. Damit trat die Angelegenheit, bis dahin im geheimen betrieben, ans volle Licht der Öffentlichkeit. Die Tätigkeit Alberts von Parma hatte sich hinter dem Auftrag verborgen, Beisteuern und Rückstände in Frankreich, Deutschland und den Nachbarländern einzusammeln. Immerhin war es schon im Sommer 1263 kein Geheimnis mehr, daß der Papst mit Karl über die Krone von Sizilien verhandelte. Auch Manfred hat es natürlich erfahren, aber schwerlich die ganze Gefahr erkannt. Die Sendung des Kardinallegaten lüftete den Schleier, das Erscheinen von Karls Vertreter in Rom muß ihm vollends die Augen geöffnet haben. Wohl richtete er an den Papst ein in ehrerbietigsten Ausdrücken gehaltenes Schreiben, in dem er seinen Christenglauben und seine Ergebenheit gegen die Kirche beteuerte und sich über den Kardinallegaten in der Mark beschwerte, der ihn öffentlich einen Räuber und Verfolger der Kirche und ein Satanskind nenne. Aber

---

1 Sein Name wird so verschieden geschrieben, daß er ebensogut Gantelm (Gantaume) wie Gaucelm oder Gaucelin lauten kann.

bei Worten ließ er es nicht bewenden, er war gerüstet und handelte rasch. Im Mai 1264 schritt er zum Angriff. Im Norden von Rom hatte er Verbindung mit einem mächtigen Herrn, dem Präfekten Peter von Vico, der wegen vorenthaltener Erbschaft mit dem Papst in Fehde lag und nun, durch deutsche Ritter verstärkt, die Waffen ergriff. Zugleich marschierte der König selbst an der Südgrenze des Patrimoniums auf, während einer seiner Statthalter, Percival Doria, über Tivoli auf Rom vorzudringen suchte und die Truppen der toskanischen Städte, verstärkt durch Deutsche, von Norden her ins römische Toskana einfallen sollten.

Wenn der gut angelegte Plan gelang, war Urban in Orvieto von allen Seiten umstellt. Er wehrte sich mit der Tatkraft, die von ihm zu erwarten war, schonte sein Geld nicht, warb Truppen an, rief die Städte des Kirchenstaats zur Verteidigung auf, beauftragte Kardinäle mit der Führung und ließ überall den Kreuzzug gegen Manfred predigen. Gegen Peter von Vico rückte Gaucelm mit der römischen Miliz ins Feld und hatte zunächst auch Erfolge, die sich aber nicht behaupten ließen. Urban sah seine Lage als sehr gefährdet an, wenn Karl nicht bald selbst erschien, Mitte Juni hat er sogar davon gesprochen, in diesem Fall das ganze Unternehmen aufzugeben. Einen Monat später war die erste Gefahr überstanden. Manfred hatte den Grenzschutz in der Campagna nicht durchbrechen können und den Rückzug angetreten. Doria war bei einem Versuch, durch das Tal des Anio vorzustoßen, am Widerstand von Tivoli gescheitert, dann im erfolgreichen Vorrücken von der Sabina aus beim Überschreiten eines Flusses ertrunken, worauf sein führerloses Heer von den Päpstlichen zurückgeschlagen wurde. Die toskanischen Städte aber hatten sich nicht beeilt, wichtiger war für sie die Aussicht, das allein noch guelfische Lucca zu unterwerfen, was auch gelang. Gleichwohl fühlte sich Urban nach wie vor sehr gefährdet, er fürchtete immer noch, in Orvieto von der übrigen Welt abgeschnitten zu werden, und sah seine einzige Rettung im baldigen Erscheinen Karls, der bis Ende September zu kommen versprochen hatte. Der Legat sollte schleunig melden, bis wann darauf zu rechnen sei, da der Papst sich sonst in Orvieto nicht halten könne und an seine eigene Sicherheit würde denken müssen. Das gleiche schrieb Urban an Karl selbst, stellte ihm vor, welche ungeheuren Unkosten die Kirche schon für ihn aufgewandt habe – er nannte die Summe von 200 000 Pfund – und wieviel schwerer es sein würde, das Königreich zu erobern, wenn der Gegner im Patrimonium Herr wäre. Aber die erwarteten Nachrichten blieben aus, im August erlitten die römischen Truppen durch den Präfekten von Vico eine Niederlage, während die Kräfte der Toskaner durch die geglückte Unterwerfung von Lucca frei wurden. Gegenüber der drohenden Umzingelung hielt Urban sich für so wenig geschützt, daß er sich entschloß, Orvieto mit dem weniger gefährdeten Perugia zu vertauschen.

Inzwischen strengte sich Kardinal Simon bis zur Erschöpfung an, die Verhandlungen mit Karl und dem französischen Hof vorwärtszutreiben. Anfang August war es ihm gelungen, von Ludwig und Margarete die Zusicherung zu erhalten, daß der Streit der Königin mit ihrem Schwager für das sizilische Unternehmen kein Hindernis bilden solle, und zehn Tage später (15. August) war er so glücklich, die Einigung mit Karl selbst feststellen zu können. Der Graf hatte sich zu einem Jahreszins von 8000 Unzen verstanden, der Legat die Vereidigung des Volkes auf den Vertrag, diese in der Tat für einen selbstbewußten Prinzen ehrenrührige Bedingung, die den Herrscher unter die Eidesbürgschaft der eigenen Untertanen stellte, fallengelassen. Betreffend Rom hatte Karl sich verpflichtet, das Amt des Senators zwar auf Lebenszeit zu übernehmen, es aber nach der Einnahme des Königreichs auf Verlangen des Papstes niederzulegen. Einige weitere Punkte von geringerer Bedeutung brauchen uns nicht aufzuhalten. Um alle Voraussetzungen zu erfüllen, bedurfte es noch der Zustimmung der französischen Prälaten zum dreijährigen Zehnten, der die Kosten des Unternehmens decken sollte. Sie wurde auf drei Synoden in Paris, Clermont und Lyon zwischen Ende August und Ende Oktober erreicht. Damit war das Geschäft endlich unter Dach gebracht, es fehlte nur noch die päpstliche Bestätigung. Urban IV. hat sie nicht mehr erteilen können. Dem Kardinal Simon hatte er wohl noch auf die ersten günstigen Nachrichten hin lebhaft gedankt, den völligen Abschluß aber hat er nicht erlebt. Am 9. September von Orvieto aufgebrochen, war er unterwegs erkrankt, so daß man ihn von Todi an in der Sänfte tragen mußte. Während einer zehntägigen Rast in Assisi besserte sich sein Zustand, er konnte nach Perugia übersiedeln. Aber die Besserung hielt nicht an, am 2. Oktober verschied er.

Auf den Nachfolger konnten die Kardinäle sich nicht so bald einigen. Neben den üblichen Gegensätzen persönlicher Art, an denen es auch hier nicht gefehlt haben wird, spaltete sie die Frage, wie der Vertrag mit Karl von Anjou zu behandeln sei. An Rücktritt von den Verhandlungen hat gewiß niemand gedacht, auch an den Bedingungen war im allgemeinen nichts zu ändern. Aber an dem Punkt, der die Stadt Rom betraf, brach die frühere Meinungsverschiedenheit wieder hervor. Jene Minderheit, die Karl von Anfang an die Würde des Senators nur für eine festbegrenzte, nicht zu lange Frist hatte zugestehen wollen, weigerte sich, die Dauer des Amtes dem Belieben des neuen Papstes zu überlassen, wie Urban gewollt hatte. Mit gutem Grund fürchtete man, es könne daraus doch eine dauernde Herrschaft Karls hervorgehen, eine Aussicht, die für Angehörige der stolzen römischen Geschlechter unerträglich war. Und unter den Wählern befanden sich je ein Conti, Savelli und Annibaldi und zwei Orsini. Urban hatte keine ganz klare Stellung eingenommen. Zwar seine letzte Weisung an den Legaten Simon lautete scheinbar sehr bestimmt, aber in den gleichzeitigen Schreiben an Karl hatte er um Verzicht auf das lebenslängliche Amt nur gebeten, anstatt zu befehlen. Die Mehrheit der Kardinäle wollte es dabei belassen, die Minderheit, die bessere Sicherheiten verlangte, war indessen stark genug, die Wahl zu verhindern, und Woche um Woche verging, ohne daß man sich einigte. Schon stand man im Dezember, da machte der jüngste der Kardinäle – es muß Urbans Sohn gewesen sein – den Vorschlag, den Führern der beiden Gruppen die Entscheidung zu überlassen, und diese – die Namen kennen wir nicht – fanden rasch den Ausweg. Man einigte sich auf die Person des Kardinalbischofs Guido von der Sabina, verpflichtete ihn aber zugleich, Karl schwören zu lassen, daß er das Amt des Senators nach geglückter Eroberung des Königreichs, spätestens aber nach drei Jahren niederlegen, es nicht wieder übernehmen, in seiner Führung die Rechte der Kirche nicht verletzen und dafür sorgen werde, daß der Papst die Verfügung über das Amt wieder erhalte. Guido war selbst abwesend, Urban hatte ihn als Legaten nach England geschickt, um dem König gegen seine aufständischen Barone beizustehen, diese aber hatten ihn nicht ins Land gelassen, und er wartete nun in Paris auf bessere Zeiten. Man teilte ihm das Beschlossene mit, er stimmte zu und eilte – aus Furcht vor gibellinischen Nachstellungen in der Verkleidung eines Mönches – nach Perugia. Hier wurde er am 5. Februar 1265 gewählt und als Clemens IV. eingekleidet.

Der neue Papst stammte aus dem Languedoc, war also im weiteren Sinn Franzose wie sein Vorgänger. Sein Vater, Foucaud Le Gros, Rechtsgelehrter von ritterlicher Herkunft, hatte dem Grafen Raimund IV. von Toulouse als Kanzler und Oberrichter gedient und sein Leben als Mönch in der Großen Karthause beschlossen. Guido selbst hatte in Paris das Kirchenrecht studiert und es in diesem Fach neben bedeutender allgemeiner Bildung zu hohem Ansehen gebracht. Nachdem er einige Jahre in Paris den Anwaltsberuf ausgeübt, war er in den Staatsdienst getreten, zuerst unter dem Grafen von Poitou-Languedoc, später unter dem König selbst. Nach dem Tode seiner Frau, die ihm mehrere Söhne und Töchter geboren hatte, wurde er 1256 Priester, im Jahre darauf Bischof von Le Puy und königlicher Rat und nach weiteren zwei Jahren Erzbischof von Narbonne. Urban IV. ernannte ihn zu Weihnachten 1261 zum Kardinalbischof der Sabina, eine Würde, die er nur mit Widerstreben angenommen haben soll. In seinen früheren Stellungen hatte er sich als strenger Regent erwiesen, auch in der Handhabung der Inquisition; die Klarheit seiner Verfügungen verriet den geschulten Juristen. Man rühmte seine Rechtlichkeit und Uneigennützigkeit und bewunderte, daß er auch als Papst sich von Begünstigung seiner Angehörigen freihielt. Die Töchter kaufte er in ein Kloster ein, dem Neffen schenkte er zur Verheiratung mit einem armen Fräulein 300 Pfund – das war alles, was er für sie tat. Er ist der erste Papst, dessen Aussehen wir kennen: ein großer römischer Bildhauer, Pietro d'Oderisio, hat ihn auf seinem Grabmal in Viterbo naturgetreu dargestellt. Man sieht einen häßlichen Kopf, dessen harte Züge von der Herzensgüte, die ihm von Zeitgenossen nachgerühmt wird, nichts verraten. Als Papst hat er Aufsehen gemacht durch seine asketische Lebensweise, auch seine Verwaltung wirkte geordneter, sauberer, als man es gewohnt war. Seine Verfügung, daß der Pfründenbesitz aller, die sich an der Kurie aufhielten, ein für allemal dem Papst zur Weiterverleihung vorbehalten sei, sollte die päpstlichen Befugnisse nicht mehren – sie hatten, wie er ausdrücklich erklärte, überhaupt keine Grenzen –, sie sollte nur einen schon bestehenden Brauch regeln und Unsicherheiten beseitigen. Er durfte sich etwas darauf zugute tun, daß er in Verleihung von Pfründen und Anwartschaften größte Zurückhaltung übe, die Kardinäle stets zu Rate ziehe und ihrer Ansicht die eigene nach Umständen unterordne. Daß er durch nichts zu bewegen war, die Vereinigung von auch nur zwei Pfründen ausnahmsweise zu gestatten, verzeichnet ein englischer Chronist als denkwürdige Tatsache. Aber man braucht nicht tief in die Masse seiner zahlreich erhaltenen Briefe einzudringen, um die strenge Kälte seiner Natur zu spüren. Es herrscht da allenthalben ein harter, herrischer Ton, ein Murren und Schelten, das um so peinlicher auffällt, je öfter man den Papst schulmeisterlich in Dinge hineinreden sieht, die nicht seines Amtes sind und sich seinem persönlichen Urteil entziehen. Von Milde und Sanftmut war dieser Clemens sehr weit entfernt, streng und hart und nach Umständen herzlos sind auch seine Handlungen gewesen.

Was die Stimmen der Wähler auf ihn gelenkt hat, war ohne Zweifel das Ansehen, das er von früher her beim französischen Königshaus genoß. Nicht umsonst hatte Ludwig IX. gebeten, den zum Kardinal Erhobenen bei sich behalten zu dürfen, was Urban abschlug. Dieses bevorzugten Verhältnisses ist auch Clemens sich bewußt gewesen und er hat sich insbesondere gegenüber Karl von Anjou einen Ton herausgenommen, den nicht jeder Fürst ertragen hätte. Bezeichnend ist das erste Schreiben, das er noch als Kardinal, aber schon von seiner Erwählung unterrichtet, hat abgehen lassen. Er macht dem Grafen Vorwürfe wegen ungenügender Ausstattung seines Vertreters in Rom, den er auch persönlich seinem Auftrag nicht für gewachsen erklärt. Sein Verhältnis zu Karl ist überhaupt eigentümlich. Niemand hat die päpstliche Kritik schärfer zu fühlen bekommen als dieser Fürst, auf den die Kirche ihre ganze Hoffnung gesetzt hatte. Was erwartete sie nicht von ihm, was hat er nicht für sie getan, und doch, selbst da, wo die Größe des Erfolges den Papst ausnahmsweise einmal zu warmer Anerkennung veranlaßt, folgen den Jubelrufen des Eingangs die Ermahnungen und Rügen auf dem Fuße. Clemens hat Karl offenbar persönlich nicht gemocht; kein Wunder! Als Erzbischof von Narbonne hatte er aus nächster Nähe beobachten können, wie Karl regierte, wie wenig er fremde Rechte zu achten pflegte, wie er insbesondere mit den Freiheiten von Kirchen und Geistlichen umsprang. Er kannte ihn zu gut, um ihn zu lieben, und hat sich seine Dienste gefallen lassen, aber etwas anderes als ein Werkzeug, einen Diener, der gut bezahlt wurde, hat er nicht in ihm gesehen. Es war das letzte, wozu Karl sich verstanden haben würde. Er hatte seine eigenen Ziele, sehr weit und hoch gesteckte Ziele, zu deren Erreichung die Kirche ihm helfen sollte. Die Kälte des Papstes vergalt er mit unverhohlener Geringschätzung. Um seine Mahnungen und Strafreden hat er sich nie gekümmert, seine Ratschläge nie befolgt und auf seine Wünsche so wenig Rücksicht genommen, daß Clemens sich eines Tages weigerte, eine erbetene Verwendung zu übernehmen, weil er, wie er bitter bemerkte, sich nicht immer wieder Ablehnungen aussetzen wolle. Zwei so harte Naturen

235

mußten einander abstoßen; man durfte gespannt sein, wer in dieser merkwürdigen Bundesgenossenschaft schließlich das Pferd und wer der Reiter sein werde.

Während Papst und Kardinäle über die Klauseln des abzuschließenden Vertrags berieten, hatte Karl bereits, immer das Ergebnis vorwegnehmend, zu handeln begonnen, Truppen gerüstet, und einen Oberbefehlshaber ernannt, der sie ihm zu Lande nach Italien zuführen sollte. Er selbst wollte zu Schiff nach Rom vorauseilen. Sich Roms als Stützpunktes für den Feldzug nach Süden zu bemächtigen, war für ihn die Hauptsache, auf die Bedingungen, die man ihm dafür stellte, kam es ihm nicht an, sie würden sich nach Bedarf auslegen oder ändern lassen, wenn die Tatsachen gesprochen hatten. Als ihm gegen Ende April der päpstliche Sondergesandte zusammen mit Kardinal Simon das vorlegte, wozu er sich verpflichten sollte, unterschrieb und beschwor er alles, wie es verlangt wurde, sowohl den Hauptvertrag über das Königreich in der Form, die Urban IV. ihm zuletzt gegeben hatte, wie auch den von Clemens abgeänderten über das römische Senatorenamt, und machte sich zur Abfahrt bereit.

Es war hohe Zeit, daß er persönlich erschien, ein Bericht seines Vertreters in Rom schilderte die Lage als äußerst gespannt. Ritter Gaucelm hatte nur eine Handvoll Truppen, im ganzen keine 700 Berittene, davon die Mehrzahl aus dem Römischen, und so wenig Geld, daß die Leute schon ihre Rüstungen versetzt hatten. Dabei drohte Peter von Vico mit seinem Anhang beständig, und die Bürgerschaft war unzuverlässig, sogar vom Adel fochten einige, darunter ein Zweig der Annibaldi, auf der Gegenseite. In der Nacht des Montags vor Ostern (30. März) wäre es dem Feinde um ein Haar geglückt, durch Handstreich in die Stadt einzudringen. Der Plan wurde verraten und scheiterte, aber die Gefahr der Wiederholung blieb bestehen. Bis zum 24. Mai wollten die Römer noch warten, wenn bis dahin Karl nicht erschien, hielten sie sich an nichts mehr für gebunden. Ob es ihm gelingen werde, den Zeitpunkt einzuhalten? Clemens war mit dem, was ihm seine aus der Provence heimgekehrten Gesandten berichteten, nicht zufrieden, er fand die Vorbereitungen ungenügend. Aber das Glück war Karl günstig. Am 14. Mai stach er von Marseille in See mit einer Flotte von 27 Kriegsschiffen und 13 Transportern, mit 500 Reitern und 1000 Armbrustern an Bord. So wurde er tags darauf vor Genua gesehen. Bei Portovenere zwang ihn das Wetter zur Landung, bei der Weiterfahrt zerstreuten sich die Schiffe, mit nur drei Galeeren suchte Karl in Porto Pisano Schutz. Schon eilte Manfreds Statthalter herbei, um ihn zu fangen, aber die Pisaner wünschten die Gelegenheit zu einer Erpressung zu benutzen. Sie forderten Auslieferung einer wichtigen Burg, die der Statthalter besetzt hielt, und sperrten ihm die Tore. Bis man sich geeinigt hatte und der Statthalter in Porto Pisano ankam, war es zu spät, Karl war bereits abgefahren. Am 21. Mai lief er in die Tibermündung ein, am 22. stieg er an Land und hielt seinen Einzug bei St. Peter. Clemens begrüßte seine Ankunft brieflich als ein Wunder Gottes, der ihn vor dem Feind beschützt habe, wie einst die Kinder Israel vor den Ägyptern. Aber nach Rom zu kommen, wie Karl gewünscht, lehnte er ab — es sei für sie beide nicht gut — und schickte ihm vier Kardinäle, denen Karl die abgeschlossenen Verträge nochmals beurkundete und beschwor. Am 28. Juni belehnten sie ihn im Namen der Kirche mit dem Königreich Sizilien. Seitdem führte und erhielt er den Königstitel.

In Frankreich hatte inzwischen die Kreuzpredigt begonnen, von den Bettelmönchen betrieben, von Kardinal Simon geleitet. Den Kämpfern gegen Manfred und — wie mit Berechnung hinzugefügt wurde — gegen die Sarazenen und Lucera verlieh der Papst die gleichen Gnaden wie den Kreuzfahrern im Heiligen Lande; schon wer nur der Predigt beiwohnte, erhielt ein Jahr Nachlaß der Sündenstrafen, und wer die Fahrt ins Morgenland gelobt hatte, sollte durch Einreihung in Karls Heer seiner Pflicht ledig werden.

Was tat derweilen Manfred? Nur zu nahe liegt der Vorwurf, er habe es versäumt, seine zweifellose Überlegenheit zur See auszunutzen und Karl auf der Fahrt nach Rom abzufangen. Aber ob hier wirklich ein Versäumnis vorlag, ist für uns kaum zu entscheiden. Für die Kriegführung jener Zeit war das Meer ein unsicheres Element. Das Unwetter, mit dem Karl zu kämpfen hatte, wird auch für die sizilische Flotte, die bei Terracina lag, vorhanden gewesen sein und sie am Auslaufen gehindert haben. Als es sich gelegt hatte und Manfreds Galeeren bei Ostia erschienen, war es zu spät; man konnte nur noch die Einfahrt in den Tiber durch Versenkungen sperren. Clemens hatte nicht so unrecht, als er Karls glückliche Ankunft in Rom ein Wunder nannte.

Ob Manfred die ganze Größe der Gefahr rechtzeitig erkannt hat, mag fraglich sein. Es spricht nicht dafür, wenn wir sehen, daß er in eben jenen Tagen noch einmal zu verhandeln versucht, sich um Frieden und Versöhnung mit der Kirche bemüht hat. Gegen Karls Griff nach seinem Königreich verwahrte er sich, forderte richterlichen Entscheid und scheint in der Bereitschaft zu demütiger Unterwerfung recht weit gegangen zu sein. Clemens erwiderte kalt, dafür sei es zu spät. Als es Zeit gewesen, habe Manfred die Gnade verschmäht; jetzt sei die Axt an die Wurzel gelegt, die Waffen müßten entscheiden.

Manfred täuschte sich; wo er noch Gerechtigkeit suchte, war kein Richter, nur ein Feind zu finden. Man hat ihm vorgeworfen, er sei untätig geblieben, als es galt zu handeln. Aber konnte er mehr tun, als er getan hat? In der zeitgenössischen Überlieferung hat er keinen Fürsprech und die Akten seiner Regierung geben kein Bild. Das allein mahnt zur Vorsicht im Urteil. Wir wissen nicht, wie stark er war. Er hatte nach mehr als einer Seite Front zu machen: in der Mark Ancona stand ihm das Heer eines Kardinallegaten gegenüber, die Gibellinen in Toskana und der Lombardei durften nicht sich selbst überlassen bleiben. Wie weit war er des Gehorsams im Königreich sicher? War jener Stadtvorsteher von Otranto, der mit dem Papst in Verbindung stand, der einzige seiner Art? Es mag wohl sein, daß in den Friedensjahren nach 1258 die Zügel der Verwaltung in der weicheren Hand des jungen Königs sich gelockert hatten. So fest wie der Vater mit seiner vielverschrienen Tyrannei — war sie nicht am Ende die angemessenste Art, dieses Land zu regieren, wenigstens in gefahrvollen Zeiten? – hat Manfred seinen Staat nicht beherrscht. Und nun vollends die Bundesgenossen? Wieviel Verlaß auf sie war, lehrt das Beispiel Pisas. Daß diese Stadt schon seit Monaten mit dem Papst in geheimen Verhandlungen stand, hat der König schwerlich gewußt. Überall lauerten Verrat und Abfall, und die Bereitschaft zu Anstrengungen und Opfern war so gering, daß die reichen Stadtgemeinden Toskanas, als sie im Mai 1265 ihren gibellinischen Bund erneuerten, sich zur Aufstellung von ganzen 500 Rittern verpflichteten. Ob des Königs Tatkraft und Weitblick der Größe des Augenblicks gewachsen war, mag man bezweifeln, die Schwierigkeiten seiner Stellung sollte man nicht unterschätzen.

Untätig ist er keinesfalls geblieben, im Gegenteil! Der drohenden Gefahr hat er versucht die Spitze zu bieten mit einem kühnen Vorstoß, den man verfehlt nennen mag, der aber beweist, daß es dem Sohne Friedrichs II. weder an großem Ehrgeiz noch an Wagemut fehlte: jetzt, da sein Königreich in Gefahr war, griff er nach der Kaiserkrone. Unbekümmert um das Wahlrecht der deutschen Fürsten wollte er römischer Kaiser werden. In eben den Tagen, da alle Welt mit Spannung das Auftreten Karls erwartete, wandte sich Manfred mit einem Aufruf, der einige Verbreitung erlangt haben muß, da ein oberitalischer Chronist ihn kennt, an die Stadt Rom, daß sie ihm zum Kaisertum verhelfe, dessen er durch seine Abstammung von zwölf Geschlechtern römischer Kaiser, durch seinen Reichtum und seine Macht, seine Herrschaft über fast ganz Italien, die Verfügung über seine Bundesgenossen in Afrika und am Balkan würdig sei. Nicht von der Kirche will er die Krone. Sie hat ihre ursprüngliche Reinheit verloren, ist ihres Berufes uneingedenk. Von der Demut Sankt Peters sind seine Nachfolger abgefallen zur Hoffart von Neros Thron, auch im Weltlichen wollen sie alles binden, da ihnen Christus doch nur im Geistlichen zu lösen und zu binden die Vollmacht hinterlassen hat. Kaisertum und Papsttum zugleich will die Kirche ausüben, will das Reich zerstören, um selbst zu herrschen über alle Völker der Welt. Ungültig ist die unüberlegte Schenkung Konstantins, weil sie dem Beruf des Kaisers widerspricht, der ein Mehrer, nicht ein Minderer des Reiches sein soll. An jenem Tage tat der Engel den Ausruf: ‹Heute ist der Kirche Gottes Gift eingeflößt worden!› Nicht von Kirche und Papst will Manfred die Kaiserwürde empfangen, sondern von Senat und Volk von Rom. Die Würde der Stadt, die einst über den Erdkreis gebot, jetzt aber den Sitz der Kirche an fremde Dörfer und Städte abtreten muß, selbst am Boden liegend und von den Stacheln des Bürgerkriegs zerrissen, sie will er wieder aufrichten im Namen von Senat und Volk, und Rom wieder zum Haupt der Welt machen, ‹damit das glückhafte Geschlecht der römischen Republik über alle Nationen des Erdkreises gebiete›.

Ein sonderbares Schriftstück, das durch seine ungeschickte Fassung und sprachliche Unbeholfenheit die Bildung der sizilischen Kanzlei tief herabgesunken zeigt von der Höhe, auf der sie unter Friedrich gestanden hatte. Die Zeitgenossen haben das sicherlich empfunden, sie werden am Inhalt noch stärkeren Anstoß genommen haben. Auch Friedrich II. hatte von Wiederaufrichtung römischer Größe gesprochen, als er die Römer zum Beistand gewinnen wollte, aber das Kaisertum von Senat und Volk abhängig zu machen, war ihm nicht in den Sinn gekommen. In Rom selbst war davon seit mehr als hundert Jahren, seit den Tagen Arnolds von Brescia nicht mehr laut gesprochen worden. Gab es dort noch eine Gemeinde, in der solche Gedanken fortlebten und auf Widerhall rechnen konnten? Wenn es sie gab, welchen Einfluß hatte sie, zumal in dem Augenblick, wo ein fremder Fürst, von den derzeitigen Regenten herbeigerufen, mit bewaffneter Macht in der Stadt erschien, um von ihr Besitz zu ergreifen? Manfreds Aufruf trägt das Datum des 24. Mai – zwei Tage vorher hatte Karl seinen Einzug in die Ewige Stadt gehalten. Und welchen Erfolg konnte man sich von der Anklage gegen die römische Kirche versprechen? Manches, was in Manfreds Aufruf stand, war in gewissen Sektiererkreisen – wir werden sie noch kennenlernen – verbreitete Vorstellung, verbreiteter vielleicht als wir wissen. Dort kannte man die Erzählung vom Weheruf des Engels über die Schenkung Konstantins, eine Erzählung, die Dante in seinem unsterblichen Gedicht verewigt hat. Aber daß diese Kreise im Kampf gegen eine mit Feuer und Schwert und sehr viel Geld, mit Scheiterhaufen und Reiterscharen kämpfende Kirche keine brauchbaren Bundesgenossen waren, hatte schon Friedrich II. erfahren. Hat ein Anflug jener Stimmung, die in höchster Gefahr vor keinem Mittel zurückschreckt, dem König diese Entwürfe eingegeben? Glaubte er, eine Revolution zu Hilfe rufen zu müssen, weil er den eigenen Kräften für den bevorstehenden Entscheidungskampf nicht traute? Oder fühlte er im Überschwang der Zuversicht sich stark genug, die überlieferte Ordnung der Dinge umzustürzen und eine neue, ein römisches Volkskaisertum zu gründen? Gegenüber den Anhängern in Italien gab er sich den Anschein voller Siegesgewißheit, als er sie aufrief, mit ganzer Macht zu ihm zu stoßen, um dem Gegner, der nun in Rom eingeschlossen sitze wie der Vogel im Käfig, den Garaus zu machen. Ob er wirklich so dachte?

Das Bild, dessen er sich bediente, war übrigens nicht weit von der Wahrheit entfernt. Karl hatte Ritter und Armbrustschützen mitgebracht, aber seinen Reitern fehlten die Pferde, und ihm selbst fehlte das Geld. Das sollte der Papst geben und hatte doch selber keins. Der Schatz war leer, gemachte Ersparnisse hatte Urban in der letzten Zeit selbst aufgebraucht. 5000 Pfund hatte Clemens schon im Februar – lange vor Abschluß des Vertrags – vorgeschossen, jetzt wartete er auf den Kirchenzehnten aus Frankreich und der Provence, auf den das ganze Unternehmen gegründet war. Aber bis diese Quelle strömte, verging einige Zeit. Clemens hätte gewünscht, daß Frankreich sogleich gegen Verpfändung des gesamten Zehnertrags eine große Anleihe gewährte. Aber darauf ließ sich die französische Regierung nicht ein, gab auch später auf wiederholte, immer dringendere Bitten nichts her. Beim Einsammeln setzte es Schwierigkeiten, die Prälaten zahlten säumig und widerwillig, der niedere Klerus der Provinzen Reims und Lyon schickte sogar, um zu protestieren, Gesandte an die Kurie, die der Papst mit salbungsvollen Worten abspeiste. Zisterzienser und Ritterorden verschanz-

ten sich hinter ihre verbriefte Steuerfreiheit. Wiederholt mußte der Legat angewiesen werden, jeden Zwang anzuwenden, niemand zu schonen, und trotzdem
blieb der Ertrag hinter den Erwartungen zurück. Die Folge davon war, daß die
Banken, guelfische Kaufleute aus Siena und Florenz, die auf den Zehnten Vorschüsse gegeben hatten, kopfscheu wurden. Sie verlangten die Bürgschaft des
französischen Königs. Die Bedürfnisse der Truppe, die Karl in Rom unterhielt,
waren gewaltig; sie wurden im August auf 1000, im Oktober auf 1200 Pfund
täglich geschätzt. Die römischen Lieferanten schraubten ihre Preise, verkauften
für 1 Schilling, was kaum 1 Pfennig wert war. Dazu beging Kardinal Simon
die Eigenmächtigkeit, das einlaufende Zehntgeld für das in Frankreich sich bil-
dende Kreuzheer zu verwenden, anstatt es zur Deckung von Karls römischen
Schulden bereitzuhalten. Karl war darüber ärgerlich, und Clemens schalt. Umsonst flehte er König Ludwig an: Erbarme dich deines Bruders, hilf dem Chri-
stenvolk! Dem Legaten gab er Befehl, Anleihen zu suchen, wo er sie fände, auch
bei Wucherern. Er hatte schon zu den äußersten Mitteln gegriffen, schweren Herzens die Einnahmen der Kirchen Roms verpfändet, dadurch aber statt der erhofften 100 000 Pfund keine 30 000 bekommen. Sein Kredit war erschöpft, er
mußte Prälaten und Klerus Frankreichs dringend um Hilfe anrufen und schließlich den eigenen Kirchenschatz versetzen. Kardinal Simon riet schon, einen neu-
en Zehnten auszuschreiben, und Clemens in seinem Zorn verwünschte das Vor-
handensein dieses leidigen Königreichs, das so große Anstalten verursachte. Kein
Wunder, daß seine Stimmung düster, sein Ton immer erregter wurden. Schon
zu Anfang August hat er Karl gegenüber seine Lage in den schwärzesten Farben geschildert: er sei machtlos, die Gläubigen gehorchten ihm nicht oder höchstens mit dem Munde, bereit abzufallen, wenn man ihnen zu befehlen versuche.
England sei feindlich, Deutschland gehorche kaum, Frankreich seufze und klage,
Spanien könne sich selbst nicht helfen, und Italien beute ihn aus, statt ihn zu
unterstützen. Noch Mitte November, als die Entscheidung schon herannahte,
sah er im Geiste den Schiffbruch der Kirche vor Augen und infolge Geldmangels
das Schiff im Hafen untergehen. Als Karl zu Anfang des neuen Jahres immer
neue Forderungen stellte, gab er ihm die ungeduldige Antwort: Wir verfügen
nicht über Berge und Ströme von Gold, können darum deinen Wunsch nicht
erfüllen und sehen nicht, warum du uns länger belästigst, es sei denn, du for-
derst das Wunder, daß wir Erde und Steine in Gold verwandeln. Dazu aber
reichen unsere Verdienste nicht aus.›

Der verdrossene, gereizte Ton in den Briefen des Papstes, der so schlecht zum
Vorabend großer Entscheidungen paßt, hatte seinen Grund nicht nur in Karls
beständigen Geldforderungen, es kam hinzu die Art, wie Karl sein Amt in Rom
auffaßte und ausübte. Schon mit seinem Vertreter hatte es Reibungen gesetzt.
Gaucelm hatte sich erlaubt, den Lateranpalast gewaltsam öffnen und Geistliche
verhaften zu lassen. Karl scheute sich nicht, im Palast selbst Wohnung zu nehmen, worüber Clemens sich empörte: niemals habe ein Senator gewagt, dort
seinen Sitz aufzuschlagen! Er verlangte sofortige Räumung. Anderes folgte bald:

der neue Senator übte die Hoheit in Landgemeinden des Patrimoniums und antwortete auf die Beschwerde des Papstes, er tue nur, was seine Vorgänger getan hätten. Clemens erwiderte, dieser Anspruch sei niemals anerkannt worden, aber wir wissen nicht, ob er damit durchgedrungen ist.

Die römische Kirche hat für das Unternehmen Karls gewaltige Anstrengungen gemacht. Eine vollständige Bilanz des Unternehmens zu erhalten, können wir nicht erwarten, aber zur Beleuchtung der Summen, um die es sich gehandelt hat, seien ein paar Zahlen angemerkt. Eine Aufstellung der Anleihen, die der Papst für Karl in den neun Monaten von März bis November 1265 aufgenommen hat, weist im ganzen 114 430 Pfund aus. Dem steht die Einnahme aus dem Kirchenzehnten im ersten Halbjahr (Juli bis Dezember) mit bloßen 26 432 Pfund gegenüber. Setzt man den Fall, der Ertrag der Zehnten sei in den folgenden zweieinhalb Jahren derselbe geblieben, so würde die Gesamteinnahme annähernd 160 000 Pfund betragen haben. Ob das genügte, das Kapital und die inzwischen auflaufenden, zweifellos sehr hohen Zinsen zu decken, ist fraglich. Rechnet man dazu die Gelder, die schon Urban IV. in das Unternehmen gesteckt hatte, so ist wohl kein Zweifel, daß das Geschäft für die Kirche finanziell mit einem Fehlbetrag geendet hat. Die Gewinnenden waren die Kaufleute von Siena und Florenz, die an derselben Summe doppelt verdienten, indem sie erst dem Papst oder dem Legaten, dann den nicht zahlungsfähigen Prälaten und Geistlichen Vorschuß gaben und sich von beiden Seiten hohe Zinsen ausbedangen.

Clemens mag in seinen Briefen, sei es aus wirklicher Besorgnis, sei es um die Schnüre französischer Geldbeutel zu lösen, die Lage schlimmer geschildert haben, als sie war. Immerhin kann die Not im Lager Karls zeitweise nicht gering gewesen sein, und es erregt Verwunderung, daß es dem Grafen oder, wie er jetzt hieß, dem König gelang, die gefährlichen Monate bis zur Ankunft des Kreuzheeres zu überstehen. Denn Manfred blieb auch in dieser Zeit nicht müßig, er plante Rom von Osten und von Norden zugleich anzugreifen. Mit stattlicher Macht rückte er aus den Abruzzen ins Tal des Anio, um über Tivoli in die Ebene vorzubrechen, den Angriff von Norden sollten die Toskaner führen. Traute er sich zu, was Friedrich niemals ins Auge gefaßt hat, Rom mit Gewalt zu erobern, rechnete er auf einen Aufstand in der Stadt, der ihm die Tore öffnen sollte, oder wollte er Karl zur Schlacht im freien Felde herauslocken, die er zu gewinnen sicher war? Welches immer sein Ziel war, er hat es verfehlt. Mit großer Sorge verfolgte Clemens von Perugia aus die Vorgänge. In merkwürdiger Selbstüberschätzung glaubte er die Lage besser zu beurteilen als Karl, dessen gefährlichen Kampfeseifer er meinte zügeln zu müssen. Er sah viel zu schwarz. In Rom hatte Karls Anwesenheit genügt, die kleinen Gegner zur Unterwerfung zu bringen. Sowohl Peter von Vico wie die römischen Gibellinen hatten Frieden mit ihm gemacht, Stadt und Umgebung beherrschte er, zur Feldschlacht stellte er sich nicht, verstand dagegen die Ausgänge des Gebirges, hinter Tivoli und bei Farfa, so erfolgreich zu sperren, daß Manfreds Angriff abprallte. Die Toskaner hatten sich verspätet und wurden beim Angriff auf Orvieto von Karls inzwischen freigewordenen Truppen vernichtend geschlagen und bis vor die Tore von Siena zurückgejagt. Darüber war der August vergangen. Seit dem September aber verbreitete sich, den meisten wohl unerwartet, die Kunde, daß ein großes französisches Heer sich versammle, im Begriff, die Alpen zu überschreiten. Die Entscheidung nahte.

In Frankreich hatte die Kreuzpredigt besten Erfolg gehabt. Dem Papst war es gelungen, den Feldzug zur Eroberung des sizilischen Reiches als einen Glaubenskrieg volkstümlich zu machen. Es ging ja gegen Ungläubige, die Sarazenen und ihren Fürsten Manfred, den Sultan von Lucera, wie man ihn nannte, den schon Urban IV. der Ketzerei verdächtig erklärt hatte. Da ließ sogar der fromme König Ludwig sich herbei, in eigener Person als Werber predigend aufzutreten, und zahlreich meldete sich der Waffenadel Frankreichs. Bis Ende September sammelten sich die Truppen um Lyon, im Oktober vollzog sich ihr Aufmarsch in Piemont. Karl hatte von langer Hand vorgearbeitet. Einige piemontesische Grenzstädte, die ihn vor Jahren schon zum Herrn genommen hatten, um sich gegen ihre Nachbarn zu schützen, Alba vor allem, boten den gegebenen Sammelplatz, die Markgrafen von Monferrat und Saluzzo waren längst zum Bündnis gewonnen, seit kurzem auch eine Reihe der wichtigsten Städte in der Lombardei. Hier hatte Hubert Pallavicini, Manfreds Bevollmächtigter, die schwerste Einbuße erlitten, als im Dezember 1264 Mailand seine Herrschaft abschüttelte; im Januar schloß es gegen ihn zugleich mit Novara, Como, Lodi und Bergamo das Bündnis mit Karl, im März nahm es einen provenzalischen Herrn aus Karls Gefolge zum Podestà. Wie ein Ölfleck verbreitete sich die guelfische Partei in der ganzen oberitalischen Ebene, Modena, Parma, Reggio traten zur Kirche über, in Brescia drohte der Umschwung. Daß die vertriebenen Guelfen sich überall dem Franzosen anschlossen, versteht sich von selbst. Gleichzeitig hatten sich im Osten Verona, Mantua, Ferrara unter der Führung des Markgrafen von Este vereinigt, Ende März 1265 verbanden sie sich mit Mailand und seinen Verbündeten zum Kampf gegen Pallavicini – die alte lombardische Liga war wiedererstanden, im Dienste Frankreichs. Manfreds Statthalter sah sich zwischen zwei Feuern, von West und Ost zugleich bedroht. Man bemerke, daß diese politischen Vorbereitungen dem Abschluß des Vertrags zwischen Karl und Clemens zuvorgekommen waren; so sehr eilten die Handlungen des Grafen den Entschlüssen des Papstes voraus. Als dieser im Oktober persönlich eingriff, einen Legaten in die Lombardei sandte, um das Kreuz zu predigen, alle Anhänger Manfreds für Ketzer zu erklären und den heranrückenden Franzosen die Wege zu bahnen, da hatte das Heer der Eroberer, das Heer Gottes, wie es sich nannte, schon angefangen, sich in Bewegung zu setzen.

Es war eine gewaltige Armee, größer als man sie in diesen Jahrhunderten zu sehen gewohnt war, nach vorsichtiger Schätzung gegen 40 000 Mann, darunter besonders viele – man sagte 10 000 – Armbruster, eine Waffe übrigens, die Innozenz III. auf dem römischen Konzil gegen Christen zu gebrauchen verboten hatte. Aber hier ging es ja angeblich gegen Ungläubige! Unter den vornehmen Herren sah man den Erzbischof von Narbonne, den Bischof von Auxerre, zwei Grafen von Vendôme, zwei Herren von Montfort, mehrere von Beaumont. An der Spitze stand ehrenhalber als der Vornehmste der junge Erbe von Flandern und künftige Schwiegersohn Karls, Graf Robert von Bethune, geleitet von seinem Erzieher, dem Connetabel von Frankreich. Mit ungewohnter Schnelligkeit ging das Heer auf sein Ziel los. Widerstand fand es kaum, seine überwältigende Stärke, die furchtbare Waffe der Armbruster ließen die Neigung dazu, wo sie sich zeigte, bald erlöschen, und der Name ‹Francia› tat das übrige. Frankreich war ja, seit Deutschland von der Bühne abgetreten, seine Kräfte in inneren Kirchturmsfehden verzehrte, die führende Großmacht und längst unbestritten die erste Kriegsmacht Europas.

Unaufgehalten ging der Marsch vorwärts, Brescia wurde am 9. Dezember umgangen, unterwegs in einem Städtchen, wo ein französischer Ritter aufgehängt war, zur Vergeltung die ganze Einwohnerschaft samt Frauen und Kindern abgeschlachtet, ein anderes rasch erstürmt und die Vereinigung mit dem Heer Estes vollzogen, dann in Mantua der Legat mit Kreuzfahrern und Florentiner Guelfen aufgenommen. Am 15. Dezember war das Heer in Bologna, in den nächsten zwei Wochen legte es mit noch nie gesehener Schnelligkeit, begünstigt von ungewöhnlich warmer und trockener Witterung, den Weg durch die Mark und das Spoletinische zurück, in den Weihnachtstagen wurde Rom erreicht. Noch ganz zuletzt – wir hörten es schon – hatte Clemens für den Ausgang gezittert. In die Pläne nicht eingeweiht, hatte er Karl mit gutgemeinten, aber verkehrten Ratschlägen verfolgt: er solle Genua zu gewinnen suchen, das Heer längs des Tyrrhenischen Meeres marschieren zu lassen, zuerst Toskana unterwerfen. Dann wieder machte ihm die Anhäufung so vieler Truppen Angst: wie sollte man sie ernähren? Karl hatte nicht darauf geachtet – die Briefe des Papstes kamen ohnehin zu spät – und nach dem Grundsatz gehandelt, der allen großen Feldherren den Erfolg gebracht hat: Schnelligkeit und Entschlossenheit. Von beidem war dieser Marsch des französischen Heeres auf Rom ein glänzendes Beispiel, wie man es damals noch nicht kannte.

Das macht es verständlich, daß der Gegner ihn zu hindern nicht versucht hat. Die Aufgabe war Pallavicini zugefallen, der als Herr in den Gebieten von Piacenza und Cremona eine Stellung einnahm, nicht ungünstig für Flankenangriff und Verteidigung. Er hat auch versucht, seinen Vorteil auszunutzen und ist, von Manfred mit Geld und 800 deutschen Rittern unterstützt, aufmarschiert. Vorher hatte er gegenüber dem französischen König mit seiner Stärke geprahlt, von 800 000 Rittern gesprochen, mit denen er Karl vernichten wolle. Aber als jetzt die Franzosen anrückten und seine Stellung umgingen, hat er sie ohne anzugreifen vorbeiziehen lassen. Man hat ihn deshalb getadelt, ihn für altersmüde erklärt, auch von Verrat eines Unterführers gesprochen – kaum mit Recht! Die Erklärung ist viel einfacher: der Übermacht fühlte er sich weder an Zahl noch an Güte seiner Truppen gewachsen; auch hätte er die atemraubende Schnelligkeit der feindlichen Bewegungen ihn kaum zu rechtzeitigem Entschluß kommen lassen.

Am 6. Januar 1266 wurde in Rom die Krönung des neuen Königs von Sizilien und seiner ihm inzwischen nachgereisten Gemahlin gefeiert. Clemens hatte sich auch diesmal nicht bewegen lassen, die feierliche Handlung, wie Karl wünschte, selbst zu vollziehen. Er wollte deswegen, wie er schrieb, die Ruhe seines Hofes nicht stören, und bevollmächtigte fünf Kardinäle an seiner Statt, so daß die Sache sich immerhin mit dem nötigen Pomp abspielen konnte. Nur wenige kurze Wochen ließ Karl seinen Truppen Zeit zum Ausruhen und zur Neuordnung, in den letzten Januartagen brach er auf, von den Kardinälen mit Segenswünschen entlassen. Zur Eile trieb ihn neben anderem die Not. Es wird glaubwürdig berichtet, daß seinen Truppen schon in Rom und auf dem weiteren Marsch die Verpflegung gefehlt hat, daß sie förmlich ausgehungert waren. Aber ihre Kampfkraft litt nicht darunter. Am 2. Februar war die Grenze des Kirchenstaats erreicht; hier verabschiedete sich Oktavian Ubaldini, der das Heer auf dem Marsch von Oberitalien aus begleitet hatte. Die Anwesenheit des alten Gibellinen mag wohl dahin gewirkt haben, seine Parteifreunde irrezumachen und an raschen Entschlüssen zu verhindern. Jetzt hatte auch er nichts mehr zu tun, das Schwert allein hatte das Wort.

Manfreds Verhalten in all diesen Monaten wird verständlich, wenn man annimmt, daß er durch die Ereignisse überrascht worden ist. Er hat wohl noch im Sommer nicht gewußt, daß ihm in kurzem nicht etwa ein abenteuernder Graf der Provence mit einer Handvoll geworbener Ritter, sondern halb Frankreich unter der Fahne des Kreuzes und der Führung des französischen Kronfeldherrn gegenüberstehen werde. Hätte er das vorausgesehen, so hätte er, statt seine Kräfte in erfolglosen örtlichen Kämpfen zu verzetteln, den Kriegsschauplatz nach Oberitalien verlegen, Pallavicini mit allen Kräften zu Hilfe eilen und die Entscheidung in der Zersprengung des anrückenden Feindes suchen müssen. Als die Gefahr sich in voller Größe enthüllte, war es dafür zu spät. Jetzt konnte nur noch an Verteidigung an der Grenze des Königreichs gedacht werden. Manfred hat dafür das Erforderliche sogleich getan, hat die wichtigen Punkte befestigt, die deutschen Reiter, die nach Toskana und der Lombardei zur Unterstützung der Gibellinen gesandt waren, zurückgerufen und auf einem Landtag in Benevent den Beschluß erreicht, alle Kraft zum Schutz des Landes aufzubieten. Aber wenn wir dem Geistlichen glauben dürfen, der später an der Kurie die Geschichte dieser Jahre schrieb, so ist die Zuversicht auf den Sieg von vornherein im Lande nicht allgemein gewesen. Schon damals soll ein Teil der Barone die Sache ihres Königs preisgegeben und mit Karl und dem Papst im geheimen zu verhandeln begonnen haben. Darauf rechnete Clemens, als er den Kardinallegaten, einen Franzosen, der sich dem Heere Karls anschloß, mit der Vollmacht versah, nicht nur das Kreuz zu predigen und Strafen zu verhängen, sondern auch zu begnadigen, Ablässe für alle möglichen Gelegenheiten und Dispense ohne Zahl zu gewähren. ‹Um das Volk von den Drangsalen der Pharaonischen Verfolgung zu erlösen, die Freiheit der Kirchen wiederherzustellen›, wollte der Papst ‹die Arme der Barmherzigkeit öffnen.›

Der Kardinal hat kaum Zeit gehabt, mit dieser Losung zu wirken, es ging auch hier viel rascher, als Clemens es sich dachte. Um ganz sicher zu gehen, hatte er gegen Manfred und Pallavicini das Verfahren wegen Ketzerei eröffnet und beide auf den 2. Februar vorgeladen. Während er nun noch überlegte und aus Paris das Gutachten des Legaten Simon erbat, ob Manfred als widerspenstig zu verurteilen sei, weil er wegen drohender Nähe des Feindes gegen die Ladung Einspruch erhoben hatte – für Pallavicini war es ihm nicht zweifelhaft –, während so der Jurist auf dem Stuhl Petri sich um Wahrung der Rechtsformen fast pedantisch ängstlich bemühte, rollten draußen in der Ebene Campaniens schon die blutigen Würfel, die alle Zweifel und Bedenken mit einem Schlage hinwegräumen sollten.

Der Verlauf des Feldzugs war ebenso rasch wie einfach. Manfreds Verhalten erklärt sich auch hier, wenn man annimmt, er sei durch die Schnelligkeit des feindlichen Anmarsches überrascht worden und habe seine Truppen nicht mehr rechtzeitig zusammenziehen können. In der Tat sind die 800 deutschen Reiter, die er umsonst in die Lombardei geschickt hatte, erst am Morgen des entscheidenden Tages eingetroffen. So blieb nichts übrig, als auf entschlossene Verteidigung der Grenze zu verzichten, sich zunächst mit Aufhalten des Gegners zu begnügen und die Entscheidung erst weiter südlich zu suchen. Ob der Plan richtig war, mag auf sich beruhen; er mißlang. Denn mit zweifelloser Deutlichkeit trat vom ersten Augenblick an die Überlegenheit des französischen Heeres in Bewaffnung, Kampfweise und Führung hervor. Ungehindert wurde die Grenze bei Ceprano überschritten, in raschem Sturm die Befestigung, die sie schützen sollte, Rocca d'Arce, genommen, unaufhaltsam ging der Vormarsch weiter, Stadt um Stadt ergab sich, bis am 9. Februar ein vorgeschobener Teil des sizilischen Heeres bei San Germano sich zur Schlacht stellte. Er wurde geschlagen, der Platz, als Straßenkreuzung wichtig, genommen. Nach dieser Probe schon war der Ausgang des Ganzen kaum mehr zweifelhaft. Manfred erwartete den Feind bei Capua, wo er Widerstand zu leisten gedachte, Karl aber rückte, Capua umgehend, in schwierigem Marsch über Berg und Tal geradeaus auf Benevent. Manfred hatte eben noch Zeit, ihm dort entgegenzutreten. Als die Franzosen im Morgengrauen des 26. Februar aus den bewaldeten Bergen heraustraten, sahen sie vor sich in der Ebene die feindliche Armee in guter Ordnung aufmarschiert, Deutsche, Sarazenen, Italiener und Einheimische, sogar katalanische Söldner, im ganzen wohl an Zahl ebenso stark wie ihre Gegner. Obwohl die Truppen von dem Nachtmarsch ermüdet waren, gab Karl sofort den Befehl zum Angriff.

Um 9 Uhr morgens begann das Gefecht, indem zuerst das Fußvolk der Franzosen mit den Sarazenen handgemein wurde. Daraus entwickelte sich, da von beiden Seiten immer neue Truppenteile eingriffen, die große Schlacht, die von Mittags bis zum Abend dauerte und mit der vernichtenden Niederlage der Sizilianer endete. Nachdem zwei ihrer Abteilungen, Deutsche, Sarazenen und italische Gibellinen, in einstündigem hartem Kampf von der überlegenen französischen Reiterei durchbrochen und zersprengt waren, leistete die dritte, Truppen aus dem Königreich, keinen Widerstand mehr, ergriff die Flucht und wurde in der Verfolgung vernichtet. Gegen 3000 Tote bedeckten das Schlachtfeld, die meisten Führer waren gefangen, Manfred selbst verschollen. Er hatte sich ins dichteste Getümmel gestürzt, sein Schicksal war unbekannt. Am zweiten Tage erst wurde seine Leiche gefunden und erkannt. Karl ließ sie mit einem Steinhaufen und Kreuz bedecken, aber der Erzbischof von Cosenza fand später im Auftrag des Papstes, der Boden sei als kirchliches Eigentum kein Platz für die Leiche eines Ketzers, und ordnete ihre Verbringung an einen anderen Ort an, wo die Gebeine des liebenswürdigsten und geliebtesten, des schönsten und nicht des schlechtesten der Staufer und Könige von Sizilien Wind und Wetter preisgegeben vermoderten. Es ist Dante, der das berichtet, und es verdient Beachtung, daß er, der kirchentreue Katholik, den ohne Lossprechung und Gnadenmittel Hingegangenen, als Ketzer Verurteilten dennoch im Fegefeuer auf Erlösung harren läßt, nachdem die göttliche Liebe den Fluch der Priester aufgehoben hat. So stark war die Teilnahme, die die Person und das Schicksal des unglücklichen Fürsten im Gedächtnis der Nachwelt hinterließen.

Die eine Schlacht hatte das Schicksal des Königreichs entschieden, wehrlos lag es dem Sieger zu Füßen: das Heer war vernichtet, seine meisten Führer waren tot oder gefangen, zu weiterer Abwehr fehlten Kräfte und Leitung. Überall fügte man sich, suchte die Gnade des Eroberers. Sogar die Sarazenen in Lucera verzichteten auf Widerstand und unterwarfen sich, als ihnen die Beibehaltung ihres Glaubens versprochen wurde. Von den Grafen, Baronen und Beamten huldigten die meisten, Schatz und Flotte wurden ausgeliefert, Manfreds Witwe mit ihren Kindern beim Versuch, nach Albanien zu flüchten, gefangen. Schon am 15. Mai konnte der Papst bescheinigen, daß Karl seine Aufgabe erfüllt hatte. Ausnahmsweise stimmte auch der ewig unzufriedene Clemens frohe Töne an; er sah bereits ganz Italien unterworfen und ein Goldenes Zeitalter von Frieden und Glückseligkeit anbrechen, nachdem der Sieg des Königs ‹Rosse und Türme Pharaos› niedergestreckt und im ganzen Lande ‹die Hörner der Sünder zerbrochen› habe. Ritterliche Großmut gegen den Unterlegenen ist im allgemeinen nicht Sache herrschsüchtiger Priester und war am wenigsten die eines Clemens; er sprach vom toten Manfred als von ‹dem stinkenden Leichnam des verpesteten Menschen›. Aber lange konnte er sich der Siegesfreude nicht überlassen, schon Mitte Mai klagte er dem französischen König, ‹ins Lachen mische sich der Schmerz›. Neben den unsicheren Verhältnissen in andern Ländern bedrückte ihn die Sorge. Karl regiere sein Königreich nicht richtig, habe seine Leute, anstatt sie im Lande festzuhalten, großenteils heimgeschickt und wiederholte Warnungen nicht beachtet.

Sein Verhältnis zu Karl war überhaupt durch Mißklänge getrübt. Schwierigkeiten machten sogleich die Zahlungspflichten des Königs. Daß er den Lehnszins nicht rechtzeitig entrichtete, war verzeihlich, seine Finanzlage war noch nicht glänzend, er mußte um Aufschub bitten. Das hat sich auch in der Folgezeit wiederholt, immer wieder mußten die Zahlungsfristen gestreckt werden. Clemens war aufgebracht durch die Rücksichtslosigkeit, mit der Karl seine Verpflichtungen behandelte, und sah darin ein schlechtes Vorzeichen. Aber Karl war nicht nur ein säumiger Zahler, er forderte auch: die 50 000 Mark, die er nach geglückter Eroberung zu entrichten hatte, sollten ihm erlassen werden. Clemens verstand sich wenigstens zur Ermäßigung um 10 000, aber das genügte Karl nicht. Er hat niemals bezahlt, und ein Menschenalter später ist die Schuld vom damaligen Papst gestrichen worden. Dann meldete sich eine ernstere Frage. Wir wissen, welche Schwierigkeiten Karls römische Senatorwürde gemacht, und daß er versprochen hatte, nach Unterwerfung des Königreichs zurückzutreten. Jetzt hatte er die Stirn zu fordern, daß ihm das Amt noch einige Zeit gelassen werde. Es war deutlich, er wollte es für immer behalten und erbot sich, um den Papst dafür zu gewinnen, es insgeheim von ihm zu Lehen zu nehmen, also die Römer um ihr Wahlrecht zu betrügen. Clemens bestand auf Rücktritt, und Karl mußte nachgeben. Aber anstatt nun dafür zu sorgen, daß das Amt nach den Wünschen des Papstes wiederbesetzt werde, ließ er zu, daß Ende Mai 1266 zwei Senatoren gewählt wurden, ein Savelli und ein Herr aus Orvieto, die Clemens kurzweg Räuber und Diebe nannte. Des Papstes Beziehungen zur eigenen Stadt besserten sich auch nicht, als nach Savellis Tode durch einen Aufstand der Bürgerschaft ein Volkshauptmann erhoben wurde, mit dem sich Clemens umsonst zu verständigen suchte. Er konnte seinen Sitz von Perugia nach Viterbo verlegen, aber die Hoffnung, nach Rom überzusiedeln, erfüllte sich nicht, er hat als Papst seine Stadt nicht gesehen.

Immer ernstere Sorgen bereitete ihm Karl durch die Art, wie er sein neues Reich regierte. Es hat nicht lange gedauert, so wußte alle Welt, daß das Königreich, das die Kirche von der Tyrannei der Staufer hatte erlösen wollen, durch die französische Eroberung unter eine Schreckensherrschaft geraten war, die selbst in dieser erbarmungslosen Zeit auffiel. Schon die Roheit, mit der Karls Truppen nach der Schlacht bei Benevent in dieser zum Kirchenstaat gehörenden Stadt gehaust, Geistliche und Frauen nicht geschont, sich am Kirchengut vergriffen hatten, veranlaßte Clemens zu geharnischten Vorstellungen. Er fürchtete ernstlich, die Stadt zu verlieren, die er seinen Augapfel nannte, er traute Karl zu, sich ihrer gegen den Lehnsvertrag ganz zu bemächtigen. Sein Argwohn bestätigte sich nicht, aber anderswo sah er allmählich seine Befürchtungen übertroffen. Schon das Schreiben, in dem er Karl seine Genugtuung über den errungenen Erfolg aussprach, ging vom Ausdruck der Freude und Teilnahme zum Tadel über, Tadel wegen Geizes und Sorglosigkeit: er habe sich Feinde gemacht, anstatt zu versöhnen. Clemens mußte feststellen, daß der König in seinem harten Verfahren bestärkt wurde durch einen der päpstlichen Vertrauensmänner, den nach Messina versetzten Erzbischof von Cosenza. Eine Mahnung an diesen wirkte nicht, er bekam bald eine scharfe Rüge zu hören.

Einzelheiten aus der Regierung Karls erfahren wir nicht, aber die Art, wie die Untertanen unter dem Vorwand der Teilnahme an Manfreds Kampf ausgeplündert wurden, muß schon arg gewesen sein, wenn Clemens, den niemand der Weichheit anklagen konnte, sich zu einer förmlichen Strafpredigt erhob. Er hielt dem König vor, daß er für unmenschlich gelte, sich selbst unsichtbar mache, die Beamten stehlen und rauben lasse, sachkundigen Rat verschmähe, einen ungeordneten Haushalt führe. Karl scheint diese so wenig wie andere Mahnungen beachtet zu haben, denn wir sehen den Papst nach einigen Monaten neue, schärfere Vorwürfe erheben: durch sein gewalttätiges Regiment werde er sich und den Papst ins Verderben stürzen, seine Steuerpolitik sei verfehlt, seine Belastung der Kirchen – sie verstieß gegen den Lehnsvertrag – zerstöre die ganze Kirchenverfassung. Auch dies muß in den Wind geredet gewesen sein, denn nach einigen weiteren Monaten greift Clemens zur Feder, um dem König ausführliche Vorschriften zu machen, wie er regieren soll. Erfolg hat das so wenig wie alle früheren Mahnungen gehabt. Es war weder zu leugnen noch zu ändern: hatte das Königreich unter der Verwaltung Friedrich II. geseufzt, so war es jetzt aus dem Regen in die Traufe gekommen. Es hatte nun wirklich einen kalten, selbstsüchtigen Tyrannen zum Herrn, der es mit fremden Truppen regierte und durch die Beamten ausbeuten ließ. Selbst das spärliche Maß von Milde, das der Papst als Priester einigen entkommenen Häuptern der staufischen Partei nicht verweigern konnte, war Karl zu viel, er beschwerte sich, als sie nach Unterwerfung unter die Kirche begnadigt wurden. Die Beziehungen zwischen dem Papst und seinem Vasallen waren und blieben gespannt. Clemens mußte sich damit abfinden, daß er an Karl alles eher als einen gefügigen Diener hatte.

Überhaupt, das Zeitalter allgemeiner Glückseligkeit, das er in der ersten Siegesfreude angekündigt hatte, wollte nicht kommen. Zwar merkte man sofort, daß bei Benevent die Gibellinen von ganz Italien unterlegen waren. Aber wenn Clemens etwa geglaubt hat, nun mühelos selbst die Führung übernehmen zu können, so täuschte er sich. Zwar suchte alles unter dem ersten Eindruck seine Gnade. In der Lombardei gab das Haupt der Partei, Hubert Pallavicini, den Kampf auf und hoffte nur noch, durch Verständigung mit dem Papst die eigene Herrschaft in Piacenza und Cremona zu retten. Er erreichte nichts. Trotz bedingungsloser Unterwerfung sah er sich bald durch die verdeckte Arbeit päpstlicher Legaten aus beiden Städten verdrängt. Aber die Hoffnung, nun die ganze Lombardei guelfisch und päpstlich werden zu sehen, erfüllte sich nicht. Verona, wo das Haus der Scala die Erbschaft Ezzelins angetreten hatte, und Pavia versagten sich, und der hundertjährige Friede, den die Legaten im Mai 1267 für die ganze Lombardei verkündigten, blieb ein leeres Wort, die Parteien bestanden weiter und bekämpften einander wie zuvor. Auch Mailand, das unter der Herrschaft des Hauses della Torre die Führung der Lombardei wie in alter Zeit übernahm, zeigte sich gegenüber dem Papst widersetzlich. Den ihm bestimmten Erzbischof wies es zurück und verfiel darum der Kirchensperre.

In Toskana hatte gleich nach Manfreds Tod der Wettlauf um die Gnade des

Papstes begonnen: Florenz, Siena, Pisa und die kleineren Städte unterwarfen sich der Kirche und wurden von ihren Strafen befreit. Aber die hochgespannten Erwartungen, die die Kurie an diesen Erfolg knüpfte, gingen nicht in Erfüllung. Clemens hat ernstlich geglaubt, bei dieser Gelegenheit erreichen zu können, was Innozenz III. mißlungen war, die Angliederung Toskanas an den Kirchenstaat. Den Anfang dazu machte er in Florenz, erzwang die Rückkehr der Guelfen, beauftragte zwei Bolognesen, Mitglieder eines Laienordens, den der Volksmund spottend *frati godenti*, ‹lustige Brüder›, nannte, mit der Verwaltung in seinem Namen und griff gelegentlich selbst mit Verordnungen ein. Doch die Werkzeuge erwiesen sich nicht als brauchbar, die Bürgerschaft lehnte sich auf, ließ päpstliche Befehle unbeachtet und gab sich gegen Ende des Jahres eine volkstümliche Verfassung, nach der beide Parteien des Adels in der Stadt Platz hatten, die Regierung aber in den Händen der Zünfte lag. Noch weniger erreichte Clemens an andern Orten, weder Siena noch Pisa fügten sich seinen Absichten. Zudem hielt sich auf seiner Herrschaft im Apennin Manfreds letzter Statthalter, Graf Guido Novello von Modigliana, gestützt auf eine Truppe von 500 deutschen Rittern, in den zersplitterten Verhältnissen des Landes eine Macht, mit der ernstlich gerechnet werden mußte. In Toskana waren die Gibellinen keineswegs überwunden und keine Aussicht, daß es künftig gelingen werde, wenn man nicht zu stärkeren Mitteln griff.

Dazu trieb den Papst außerdem, daß am Horizont eine neue Gefahr sichtbar wurde: Konradin. Auf ihn hatten sich schon im Sommer 1266 die Augen aller derer zu richten begonnen, die sich der Entscheidung von Benevent nicht unterwerfen wollten. Sie hatten keine andere Hoffnung als den jungen Herzog von Schwaben, da Manfreds Söhne, deren ältester höchstens sechs Jahre gezählt haben kann, sich in Karls Gewalt befanden. Merkwürdig bleibt es aber doch, wieviel in jenen Tagen Name und Abstammung eines fernen Prinzen bewirkten, den niemand kannte, niemand gesehen hatte, von dem man nichts weiter wußte, als daß er der Enkel Friedrichs II. war und sich König von Sizilien und Jerusalem nannte [1]. Verwandte und ehemalige Diener Manfreds aus dem Königreich, die keine Gnade bei Karl gefunden oder sich ihm nicht unterworfen hatten, Gibellinen aus der Lombardei, Toskana und der päpstlichen Mark eilten über die Alpen oder sandten Botschaft. Sie riefen ihn herbei, daß er sein Erbrecht wahrnehme, und versicherten ihn ihrer hingebenden Dienste. Sie fanden einen frühreifen Jüngling, stattlich und schön, trefflich erzogen, soeben nach Vollendung des 14. Jahres mündig geworden, der ihnen ein williges Ohr lieh. Das hohe Selbstgefühl und der kühne Mut, das Erbteil seines Blutes, ließen ihn nicht zögern, wo Recht und Ehre riefen. Aber auch ältere Verwandte und Freunde stimmten zu und waren zum Mitgehen bereit. Im Oktober 1266 tagte mit Konradin in Augsburg eine Versammlung, stark besucht von schwäbischen Bischöfen

---

1 Den Königstitel hatte er von seiner Großmutter Jolanthe, der zweiten Gemahlin Friedrichs II., geerbt; freilich nur den Titel, Anhang hatte er drüben nicht.

und Äbten, Grafen, Herren und Rittern, unter Teilnahme der Oheime von Baiern und des Stiefvaters, des Grafen von Tirol. Es wurde beschlossen, übers Jahr aufzubrechen nach Italien, um das Königreich Sizilien dem landfremden Räuber wieder zu entreißen. Die Zeit bis dahin sollte Rüstungen dienen.

An der Kurie war man von allem unterrichtet, man kannte die Beziehungen, die zwischen Konradin und Italien seit dem Sommer bestanden, Clemens glaubte sogar, daß sich in Deutschland eine Partei bilde, um den Knaben zum römischen König zu wählen, und beeilte sich, dies aufs strengste zu verbieten. Die deutschen Erzbischöfe erhielten gemessenen Befehl, bekannt zu machen, daß über alle, die für Konradins Wahl arbeiten oder sein Auftreten gegen Karl unterstützen würden, der Ausschluß, über ihr Gebiet die Kirchensperre verhängt und jeder, der sich herausnehme, die Wahl zu vollziehen, seiner Besitzungen, Rechte und Ehren für sich und seine Nachkommen verlustig erklärt sei. Konradin selbst wurde mit Entziehung des Königstitels von Jerusalem bedroht, wenn er seine Ansprüche auf Sizilien nicht aufgebe.

War es diese Gefahr, die den Papst veranlaßte, zu außerordentlichen Maßregeln der Abwehr zu greifen? Zu den Verpflichtungen, die Karl bei seiner Belehnung hatte eingehen müssen, gehörte, wie wir wissen, das eidliche Versprechen, niemals irgendeine Herrschaft in Reichsitalien zu erwerben, anzunehmen oder zu erstreben. Nun geschah es, daß er im Dezember 1266 in Lucca, der am meisten guelfischen Stadt Toskanas, natürlich nicht ohne sein eigenes Zutun, zum Podestá gewählt wurde und sogleich das Amt durch einen Bevollmächtigten auszuüben begann. Man sollte erwarten, daß ihn wegen dieses Eidbruchs wenigstens ein Hagel von Vorwürfen, wenn nicht Schwereres von seiten des Papstes treffen würde. Aber Clemens schwieg, ja mehr als das. Um die Unabhängigkeit von Florenz zu brechen, rief er Karl zu Hilfe. Dieser sandte einen seiner Hauptleute mit einer Ritterschar, die im Einverständnis mit den Guelfen sich der Stadt bemächtigte, die Gibellinen vertrieb, die bürgerliche Verfassung aufhob und die Wahl Karls zum Podestà auf sieben Jahre bewirkte. Die kleinen Nachbarstädte folgten dem Beispiel. Von den Pisanern deswegen zur Rede gestellt, leugnete Clemens, das veranlaßt zu haben, er habe nur nicht anders gekonnt, als dem Wunsche Karls zu willfahren, der sich von den gibellinischen Umtrieben bedroht sehe. Der Papst sprach nicht die Wahrheit, er hatte das Geschehene nicht nur geduldet, er hatte es auf jede Art gefördert. Die Briefe liegen vor, in denen er die Guelfen aufforderte, sich zu erheben, und Karl, zuzugreifen, auch hatte er einen seiner Kapläne vorausgeschickt, um den Handstreich vorzubereiten, und hatte über zwei kleine toskanische Orte, die sich Karl widersetzten, sogleich die Kirchensperre verhängt. Clemens war noch weitergegangen. Aus dem Schreiben, in dem er ihnen die demnächstige Ankunft Karls ankündigte, erfuhren die Florentiner, daß er die Absicht habe, dem König die Friedensstiftung in Toskana und den Schutz des herrscherlosen Reichsgebietes zu übertragen. Als Grund wurden die Umtriebe Konradins und seiner Werkzeuge angegeben, gegen die Karl ‹sein dem Kirchenstaat so nah benachbartes Königreich› sichern müsse. Das war

Mitte April geschehen. Am 4. Juni 1267 – Karl war inzwischen selbst an die Kurie nach Viterbo gekommen, wo er sich über einen Monat aufhielt – erfolgte seine förmliche Ernennung zum Friedenswart in Toskana für drei Jahre.

Hat Clemens die drohende Gefahr wirklich für so groß gehalten? Es will nicht viel sagen, daß er in denselben Tagen, wo das Schicksal von Florenz sich vollzog, Konradin vor seinen Richterstuhl lud, um sich wegen angemaßten Königstitels von Sizilien und Einmischung in italische Angelegenheiten zu rechtfertigen. Das war gebotene Vorsicht, auch wenn man an ernste Bedrohung nicht glaubte. Die Auslieferung Toskanas an Karl stand dazu in keinem Verhältnis, denn dieses Heilmittel war so schlimm wie das Übel. Hoffte Clemens im stillen vielleicht, Karl werde ihm als Schrittmacher für die eigene Besitzergreifung dienen, oder war der Franzose in ihm so stark, daß er die Umklammerung des päpstlichen Gebiets durch die Macht des Königs von Neapel nicht fürchtete? Die Gedanken des ehemaligen französischen Ministers auf dem Stuhl Petri können wir nicht lesen. Vielleicht wirkten bei ihm alle drei Gesichtspunkte zusammen, um die Hindernisse hinwegzuräumen, die der Ausbreitung von Karls Herrschaft in Italien im Wege standen. Ob ein Nichtfranzose an seiner Stelle gehandelt hätte wie er, darf man fragen, Clemens hat offenbar wenig Bedenken zu überwinden gehabt. Wenn es wahr ist, daß er nur dem wohlbegründeten Verlangen Karls nachgab, so deutet doch nichts darauf hin, daß er sich dagegen gesträubt hätte. Der Verdacht ist nicht abzuweisen, daß ihm wie Karl die Notwendigkeit, gegen Konradin besondere Sicherungen zu schaffen, nicht einmal ganz unwillkommen war.

Für die Ernsthaftigkeit der Besorgnis vor Konradin spricht es nicht, daß der Papst sich durch sie in weitausgreifenden Entwürfen nicht einen Augenblick stören ließ. Sie betrafen die morgenländischen Angelegenheiten. Von jeher hatten die Päpste ihren Kampf gegen die Staufer mit der Sorge für den Osten zu rechtfertigen gesucht. Auch Clemens IV. hatte dieses Schlagwort nicht verschmäht: wie Gregor IX. und Innozenz IV. behauptet hatten, in Friedrich II. ein Hindernis für den Kreuzzug beseitigen zu müssen, so erklärte Clemens den Eroberungszug Karls von Anjou für den ersten Schritt zur Wiedereinnahme von Konstantinopel und Jerusalem. Er meinte es ernst. Kaum war der Sieg errungen, so entwickelte er einen Eifer, wie man ihn seit langem nicht mehr gesehen hatte. Den französischen Adel rief er auf zur Unterstützung der Christen im Morgenland, in Frankreich, England und Sizilien gab er Auftrag, das Kreuz zu predigen, ließ Rückstände aus den Abgaben der letzten Jahre eintreiben, dachte an Erstreckung des französischen Dreijahreszehnten auf ein viertes Jahr, bewilligte einzelnen Fürsten zur Kreuzfahrt beträchtliche Summen, forderte von Venedig und Pisa die Stellung von Schiffen und vereinbarte mit Karl ein Programm, das schon für den März 1267 den Aufbruch einer starken Flotte mit Truppen zur Unterstützung der Verteidiger von Akka vorsah. Auch an einen Angriff auf Ägypten dachte er, um die Christen in Syrien zu entlasten.

Seinen Bemühungen wurde ein unverhoffter Erfolg zuteil. Nachdem er schon im Sommer 1266 mit Genugtuung das Erwachen des Kreuzzugseifers in Frankreich, den deutschen Niederlanden und England hatte feststellen können, erlebte er die Freude, daß am Verkündigungsfest (25. März) 1267 König Ludwig IX mit drei Söhnen, mehreren Fürsten und vielen Baronen das Kreuz sich anheften ließ. Nachahmung des Beispiels erwartete der Papst von Aragon und verhandelte mit dem Khan der Mongolen wegen Unterstützung gegen die gemeinsamen Feinde, die Ägypter. Dem französischen König beeilte er sich für den Kreuzzug einen dreijährigen Zehnten von den Kirchen Frankreichs zur Verfügung zu stellen und den Widerspruch des Klerus mit scharfen Drohungen niederzuschlagen. Daneben blieb das lateinische Kaisertum unvergessen. Balduin II., der ehemalige Verbündete Manfreds, erwartete jetzt von Karl, was Manfred nicht hatte leisten können, Karl aber hatte bei der Eroberung seines neuen Reiches wohl von vornherein den Blick nach Osten gerichtet, wohin ihn die Spuren seiner Vorgänger, der normännischen und staufischen Herrscher, von Robert Guiscard und Roger II. bis auf Friedrich II. und Manfred wiesen.

Am Hof von Konstantinopel konnte das nicht unbemerkt bleiben. Kaiser Michael hatte die Verhandlung mit dem Papst nach dem Tode Urbans IV. ruhen lassen, auf eine Sendung des Papstes nicht geantwortet. Seine Lage drängte ihn nicht mehr, seit seine Gegner, Albanien-Epirus und Achaja, die Unterstützung Manfreds verloren, der alle seine Kräfte zur eigenen Verteidigung nötig hatte. Als Karl die Erbschaft Manfreds antrat, sich den Besitz von Korfu, der Mitgift von Manfreds Gemahlin, sicherte und mit Achaja das Bündnis erneuerte, war es für den Griechen hohe Zeit, sich wieder um den Papst zu bemühen, um dem künftigen Gegner die Unterstützung der Kirche und den idealen Grund zum Kriege zu entziehen. Er wandte sich an Clemens, griff auf das Übereinkommen zurück, das vor drei Jahren mit den Gesandten Urbans getroffen war, und ersuchte um dessen Bestätigung. Wir kennen seinen Inhalt nicht, wissen aber, daß es Zugeständnisse von römischer Seite forderte [1]. Ob Urban diese genehmigt haben würde, steht dahin, Clemens wies sie rundweg zurück. Er forderte einfache Annahme des römischen Standpunktes im Glaubensbekenntnis, in der Lehre von den Sakramenten und vom Primat, also bedingungslose Unterwerfung durch eine Erklärung, deren Wortlaut er vorschrieb. Zugleich ließ er keinen Zweifel, daß die schwebenden Verhandlungen ihn nicht abhalten würden, die Gegner Michaels zu unterstützen und zur Erreichung des hohen Zwecks auch ‹andere Wege› nicht zu verschmähen. Noch waren seine Gesandten nicht abgegangen, als er eine erneute Botschaft erhielt. Michael bekannte seine lebhafte Teilnahme am Schicksal der Lateiner in Syrien, fürchtete aber vom Westen her angegriffen zu werden, wenn er ihnen zu Hilfe käme, und verwies auf den Widerstand, den seine kirchlichen Einigungspläne beim griechischen Klerus fänden. Clemens erwiderte mit kühler Ironie und versteckter Drohung: Teilnahme

1 Siehe oben S. 223.

252

für Syrien werde der Kaiser bald zu beweisen Gelegenheit haben, da der König von Frankreich einen großen Kreuzzug vorbereite, und was den griechischen Klerus betreffe, so sei doch die Gewalt des Kaisers über ihn größer als billig. Danach konnte niemand mehr im Zweifel sein, daß Clemens die Pläne friedlicher Einigung, die Innozenz, Alexander und Urban gebilligt hatten, in die zweite Linie gestellt hatte und sein Augenmerk auf ‹andere Wege› richtete.

An welche Wege er dachte, wird ohne weiteres klar, wenn man weiß, was zur selben Zeit sonst im Werke war. Sein letztes Schreiben an Michael trägt das Datum des 17. Mai 1267; zehn Tage später wurde in seiner Gegenwart in Viterbo ein Vertrag zwischen Karl und Balduin II. ausgefertigt. Karl verpflichtete sich, innerhalb sechs Jahren mit 2000 Rittern zur Eroberung Konstantinopels auszurücken. Zum Lohn dafür sollte ihm ein Drittel des kaiserlichen Gebiets samt der Lehnshoheit über die Fürstentümer Achaja und Morea zufallen. Balduins einziger Sohn heiratete Karls Tochter; starb sein Stamm aus, so ging das Kaisertum auf Karl und seine Nachkommen über. Wurde dieser Vertrag ausgeführt, so war der König von Sizilien Herr des wiedererstandenen lateinischen Kaiserreichs im Osten. Es kennzeichnet Balduins hilflose Lage, daß er sich dazu bequemte, es kennzeichnet aber nicht weniger die Rückhaltlosigkeit, mit der Clemens IV. auf die Ausdehnung der Macht seines Vasallen einging. Denn hier konnte von einem Zwang drohender Gefahr, der für die Auslieferung Toskanas den Grund oder den Vorwand abgab, nicht die Rede sein. Der Weg, Karls östliche Pläne durch Eingehen auf die Einigungswünsche des Griechen zu durchkreuzen, stand offen. Wenn Clemens ihn nicht beschritt, keinen Einwand dagegen erhob, daß der König von Sizilien zu einer alles überschattenden Macht im Mittelmeer gelangte, wie sie Friedrich II. und Heinrich IV. selbst in ihren glänzendsten Tagen nicht besessen hatten, so gibt es dafür nur eine Erklärung. Nicht Vorliebe für die Person Karls kann es gewesen sein; eben in den Tagen ihres Beisammenseins in Viterbo hat Clemens den König seine Unzufriedenheit deutlicher als je fühlen lassen. In Gegenwart der Kardinäle hat er ihm ernste Vorwürfe wegen seiner Regierungsweise gemacht, dem Legaten in Frankreich hat er in tiefstem Geheimnis sein Herz ausgeschüttet, wie schlecht der König mit dem Geld umgehe, wie er Kirchen und Untertanen bedrücke, gegen Freunde und Feinde gleich hart sei. ‹Wir möchten ihn lieben, aber wir sind in Sorge, wie das enden soll.› Und dennoch diese Bereitwilligkeit, demselben Herrscher, der seine Macht bisher so schlecht zu gebrauchen wußte, immer neue Länder und Fürstentümer auszuliefern! Es war der Franzose Guido Legros, der ehemalige Rat Ludwigs IX., dem die Ausbreitung der Herrschaft Frankreichs in West und Ost, die Erhöhung seines Königshauses über alles ging, so daß er auch als Clemens IV. darin nichts Bedenkliches sehen konnte, weil nach seiner Überzeugung Frankreich und die Kirche zusammengehörten, Frankreichs Erfolge der Kirche immer zugute kamen und jeder Machtzuwachs Frankreichs für die Kirche nur von Nutzen sein konnte.

Nachdem er den Papst verlassen, machte sich Karl an die Unterwerfung Toskanas. Zwei Städte vor allem waren es, die sich ihm hier nicht fügten, Siena und Pisa. Karl wandte sich zunächst gegen Siena, die Hochburg des toskanischen Gibellinentums, aber auf dem Marsch dorthin sperrte ihm das kleine Poggibonsi im Elsatal den Weg, das von etwa 1000 gibellinischen Rittern verteidigt wurde. Über fünf Monate lag er vor der Stadt und konnte sie nicht einnehmen. Am 30. November endlich wurde sie ihm gegen freien Abzug der Besatzung übergeben.

Inzwischen hatte die Szene sich gründlich verwandelt. Aus Deutschland waren im September Nachrichten gekommen, wonach Konradin wirklich im Begriffe stand, mit Heeresmacht nach Italien aufzubrechen. Clemens versagte ihnen den Glauben, aber sie waren richtig: um den 1. Oktober 1267 hatte der Knabe den Brenner überschritten, am 21. zog er in Verona ein, vom Stadtherrn glänzend empfangen. Durch Verkäufe und Verpfändungen hatte er ein kleines Heer zusammengebracht, das vom Gerücht gewaltig vergrößert wurde: 10 000, sogar 12 000 Berittene sollte es zählen. In Wirklichkeit waren es wohl nicht über 3000. Der Oheim von Baiern, der Stiefvater waren bei ihm, eine kleine Schar schwäbischer Grafen und Herren stellte ihrem Herzog das Geleite. Vor allem aber umgab ihn eine Gruppe von Flüchtlingen aus dem sizilischen Reich, an der Spitze der Vetter Konrad von Antiochia und die beiden Oheime Manfreds, Galvano und Friedrich Lancia. Man hatte ihn erwartet, schon im Juni war der Schlachtruf ‹König Konrad› im Heere lombardischer Gibellinen gehört worden. Jetzt wirkte sein Erscheinen wie ein Magnet: von allen Seiten strömten ihm die Anhänger zu, sein Gefolge wuchs. Aber es waren nur einzelne, meist Verbannte und Flüchtlinge, die Städte versagten sich ihm, und seine Geldmittel gingen zur Neige. Er mußte neue Schulden machen, die Truppe begann schon Pferde und Rüstungen zu verkaufen. Clemens IV. schien recht behalten zu sollen, als er nach einem Monat meinte, Konradin werde umkehren müssen. Er verhängte den Ausschluß über ihn, bedrohte alle, die ihn unterstützten, mit der gleichen und mit schlimmeren Strafen und schmeichelte sich wohl, dadurch erreicht zu haben, daß die deutschen Fürsten und Herren Mitte Dezember den jungen Staufer verließen und heimkehrten. Nur wenige hielten bei ihm aus, darunter ein Enterbter gleich ihm, der neunzehnjährige Markgraf Friedrich von Baden, der sich Herzog von Österreich nannte. Die beiden Prinzen waren mehr als tollkühn, als sie an ihrem Unternehmen festhielten, angewiesen lediglich auf die Versprechungen italischer Anhänger. Ernste Gefahr schien von ihnen nicht zu drohen.

Bedenklicher lauteten die Nachrichten aus dem Süden. Sizilische Flüchtlinge waren im August von Tunis aus mit einigen hundert Rittern auf Sizilien gelandet, hatten den Küstenschutz überwältigt und nach und nach fast die ganze Insel zum Aufstand fortgerissen. Die harte und willkürliche Verwaltung des Eroberers, der das System Friedrichs II. in verschärfter Form beibehielt und durch habgierige Fremde handhaben ließ, hatte in kurzer Zeit ein solches Maß von

Haß und Erbitterung im Volk geschaffen, daß der Ruf zur Erhebung weithin auf der Insel Widerhall fand. Ende November behaupteten sich nur noch in Palermo, Messina und Syrakus die Besatzungen Karls. Clemens verfehlte nicht, dem König seine Schuld vorzuhalten. In einem bitterbösen Brief erinnerte er ihn an seine früheren Mahnungen. ‹Wenn du doch mehr glauben und dich besser belehren lassen wolltest! Du kannst weder Rat noch Hilfe erwarten, wenn du, der du dich einen Streiter Gottes nennst, ihn in seinen Kirchen, Geistlichen, Witwen und Waisen bekämpfst... Schließlich, glauben wir, wird Gott dir nur helfen, wenn du dich nach seinem Wohlgefallen richtest und an dir und den Deinen beseitigst, was Gottes und der Menschen Augen beleidigt. Andernfalls – mit Schmerz sprechen wir es aus – glauben wir nicht, daß deine und unsere Angelegenheiten weiterhin den Lauf nehmen werden, mit dem sie begonnen haben.›

Auf Karl scheinen die ernsten Worte jetzt so wenig wie früher Eindruck gemacht zu haben, er ließ sich in seinem Plan nicht stören, der darauf ausging, sich zum Herrn in Toskana zu machen, um dem Gegner den Weg ins Königreich zu sperren. Kam der rechtmäßige Erbe nicht ins Land, so mußte der Aufstand von selbst erlöschen. An diesem Plan hielt Karl auch fest, als er hörte, daß Konradin Mitte Januar mit Hilfe einiger lombardischer Gibellinen in dreitägigem Gewaltmarsch wohlbehalten und mit Jubel empfangen nach Pavia gelangt war. Sein Weg hatte ihn zwischen lauter Guelfenstädten hindurchgeführt, ohne daß diese ihn ernstlich zu hindern versuchten. Deutlich zeigte sich: auf Hilfe von dieser Seite durfte Karl nicht rechnen. Vergebens hatte des Papstes Legat, der alte Philipp Fontana von Ravenna, sich bemüht, die Partei zu festem Zusammenschluß und tätigem Eingreifen zu bewegen. An einer Stärkung von Karls Macht und Einfluß war in der Lombardei augenscheinlich niemandem etwas gelegen, während Konradin von seinen wenigen Anhängern bereitwillig mit Geld und Truppen unterstützt wurde. Aber gefährlich erschien er darum noch nicht, wenn es nur gelang, ihm den Zugang nach Toskana zu verlegen.

Zu diesem Zweck hatte Karl nach der Einnahme von Poggibonsi den Angriff auf Siena aufgegeben und sich gegen Pisa gewandt. Er konnte nicht daran denken, die große Seestadt, mit der er längst zerfallen war – er hatte alle Pisaner aus dem Königreich ausgewiesen –, einzunehmen, aber ihr Gebiet ließ er gründlich verwüsten, zerstörte oder besetzte die Küstenbefestigungen bis an die Grenze von Genua und versicherte sich des Passes von Pontremoli. So hatte er die Möglichkeit, selbst in die Lombardei vorzurücken und dort die Entscheidungsschlacht zu liefern, wenn Konradin sich nicht in Pavia wollte einschließen lassen.

Clemens war mit der Strategie Karls auch diesmal keineswegs einverstanden, tadelte sein langes Verweilen in Toskana und drängte ihn zur Rückkehr ins Königreich, wo der Aufstand schon aufs Festland herübergriff. Vollends gegen den Plan, in die Lombardei vorzurücken, erhob er lebhaften Widerspruch. Er hatte einen besonderen Grund, Karls Rückkehr aus dem Norden zu wünschen, denn ihm selbst stand ein neuer Gegner gegenüber, gefährlicher als Konradin und die sizilischen Rebellen, ein Feind, der ihn selbst an seinem Sitz in Viterbo sich nicht mehr sicher fühlen und die Übersiedlung nach Perugia oder Assisi ins Auge fassen ließ.

Die Jahrhunderte der Kreuzzüge sind reich an abenteuerlichen Gestalten, deren Bild die widersprechendsten Züge aufweist, aber eine abenteuerlichere als den Prinzen Heinrich von Kastilien haben sie kaum hervorgebracht. Vielbewundert als Kriegsmann und Dichter, ehrgeizig, leidenschaftlich und unternehmend, hatte dieser Stauferenkel — seine Mutter war eine Tochter Philipps von Schwaben — im Zwist mit seinem Bruder, König Alfons, das Land verlassen, hatte in Tunis Kriegsdienste genommen und dabei ein Vermögen erworben. Mit diesem Gelde hatte er Karl bei der Eroberung des sizilischen Reiches unterstützt, sich aber um den erwarteten Lohn und sogar um die vorgeschossene Summe geprellt gesehen und deswegen gegen den Vetter — Heinrich und Karl waren Geschwisterkinder — einen unauslöschlichen Haß gefaßt [1]. Welches Ziel sein Ehrgeiz ihm vorspiegelte, hat er nicht verraten, aber kein Hehl machte er daraus, daß er sich den Sturz Karls vorgenommen hatte. Einer von beiden, Karl oder er selbst, müsse untergehen! so hatte man ihn mit hohem Eide rufen hören. Zum Ausgangspunkt seines Kampfes hatte er sich die Stadt Rom gewählt. Im Juli 1267 war es ihm gelungen, seine Ernennung zum Senator durch den Volkshauptmann zu erreichen. Sogleich hatte er begonnen, die Umgebung der Stadt zu unterwerfen, päpstliche Verbote und Drohungen ließ er unbeachtet, widerstrebende Mitglieder des römischen Adels wurden verhaftet. Von Anfang an muß er mit den sizilischen Emigranten in Verbindung gestanden haben, jetzt nahm er auch zu den Gibellinen Toskanas Beziehungen auf. Dabei verstand er es geschickt, seine Absichten zu verbergen, so daß Clemens die längste Zeit an dem Glauben festhielt, ihn durch Schonung und anderweite Befriedigung seines Ehrgeizes gewinnen zu können. Erst im Herbst ließ er die Maske fallen: am 18. Oktober feierlich empfangen, an der Spitze einer kleinen Truppe unter dem wehenden Banner Konradins, durfte Galvano Lancia in Rom einziehen und — vollends unerhört — seinen Wohnsitz im päpstlichen Lateran nehmen. Einen Monat später kamen auch die Verhandlungen mit den Toskanern zum Abschluß, am 1. Dezember wurden auf dem Kapitol die Urkunden ausgefertigt, durch die Heinrich zum Hauptmann des mit Rom vereinten Gibellinenbundes bestellt wurde. Es läßt sich nicht beweisen, aber die Vermutung hat viel für sich, daß zum mindesten von diesem Zeitpunkt an, wenn nicht schon früher, in Heinrichs Hand die Fäden zusammenliefen, durch die alle gegen Karl gerichteten Bewegungen in Italien gelenkt wurden.

1 Wie sehr diese Kämpfe das Bild des Verwandtenkrieges zeigen, mag folgende Ahnentafel deutlich machen:

Heinrich VI.	Philipp von Schwaben		Alfons V. von Kastilien	
Friedrich II.	Beatrix ∞	Ferdinand III.	Blanca ∞ Ludwig VIII.
Konrad IV.		Heinrich	Karl I.
Konradin			

Das würde die auffallende Planmäßigkeit erklären, mit der die Schritte der Gegner erfolgten. Den Winter über blieb alles ruhig, nur im Königreich griff der Aufstand um sich. Konradin saß untätig in Pavia, wie ein Vogel im Netz, meinte Clemens: er könne weder vorwärts noch zurück. Karls Pläne schienen sich zu bewähren. Da wurde in den letzten Märztagen die Welt durch die Nachricht überrascht, Konradin sei von Pavia aufgebrochen und ungehindert an die ligurische Küste gelangt, wo ihn im kleinen Hafen Vado zwölf pisanische Kriegsschiffe erwarteten. Das war zu wenig für die Überfahrt eines ganzen Heeres. Man ließ also die Masse der Truppen nach Pavia zurückkehren, während Konradin selbst sich nur mit seinem nächsten Gefolge einschiffte und nach stürmischer Überfahrt am 7. April in Pisa landete, mit Jubel von der Stadt begrüßt, vom Erzbischof in seinem Palast aufgenommen. Um dieselbe Zeit verbreitete sich die Nachricht, daß die Sarazenen in Lucera sich erhoben hätten. Nun entschloß sich Karl doch, heimzukehren und selbst zum Rechten zu sehen, während einer seiner Marschälle mit etwa 1000 Rittern zum Schutze Toskanas zurückblieb.

Der König nahm seinen Weg über Viterbo; es gab wichtige Dinge mit dem Papst zu bereden. An der Spitze stand die Geldfrage. Karl war längst in Verlegenheit, Clemens wollte sogar wissen, zur Rückkehr ins Königreich sei er vor allem durch Geldnot gezwungen worden. Natürlich sollte die Kirche auch diesmal helfen, aber Clemens hatte sich lange gesträubt. Erst Ende Februar hatte er für eine Anleihe von 20 000 Pfund Bürgschaft geleistet. Jetzt ließ er sich zu einem Darlehen von 11 000 Pfund aus eigenen Mitteln herbei. Dann kam die römische Frage an die Reihe. Um Heinrich von Kastilien zu verdrängen, hatte Clemens schon im Herbst die Wahl Karls zum Senator ins Auge gefaßt und sie dem König angeboten. Jetzt erteilte er ihm die Erlaubnis, unbeschadet seiner früheren Verpflichtungen, das Amt für zehn Jahre zu übernehmen und seine Wahl vorzubereiten. Endlich Toskana! Die Befugnisse des Friedenswarts hatten sich als ungenügend erwiesen, zumal seit Heinrich von Kastilien ungescheut Titel und Rechte eines Reichsstatthalters in Anspruch nahm. Darum erfolgte nun die Bestellung Karls zum Reichsvikar, gleichfalls für die Zeit von zehn Jahren. Mit den geistlichen Waffen hielt Clemens nicht länger zurück. Er verkündigte den Kreuzzug gegen Konradin, wiederholte aufs neue gegen diesen und alle seine Anhänger den Ausschluß, dem jetzt auch der bis dahin stets geschonte Heinrich verfiel, und entzog Pisa zur Strafe sein Erzbistum. Karl seinerseits machte einen Versuch, sich Roms durch Handstreich zu bemächtigen. Der Versuch mißlang, und Heinrich antwortete mit Beschlagnahme aller in den römischen Kirchen hinterlegten Gelder und Wertsachen.

Am letzten Tage des April brach Karl von Viterbo auf, wo er seit dem 4. des Monats des Papstes Gast gewesen war und mit seinem ganzen Heer das Kreuz genommen hatte. Kaum war er fort, so lief die Nachricht ein, daß Konradins Heer, am 23. April von Pavia aufgebrochen, die Sperre von Pontremoli auf kaum gangbaren Wegen durch das Tal des Taro umgehend und dann die

Küste entlang marschierend, am 2. Mai in Pisa angelangt war. Gleichzeitig loderte im Königreich allenthalben der Aufstand auf. Über die Größe der Gefahr konnte sich niemand mehr täuschen: um die bei Benevent so rasch gewonnene Krone mußte Karl noch einmal auf Tod und Leben kämpfen.

In die Gefahr seines Schützlings und Vorkämpfers sah sich der Papst verwickelt: siegte Konradin oder Heinrich, so war auch seine Zukunft düster. Schon war die Mark Ancona in vollem Aufruhr. Aber mit dem Gleichmut des Asketen, dem die Welt im Angesicht der Ewigkeit nichtig erscheint, sah Clemens der Gefahr ins Auge. Wenn er Besorgnisse hegte, so ließ er sie nicht merken. Mit Sehnsucht erwartete er den Tag, wo es ihm möglich sein werde, ‹die eisernen Nacken der Rebellen in ein ebensolches Joch zu zwängen›. Wie wenig seine geistlichen Strafen und Drohungen wirkten, hatte er schon festzustellen Gelegenheit gehabt. Nicht weniger als sechsmal hatte er Konradin selbst mit Verbot, Vorladung und Ausschließung bedacht, ebensooft seine Anhänger im allgemeinen und einzelne Städte gestraft, ohne den mindesten Erfolg. Er wußte, daß nur das weltliche Schwert Karls ihm helfen konnte, aber er vertraute ihm. Daß Konradin bis Mitte Juni in Pisa stehen blieb, deutete er als Zeichen der Hilflosigkeit und sagte seinen Untergang in öffentlicher Predigt voraus. So sicher wie der Wahrheit des Glaubens behauptete er seiner Sache zu sein.

Bald aber kamen Nachrichten, die ganz anders klangen. Am 24. Juni war Konradin in Siena eingezogen, am folgenden Tage glückte es einer Schar seines Heeres, die Truppen Karls, die in Toskana zurückgeblieben waren, auf dem Marsch durch das Arnotal überraschend anzugreifen und zu vernichten. Der Marschall, der sie befehligte, geriet dabei selbst in Gefangenschaft. Mit einem Schlage verbreitete sich der Ruhm des jungen Staufers im ganzen Land, mehrte die Zahl und den Eifer seiner Anhänger und schärfte die Erbitterung der Gegner. Hüben wie drüben war sein Name im Munde der Dichter, mit einer Leidenschaft, die überraschen kann, stritten sie für und wider ihn, weissagten die einen seinen Untergang, wie das Lamm dem Bären erliegen müsse, erwarteten die andern, daß er in siegreichem Kampf Königreich und Kaisertum gewinnen und den Gegner selbst zur Huldigung zwingen werde.

Etwa drei Wochen hat Konradin sich in Siena aufgehalten, hier wie schon in Pisa und Pavia als rechtmäßiger Herrscher auftretend, Anhänger belohnend, Ehren und Ämter freigebig austeilend, Rechte und Vorrechte verbriefend. Mitte Juli brach er auf nach Rom. Sein Heer war durch Zuzug deutscher Söldner, deren es in Italien seit den Tagen Friedrichs II. die Menge gab, und italischer Gibellinen stark angeschwollen, in stattlichem Zuge rückte es an Viterbo vorbei, wo der Papst seinen Marsch mit eigenen Augen aus der Ferne verfolgen konnte. Für seine Sicherheit hatte Clemens gut gesorgt, wohl unnötigerweise, denn an einen Angriff auf die Stadt, die Kaiser Friedrich getrotzt hatte, konnte niemand denken. Im übrigen blieb er in seiner Zuversicht unerschüttert oder gab sich den Anschein, es zu sein: er beklagte den Knaben, der seinem Untergang entgegengehe, wie das Lamm zur Schlachtbank geführt werde. Unaufgehalten rückte

Konradin vor, am 24. Juli war Rom erreicht. Den Einziehenden begrüßte draußen schon der Senator, das Volk jubelte ihm zu, sein Sieg konnte nun nicht mehr ferne sein. Noch ein letztes eifriges Rüsten, dann ging es der Entscheidung entgegen. Am 18. August erfolgte der Aufbruch über Tivoli ostwärts durch das Tal des Anio, mit dem Ziel, über Sulmona nach Apulien zu gelangen. Es war der kürzeste Weg, auf dem man den Aufständischen, vor allem den Sarazenen die Hand reichen konnte.

Was hatte Karl inzwischen getan? Er hatte einige Wochen ohne Erfolg vor Lucera gelegen, dann auf die Nachricht vom Anmarsch Konradins die Belagerung aufgegeben und seine Truppen zusammengezogen. Daß seine ursprünglichen Berechnungen vereitelt waren, wird ihn schwerlich sehr bedrückt haben: das Herankommen des Gegners bot die Aussicht auf eine Entscheidungsschlacht, die der erfahrene Feldherr suchen mußte. Sein Heer war nicht groß, das des Gegners an Zahl überlegen, aber an Kampfwert ungleich. Neben den nicht allzu zahlreichen Kerntruppen, deutschen und spanischen Reitern – diese zum erstenmal im Abendland mit dem hieb- und stichfesten Plattenharnisch statt des Kettenpanzers ausgerüstet – stand die Masse der gibellinischen Ritter und Bürgerwehren, bunt zusammengewürfelt und nicht allzu kampfgeübt, für Karls festgeschlossene, gut eingeübte Franzosen und Provenzalen keine ebenbürtigen Gegner. Vor allem aber fehlte dem Heere Konradins die einheitliche taktische Führung, deren Überlegenheit Karl schon bei Benevent den Sieg verschafft hatte. Daß der Sechzehnjährige den wirklichen Oberbefehl nicht führen konnte, versteht sich von selbst, und wenn Heinrich von Kastilien als Vornehmster und Erfahrenster ihn auch beanspruchen durfte, so werden doch weder die Italiener, etwa ein Galvano Lancia, noch die Deutschen, die der Marschall Kraft von Flüglingen führte, ihm schlechtweg gehorcht haben.

Wir verlieren uns nicht in die umstrittenen Einzelheiten des weiteren Verlaufs. Trotz aller Unklarheiten und mancher Widersprüche in den Berichten steht das Wesentliche fest. Konradins Heer hatte am 20. August die Grenze des Königreichs überschritten und zwei Tage später die Ebene erreicht, die sich östlich von Tagliacozzo zwischen Avezzano und dem Südfuß des Monte Velino ausdehnt und damals das Palentinische Feld genannt wurde [1]. Karl war über die Bewegungen des Gegners, dem er in ständigem Flankenmarsch von Süden her gefolgt war, genau unterrichtet, so daß er ihm in der genannten Ebene, die ihm das beste Schlachtfeld bot, in den Weg treten konnte. Am Morgen des 23. wurde von beiden Seiten zugleich der Angriff eröffnet, zunächst mit großem Erfolg für Konradin: die italischen Bundesgenossen in Karls Heer wurden von Heinrich mit seinen spanischen Reitern geschlagen und weithin verfolgt. Auch die Deutschen und Italiener Konradins waren gegen die Provenzalen und Fran-

---

1 Die herkömmliche Benennung der Schlacht nach dem ziemlich entfernten Tagliacozzo ist sicher unrichtig, muß aber beibehalten werden, da eine genauere sich nicht hat einbürgern wollen. Karl würde wohl für Scurcola sich erklärt haben, wo er zum Gedächtnis seines Sieges ein Kloster gestiftet hat.

zosen siegreich, bis Karl, der irrtümlicherweise schon totgesagt war, eine verdeckt aufgestellte Reserve eingreifen ließ. Jetzt wandte sich das Blatt, die Deutschen wurden geworfen. Aber noch einmal mußte Karl um den Sieg kämpfen, als Prinz Heinrich mit seinen Reitern von der Verfolgung zurückkehrte. Ein wildes Handgemenge entspann sich, in dem schließlich die größere Beweglichkeit der Franzosen über die durch ihre schweren Harnische zwar geschützten, aber auch behinderten Spanier Sieger blieb. Triumphierend konnte Karl noch am Abend des Tages vom Schlachtfeld aus den vollen Erfolg dem Papste melden: die meisten der Feinde seien tot oder gefangen, die Zahl der Gefallenen übertreffe sogar die von Benevent, der Rest sei zersprengt. ‹Darum freue sich die Mutter Kirche und preise jubelnd den Höchsten, der ihren Nöten ein Ende gemacht und sie aus dem Rachen ihrer gierigen Verfolger befreit hat.›

Die Niederlage Konradins war vollständig, sein Heer vernichtet. Mit etwa 500 Flüchtlingen, die sich unterwegs um ihn gesammelt hatten, traf er fünf Tage später in Rom ein. Und doch war noch nicht alles verloren. Wenn es ihm glückte, zurück nach Pisa oder gar nach Sizilien zu gelangen, wo der Aufstand ebenso wie auf dem Festland noch ungebrochen war, so konnte er den Kampf fortsetzen. Eine starke pisanische Kriegsflotte war schon vorausgefahren und hatte soeben an der sizilischen Küste ein provenzalisches Geschwader in die Flucht geschlagen. Aber gerade dieser Sieg wurde zum Verhängnis. Konradin, der sich in Rom nicht sicher fühlte, hatte nach einigem Umherirren mit seinen Begleitern die Küste bei Nettuno erreicht und schon ein Schiff bestiegen, war aber vom Herrn der Burg Astura, einem römischen Frangipani, eingeholt und gefangengenommen worden. Noch war sein Schicksal ungewiß, da traf jenes von den Pisanern verjagte provenzalische Geschwader ein, und der Befehlshaber bewog den schwankenden Römer leicht zur Auslieferung der Gefangenen. Am 12. September wurden sie Karl vorgeführt. Fünf Tage vorher hatte Heinrich von Kastilien dasselbe Schicksal gehabt. Auf der Flucht in die Sabinischen Berge war er in die Hände des Abtes von San Salvatore bei Rieti geraten, der ihn auslieferte.

Was weiter geschah, ist jedermann bekannt. Die Hinrichtung der gefangenen Führer hatte Karl schon beschlossen, die Vollstreckung schob er bis zu seiner Rückkehr ins Königreich hinaus. Nur zwei, Galvano Lancia und seinen Sohn, ließ er sogleich enthaupten. Der September verging, während er in Rom die Herrschaft in die Hand nahm, sich auf unbestimmte Zeit zum Senator wählen ließ – es geschah einstimmig, da die Gegner geflüchtet waren oder sich unterworfen hatten – und eine Besatzung auf das Kapitol legte. Anfang Oktober brach er auf, über Capua nach Neapel. Unterwegs wurden die Gefangenen aus der Burg Palestrina hervorgeholt, wo sie bis dahin gesessen hatten, mit Ketten gefesselt mußten sie dem Zug des Königs folgen, die jedermann sichtbare Trophäe des Sieges. In Neapel angelangt, hielt Karl es für nötig, für das, was er vorhatte, sich den Schein des Rechts zu verschaffen. Er holte die Meinung einer Anzahl von Rechtskundigen ein, ob die Gefangenen als Empörer und Majestätsverbrecher nach den Gesetzen des Landes den Tod verdient hätten. Es heißt, die Antworten seien nicht einhellig ausgefallen. Wenn das wahr sein sollte — viel Wahrscheinlichkeit hat es nicht —, so hat der Widerspruch auf Karl keinen Eindruck gemacht. Am 29. Oktober 1268 ließ er das Todesurteil auf öffentlichem Platz zu Neapel vollstrecken. Unter dem Beil des Henkers fielen die Häupter Konradins, Friedrichs von Baden-Österreich und etwa eines Dutzends ihrer Begleiter, Deutscher und Italiener. Christliches Begräbnis wurde ihnen versagt, obgleich sie von den Kirchenstrafen befreit und nach Beichte und Lossprechung mit den Sakramenten versehen waren. Es sollte eben um jeden Preis der Anschein festgehalten werden, daß es sich um Verbrecher, nicht um besiegte Feinde handle. Erst nach zwei Jahren hat Karl die Bestattung der Überreste Konradins und Friedrichs in einer benachbarten Karmeliterkirche zugelassen.

Über sein Verfahren kann das Urteil nur ungünstig lauten. Schon die Zeitgenossen haben ihn vielfach offen getadelt, und daß in Deutschland die Entrüstung allgemein gewesen, bezeugt ein französischer Chronist. In der Tat war das Blutgericht von Neapel ohne jedes Beispiel. Daß Kriegsgefangene umgebracht wurden, ist damals öfter vorgekommen, aber noch niemals hatte man einen gefangenen Fürsten das Schafott besteigen sehen. Nur eine willkürliche Verdrehung von Tatsachen und Begriffen kon\te aus dem Königssohn, der gekommen war, das Erbe seiner Väter zu erobern, einen gemeinen Verbrecher machen, der sein Leben verwirkt hatte. Daß Karl zu solchen Künsten seine Zuflucht nahm, beweist allein, wie unsicher er sich fühlte. Die Frage kann nur sein, was ihn zu einer Handlung trieb, die den Begriffen des Kriegsrechts und der Ritterehre ins Gesicht schlug und seinen Herrschernamen für alle Zeiten an den Schandpfahl nagelte. Man hat ihn damit zu entschuldigen gesucht, daß man ihn aus nüchterner Staatsräson handeln läßt: nach den soeben gemachten Erfahrungen, sagt man, würde er seines Reiches nicht froh geworden sein, wenn Konradin lebte. Selbst wenn das so sicher wäre, wie es zweifelhaft ist, warum mußten mit Konradin zugleich Friedrich von Österreich, der Marschall Kraft von Flüglingen und die schwäbischen Grafen und Herren sterben, die ihren Herzog begleiteten? Ein nicht weniger gefährlicher Gegner als der Knabe Konradin war Heinrich von Kastilien. Ihm gegenüber hat Karl sich mit dauernder Kerkerhaft in Ketten begnügt, sein Nachfolger hat nach fünfundzwanzig Jahren auf englische Fürbitte dem Ergrauten die Freiheit geschenkt, der nun als gebrochener Mann in seine Heimat zurückkehrte. Wenn in diesem Fall eine zweifelhafte Milde, gleichviel aus welchem Grunde, zulässig war, warum nicht auch gegenüber Konradin? Nein, Erwägungen der Zweckmäßigkeit genügen nicht, Karls Verfahren zu erklären. Ihm, der an Herzlosigkeit alles übertraf, was dieses unbarmherzige Jahrhundert aufzuweisen hat, ihm wird es vielleicht darum zu tun gewesen sein, durch Abschreckung zu wirken, sicher jedoch und vor allem sein Bedürfnis nach Rache für die überstandene Gefahr zu befriedigen.

Indes wir haben uns weniger mit Karl zu beschäftigen als mit dem Papst, nach seinem Anteil an dem Ereignis fragen wir. Unter den Zeitgenossen fehlt es nicht an Stimmen, die behaupten, Clemens habe zum Tode Konradins geraten, ihn mindestens gebilligt. Beweise dafür gibt es nicht und kann es nicht geben. Niemals durfte das Oberhaupt der Kirche sich so weit bloßstellen, daß man ihm nachweisen konnte, er habe ausdrücklich zum Blutvergießen geraten. Aber war es nicht seine Sache, für den Gefangenen Fürbitte einzulegen, den König an die Rücksicht auf seine eigene Ehre zu mahnen? Clemens hat Karl sonst nicht geschont – wir haben die Proben kennengelernt –, warum fehlt unter seinen so reichlich erhaltenen Briefen das Schreiben, das nicht fehlen durfte, wenn er sich seiner Pflicht als Bischof und Priester erinnerte? Es kann wohl nicht bezweifelt werden: daß Konradin starb, war ihm recht, es befreite ihn von der Sorge, daß die soeben mit Mühe überstandene Gefahr wiederkäme. Unter welchen begleitenden Umständen es geschah, wer sonst noch mit dem unglücklichen Knaben sein Leben ließ, war gleichgültig; und für andere konnte man doch nicht bitten, wenn man Konradin preisgab.

Mit seinem Verschwinden war der Aufstand im Königreich noch nicht überwunden, aber er hatte seinen Sinn verloren. Noch einige Zeit hat Karl kämpfen müssen, bis die letzten Reste des Feuers erstickt waren. Erst als im Sommer 1269 die Sarazenen von Lucera durch Hunger zur Unterwerfung sich genötigt sahen, war der Spuk vorbei, der einen Augenblick so gefährlich zu werden gedroht hatte. Die Niederwerfung des Aufstands, begleitet von umfassenden Einziehungen von Eigentum und Lehen, machte Karl erst vollends zum Herrn seines Reiches. Von den Erben Friedrichs II. hatte er nichts mehr zu fürchten. Das einst so blühende Haus der Staufer war im Mannesstamm so gut wie erloschen, von ihm lebte in Freiheit nur noch ein Erwachsener, des Kaisers Bastardenkel Konrad von Antiochia, den Karl dem Papst hatte ausliefern müssen, um die Befreiung der Brüder eines Kardinals zu erlangen, die auf Konrads uneinnehmbarer Burg Saracinesco als Geiseln festgehalten wurden. Im Gefängnis zu Bologna welkte der alternde Enzo dahin – er ist schon vier Jahre später gestorben –, Manfreds drei Knaben verkümmerten mit Ketten gefesselt in unwürdiger Gefangenschaft, zwei von ihnen sind nicht wieder zum Vorschein gekommen, einer ist vierzig Jahre später nach abenteuerlichen Irrfahrten in Tunis, Italien und Spanien unter dem Namen Friedrich von Sizilien fast als Bettler am englischen Hof aufgetaucht und soll in Ägypten gestorben sein. Wohl lebte in Deutschland noch ein gleichnamiger Tochtersohn des Kaisers, Erbe des Markgrafen von Meißen-Thüringen. Doch der war jung und weit entfernt, und die Wahrscheinlichkeit, ihn den Spuren Konradins folgen zu sehen, war gering. Gefährlicher war der Kronprinz Peter von Aragon, Gemahl von Manfreds Tochter Konstanze, aber noch verriet er nicht die Absicht, seine Ansprüche geltend zu machen. Die Geschichte des schwäbischen Kaiserhauses war zu Ende, die Kirche hatte erreicht, was sie seit Innozenz IV. gefordert hatte: die Schlangenbrut war ausgerottet.

Wir können an der Frage nicht vorbeigehen, ob das nur den Launen des Schlachtenglücks zuzuschreiben war, ob wirklich ein anderer Ausgang der Schlacht bei Tagliacozzo auch dem Lauf der Geschichte eine andere Richtung gegeben hätte. Man darf es fast mit Sicherheit verneinen, wenn man sich erinnert, daß die Eroberung des sizilischen Königreichs die Tat ganz Frankreichs gewesen war. Frankreich hätte eine Niederlage Karls nicht hingenommen, es hätte sich aufgemacht, die Ehre seines Königshauses wiederherzustellen, und wo waren dann die Kräfte, ihm mit Erfolg zu widerstehen? Die bunte Gesellschaft, die Konradin umgab, vornehme Flüchtlinge aus dem Königreich, deutsche Landsknechte, ein ehrgeiziger fremder Abenteurer wie Heinrich von Kastilien, wären nach dem Siege nicht einig geblieben und hätten sich durch Feindschaft und Eifersucht gegenseitig gelähmt. Was nach 1250 gespielt hatte, würde sich wiederholt und schlimmere Folgen gehabt haben, da kein Herrscher da war, der wie Konrad IV. und Manfred die Zügel hätte in die Hand nehmen können. Vom Knaben Konradin war das nicht zu verlangen, er war von Anfang an – neuere Darsteller haben das meist vergessen – das Werkzeug seiner Umgebung gewesen und wäre es, jung, unerfahren, mit Land und Leuten unbekannt, immer mehr geworden. Wohl hätten die Kämpfe fortgehen, das Königreich noch für eine Weile das Ziel abenteuerlicher Wagnisse bleiben können, schließlich aber mußte die römische Kirche, hinter der Frankreich stand, das Spiel doch gewinnen. So hat der rasche Untergang Konradins aller Wahrscheinlichkeit nach ein Drama lediglich abgekürzt, das nur als Trauerspiel enden konnte. Das Schicksal der Staufer und ihres südlichen Königreichs war nicht mehr zweifelhaft, seit Frankreich sich entschlossen hatte, der Kirche in ihrem Kampf gegen das Kaisertum und die Einigung Italiens mit den Waffen zu Hilfe zu kommen.

Clemens IV. hat die Freude seines Sieges nur wenige Monate genossen, am 29. November 1268 ist er gestorben. Seine angebliche Weissagung von Konradins Ende brachte ihn in den Geruch der Heiligkeit, und dies verursachte einen Streit um seinen Leichnam zwischen den Kirchen Viterbos, in dem die Dominikaner gegen die Domherren siegreich blieben [1]. Rom hat er wie sein Vorgänger als Papst nie gesehen. Seine letzten Tage wurden getrübt durch die Nachricht, daß Antiochia von den Ägyptern erobert war, so daß jetzt außer Akka nur noch die kleine Herrschaft Tripolis an die Zeit erinnerte, wo die Lateiner Palästina und Syrien beherrschten. Einen Erfolg dagegen hatte Clemens schon in den Anfängen seiner Regierung erlebt, als der Aufstand der englischen Barone unter Simon von Montfort in der Schlacht bei Evesham (4. August 1265) mit dem Tode des Führers sein Ende fand. Es war ebensosehr ein Sieg der römischen Kirche wie des englischen Königtums, denn die Bewegung hatte sich wie gegen die Willkür der Krone so auch gegen die Ausbeutung der Landeskirche durch die Kurie gerichtet, deren Steuerpolitik, wie wir wissen, unter den Ursachen des Aufstands nicht die letzte gewesen war. Mit dem Sieg der Krone erlosch nun auch der Herd der Auflehnung gegen die uneingeschränkte Ausübung

---

1 Sein bald nach dem Tode geschaffenes Grabmal steht nach wechselvollen Schicksalen heute in San Francesco.

päpstlicher Machtbefugnisse, der sich in England zu bilden begonnen hatte. Seitdem verstummen die Klagen, die bis dahin jahrzehntelang die englischen Chroniken erfüllt haben, für längere Zeit; England ist für den Papst wieder das gehorsame Lehnsreich, das es unter Johann ohne Land geworden war, von König und Papst in gutem Einvernehmen regiert und ausgebeutet. Eine persönliche Genugtuung wird für Clemens IV. die Bewältigung des englischen Aufstands gewesen sein, war er selbst doch der Legat gewesen, dem von der revolutionären Regierung der Eintritt ins Königreich verweigert worden war. Nun durfte er am Triumph der Krone durch Sendung des Kardinals Ottobuono Fieschi, eines Neffen Innozenz' IV., teilnehmen, der mit geschickter Hand die völlige Unterwerfung der englischen Kirche durchführte, nachdem ihre Bischöfe zum Teil mit den aufständischen Baronen zusammengegangen waren.

Daß große Ereignis, das die Regierung Clemens IV. vor so vielen andern auszeichnet, ist dies, daß unter ihm der Kampf gegen Kaisertum und Staufer sein Ende fand. Auf einen Platz unter den großen Vertretern des Papsttums gibt ihm das noch keinen Anspruch: er hat nicht mehr getan, als einen Plan durchführen, den seine Vorgänger ihm hinterlassen hatten. Sein Verdienst ist die Standhaftigkeit, mit der er an dem Unternehmen festhielt, als die Schwierigkeiten sich häuften und die Gefahr wuchs. Zweimal, da Sieg und Niederlage gleich nahe waren, ist er unerschütterlich fest geblieben und hat dem ungewissen Schicksal ruhig und gefaßt entgegengesehen, wie er es am Vorabend des entscheidenden Kampfes in seiner letzten Absage an Manfred aussprach: wenn Gott anders verfügt hätte, als seine Getreuen glaubten, so würde, was Ihm gefalle, in Gleichmut ertragen werden. Sein Glaube hat ihn nicht betrogen, es kam, wie er erwartet hatte, und damit war eine der größten Entscheidungen gefallen. In dem mehr als hundertjährigen Kampf gegen das um seine Wiederherstellung ringende Kaisertum hatte die Kirche gesiegt, die Wiederherstellung war mißlungen, und zweieinhalb Jahrhunderte sollten vergehen, ehe in Karl V. wieder, und auch nur für ein kurzes Menschenalter, ein Kaiser auftreten konnte, der des Namens würdig war.

Was hatte nun, so müssen wir fragen, der Kirche den Sieg gebracht? Wie alle Machtkämpfe, so ist auch dieser mit materiellen Mitteln geführt und entschieden worden, mit Waffen und Geld. Über beides verfügten beide Parteien die längste Zeit in annähernd gleichem Maße. War Friedrichs II. und Manfreds Rüstung stärker als die der Päpste, deren eigene Feldzüge allemal zu Mißerfolgen geführt haben, so reichte die Unerschöpflichkeit der kirchlichen Geldmittel auch nicht zur Überwindung des Gegners aus. Geldmangel hat weder Friedrich noch seine Nachfolger zu Fall gebracht. Wo die Kräfte einander die Waage halten, pflegt die Führung den Ausschlag zu geben. Sie ist auf der staufischen Seite nicht immer glücklich gewesen. Friedrichs Strategie, sprunghaft, allzuoft Ziele und Wege wechselnd wie seine Politik, macht nicht den Eindruck, von einem durchdachten Plan geleitet zu sein, und Manfred hat es wohl an Voraussicht und raschem Entschluß fehlen lassen. Aber von wirklich überlegener Führung auf päpstlicher Seite ist doch nichts zu bemerken, so hoch man die kriegerischen Leistungen eines Gregors von Montelongo oder Philipp Fontana schätzen mag.

Wesentlich war, daß die Staufer auf die eigenen Kräfte angewiesen blieben – der gelegentliche Zuzug aus Griechenland zählt nicht –, während die Päpste auswärtige Hilfe fanden. Von Anfang an hatten sie den Kampf mit fremden Waffen führen können, fremde Waffen haben ihnen auch zum Sieg verholfen. Das Bündnis mit den aufständischen Lombarden und der guelfischen Partei neben den Abgaben der abendländischen Kirchen hat es ihnen möglich gemacht, den Krieg ein volles Menschenalter auszuhalten, bis schließlich, als ihre Sache fast verloren schien, das Eingreifen Frankreichs die Entscheidung zu ihren Gunsten brachte. Das aber hätte nicht geschehen können, wäre nicht hinter den Truppen und dem Gelde die Macht einer Idee wirksam gewesen.

Die Kräfte Mailands, Bolognas und der andern Städte hätten jedem Gegner des Kaisers, jedem, der sich an die Spitze der guelfischen Partei stellte, zur Verfügung gestanden, was sonst den Päpsten zu Hilfe kam, verdankten sie ihrem geistlichem Amt und vermochten nur sie für sich ins Feld zu führen. Einzig und allein der geistliche Gehorsam, den man ihnen schuldig zu sein glaubte, und der ewige Lohn, den sie verheißen, die Strafe im Jenseits, mit der sie drohen konnten, hat die Beutel des Klerus aller Länder immer wieder geöffnet; die gleichen Kräfte waren es, die Karl von Anjou sein überlegenes Heer zuführten. Den Grafen der Provence hätte Manfred nicht zu fürchten gebraucht; unterliegen mußte er erst, als der Adel Frankreichs, durch die Kreuzpredigt des Papstes in Bewegung gesetzt, gegen ihn anrückte. Auch hier wie bei allen Kreuzzügen sind die Beweggründe der Teilnehmer mannigfach, haben Abenteuerlust und Gewinnsucht ihre Rolle gespielt. Aber ohne die Aussicht auf das Paradies, die nur der Papst zu bieten hatte, wäre der Kreuzzug von 1265 gegen die Ungläubigen und Ketzer in Unteritalien so wenig wie irgendein anderer zustande gekommen. So muß man denn sagen: nicht daß die französischen Ritter geschickter fochten als die Deutschen, ihre Armbrusten wirksamer schossen als die Bogen der Sarazenen, und daß Karl von Anjou der bessere Feldherr war, hat in letzter Linie die Päpste siegen lassen, sondern daß sie eine Idee vertraten, an die ihre Zeit glaubte.

Dieser Idee hatte der Gegner nichts Ebenbürtiges entgegenzustellen, mit ihr hielt das römische Kaisertum, das Friedrich II. zur Losung seines Kampfes zu machen versuchte, den Vergleich nicht aus. Auch dieser Idee kann man die Größe nicht absprechen: eine weltliche Herrscherwürde, die, alle andern überragend, die christliche Staatenwelt unter einer Spitze zusammenfaßte, die sichtbare Verkörperung ihrer Einheit und ihre gegebene Führung in Verteidigung und Angriff gegen die Ungläubigen – man begreift, daß dieser Gedanke viele Gemüter immer noch in seinen Bann geschlagen hat, als seine Verwirklichung längst schon ein unerfüllbarer Traum geworden war. Wie stand es aber um seine Anziehungskraft zu der Zeit, als sein Schicksal sich entschied? Darüber reden die Tatsachen eine deutliche Sprache. Gerade von denen, die es am unmittelbarsten hätte angehen sollen, ist das Kaisertum verleugnet worden. Die Römer, nach denen es benannt war, blieben nach kurzem Schwanken taub, als Friedrich II. und Manfred sie aufriefen, ihre alte Größe, ihren Vorrang vor allen Völkern wieder aufzurichten. Die Deutschen aber, deren Vorrecht es sein sollte, in der Person ihres Königs den Kaiser zu stellen, zeigten je länger desto weniger Lust, für diese Ehre Opfer zu bringen.

Und woher rührte der Anspruch, woher stammte dieses Kaisertum, das sich römisch nannte und doch den Deutschen gehören sollte? Auf diese Frage hatte die Kirche die Antwort bereit: sie behauptete, es sei ihre Schöpfung, von ihr zu vergeben, von ihr abhängig. Das hat wohl Widerspruch gefunden, aber keine Widerlegung. In den Tagen Friedrichs I. und Heinrichs VI. ist einmal der Versuch gemacht worden, das Recht der Deutschen auf den Besitz der Kaiserwürde zu erweisen mit Berufung auf die angebliche Abstammung der Franken von den Trojanern, kraft deren sie ihr Brudervolk, die Römer, rechtmäßig beerbt hätten. Ein kaiserlicher Kaplan und Lehrer König Heinrichs VI., Gottfried von Viterbo, hat den Gedanken in einer Weltchronik niedergelegt, die er seinem königlichen Herrn und zugleich dem Papst widmete. Er hat kein Glück damit gehabt, nicht einmal bei den Deutschen. Ja, sie sind die ersten gewesen, die das Kaisertum im Stich ließen, als noch die Hälfte der Italiener mit zäher Erbitterung dafür kämpfte. Daß Deutschland aus dem Kampf ausschied und neutraler Zuschauer wurde, hat überhaupt den Sieg des Papstes möglich gemacht.

Wenn nun schon die Deutschen sich so wenig vom Gedanken des Kaisertums ergriffen zeigten, das doch ihre eigene Sache war, um wieviel weniger konnte man von andern Völkern erwarten, daß sie daran glaubten? Sie hätten ja etwas von ihrer Unabhängigkeit hergeben müssen, wenn dieses Kaisertum, das man in der Theorie nicht leugnete, eines Tages versuchte, mehr zu werden als ein theoretischer Begriff, wenn es sich anschickte, als lebendige Macht in die Wirklichkeit des Staatenlebens einzugreifen und Rechte geltend zu machen, die in seinem Namen ruhten. Das war noch nie geschehen. Nie hatte ein deutscher Kaiser versucht, andern Staaten und Königen als Oberherr zu begegnen, und wenn Friedrich die Schenkung von Preußen an den Deutschen Ritterorden mit seinem kaiserlichen Recht der Verfügung über alle Lande begründete, so war das nicht mehr als eine billige Kanzleiphrase angesichts der Tatsache, daß in diesem Fall niemand da war, ihm zu widersprechen. Wo ihm eine staatliche Macht gegenüberstand, hat auch Friedrich II. nie mehr als einen Vorrang der Würde für sich in Anspruch genommen.

Wie das Kaisertum bisher den andern Reichen gegenüber keine Macht gewesen war, so hatte es auch für ihre Gesamtheit und ihre gemeinsamen Anliegen nichts getan. Ein solches Gesamtanliegen erster Ordnung war – niemand hätte es bestritten – der Kreuzzug. Aber auf diesem Felde war der Beitrag der Kaiser gering im Vergleich zu den Taten der Franzosen. Und wann hätte ein Kaiser daran gedacht, die Völker aufzubieten, um an ihrer Spitze auszuziehen zum Kampf für Christentum und Kirche gegen Heiden und Ungläubige? Das Führertum gegen die Ungläubigen war ohne Widerspruch und ein für alle Male der Kirche, dem Papst überlassen worden. Dem Ehrenrang des Kaisertums als vornehmster Herrscherwürde der Christenheit entsprachen keine Leistungen und darum auch kein Glaube, man hatte ihm nichts zu danken und war ihm denn auch nichts schuldig.

Schließlich jedoch: gleichviel welchen Inhalt man dem römischen Kaisertitel geben, welche Vorstellungen man mit ihm verbinden mochte, immer blieb er auf das Diesseits beschränkt, ein Reich von dieser Welt. Die Macht des Papstes aber, Diesseits und Jenseits umfassend, reichte bis in den Himmel. Stellen wir uns vor, was im Weltbild der Menschen jener Tage der Stellvertreter Gottes auf Erden bedeutete, so verblaßt vor der Größe und Erhabenheit dieser Idee auch das glänzendste Bild, das man sich von einem irdischen Kaiser als Oberhaupt einer geeinten christlichen Völkerwelt machen könnte. Die Idee des Papsttums, die selbst die Gegner, damit schon seine Überlegenheit anerkennend, nicht anzugreifen wagten, sooft sie auch gegen ihre Träger sich auflehnten, sie ist es in letzter Linie gewesen, die das Kaisertum überwand und seinem Dasein als lebendiger Größe ein Ende bereitete.

Ein solcher Sieg konnte nicht billig erkauft sein. Am nächsten haben für ihn die beiden Länder bezahlt, deren einem das Kaisertum der Inbegriff seiner Größe gewesen war, während es dem andern die staatliche Ordnung, den inneren Frieden bedeutet hatte. Sie haben es beide nicht, vergessen können. In Deutschland hat man von seiner Wiederkehr als von dem Beginn eines Goldenen Zeitalters geträumt, in Italien sein Fehlen noch lange bitter empfunden und sich um seine Wiederherstellung gemüht, die doch nicht mehr gelingen wollte. Hier noch hundertmal mehr als nördlich der Alpen hatte man Grund, von ‹der kaiserlosen, der schrecklichen Zeit›, zu sprechen, da die Nation den Ausweg aus dem Bürgerkrieg durch zweieinhalb Jahrhunderte vergebens suchte, bis schließlich die Fremdherrschaft dem Kampf aller gegen alle ein Ende machte. Was das Volk Italiens allein in dem einen blutigen Menschenalter dauernden Kriegszustandes erlebt und erlitten haben muß, den das Verschwinden der Kaisermacht hinterließ, das läßt der Widerhall ahnen, der uns aus Dantes unsterblichem Gedicht entgegenklingt. In solcher Zeit mußte der Dichter heranwachsen, der eine ‹Hölle› schaffen konnte.

Teuer genug hat auch die siegende Macht, die Kirche, ihren Triumph bezahlen müssen. Wir denken nicht an die schweren Abgaben, die der Papst gefordert und erzwungen hatte, deren Folgen sich stellenweise deutlich genug in tiefer Verschuldung, ja Verarmung, in England sogar in raschem Herabsinken von der Höhe der Geistesbildung zeigt, die die englischen Kirchen bis dahin ausgezeichnet hatte. Indessen was wollten auch die größten materiellen Verluste besagen – sie sind schließlich ausgeglichen worden – gegenüber den nicht wieder gutzumachenden Schäden anderer Art, die die Kirche und am meisten das Papsttum selbst erlitten hatte! Die Saat der Verbitterung, die mit der nie gesühnten Vernichtung des glänzendsten Herrscherhauses in die Seele des deutschen Volkes gestreut wurde, ist freilich erst nach zweieinhalb Jahrhunderten aufgegangen, als in Deutschland das Wissen um die eigene Geschichte erwachte, dann freilich ist sie um so üppiger gediehen. Wenn seitdem der größere Teil der Deutschen in der römischen Kirche den ältesten Feind ihrer Nation zu sehen glaubt, so hat daran die Erinnerung an das Schicksal der Staufer, an Friedrich II., an Manfred und Konradin ihren nicht wegzuleugnenden Anteil.

Mögen wir über diese späte Nachwirkung hinwegsehen, so dürfen wir doch die Augen nicht verschließen von der Einbuße an Achtung und Vertrauen, die die römische Kirche, ihre gesamte Hierarchie, Geistliche, Prälaten und am meisten der Papst als Ergebnis des langen Kampfes zu buchen hatten. Sie galt nicht den Personen, mochten unter der Herde auch räudige Schafe sein, zu einer Verdammung in Bausch und Bogen lag keine Berechtigung vor, sie ist auch nicht laut geworden. Gerade an der Spitze der römischen Kirche, unter den Kardinälen dieser und der folgenden Zeit bemerkt man nicht wenige unanfechtbare und hervorragende Gestalten, die ihrem Stande Ehre machten, und gegen die Päpste gar ist bei aller Schärfe der Gegnerschaft kein persönlicher Vorwurf laut geworden. Die Abwendung galt dem System. Wir haben davon früher genug gesprochen und kennen die Urteile, die schon in kirchlichen Kreisen selbst gefällt wurden. Da das am grünen Holz des Klerus geschah, könnten wir die Gedanken der Laien leicht erraten, selbst wenn der Aufstand der Pastorellen in Frankreich sie nicht verriete, wie der Blitz die Nacht erhellt. Allzulange war die Welt Zeuge gewesen, wie Rom seine Macht über die Gewissen im Kampf um irdische Werte mißbrauchte und um des eigenen Länderbesitzes willen seine große kirchliche Aufgabe, die Wiedergewinnung und Behauptung des Heiligen Landes, ungelöst ließ. Noch war man weit davon entfernt, die kirchliche Ordnung zu verwerfen, die ja, von anderem abgesehen, ein nicht wegzudenkender Teil der bürgerlichen Ordnung war und schon darum von den herrschenden Klassen der Gesellschaft nicht angegriffen werden durfte. Wie man im Innersten dachte, äußerte sich am deutlichsten in Italien, aber auch anderswo, in der erstaunlichen Gleichgültigkeit, mit der die Strafen der Kirche hingenommen wurden. Wie wenig man sie fürchtete, konnte der Papst fast täglich feststellen, wenn seine Drohungen und Flüche ohne die mindeste Wirkung an den Betroffenen abprallten. Daß ein Fürst, eine Stadt, irgendein Machthaber sich durch sie in seiner Parteinahme hätte beeinflussen lassen, beobachtet man nirgends, mag es sich um die Anhänger Friedrichs II., Manfreds und Konradins, um gibellinische Herren und Bürger oder um aufständische englische Barone und deutsche Reichsfürsten handeln. Wo waren die Zeiten, da der Bannfluch Gregors VII. den deutschen König nötigte, sich als Büßer vor dem Papst in den Staub zu werfen, wenn seine Anhänger ihm treu bleiben sollten; da Heinrich II. von England alle Künste seiner Verschlagenheit aufbieten mußte, um den Ausschluß aus der Kirche zu vermeiden, und die Strafdrohung eines Legaten den Bischof von Konstanz bewog, die Tore seiner Stadt dem machtlosen apulischen Knaben Friedrich zu öffnen? Das geistliche Schwert war stumpf geworden, seit es zur alltäglichen Waffe im irdischen Krieg herabgewürdigt wurde, und der Bannfluch der Kirche bedeutete im politischen Kampf im Grunde nicht mehr als Kriegserklärung. Es redet Bände, wenn die Stadt Pisa vierunddreißig Jahre, also ein volles Menschenalter lang, mit einer kurzen Unterbrechung, den Ausschluß ihrer Einwohner und die Sakramentensperre in ihrem Gebiet ertrug, ohne sich in ihrer Haltung dadurch irremachen zu lassen. Wohl bemühte man sich in der Regel schließlich um die Lossprechung, die dann auch in feierlicher Weise vollzogen wurde, aber mehr als eine Förmlichkeit, wie sie zum Friedensschluß gehört, war das nicht. Man ist zwar nicht unkirchlich oder gar kirchenfeindlich geworden, aber man ist gleichgültig, weil man zu oft und zu deutlich gesehen hat, daß die Kirche selbst weltliche Zwecke voranstellt, zu deren Erreichung sie ihre geistliche Gewalt als Mittel ohne viel Bedenken verwendet. Die Fälle, wo Ausschluß und Sperre lediglich als Waffen im Parteikampf zu dienen hatten, waren ja kaum mehr zu zählen. Kann man sich wundern, daß das Gelübde zum Kreuzzug von manchen weltlichen Herrschern — man denke an Heinrich III. von England — nur noch als Gelegenheit zur Besteuerung der Landeskirchen aufgefaßt wurde, wenn die Päpste selbst, seit Gregor IX. im Jahre 1240 bei der Verteidigung Roms das Beispiel gegeben, den Kreuzablaß als Zahlungsmittel zur Anwerbung von Söldnern verwandten?

Daß Äußerungen der Empörung über solchen Unfug in der Literatur nicht häufiger und stärker laut werden, darf nicht zu dem Fehlschluß verführen, es wäre, was da vor sich ging, nicht in weitesten Kreisen bemerkt und empfunden worden. Wer sich die tatsächlichen Verhältnisse des damaligen Schrifttums klarmacht, wird nicht erwarten, das, was mündlich vielleicht alle Tage zu hören war, müsse auch in gleicher Fülle aufgezeichnet worden und auf uns gekommen sein. Kirche und Klerus anzugreifen war ja gefährlich, eine Anklage wegen Ketzerei drohte dabei immer, und vom Zufall hing es ab, ob das, was etwa trotzdem den Weg aufs Papier oder Pergament gefunden hatte, auch erhalten blieb, wenn es nicht etwa, wie einst die Rügelieder Walthers von der Vogelweide, zu den Werken eines berühmten Dichters gehörte. So brauchen wir auch nicht zu glauben, daß der genuesische Troubadour eine vereinzelte Erscheinung gewesen sei, der in den Tagen des Kampfes zwischen Karl und Konradin seine vernichtende Anklage gegen die Geistlichen schleuderte: daß sie Italien zerrissen, sich um das Heilige Land nicht kümmerten, mit Türken und Persern Frieden hielten, aber Franzosen und Deutsche töteten. Wer sich auf Lug und Trug versteht, so ruft dieser Sänger, wird alsbald zum Legaten gemacht, wer zu rauben und Christen umzubringen weiß, kommt ins Paradies. So haben damals gewiß Hunderte und Tausende gedacht, und wenn sie nicht öfter und lauter sprachen, so ist auch das am Ende als Zeichen zunehmender Gleichgültigkeit zu deuten. Man war diese Dinge schon zu sehr gewohnt, um sich über sie aufzuregen, und nahm sie hin als zum Bilde der Kirche gehörig, wie man sie nun einmal kannte.

Wenn die Masse der Laien nach wie vor an ihr festhielt und ihr zu gehorchen bereit war, so war dies guten Teiles das Verdienst der Bettelorden, die durch Predigt, Seelsorge und eigenes Beispiel den Glauben an sie nährten, übrigens, nebenbei bemerkt, auch ihre Strafen erträglicher machten, indem sie kraft ihrer Vorrechte in ihren eigenen Kirchen auch zuzeiten der Sperre den Gottesdienst fortsetzten. Aber gerade von dieser Seite drohte jetzt der römischen Kirche eine nicht zu unterschätzende Gefahr. Wir wissen, wie sie es verstanden hatte, die starke Bewegung, die seit dem Ende des 12. Jahrhunderts nach Wiederherstellung ihrer evangelischen Urgestalt strebte, aufzufangen und in den beiden Orden der Prediger und der Minderbrüder, besonders aber der Minderbrüder, sich dienstbar zu machen. Ob sie ohne dieses Mittel ihren Bestand gerettet haben würde? Man möchte es nicht behaupten. Darum darf es die große Tat Gregors IX. genannt werden, daß er die Strömung, die das Gebäude der katholischen Kirche zu unterspülen und hinwegzuschwemmen drohte, in feste Bahnen lenkte, in denen sie aus einer Kraft des Widerspruchs und der Auflösung zur Dienerin und Bürgin des Bestehenden wurde. Möglich war das bei den Minderbrüdern nur gewesen auf dem Wege einer weitgehenden Verleugnung und Verfälschung der Absichten des Stifters, und ohne Gewaltsamkeiten war es dabei nicht abgegangen. Dennoch war es nicht gelungen, die Richtung ganz zu unterdrücken, die am ursprünglichen Ideal festhielt. Während der Orden als Ganzes sich mehr und mehr den Formen der herrschenden Kirche anglich, Grundbesitz erwarb, stattliche Gotteshäuser errichtete und reich ausschmücken ließ, seine Mitglieder in wachsender Zahl zu Bischöfen, sogar zu Kardinälen aufsteigen sah und durch sie und seinen starken Einfluß in weltlichen wie in geistlichen Kreisen an der Regierung der Kirche teilnahm, erhielt sich in seiner Mitte eine starke Minderheit – man nannte sie die Spiritualen, und es fehlte zuzeiten nicht viel, so hätte sie die Herrschaft erlangt –, die das alles für unvereinbar mit dem eigenen Gelübde und dem Zweck der Stiftung erklärte und trotz aller Maßregelungen und gelegentlich grausamer Verfolgung nicht müde wurde, die Rückkehr zu der bedingungslosen Armut und Niedrigkeit zu fordern, deren Vorbild der Stifter gewesen, und die er seinen Jüngern in seinem Testament zur Pflicht gemacht hatte.

Die Geschichte dieser Kämpfe, so merkwürdig und für das Bild der Kirche jener Tage bezeichnend sie ist, darf uns nicht aufhalten. Schwerlich hätte der Orden in ihnen seine Einheit, ja seinen Bestand bewahrt, ohne die weltkluge Leitung, die die Päpste, nur selten persönlich eingreifend, aber ständig durch einen zum Protektor bestellten Kardinal ausübten. Die Aufgabe war nicht leicht, handelt es sich doch darum, zwischen den unversöhnlich miteinander ringenden Strömungen einen Mittelweg zu finden. Es mußte verhütet werden, daß die radikalen Elemente die Führung an sich rissen und der Orden sich auflöste, aber ebenso, daß er sich von seinem Ideal zu weit entfernte. Nur wenn er als feste Körperschaft bestehen blieb, zugleich aber den Nimbus behielt, der ihn in den Augen des Volkes umgab, war er als Werkzeug der Kurie brauchbar und wertvoll. Das war er von Anfang an gewesen für die Beeinflussung der Massen, mit den Jahren wurde er es auch für andere Zwecke. Immer häufiger begegnet man unter den Trägern politischer Sendungen den schlichten Brüdern in weißer oder grauer Kutte, die Verhandlungen mit dem griechischen Kaiser lagen sogar vorzugsweise in ihren Händen, und ihr Einfluß an weltlichen Höfen, wie etwa dem französischen, war im Steigen. Die Bettelorden, das darf man ohne Übertreibung sagen, sind aus den Kämpfen des Papsttums im 13. Jahrhundert so wenig wegzudenken wie die Gesellschaft Jesu aus der Geschichte der Gegenreformation.

Zu einer ernsten Krise entwickelten sich die inneren Gegensätze bei den Minderbrüdern um die Mitte des Jahrhunderts infolge des Eindringens der Lehre Joachims von Fiore vom bevorstehenden Anbruch eines neuen Zeitalters, in dem nicht mehr der Buchstabe der Schrift, sondern der Geist, und nicht mehr die reichen und mächtigen Prälaten, sondern die Armen und Niedrigen herrschen würden. Wir wissen nicht, wer zuerst auf den Gedanken kam, die Weissagung Joachims in Franziskus und seinem Orden erfüllt zu sehen. Er fand Anklang, und bald glaubte ein nicht geringer Teil der Brüder, mit dem Auftreten ihres Stifters habe die große Wandlung begonnen. Was sie sahen und erlebten, bestärkte sie in der Überzeugung, das Zeitalter gehe zu Ende und eine neue Ära stehe vor der Tür. Auf der einen Seite lehrte der bittere Kampf Friedrichs II. gegen die römische Kirche in ihm ihren letzten Verfolger sehen, der ihrem bisherigen Dasein ein Ende mache, auf der andern führte der Anblick ihrer tiefen Verstrickung in weltliche Händel dazu, sie mit der babylonischen Dirne der Offenbarung Johannis gleichzusetzen, die ‹mit dem Fürsten der Welt Unzucht getrieben hat›. Man scheute sich nicht, diese Vorstellungen auch Joachim unterzuschieben, Schriften liefen unter seinem Namen um — erst neuere Forschungen haben ihre Unechtheit erwiesen —, in denen manche Begebenheiten des letzten halben Jahrhunderts im einzelnen geweissagt waren. Zugleich nahm die erwartete Umwandlung in der Vorstellung vieler den Charakter eines förmlichen Umsturzes an. Während Joachim ausdrücklich das Fortbestehen der römischen Kirche und des Papsttums, nur in vergeistigter Gestalt, gelehrt hatte, klang es jetzt, als sollte die Vollmacht Petri ein Ende nehmen. Sogar den Zeitpunkt glaubte man zu kennen, in dem die große Wandlung eintreten, das Zeitalter des Geistes anheben und die Priesterschaft die Leitung der Kirche an die Armen und Niedrigen abtreten würde, die niemand anders sein konnten als die Jünger und Erben des heiligen Franziskus: im Jahre 1260 sollte sich alles erfüllen. Mit Inbrunst glaubte ein Teil der Brüder an diese Lehre, während andere sie verwarfen, lebhaft stritten die ‹Joachiten› mit ihren Gegnern. Schließlich unternahm es einer von ihnen, Gerhard von Borgo San Donnino, die joachitische Lehre in einer Abhandlung zusammenzufassen, die er den drei echten Hauptschriften Joachims voranstellte, und das Ganze als ‹Einführung in das Ewige Evangelium› der Öffentlichkeit zu übergeben.

Der Orden war in Gefahr. Er hatte der Feinde viel, seine großen Vorrechte — Befreiung von Abgabenpflicht und bischöflicher Amtsgewalt, uneingeschränkte Wirksamkeit in Predigt, Gottesdienst und Beichtstuhl – der Zulauf der Menge, die reichen Gaben, die ihm ständig zuteil wurden, sein Einfluß an den Höfen schufen ihm erbitterte Gegner unter Prälaten und Pfarrern. Weite Kreise sahen im Bettelmönch nur den faulen Tagedieb und das Urbild des Heuchlers, der sich unter der Maske der Frömmigkeit einschleicht, um seine unsauberen Geschäfte zu betreiben. Von Anfang an hatten die Päpste zu tun gehabt, um ihre Lieblinge gegen die Anfeindung durch den Weltklerus zu schützen, nun weckten die bedenklichen Behauptungen des ‹Ewigen Evangeliums› auch den Vorwurf der Irrlehre. Als Anklägerin trat die Universität Paris auf den Plan, sie beschuldigte die Orden, die verfassungsmäßige Ordnung der Kirche zu zerrütten und falsche und anstößige Meinungen zu verbreiten.

Sie lag schon seit einiger Zeit in Fehde mit den Bettelmönchen, hauptsächlich den Predigerbrüdern, deren Lehrtätigkeit in ihrer Mitte sie störend empfand. Brotneid und Besorgnis vor überlegenem Wettbewerb – die Bettelorden hatten damals in ihren Reihen die angesehensten Theologen – waren gewiß im Spiel, zugrunde jedoch lag ein Gegensatz der Lebensauffassung. Soeben hatte die Universität einen vorübergehenden Erfolg errungen. Innozenz IV. war wenige Tage vor seinem Tode, wohl infolge des früher erwähnten allgemeinen Zusammenbruchs seiner Verwaltung [1], bewogen worden, wesentliche Vorrechte der Orden in Bausch und Bogen aufzuheben. Zwar hatte Alexander IV., bisher Kardinalprotektor der Minderbrüder, sich beeilt, am Tage nach seiner Krönung diese Maßregel zu widerrufen. Aber die Anklage wegen Irrlehre verlangte eine Entscheidung. Der Papst ordnete also Untersuchung an, die nach gründlicher Prüfung damit endete, daß die ‹Einführung ins Ewige Evangelium› wegen falscher und törichter Behauptungen verdammt wurde. Die Schrift wurde vernichtet, und so gründlich, daß sich keine Abschrift von ihr erhalten hat; ihr Verfasser wanderte in den Kerker, wo er bald gestorben ist. Auch der Ordensgeneral Johannes von Parma, der sich zu den Joachiten bekannte, wurde zum Rücktritt genötigt und durch den großen Theologen Bonaventura von Bagnorea ersetzt. Alexander sorgte dafür, daß dies alles ohne Aufsehen in der Stille durchgeführt wurde, so daß das Ansehen des Ordens keinen Schaden litt. Den Wortführern der Anklage dagegen bekam ihr Unterfangen schlecht. Daß die sämtlichen Domkapitel der Reimser Provinz sich für sie verwandten, nützte ihnen nichts. Wegen verkehrter und anstößiger Behauptungen ihrer Pfründen und Lehrämter entkleidet und mit Unterstützung des Königs – bei Ludwig IX. standen die Bettelmönche in hohem Ansehen – aus Frankreich verbannt, unterwarfen sich alle bis auf einen, der sich in seine burgundische Heimat zurückzog. Der Kampf, der um die Vorrechte der Bettelmönche und ihr Treiben, zum Teil in großer Schärfe, weiterging, hat uns hier noch nicht zu beschäftigen, formell galt er zunächst als beendet.

Mit den Predigern, die im akademischen Streit dabei in vorderer Reihe stan-

1 Siehe oben S. 200.

den, hatten auch die Minderbrüder gesiegt, der Angriff war abgeprallt, ja sie hatten sogar gewonnen, da Alexander IV. ihre Vorrechte in erweitertem Umfang bestätigte. In ihrer Mitte aber lebten, auch als das Jahr 1260 verging, ohne die geweissagte Wandlung zu bringen, verfängliche Gedanken fort. Da gab es, zumal unter den Bekennern des strengen Armutsideals, eine Gruppe, die daran festhielt, in Rom die babylonische Dirne, in der angeblichen Schenkung Konstantins die Wurzel alles Übels zu sehen und auf einen engelsgleichen Papst zu warten, der die Kirche von aller Befleckung reinigen und ein neues Zeitalter von Frieden und Glückseligkeit heraufführen werde. Die Wünsche und Hoffnungen blieben nicht auf den inneren Kreis des Ordens beschränkt. Durch seine gesamte Tätigkeit, noch mehr durch die ihm angegliederten Tertiarier, die verbreitete und sehr gesuchte Laienbrüderschaft vom Dritten Orden, stand er in zu engem Austausch mit der Außenwelt, als daß nicht, was in ihm vorging, in weite Kreise des Volkes gedrungen wäre. Verbreitet war bald in den besseren Ständen Italiens die Erwartung des neuen Weltheilands, dessen die Kirche und am meisten die römische in ihrer derzeitigen Entartung so dringend bedürfe. So kam es, daß das Papsttum sich dort, wo es seine eifrigsten Vorkämpfer und brauchbarsten Werkzeuge zu suchen gewohnt war, scharfer Verurteilung ausgesetzt sah, als ein Zeichen, dem widersprochen wurde. Das bedeutete zu dem Verlust an Achtung und Vertrauen, den es sich mit seiner Kriegspolitik um jeden Preis zugezogen hatte, eine weitere nicht unbedenkliche Schwächung. Noch standen die Mauern seines Baus scheinbar unerschüttert aufrecht, höher als zuvor ragte der Turm. Aber der Boden, in dem die Fundamente ruhten, hatte zu weichen begonnen, und die ersten Risse zeigten sich. Es war der Preis, den es für seinen Sieg über das Kaisertum zahlte. War er gerechtfertigt?

Die Frage muß bejahen, wer die Beherrschung Italiens als Lebensbedürfnis des Papsttums anerkennt. Denn darum hatte es sich in letzter Linie gehandelt, wer in Italien Herr sein sollte, der Kaiser oder der Papst. Gelang dem König von Sizilien die Wiederherstellung der kaiserlichen Regierung in der Lombardei, so war er Herr über ganz Italien, und auch der Papst mußte es anerkennen. Mit dem Anspruch, den zuerst Innozenz III. aufgestellt, seine Nachfolger festgehalten hatten, daß der apostolische Stuhl in den politischen Angelegenheiten der Halbinsel die Führung und Entscheidung habe, war die Vereinigung des Königreichs Sizilien mit dem Kaisertum unverträglich. War nun dieser Anspruch des Papstes, gleichviel wie es um seine Begründung stand, eine Notwendigkeit?

Die Päpste haben ihren Kampf gegen das Kaisertum für die Sache der ganzen Kirche erklärt, deren Freiheit es gegen drohende Unterjochung zu schützen gelte. Wenn sie damit Recht hatten, so war allerdings kein Preis zu hoch und kein Opfer zu groß. Aber hatten sie Recht? Stellen wir unser eigenes Urteil zurück, das ja nur zu leicht von persönlichem Denken und Fühlen beeinflußt ist; lassen wir andere für uns sprechen. Zunächst die Tatsachen. Eine wirkliche Herrschaft der römischen Kirche über Italien hat in der Folgezeit nicht bestanden, dagegen hat es Zeiten gegeben, in denen das, was man Imperium, kaiserliches Italien nannte, in erster Linie die Lombardei, demselben Herrscher gehorchte wie Unteritalien und Sizilien – eben das, was im 13. Jahrhundert um der Freiheit der Kirche willen unerträglich gewesen sein sollte. Nahezu zweihundert Jahre seit der Schlacht bei Pavia (1525) hat der König von Spanien die Lombardei und das Königreich beider Sizilien besessen und eine – nur vorübergehend bestrittene – Vorherrschaft im übrigen Italien ausgeübt. Später, im 18. Jahrhundert und wieder von 1815 bis 1860 hat Österreich eine ähnliche Stellung eingenommen, ohne daß die Kirche über Gefährdung ihrer Freiheit geklagt hätte, im Gegenteil, die Päpste haben in der jeweiligen Vormacht ihre Stütze und ihren Rückhalt erblickt. Man wird sagen, die Zeiten hätten sich geändert, was im 16. Jahrhundert und später erträglich und angebracht war, wäre es früher nicht gewesen. Der Einwand verliert seine Geltung gegenüber der Lage, die sich, wie wir gesehen haben, schon unmittelbar nach dem Untergang der Staufer herausbildete: der König von Sizilien Herr in Mittelitalien und offen bestrebt, auch die Lombardei in Abhängigkeit zu bringen, ohne daß der Papst Einspruch erhoben hätte, vielmehr mit seiner tätigen Unterstützung. Inwiefern war das, was dem Anjou unbedenklich zugestanden wurde, beim Staufer unerträglich? Clemens IV., der für Karls Stellung den Grund legte, war allerdings Franzose, und mit Frankreich war der römische Stuhl seit zwei Jahrhunderten enger verbunden als mit irgendeinem andern Lande, die Staufer dagegen waren Deutsche, und diese Nation stand seit langem der Kurie fern, im Kardinalskollegium war sie niemals zahlreich und seit dem Tode Konrads von Urach (1227) überhaupt nicht mehr vertreten. Das Deutschtum Friedrichs II. und Manfreds war wohl von mehr als fraglicher Art, aber ihre Vorfahren waren Deutsche, und die Erinnerung an Heinrich VI. und Friedrich I. war nicht erloschen. Ob es mehr war als das Ausspielen eines demagogischen Schlagworts, wenn die Päpste so gern von der Schlangenbrut der Staufer sprachen, die nun schon bis ins fünfte Glied die Kirche verfolge, dürfte kaum zu entscheiden sein; daß mit diesem Herrscherhaus die Verständigung schwerer war, wird man zugeben müssen.

Immerhin, unmöglich kann sie nicht gewesen sein, wenn – um nur zwei klassische Zeugen zu nennen – Männer von so unbezweifelt kirchlicher Gesinnung und zugleich so verschiedener Art wie Hermann von Salza, der Meister des Deutschen Ritterordens, und Bruder Elias, der Organisator des Ordens der Minderbrüder, ihr Leben lang für einträchtiges Zusammengehen von Kirche und Reich, Papst und Kaiser mit allem Nachdruck eintraten. Wie viele ähnlich gedacht haben mögen, sagt uns kein Zeugnis, aber der Widerspruch, den Gregors IX. unversöhnliche Haltung in seiner nächsten Umgebung fand, macht es nicht gerade wahrscheinlich, daß sein Vorgehen der Ansicht weiter Kreise entsprochen habe, wie ja selbst Ludwig IX. von Frankreich mit offener Mißbilligung nicht zurückgehalten hat. Am Ende wird es auch in diesem Fall eine entschlossene Minderheit gewesen sein, die den Lauf der Dinge bestimmte, in erster Linie Papst Gregor IX. selbst. Welche Beweggründe persönlicher Art bei ihm

Die Bücher kosten nur noch

ein Fünftel ihres früheren Preises ...

...schrieb der Bischof von Aleria 1467 an Papst Paul II. Das war Gutenberg zu verdanken.

Heute, 500 Jahre später, kosten Taschenbücher nur etwa ein Fünftel bis ein Zehntel des Preises, der für gebundene Ausgaben zu zahlen ist. Das ist der Rotationsmaschine zu verdanken und zu einem Teil auch — der Werbung: Der Werbung für das Taschenbuch und der Werbung im Taschenbuch, wie zum Beispiel dieser Anzeige, die Ihre Aufmerksamkeit auf eine vorteilhafte Sparform lenken möchte.

und seinen Anhängern nebenher wirksam gewesen sein mögen, läßt die Überlieferung nicht klar erkennen; daß sie nicht ganz gefehlt haben, verrät der ingrimmige Haß, der aus Worten und Taten spricht, verraten die Anspielungen in den Streitschriften auf eine nicht zustande gekommene Heiratsverbindung zwischen Staufern und Conti. Aber entscheidend können solche Dinge nicht gewesen sein, dazu war der Gegenstand, um den gestritten wurde, zu groß. Niemand glaubt heute noch, daß Entscheidungen von weltgeschichtlicher Tragweite durch persönliche Verstimmungen und kleinliche Zwischenfälle, eine abgewiesene Liebeswerbung oder ein verschüttetes Glas Wasser herbeigeführt werden. Und um eine solche Entscheidung handelte es sich. Malt man sich aus, welchen Nutzen das Papsttum vom Anschluß an ein starkes Kaisertum hätte haben können, ein Kaisertum, das, auf Italien und Deutschland gegründet, gegenüber den andern Staaten des Abendlands eine unwiderstehliche Vormacht ausübte; bedenkt man, wie verhältnismäßig leicht die großen kirchlichen Aufgaben, dauernde Wiedergewinnung des Heiligen Landes, Behauptung Konstantinopels, von anderem zu schweigen, hätten gelöst werden können, welche Opfer den Landeskirchen erspart geblieben wären und wie das Papsttum selbst seinen Ruf geschont haben würde, wie viele Gegnerschaften es vermieden und welch feste Stellung es für die Folgezeit gewonnen hätte, so muß man fragen, ob Gregor IX. nicht den richtigen Weg verfehlt hat, als er den Herrscher, der sein Freund hätte sein sollen, zum Kampf auf Leben und Tod herausforderte.

Die Geschichte des Abendlandes würde andere Wege eingeschlagen haben, hätte der Papst sich damals für Frieden und Verständigung mit dem Kaiser entschieden. Aber das konnte er nicht, so wie er war, und man muß zugeben, der Entschluß dazu wäre jedem an seinem Platze schwergefallen. Denn er hätte einen Rückzug bedeutet, ein Aufgeben der Stellung, die Innozenz III. erobert hatte. Das Papsttum hätte aufgehört, neben seiner unumschränkten Herrschaft über die Kirche und seiner Gewalt über die Gewissen zugleich eine weltliche Macht, ja die führende und gebietende Macht des Abendlands zu sein, ‹gesetzet über Völker und Königreiche›. Hegemonie ist unteilbar; wurde sie dem Kaiser zugestanden, so mußte das Papsttum den Platz räumen. Dazu aber versteht sich keine ihrer Kraft bewußte Macht, ohne geschlagen zu sein. Alexander III. und seine Nachfolger hatten entsagt, als sie von Friedrich I. überwunden waren; Innozenz III. hatte eine siegreiche Stellung hinterlassen, und Gregor IX. hielt, die kommende Gefahr erkennend, sich für gebunden, sie zu verteidigen. Daß er es in zuvorkommendem Angriff tat, entsprach seiner Natur, von der sein Handeln nicht weniger beherrscht war als von der Idee seines Amtes, wie er es auffaßte. Die Entscheidung, die er traf, war schwer zu widerrufen, und seine Nachfolger haben an ihr festgehalten. Der Kampf wurde ausgefochten bis zur Vernichtung des Gegners, aber auch der Preis für diesen Sieg mußte gezahlt werden.

NACHWEISE UND ERLÄUTERUNGEN

Vornehmste Quelle für die Geschichte der Päpste des 13. Jahrhunderts sind ihre eigenen Urkunden und Briefe, deren Hauptmasse in den Registern des Vatikanischen Archivs überliefert ist, zuerst benutzt von Odoricus Raynaldus, einem der Fortsetzer der Annales ecclesiastici des Baronius (Erstdruck 1646 ff), seit 1881 herausgegeben von der Ecole française de Rome, beginnend mit Gregor IX. (1227). Die Ausgabe wird zitiert mit dem Namen des Bearbeiters und der Nummer. Die auf Deutschland und das Kaisertum bezüglichen Stücke sind gesammelt in den Monum. Germaniae als Epistolae saeculi XIII. e regestis pontificum Romanorum selectae, 3 B. (1883 ff, hier zitiert als Ep. sel. nach Band und Seitenzahl). Zuverlässigster Führer durch die Geschichte sowohl der Päpste wie der Kaiser ist die Neubearbeitung von Böhmers Regesta imperii, 1198 bis 1272 durch Ficker und Winkelmann (1881 ff), für 1273–1291 durch Oswald Redlich (1898), zitiert als Reg. imp. mit Nummer. Der 2. und 3. Band der Constitutionen der Mon. Germ. enttäuschen allzu oft. Das Verzeichnis der Papsturkunden von A. Potthast, Regesta pontificum Romanorum (2 B. 1874) ist überholt, aber immer noch unentbehrlich. Für die Geschichte Friedrichs II. sind die urkundlichen Quellen gesammelt bei Huillard-Bréholles, Hist. diplomatica Friderici II (6 B. 1852 ff). – Unter den Darstellungen ist unübertroffen durch Vollständigkeit und Genauigkeit Ed. Winkelmann, Kaiser Friedrich II. (2 B. 1889/97, leider unvollendet, reicht bis 1233, in den Jahrbüchern der Deutschen Geschichte), hier zitiert als Winkelmann, Jahrb. Desselben Verfassers Geschichte Kaiser Friedrichs II. und seiner Reiche (2 B. 1863/65. Winkelmann, Gesch.) ist überholt. E. Kantorowicz, Kaiser Friedrich II. (1927, Ergänzung 1931) beruht auf gründlicher Forschung, ist aber mehr Heldenlied als nüchterne Darstellung. Einen dankenswerten Überblick bietet M. Schipa, Sicilia e Italia sotto Federico II. im Archivio storico Napoletano 58 (1928).

S. 7. Die Schriften Honorius' III. (Akten, Briefe u. a.) gesammelt bei Horoy, Medii aevi bibliotheca patristica, 5 B. (1879 ff). Die Urkunden verzeichnet P. Pressutti, Regesta Honorii papae III. 2 B. (1889/96). J. Clausen, Papst Honorius III (1895) ist unzulänglich und fehlerhaft. Besser ist W. Knebel, Friedrich II. und Papst Honorius III. 1220/27 (1905). – Seine Wahl durch Kompromiß berichtet Honorius selbst im Rundschreiben Horoy 2, 8. Vgl. Forsch. z. deutsch. Gesch. 15, 376. Der Streit, ob hier schon von einem Konklave gesprochen werden darf (Ruffini-Avondo, Conclave laico e conclave ecclesiastico, Torino 1926 und Atti della R. Accad. di Torino 62, 409 ff gegen Wenck, Q. F. 18, 101 ff) ist müßig; eine Einschließung der Wähler, die zum Wesen des Konklaves gehört, hat nicht stattgefunden. Martin von Troppau (SS. 22, 438) spricht nur von Nötigung zu sofortiger Wahl (Perusinis cardinales causa electionis pape strictissime artantibus, das ‹ipsos recludentibus› ist späterer Zusatz). Richard Conti, von Friedrich II. der Grafschaft Sora beraubt (später mit Fondi entschädigt), empörte sich 1225 gegen Honorius, während Ugolin ihm treu blieb. E. Brem, Gregor IX. bis zum Beginn seines Pontifikates (1911) 60 f. Jakob Conti wird 1220 als Marschall erwähnt, Ep. sel. 1, 89.

S. 8. Jakob von Vitry (Zeitschr. f. Kirchengesch. 14, 102) nennt Honorius III. bonum senem et religiosum, simplicem valde et benignum, qui fere omnia que habere poterat pauperibus erogaverat. Seine Predigten Horoy 1. Körperliches Leiden erwähnt das Schreiben an Citeaux bei Übersendung der Predigtsammlung (Horoy 2, XII): quamlibet proprii corporis infirmitate gravati. Die einzige rühmende Erwähnung Innozenz' III., die ich bei Honorius gefunden habe, gilt der Unterwerfung der griechischen Kirche, in der Wahlanzeige Potth. 5321 (Horoy 2, 8). Dagegen an Philipp II. von Frankreich (Potth. 5528): Coelestini papae, patris et praedecessoris nostri, vestigiis inhaerentes ... cum eundem in omni humilitate sequimur. An Ludwig VIII. (Febr. 1225), zum Frieden mit England mahnend: Cum ergo crederis ... manifeste peccare, nos, ad quos omnis censura peccati pertinere dinoscitur usw. Bouquet 19, 762. Ins Register ist das Schreiben in kürzerer Fassung und ohne den angeführten Satz eingetragen. Sollte Bouquets Text auf Konzept zurückgehen, so wäre die Auslassung in der Ausfertigung bedeutsam. Sammlung der Richtersprüche (Horoy 1): J. F. v. Schulte, Quellen u. Lit. des kanon. Rechts 1, 90.

S. 8 f. Roger von Wendover (R. S.) 2, 289 f, 295 f, 301 f, 304. Matthaeus Paris, Hist. Angl. 2, 269. 279. 281. Ann. von Dunstable 99 und Osney 66 f. (R. S. Ann. Monast. 3 u. 4), Martène, Thesaurus 1, 929. Wilkins, Concilia 1, 558 f. Bouquet 19, 763. Potthast 7349 f. In der Begründung des Antrags gesteht Honorius selbst: nec potest aliquis aliquod negotium in curia Romana expedire nisi cum magna effusione pecunie et donorum exhibitione (Matth. Par. Chron. 3, 102). Stubbs, Constit. hist. of England 2, 38 f mißversteht die Absicht. Vgl. Luard, Relations between England and the Court of Rome 38.

S. 9 f. Die Akten betreffend Frankreich und England bei Bouquet 19, 611 ff, Rymer, Foedera (1816) I 1, 147 f, und Shirley, Royal and other letters (1861) 1, 529 ff. Mengozzi, Il pontefice Onorio III i le sue relazioni col regno die Inghilterra (Bullett. Senese 18, 233 ff) beutet das päpstliche Register aus. Wendover 2, 306 ff. Im englisch-französischen Gegensatz, der als Nachhall des Kampfes zwischen Philipp II. und Johann die Zeit beherrscht, steht Honorius zunächst auf der Seite Englands, s. das Verbot des Angriffs 27. November 1225 und den undatierten Scheltbrief an Ludwig VIII., Potth. 7510. Die Wendung bringt der Feldzug Ludwigs gegen die Albigenser (Verbot ihn anzugreifen 27. April 1226).

S. 11 ff. Wilh. von Puylaurens Bouquet 19, 211 ff. Wendover 2, 272. 305 f. 309 ff. Radulph von Coggeshall (R. S.) 191 f. Die Akten bei Bouquet 19, 617 ff. J. Vaissète, Hist. de Languedoc[3] 3. — J. B. Teulet, Layettes de Trésor des chartes (1863) n. 1301. 1438. 1454. 1456 f. 1577. 1651. 1693 f. E. Boutaric, Saint Louis et Alfonse de Poitiers (1870) 31 ff. Ch.-V. Langlois bei Lavisse, Hist. de France 3/1, 277 ff (1901).

S. 14. Urkunden u. Briefe in den o.g. Quellens. Winkelmann, Jahrb. 1, 43 ff, u. Kantorowicz, Friedrich II. (1927), 1, 92 ff behandeln die Frage des Verzichtes auf Sizilien nicht ganz richtig. Gefährlich war dem Papst nicht die Vereinigung des Königreiches mit Deutschland, sondern die mit dem Kaisertum, das die Herrschaft über Reichsitalien bedeutete. Kantorowicz 1, 98 f übersieht außerdem, daß Heinrich schon seit Februar 1217 nicht mehr König von Sizilien ist. Honorius' zurückhaltende Äußerung über die deutsche Königswahl berichtet Konrad von Metz, Ep. sel. 1, 92.

S. 15. Die Entstehung der Namen Guelfen und Gibellinen hat R. Davidsohn, Gesch. von Florenz 1, 29 ff und Forschungen z. Gesch. von Fl. 4, 29 ff aufgeklärt. Der Widerspruch von K. Stengel, Waiblingen in der deutschen Geschichte[2] (1936), 42 ff hat mich nicht überzeugt. Ugolins Legationen behandelt nach den Urkunden G. Levi, Arch. Rom. 12, 242 ff. Bezeichnend für das Verhältnis zu Friedrich ist das Protokoll der Verhandlungen vom 30. Oktober 1218 in Cremona J. F. Böhmer, Acta imperii (1870) 647 f; vgl. Winkelmann, Jahrb. 1, 78 f. Friedrichs Entschuldigungen: E. Winkelmann, Acta imperii ined. (1880/85) 1, 145 und A. Theiner, Cod. dipl. dominii temporalis (1861) 1, 49. Mathildische Güter und Spoleto: Ep. sel. 1, 74. 85. 87. 114. Belehnung Estes u. a. Reg. imp. 6227 f.

S. 16. Letzte Verhandlung wegen der Kaiserkrone und Siziliens, Constit. 2, 104 ff, Ep. sel. 1, 83, Winkelmann, Acta ined. 1, 150. Vgl. Winkelmann, Jahrb. 1, 36 ff. 105 ff. Daß die Genehmigung, Sizilien zu behalten, überhaupt nicht schriftlich erteilt worden sei, wie Winkelmann 1, 108 für möglich hält, ist schwer zu glauben, das Fehlen einer Urkunde im Register allerdings ebenso schwer zu erklären. Friedrichs Dankesworte, Böhmer, Acta 244 und Winkelmann, Acta 1, 161, Mathildisches Gut zuletzt Reg. imp. 1173, vgl. Winkelmann, Jahrb. 1, 102, Friedrichs Zurückhaltung in der Lombardei: Winkelmann, Acta 1, 161. Rom: Constit. 2, 103. Alberich von Trois-Fontaines SS. 23, 911. Letzte Verhandlung vor der Krönung: Constit. 2, 104 ff. Über die Formen dieser Kaiserkrönung s. meine Untersuchung Q. F. 33, 83 f (Abhandl. z. Gesch. des MA. S. 316 ff). Krönungsgesetz: Constit. 2, 107, vorher (2, 100) Kassierung aller städtischen Satzungen gegen kirchliche Freiheit.

S. 18. Honorius an den König von Jerusalem: Ep. sel. 1, 1. Die Namen der französischen Kreuzfahrer ergibt die Adresse Bouquet 19, 610. Bericht des Abtes von Prémontré a. a. O. 619. Sendung des EB von Tyrus a. a. O. 615, Kreuzprediger 676. Ugolins Sendung Ep. sel. 1, 9. Einsammlung der Gelder Raynaldus 1219, 3. Sammler in Spanien usw. Potth. 5906. 5956. 5959. 5970. In Frankreich Bouquet 19, 676. Dort weitere Akten des Geschäfts, Abrechnungen, Ep. sel. 1, 59. 89.

S. 19 ff. Die Geschichte des 5. Kreuzzuges ist reich überliefert. Voran steht Oliver, Historia Damiatina (ed. Hoogeweg 1894). Andere Berichte bei R. Röhricht, Quinti belli sacri scriptores minores und Testimonia minora de quinto bello sacro (Public. de la Société de l'Orient latin 2, 3; 1879/82). Chronisten aus England: Roger von Wendover, Radulph von Coggeshall; aus Frankreich: Chronik von Tours (Bouquet 18), Alberich (SS. 23); aus Italien: Ann. von Genua (SS. 18), Ceccano (SS. 19), und S. Maria de Ferraria (ed. Gaudenzi 37 f), Tolosanus von Faenza (Docum. di Storia ital. 6), Marino Sanudo III 11, 6 ff (Bongars, Gesta dei 207). Aus dem Orient: Ernouls Forts. des Wilh. von Tyrus (ed. Mas-Latrie). Ausführlich, aber wundersüchtig das Memoriale potestatum Regiensium (Muratori 8, 1085 ff). Wertvoll die Berichte Jakobs von Vitry an den Papst (Zeitschr. f. Kirchengesch. 15, 568 ff). Darstellung: Hoogeweg, Mitt. des österr. Instituts 8. 9. (1887/88). R. Grousset, Hist. des croisades 3 (1936) 271 ff als Darstellung kaum brauchbar, reproduziert im wesentlichen die Quellen kritiklos kompilierend, übergeht die Rolle des Papstes fast ganz, und bemüht sich nicht, seine Feindseligkeit gegen den Kaiser, den ‹César germanique›, zu verbergen, über den er den ganzen Klatsch der Feinde ungeprüft wiedergibt. Bittgänge für den Ungarn Bouquet 19, 639. Bericht über die Taten der Niederdeutschen bei Röhricht 29. Dazu die Kölner Chronik (ed. Waitz in den Scriptores rerum germ. in usum scholarum 1880) 239 ff. Innozenz' Absichten auf Ägypten: Wendover 2, 228. Unbrauchbar ist O. Hassler, Kardinal Pelagius Galvani. (Diss. Basel 1902). — Friedrichs II. Kreuznahme bei der Krönung in Aachen war weder ‹eingegeben in einer rauschhaften Stunde›, noch ein ‹genialer diplomatischer Zug›, mit dem er ‹sich selbst an die Spitze der Kreuzzugsbewegung stellte, . . . dem päpstlichen Imperator die Führung . . . aus den Händen nahm› (Kantorowicz 94. 71). So war seine Lage, die Kantorowicz recht falsch schildert (‹wunderbarer Aufstieg›), damals noch längst nicht, auch später hat Friedrich dergleichen nicht beansprucht. Daß der Kreuzzug als ‹die vornehmste Aufgabe der Kaiser› gegolten habe, ist freie Erfindung, kein gleichzeitiges Zeugnis weiß etwas davon. Friedrichs Kreuznahme war eine Maßregel des Selbstschutzes wie zur gleichen Zeit bei Johann ohne Land. Daß es aus freien Stücken geschah, sagt Gregor IX. Ep. sel. 1, 282 (sponte, non monitus, sede apostolica ignorante). Päpstliche Befehle und Fristsetzungen, Ep. sel. 1, 68. 70. 75 f. 104 f, 125. Ugolins Wirksamkeit Arch. Rom. 12, 256 f. Sendung der Flotte Rich. von San Germano. (ed. C. A. Gafuro, Muratori Nuova ed. VII 2, 1938) 98. — Vom Auftreten der Mongolen schreibt Honorius nach Bericht des Legaten im März 1221, Neues Archiv 2, 612. Dazu Coggeshall 190. Weisungen an den Legaten betr. Friedensschluß (2. Jan. und 20. Juni 1221) Ep. sel. 1, 112. 122. Gegen Winkelmann, Jahrb. 1, 154 scheint mir sicher, daß die zweite Weisung nicht vor dem Abmarsch von Damiette eingetroffen sein kann. Das Datum 20. Juni bezieht sich auf die Zeichnung des Konzepts, Ausfertigung und Absendung beanspruchte immer einige Tage, das Schreiben konnte also nicht schon vor dem 17. Juli (Termin des Aufbruchs der 1. August bei Wendover 2, 263 ist falsch, da einige Tage der Vorbereitung vorausgegangen sein müssen) in Damiette sein. In jedem Fall bezog sich die Ermächtigung nur auf Annahme oder Ablehnung des Friedens, nicht auf sofortigen Vormarsch oder Abwarten der Verstärkung durch den Kaiser, und war überdies ausdrücklich an den Rat erfahrener Führer gebunden. Es war also unehrlich, daß der Legat sich auf den Papst berief. Von seinem eigenmächtigen und gewalttätigen Auftreten spricht die Fortsetzung zu Guilelmus Brito ed. Delaborde 1, 332. Ebenda 333 das Urteil über das Unternehmen: apparuit manifeste, quod coacta servitia et pecunia extorta nunquam placent deo. Ähnlich

Wilh. von Andres SS. 24, 761. Andere Stimmen bei Winkelmann, Jahrb. 1, 157 ff. 160. Johann von Jerusalem und Honorius über den Legaten: Ernoul nach Grousset 3, 271. Das vorwurfsvolle Schreiben an den Kaiser, Ep. sel. 1, 128, kann ich nicht so milde beurteilen wie Winkelmann, Jahrb. 1, 161. Bestrafung von Kanzler und Admiral ebenda 159. Rich. von S. Germano 100. Winkelmanns Urteil (Jahrb. 1, 152 f) über den ägyptischen Feldzug wird den Verhältnissen in keiner Weise gerecht. Was das Verschulden des Kaisers betrifft, so ist seine Rechtfertigung, Constit. 2, 150 f, gegenüber den aus der Luft gegriffenen Vorwürfen Gregors IX. 1227/28 (Wendover 2, 340; die Fassung Ep. sel. 1, 282 läßt einiges fort) völlig überzeugend.

S. 25 ff. Honorius' Vorwürfe, Ep. sel. 1, 125. Neue Anstrengungen angekündigt schon am 25. Okt., Winkelmann, Acta 1, 213. Aufruf zur Vorbereitung des nächsten Kreuzzugs, 19. Dez. 1221, Bouquet 19, 717 unter Adresse des EB von Sens, muß nach dem Inhalt an alle ergangen sein. Zusammenkunft in Veroli: Bouquet 19, 731. Ep. sel. 1, 136 f. Bestimmungen wegen der Bischofswahlen im Königreich ebenda. Friedrichs Erlaß über Steuerfreiheit usw. der Kirchen, Huillard-Bréholles 2, 239. Die Bedeutung des Kompromisses hat weder Winkelmann, Jahrb. 1, 213 noch Kantorowicz 1, 135 f erkannt. Die späteren Streitigkeiten betreffen nur Erzbistümer oder Exemte (Aversa ist es, auch Acerno war damals immediat durch Erledigung Salernos), die Bistümer hatte der Papst freigegeben. Empfindlich ist das Fehlen gut unterrichteter erzählender Quellen. Neben Richard von San Germano kommt nur das Chronicum de rebus Siculis (Huillard-Bréholles 1, 896) in Betracht. Ein für alle Male sei auf die Darstellung von Winkelmann verwiesen.

S. 27 f. Spoleto und Viterbo: Reg. imp. 6512. 6514. 1410 ff. Winkelmann, Jahrb. 1, 190 f, 185 f. Zusammenkunft in Ferentino und Kongreß von Verona Rich. von S. Germano 107; Winkelmann, Acta 1, 137, Ep. sel. 1, 151 f. 156 ff. Friedrichs Vermählung: Chron. Colon. (ed. Waitz) 252. Sanudo III 11, 10 (p. 211. Chron. S. Mariae de Ferraria 38: Ex consilio vero quidem pape Honorii atque curie Romane). Die dem Kaiser feindliche französische Fortsetzung des Wilh. von Tyrus (Estoire de Eraclès) strotzt von böswilligsten Erfindungen, die Grousset 3, 272 f trotz ihrer handgreiflichen Unglaubwürdigkeit mit Behagen nachspricht. Er faselt von der Absicht, den Plan Heinrichs VI. auszuführen, l'annexion de l'Orient latin à l'Empire germanique, . . . N'etait-ce pas le salut assuré de l'Orient latin? En réalité c'etait sa perte. Übernahme von Dienstbarkeit gleich den Ritterorden behauptet Gregor IX., Ep. sel. 2, 282. Honorius' Aufruf, Ep. sel. 1, 174 ff, 152. 158 ff. Steuerplan, Ep. sel. 1, 151. 155. Kreuzwerbung des Königs von Jerusalem, Winkelmann, Acta 1, 161. 238. Matthaeus Paris, Chronica 3, 82 und Hist. Angl. 2, 259. Legation des Patriarchen, Ep. sel. 157. Vermächtnis Philipps II., Teulet n. 1546. Mahnungen zum Frieden mit England, Bouquet 19, 746. 759. 761. Steuer in England, J. H. Ramsay, History of the revenues of the Kings of England 1 (1925) 274. Des Kaisers vorwurfsvolles Schreiben (5. März 1224), Winkelmann, Acta 1, 237. Honorius' lobende Worte, Ep. sel. 1, 175. Verhandlung und Vertrag von Ferentino: Rich. von S. Germano 107. Constit. 2, 129.

S. 30 f. Parenzo ‹von Gottes Gnaden›: Constit. 2, 103. Feind der Geistlichen: Reg. imp. 6404/05. Viterbo: C. Pinzi, Storia della città di Viterbo (1887/1913); Signorelli, Storia di Viterbo 1, 170 ff. Aufstand der Conti: oben zu S. 7. Vertrag von S. Germano: Constit. 2, 129. 642. Vgl. überall Winkelmann, Jahrb. Schriftwechsel wegen der sizilischen Bistümer ebenda 1, 213 f, Ep. sel. 1, 160. 204. Winkelmann, Acta 1, 242. 485, Ughelli, Italia Sacra 7, 885. Pressutti n. 5624/25 (betr. das Bistum Nola). Bestellung Briennes zum Rektor im Patrimonium, Potth. 7658. Unbekannt sind mir geblieben die Arbeiten von G. Paolucci, Contributo di documenti inediti sulle relazioni tra Chiesa e stato nel Tempo Suevo (Palermo 1900), La giovinezza di Federico II di Suevia e i problemi della sua lotta col Papato (Atti della R. Accademia Palermo 1901), und La prima lotta di Federico II col Papato (Palermo 1902).

S. 33 f. Für die Zustände in Reichsitalien neben Winkelmann, Jahrb. 1, 253 ff. Davidsohn, Florenz 2, 51 ff. Kampf der Kirche gegen die Ketzer in Brescia Ep. sel. 1, 197.

216; in Mailand l. c. 1, 132. 140. 170. 189 f. 197; Gesetz über Todesstrafe Constit. 2, 126 (März, nicht Mai, wie S. 34 versehentlich gesagt). Aufgebot zum Reichstag nach Cremona Constit. 2, 644. Richard von S. Germano 135: baronibus et militibus infeudatis ceteris mandat, ut omnes se preparent ad eundum secum in Lombardiam. Parteinahme für Cremona. Böhmer, Acta 584. Winkelmann, Jahrb. 1, 269 ff. J. Ficker, Forschungen z. Reichs- u. Rechtsgesch. 2, 419 ff. Erneuerung der Liga Reg. imp. 12926 a. c. 12929/32. 12934 b. Simeoni, Note sulla formazione della seconda Lega Lombarda (Memorie dell' Istituto di Bologna, Scienze morali III 6 ff 1932) meint, Friedrich habe ursprünglich nur eine Demonstration geplant, um ohne Kampf sein Ansehen in der Lombardei zu stärken. Erst der Widerstand der Städte habe das Aufgebot von Truppen veranlaßt. Das ist unhaltbar. Wenn die Deutschen Mitte April in beträchtlicher Zahl diesseits des Brenners standen, müssen sie das Aufgebot spätestens um Weihnachten erhalten haben, als der Widerstand der Städte noch nicht erkennbar war. Indem Simeoni zugibt (p. 32 f), daß erst das sizilische Aufgebot für den 8. März die Verhandlungen hervorrief, die zur Bildung der Liga führten, widerlegt er sich selbst. Zum Überfluß ist das Aufgebot der Deutschen vom 30. Juli 1225 datiert und ein späteres, das weiter gegangen wäre, nicht bekannt, auch nicht wahrscheinlich. Das Argument, Friedrich wäre ein Fehler, wie ihn das Aufrollen der lombardischen Frage damals bedeutete, nicht zuzutrauen, ist wenig stichhaltig. Er hat solche Fehler mehrfach gemacht. Kantorowicz, 1, 138 verrät wenig Verständnis für die Dinge, indem er die Tagesordnung des geplanten Reichstags als Bagatelle behandelt (‹nur ganz allgemeine Dinge: Wiederaufrichtung der Reichsrechte› usw.). 1, 140 führt er den Gegensatz Mailand-Cremona einzig auf den Streit um die Isola Fulcherii (das Gebiet zwischen Adda und Serio) zurück, ohne zu bemerken, daß es sich dabei um den kürzesten Weg an den Po handelt. Da Pavia schon den nächsten Zugang sperrte, konnte Mailand den Strom nur auf Umwegen, über Piacenza, erreichen (wobei die Vettabia keinen Wasserweg bot), sobald Cremona die Adda sperrte. Verhandlungen mit der Liga Reg. imp. 1620 a und Huillard-Bréholles 2, 642 (Bericht des Kaisers), Ächtung der Liga Constit. 2, 132. 136, Kölner Chronik 258.

S. 36 ff. Aufgebote aus dem Kirchenstaat, Constit. 2, 645. Sie hatten teilweise Erfolg, Winkelmann, Jahrb. 1, 274, Richard von San Germano 136. Das vorwurfsvolle Schreiben des Papstes und Friedrichs Antwort, Reg. imp. 6628 und 1596, nur verstümmelt bei Richard 136. Erwiderung des Papstes Ep. sel. 1, 216, Reg. imp. 6630 (von Kantorowicz 1, 146 sehr mit Unrecht ‹ein böses giftgetränktes Schreiben› genannt). Friedrichs Schlußwort Winkelmann, Acta 1, 261 (scheint mir nur die Einleitung zu sein). Kölner Chronik zu 1226: (papa Honorius) cuius suggestione Mediolanum et multe civitates complices contra imperatorem coniuraverunt, facientes collegium, quod Longobardorum societas per multa tempora est vocatum. Burchard von Ursperg (ed. Holder-Egger und Simson 1916) 121: curia Cremone condicitur que ne fieret, ut multi credunt, a cardinalibus et curia Romana impeditur. Gefangennahme der Boten, Ep. sel. 1, 233. Antrag auf päpstliches Schiedsgericht Huillard-Bréholles 2, 676, Raynaldus 1226, 21. Winkelmann, Jahrb. 1, 306 meint fälschlich, Honorius habe sich beeilt, das Schiedsamt zu übernehmen, dessen Vorteile er sogleich erkannte. Das Schreiben des Kaisers vom 17. November (Huillard-Br. 2, 691) zeigt das Gegenteil, und das, was Winkelmann Ladung der Rektoren der Liga nennt (Ep. sel. 1, 235), war eine Aufforderung, die abgelehnt werden konnte, in der Honorius nicht als Schiedsrichter, nur als Vermittler (super concordia facienda) auftrat, während Friedrich sich ordinationi et voluntati vestre et cardinalium unterworfen hatte. Winkelmanns Darstellung Jahrb. 1, 304 f scheint mir sehr gewagt. Die ‹Drohung›, mit der Honorius seine Beschwerde über Abfangen der lombardischen Boten schließt, richtet sich nur gegen die unmittelbar Schuldigen, nicht gegen den Kaiser, und daß der Bruder Leonhard, der am 20. August (Ep. sel. 1, 234) mit nur 1½ Zeilen beglaubigt wird, ein Ultimatum überbracht habe, das dem Kaiser die Entscheidung über Krieg und Frieden zuschob, schwebt völlig in der Luft. Zulassung der sizilischen Prälaten: Richard

138. Der Spruch des Papstes, am 5. Januar den Parteien mitgeteilt (Ep. sel. 1, 246), erfuhr von seiten des Kaisers einige Abänderungen: unter anderem war der Ausdruck societas Lombardorum vermieden. Friedrich ratifizierte am 1. Februar, die Liga am 26. März, nachdem sie am 10. März zur Eile gemahnt war, Constit. 2, 141 ff, Ep. sel. 1, 259, Potth. 7680. Schutzbrief für Friedrich, Ep. sel. 1, 251. 255. — Auftrag zur Kreuzpredigt und Bereitschaft für August 1227, Ep. sel. 1, 252 f.

S. 40 ff. Von Gregor IX. berichtet eine unvollständige Vita, nicht lange nach seinem Tode nach den Akten verfaßt, im Liber Censuum ed. P. Fabre - L. Duchesne 2, 18 ff. Sie ist panegyrisch gehalten wie der Liber Pontificalis des 8. Jahrh. und entstellt dadurch manches; gegen den Kaiser äußerst feindselig und voreingenommen, gibt sie die Auffassung des Papstes selbst wieder. Mit ihm beginnt die Ausgabe der päpstlichen Register, bearbeitet von Mitgliedern der Ecole française de Rome, Gregor IX. von L. Auvray, 3 B. 1890/1910, zitiert Registre mit Seitenzahl. J. Felten, Papst Gregor IX. (1886) ist veraltet, aber noch nicht ersetzt, übrigens urteilslos parteiisch. Über die Wahl außer der Vita die Hist. Villariensis (Martène, Thesaurus 3, 1275). Die Zweifel an ihr, die Ambr. Clément, Revue Bénéd. 23, 389 f äußert, scheinen mir grundlos. Konrad von Urach war Abt von Villiers gewesen, also konnte man dort gut unterrichtet sein. Zur Abstammung Gregors vgl. Band 3, 535. Marchetti-Longhi, Arch. Rom. 43, 388 f hält die Angabe der Vita für eine Interpolation des Kardinals Roselli, leugnet die Zugehörigkeit Ugolins zum Geschlecht der Conti und weist ihn den De Mattia, auch De Papa genannt, zu. (Der Aufsatz, der das näher begründen sollte, ist nicht erschienen.) Diese sind aber ein Zweig der Conti, der von Matthias, einem Bruder Innozenz' III., abstammen muß. Adinulphus und Nicolaus filii quondam (Mattie de Papa) 1297 (bei Marchetti a. a. O.) heißen 1300 Adenulphus und Nicolaus de Comite (A. Theiner, Cod. dipl. dominii temp. 1, 372). Widersprochen hat Marchetti, ohne ihn zu nennen, Silvestrelli, Città, castelli e terre della regione Romana (1940) 1, 84. Der Stammbaum bei Caetani, Domus Caietana 1, 49 ist fehlerhaft, weil Alexander IV. darin als Conti figuriert (s. unten zu S. 203); auch der Filippo di Jenne gehört nicht hinein. Matthaeus Paris, Chron. major 4, 162 läßt Gregor fast 100jährig sterben. Das ist, obwohl oft nachgesprochen, nur einer der bei diesem Chronisten gewöhnlichen Übertreibungen. Gregor kann nicht viel älter gewesen sein als Innozenz, der ihn sogleich (1198) zum Kardinalpriester, aber gleichzeitig zu seinem Kaplan machte. Einem wesentlich älteren Vetter hätte er das nicht gut zumuten können. Sie werden gleichaltrig gewesen und Gregor, geboren um 1160, also mit etwa 80 Jahren gestorben sein. Da er schon länger leidend war, mag er einen noch älteren Eindruck gemacht haben. Beziehungen zum Orden Joachims, Felten 18 f, (vgl. Register n. ° 4932 bis 33 S. M. de Gloria in Anagni), zu Dominikus und den Predigerbrüdern ebenda 48 f, zu Franziskus Karl Müller, Anfänge des Minoritenordens (1885) 69 ff und P. Sabatier, St. François d'Assisi [21] (1899), der p. 280 mit Recht von einer mainmise de la Papauté sur les Frères Mineurs spricht. Den päpstlichen Palast in Assisi erwähnt Salimbene SS. 32, 160. Heiligsprechung Franziskus' 1228 (Potthast 8240 a), Dominikus' 1234 (Potthast 9489), Antonius' 1232 (Potthast 8937). Bevorrechtung der Franziskaner, K. Müller 105 ff, der Dominikaner Potthast 5763. 6542. 7906 (Th. Ripoll, Bullar. Ord. Praed. I. 7. 12. 19.). Visitation und Reform der Benediktiner 1232 Wendover 3, 42, Matth. Paris 3, 234. Reformstatut 1235, gemildert 1237, Registre 2, 318. Wilh. von Andres SS. 24, 771: Anno 1232 papa Gregorius IX. ordinem nostrum per multiplices visitatores infestat usf. Feier von Innozenz' Todestag 1228: Richard von S. Germano 151.

S. 42 f. Die klerikale Zweischwerterlehre entwickelt Gregor IX. gegenüber dem Patriarchen Germano von Konstantinopel (Raynaldus 1233, 3) nach Bernhard von Clairvaux. Übertragung des Kaisertums s. unten zu S. 78 ff. Umzug nach der Krönung meldet die Vita. Schilderung von Gregors Gehaben bei Tische in dem Pamphlet ‹Collegerunt pontifices›, Huillard-Bréholles 5, 309 ff, das bisher fälschlich auf 1239 bezogen wurde, während eigentlich jedes Wort verrät, daß es nur zu 1227 paßt; am deutlichsten, indem es Jerusalem als unter sarazenischer Herrschaft stehend und den Kaiser als Befreier erwartend schildert. Ich setze die merkwürdigste Stelle hierher. Petrus, heißt es, lehnte, so hungrig er war, unreine Speise ab. Tu vero ad hoc vivis, ut comedas; in cuius vasis et ciphis aureis scriptum est: bibo, bibis. Cuius verbi preteritum sic frequenter in mensa repetis et post cibum, quod quasi raptus usque ad tertium celum hebraice, grece loqueris et latine. Postquam autem impleta fuerit vino ventris ingluvies et stomachus usque ad summum eius, tunc super pennas ventorum estimes te sedere, tunc tibi Romanorum subest imperium, tunc adferunt tibi munera reges terrae, tunc vinum mirabiles facit exercitus, tunc tibi serviunt omnes gentium nationes. Abfassung und Erlaß der Dekretalen: J. F. v. Schulte, Quellen und Lit. des kanon. Rechts (1875 ff) 2, 3 ff. Sie wurden 1234 nach Paris gesandt ‹sub bulla d. pape›; Alberich SS. 23, 936. Die Vita nennt Gregor liberalium et utriusque iuris peritia eminenter instructus ... sacrae paginae diligens observator et doctor. Das ist so dick aufgetragen, daß es schon unglaubhaft wirkt. Wäre Gregor wirklich Jurist gewesen, wie Innozenz III. und Bonifaz VIII., so hätte er wie sie sein Gesetzbuch selbst geschaffen oder mindestens an der Arbeit teilgenommen, was die Vita nicht verschwiegen haben würde, und hätte er mit wissenschaftlicher Bildung auf der Höhe seiner Zeit gestanden, so wäre seine scharfe Ablehnung der neuaufkommenden Schulphilosophie und Theologie unverständlich, Raynaldus 1228, 29 ff, Registre 1, 117. Teilweiser Rückzug: Notices et extraits du mss. de la Bibl. Nat. 21/2, 222. 228. Daß er irgendeine der damaligen Hochschulen besucht habe, sagt die Vita nicht. Ihren Preis seiner Gelehrsamkeit halte ich für unwahre Lobhudelei.

S. 44 f. Gregor ‹velud fulgor meridianus egreditur› etc., Vita p. 18. — Die Anfänge der Inquisition behandeln die allgemeinen Darstellungen von H. Ch. Lea, Hist. of the inquisition 1888, P. Frédéricq, Hist. de l'Inquisition, A. Hauck, Kirchengeschichte Deutschlands 4 (1913), 912 ff. Daß mir Jean Guiraud, Hist. de l'Inquisition au moyen-âge 2 B. 1935/38 erst nach dem Erscheinen von Band II/2 (1. Aufl. 1939) bekannt geworden ist, brauche ich nicht zu bedauern. In der ungenießbar trockenen Darstellung sind die Albigenserkriege, aus denen sich die Inquisition entwickelte, ganz übergangen, Raimund VII. ist gar nicht verstanden. Die Kälte, mit der der Verf. über Menschen und Dinge spricht, läßt ihn würdig erscheinen, unter den Ketzerrichtern, von denen er handelt, seinen Platz einzunehmen. Für die Sorgfalt seiner Arbeitsweise spricht es nicht, daß er 2, 422 Friedrich II. ‹le jeune fils de Philippe de Souabe› nennt. Für Vorgeschichte und erste Anfänge ist grundlegend J. Ficker, Mitteil. des österr. Inst. 1, 177 ff. Auftrag an die Dominikaner, in Südfrankreich auctoritate apostolica vorzugehen, 20/22. April 1233, Potth. 9153. Indes waren damit die Bischöfe nicht völlig ausgeschaltet. Am 27. Juli 1233 wird dem EB. von Vienne als Legaten der gleiche Auftrag zuteil, und am 18. November 1234 ergeht Weisung an ihn und die Bischöfe, Ungerechtigkeiten Einhalt zu tun, Registre 1472 ff. 2248. Auch in Nordfrankreich erhielten den Auftrag gleichzeitig (13./19. April 1233) die Bischöfe und drei Dominikaner, Potth. 9134—9152, Frédéricq 1, 89. 91. Schon am 1. Febr. 1234 widerrief Gregor den Auftrag der Dominikaner für die Kirchenprovinz Reims, da er nur für ketzereiverdächtige Gegenden beabsichtigt war, und befahl den Bischöfen, selbst die Ketzer zu bekehren, wobei sie sich der Dominikaner nach Bedarf und Gutdünken bedienen sollten. Aber am 21. August 1235 wurde der Auftrag der Dominikaner erneuert, Potth. 9143. 9152. 9386. 9993/95, Frédéricq 1, 89. 91. 94. 100 f. Vom Wüten Roberts des Ketzers und seinen Schicksalen berichten Alberich SS. 23, 936. 947, Matthaeus Paris 3, 361 und Mousquet (ed. F. A. Reiffenberg 1838) v. 28990 ff. Vgl. Tillemont, Hist. de St. Louis 2, 289 ff. Zeitlich hatte Deutschland vor Frankreich den Vortritt. Schon 1227 hat Konrad von Marburg eine Belobigung seines Eifers im Aufspüren von Ketzern erhalten mit der Aufforderung, darin fortzufahren unter Zuziehung geeigneter Gehilfen. Potth. 9731, Frédéricq 1, 72. Das wird am 12. Juni 1231 wiederholt und ihm zugleich der vom Landgrafen von Thüringen erteilte Auftrag bestätigt, Pfründen, deren Patron der Landgraf ist, zu besetzen (man errät, daß eine Säuberung des Klerus erstrebt wird). Hier handelt es sich nur um Aufspürung von Verdächtigen, das Gericht bleibt denen, ad quos pertinet, vorbehalten, d. h. den Bischöfen und Archidiakonen. Ep. sel. 1, 276 f. Der erste Auftrag an die Predigerbrüder zum Einschreiten gegen Ketzerei in Deutschland ist vom Anfang 1232; am 3. Februar erfolgt die Anzeige an den Herzog von Brabant, Potth. 8859, Frédéricq 1, 82. Seitdem drängen sich 1232/33 die Erlasse betr. Ketzerverfolgung in Deutschland, Ep. sel. 1, 395. 403 (Schutzbrief für den Grafen von Kyburg zur Ausrottung der Ketzer). 413. 432. 451. 455. Vom 10. Juni 1233 ist der Befehl zur Predigt des Kreuzzugs gegen die Ketzer, in den nächsten Tagen ergeht der Aufruf zu ihrer Vernichtung an Bischöfe, Kaiser und König, a. a. O. 429. 432. Ausführliche Berichte bringen die Gesta Treverorum IV 5 (SS. 24, 402), die Erfurter Dominikaner-Annalen (ed. Holder-Egger 84 ff), die Marbacher Annalen (zu 1231), kürzere die Kölner Chronik 264 f und Alberich SS. 23, 931 f. Der letzte Befehl zum Einschreiten an Konrad (zugleich mit dem Erzb. von Mainz und B. von Hildesheim) ist vom 21. Okt. 1233; zwei Tage später stimmt Gregor die Totenklage um ihn, ecclesie paranimphum, ministrum luminis, an. Ep. sel. 1, 451. 453. Aragon Martène, Ampl. Coll. 7, 123 f Ketzerei in Mailand und der Lombardei: Marbacher Annalen zu 1231. Gregors Vorwürfe, Ep. sel. 1, 270. Friedrich II. gefiel sich darin, seine lombardischen Gegner mit den Ketzern zu identifizieren: nos pungit Paterenorum foeda perfidia et praesertim illorum, qui per rebelliones suas in Italia sacrum imperium enervantes nobis obsistunt (22. April 1244), Matth. Paris 4, 303. Verschärfte Ketzergesetze von Senator und Papst für Rom (um 1. Febr. 1231), Registre 1, 351 f. Bekanntmachung in Deutschland, an Trier und Suffragane gerichtet (25. Juni 1231) Böhmer, Acta 665. Die vorausgehenden Ereignisse in der Vita und bei Rich. von S. Germano. Beauftragung der Predigerbrüder Winkelmann, Acta 1, 499 ff. Kaiserlicher Schutzbrief für diese. Constit. 2. 197.

S. 46 f. 27. Mai 1227 wird dem Legaten in Frankreich verboten, Strafen (auf französisches Verlangen) gegen Heinrich III. und Richard von Cornwall zu verhängen, am gleichen Tage der päpstliche Schutz, den der französische König während seines Feldzugs gegen die Albigenser genießt, für den Fall eines Angriffs auf englisches Gebiet außer Kraft gesetzt. Shirley, Royal and other letters 1, 548. Zwei Tage vorher war Frankreich aufgefordert worden, die eroberten, früher englischen Gebiete auf dem Festland zurückzugeben. Raynaldus 1227, 54. Vermittlung und Friedensmahnungen 1230 ff, Potth. 8528. 8724. Shirley 1, 551. 556. 557. Gegen königliche Beamte dürfen nur in wichtigen Fällen von Bischöfen des Landes Strafen verhängt werden, Laien, die den Frieden stören, sind auszuschließen, Potthast 8770. 26239; Shirley 1, 554. 556. Vom Eide, gewisse Verleihungen von Besitzungen und Rechten nicht zurückzunehmen, wird der König entbunden 10. Januar 1233; bestimmter wiederholt 1. Juli 1235, Shirley 1, 551, Rymer I 1, 229. Über die Bewegung gegen die Provisionen berichten ausführlich Wendover 3, 16 ff. 27 und nach ihm, aber mit Ergänzungen, Matth. Paris 3, 208. 217. 609 ff. Hier die Äußerung des EB. von York, se nihil posse vel contra Rom. ecclesiam velle recalcitrare, und die Klage des Chronisten: Solum enim datae sunt in direptionem et praedam possessiones personarum ecclesiasticarum et imbellium religiosorum. Iamiam in antiquum chaos mundus ruere comminatur. Die Urkunden bei Rymer I 1, 200. 203, und Shirley 1, 550. 556.

S. 47 ff. Vom gescheiterten Kreuzzug sprechen alle Chronisten, am ausführlichsten die englischen, Roger von Wendover (den Matth. Paris mit Zusätzen wiederholt) und die kleineren Klosterannalen (Burton, Dunstable u. a. SS. 27). Man erfährt hier, daß die Kreuzpredigt in England hauptsächlich bei den Armen Erfolg hatte, in quibus voluntas divina quiescere solet, Matthaeus 3, 126 (aus Wendover). Aus Italien vor allem Richard von San Germano und die guelfischen Ann. von Piacenza SS. 18, 443 f (Oktavausgabe von O. Holder-Egger 1901 S. 84 f). Seine Vorbereitungen zählt Friedrich auf in seiner öffentlichen Rechtfertigung, Constit. 2, 151 f. Man erfährt hier, daß 50 Galeeren und 100 Schalandren (Transporter?), 700 Söldner aus Deutschland (von Salza geworben) und 250 aus dem Königreich bereitstanden, zu denen noch 400 von den Lombarden versprochene stoßen sollten, also mehr, als wozu der Kaiser sich verpflichtet hatte (1000). An Geld waren 60 000 Unzen schon gezahlt, die letzten 20 000 gingen mit dem Transport voraus. Im allgemeinen sei auf die erschöpfende Darstellung von Winkelmann, Jahrb. 1, 324 ff verwiesen. Beachtenswert ist die Nachricht der Ann. von St. Emmeram SS. 17, 574, daß erst die Lösung der Kreuzfahrer von ihrem Gelübde, die der Papst diabolo instigante ausgesprochen, den Zusammenbruch herbeigeführt habe. Verkündigung der Ausschließung des Kaisers durch Rundschreiben vom 1.–10. Oktober, Ep. sel. 1, 335 (Wendover 2, 335 nach England). Unzutreffend ist das Urteil von Hauck 4, 805: ‹Nicht um das Recht handelte es sich . . . sondern um die Lösung eines unerträglichen Zustands. Ein Gegner, mit dem Frieden zu halten unmöglich war, sollte gebeugt oder vernichtet werden.› Der Zustand war zur Zeit keineswegs unerträglich, auch zeigen die Maßnahmen Gregors, daß es ihm von Anfang an um Vernichtung zu tun war. Wann er sich dazu entschlossen hat, entzieht sich unserer Kenntnis. Daß er den Bruch planmäßig vorbereitet habe, wie Hauck meint, scheint mir weder erweisbar noch glaubhaft. Seinen Freund — carissimi patris et amici — nennt Friedrich den Kardinal von Ostia bei Winkelmann, Acta 1, 188. Erste Anzeige der Thronbesteigung an den Kaiser, Ep. 1, 261; die hier eingeflochtene Erinnerung an die Kreuzzugspflicht ist durchaus nicht drohend. Erläuterung der Kaiserinsignien 22. Juli, l. c. 279. Am schwersten wiegt, daß jede einseitige Parteinahme für die Lombarden fehlt. Sie wurden zur Ratifikation des Friedens scharf gemahnt, als sie sie in ungenügender Form einsandten, mit Ausschluß bedroht und zugleich wegen Duldung der Ketzer und Verletzung der Kirchenfreiheiten gescholten, l. c. 262 f. 266. 270. (Mißverstanden von Hauck a. a. O.) Versorgung des Hofes aus dem Königreich berichtet Richard 146. Gregor muß sich sehr schnell zum Abbruch der Beziehungen entschlossen haben, aber wenn er das konnte, in der Gesinnung längst des Kaisers Feind gewesen sein. Die Maske der Freundschaft trug er um des Kreuzzugs willen, hinter dem er zunächst alles andere zurückstellte. Die oben zu S. 42 f erwähnte anonyme Flugschrift ‹Collegerunt pontifices›, Huillard-Br. 5, 309, deren Datum ich richtiggestellt habe, zeigt, wie klar es schon den Zeitgenossen war, daß es sich um einen zuvorkommenden Angriff handelte. — Die Lombarden erinnert Gregor vorwurfsvoll an ihr Drängen zum Vorgehen am 26. Juni 1229, Ep. sel. 1, 313. Ernennung neuer Kardinäle Alberich SS. 23, 920. Über die einzelnen s. Winkelmann, Jahrb. 1, 546. Den Ausschluß des Kaisers erwähnt der Chronist auffallenderweise gar nicht, bemerkt nur zu 1228 lakonisch, daß Papst und Kaiser gegeneinander öffentlich Klage erheben. Friedrichs Urteil über Gregor (mortuus est per quem pax terre deerat et vigebat dissidium et quamplures in mortis periculum incidebant, August 1241 an Heinrich III. von England), Huillard-Bréholles 5, 1166.

S. 50 ff. Für den Verlauf der Ereignisse genügt auch hier der Hinweis auf Winkelmann, Jahrb. 1, 332 ff. Hauptquellen sind Richard von San Germano, die Vita Gregors und die gleich zu erwähnende Kundgebung des Kaisers. Die beiden Kardinäle brachen nach Richard am 12. Dezember auf und waren am 28. Januar zurück. Vgl. Winkelmann, Jahrb. 2, 4. Zu ihrer Sendung gehört das undatiert überlieferte Schreiben Gregors mit den Anklagen wegen Mißregierung im Königreich, Ep. sel. 1, 287. Friedrichs erneute Vorbereitungen zum Kreuzzug (Reichstag in Capua im November) bei Richard. Ladung zum Reichstag in Ravenna ebenda und in der Rechtfertigung. Diese, als Rundschreiben vom 6. Dezember, Constit. 2, 148 ff. Nach England ist (außerdem?) eine abweichende Fassung gegangen, deren Inhalt Wendover 2, 343 wiedergibt. Winkelmann 1, 310 erklärt sie (ebenso Reg. imp. 1716 und Hauck 4, 806) für erdichtet. Dazu sehe ich keinen Grund; Friedrich kann sehr wohl in England mit besonderen, auf die dortigen Verhältnisse und Stimmung berechneten Schlagworten zu wirken gesucht haben. Dazu gehörte die avaritia des Papstes, die man anderswo nicht so stark empfand. Der Chronist verdient nach seinem ganzen Charakter kein Mißtrauen. Gregors Aufruf zum Kreuzzug, 23. Dezember, enthaltend den Bericht des

Patriarchen, bei Wendover 2, 324. Günstige Lage in Syrien (Bericht des Grafen von Acerra-Aquino vom 23. März 1228 bei Richard), Aufstände im Königreich, Scheitern des Reichstags in Ravenna: — nach Burchard von Ursberg 125 handelten die Lombarden auf Betreiben des Papstes — Winkelmann 2, 10 ff. Der verschärfte Ausschluß vom 23. März (mit angedrohtem Ketzerprozeß und Absetzung, Ep. sel. 1, 288. Mitteilung nach England, Registre n. 188, also wohl an alle Herrscher) ist im Wortlaut nicht bekannt, wohl auch nur mündlich ausgesprochen, wie am Gründonnerstag üblich, ergibt sich jedoch aus der Mitteilung an die Bischöfe des Königreichs, die ihn bekannt machen sollen. An Friedrich persönlich erging, von zwei Bettelmönchen überbracht, das Ultimatum am 7. Mai. Eine offene Drohung mit Aberkennung des Königreichs und Lösung der Treueide, wie Winkelmann 2, 8 sagt, enthält es nicht, doch bedeutet die Wendung procedemus sicut fuerit procedendum natürlich nichts anderes. Der Aufruhr zu Ostern in Rom und die Flucht des Papstes haben weithin Aufsehen gemacht. Außer der Vita sprechen davon Wendover 2, 346, Burchard von Ursberg 124, die Ann. von Dunstable und von Salzburg, SS. 27, 507 und 9, 784 und Richard 150. Seinen Aufbruch nach der gescheiterten Sendung des EB. von Magdeburg macht Friedrich bekannt, Constit. 2, 159. Nach Marino Sanudo III, 11 (ed. Bongars 211), der c. 12 über den Kreuzzug des Kaisers sehr ausführlich berichtet (woher?), war Friedrich nur von 100 Rittern begleitet; die Masse, 700 an der Zahl, war im April vorausgefahren (Richard). Den Entschluß, trotz des Ausschlusses den Zug zu unternehmen, nennt Kantorowicz 1, 163 ‹einen ungemein geschickten Zug›. Ich kann das nicht finden. Durch den gegen die Kirche ausgeführten wurde nichts gewonnen — die Krone von Jerusalem brachte keinen Machtzuwachs, nur Schwierigkeiten — und die Gesamtlage sehr kompliziert. Mir erscheint Friedrichs Politik in dieser Wendung allzu ausschließlich auf Prestige gerichtet. Wollte er den Kampf gegen den Papst folgerichtig aufnehmen, so mußte er zu Hause bleiben, wollte er ihn vermeiden, den Frieden erstreben, so durfte er die Kirche nicht durch Mißachtung ihres Strafurteils herausfordern. Also war Aufschub des Unternehmens in jedem Fall das Klügere. Friedrich hat wohl auch hier, wie so oft, den Gegner unterschätzt, wenn er ihm vielleicht wohl die Absicht und den Willen, aber nicht die Kraft zu ernstlich gefahrdrohendem Angriff zutraute. Dadurch bekommt sein Handeln einen abenteuerlichen Zug. Die Bestallung für Reinold von Irslingen zum Reichslegaten in der Mark Ancona usw. ist vom 28. Juni, dem Tage der Einschiffung des Kaisers, Constit. 2, 156. Acht Tage älter (21. Juni) ist der Befehl an die kleine Stadt Civitanuova (zwischen Fermo und Ancona), Reinold zu gehorchen, da der Ort für immer ans Reich zurückgenommen sei, a. a. O. 157. Die zweite Urkunde muß nachträglich mit Vordatierung ausgefertigt sein, da an Eventualausfertigung für das Örtchen niemand gedacht haben kann. Um das schwer lösbare Problem haben sich Ficker, Mitt. des österr. Instituts 4, 351 ff und Winkelmann, Jahrb. 2, 18 ff. 32 f bemüht. Ich habe mich Winkelmann angeschlossen, kann indes nicht leugnen, daß es sich auch anders verhalten haben könnte, s. unten zu S. 56 ff. — Daß der Papst Friedrich nach Möglichkeit Hindernisse in den Weg zu legen suchte, haben die Zeitgenossen gewußt, Matthaeus Paris, Hist. Angl. 2, 207 spricht es aus und bezeichnet auch den Beweggrund: si quod magnificum in Terra Sancta consummaretur, totum ei (scil. imperatori) . . . et non ecclesiae Rom. ascriberetur. Von einem ausdrücklichen Verbot des Aufbruchs wissen nur das Chron. S. Mariae de Ferraria und Ernoul in der Fortsetzung Wilhelms von Tyrus, den Winkelmann, 2, 21 mit Unrecht ‹gut unterrichtet› nennt: er zeigt sich überall als gehässiger, mitunter als leichtgläubiger Gegner Friedrichs und Sprachrohr der aufsässigen Baronskreise. Übrigens bedurfte es keines förmlichen Verbotes, der Ausschluß genügte, wie denn seine Mißachtung im Ultimatum vom 7. Mai als Auflehnung gegen die Schlüsselgewalt der Kirche gedeutet wurde.

S. 53 ff. Über den Kreuzzug Friedrichs berichten im Abendland am ausführlichsten die englischen Chronisten, Wendover 2, 349 ff, Matthaeus 3, 178 ff. Daneben der Bericht Salzas an den Papst, Constit. 2, 161. Winkelmann, Jahrb. 2, 84 ff. Wertvoll sind die arabischen Quellen, die R. Grousset, Hist. des croisades 3, 289 ff verwertet. Seine eigene Darstellung ist bis zur Lächerlichkeit feindlich gegen den ‹César germanique› (3, 302, sogar ‹le kaiser!›!), den er 3, 294 ‹un tyran de la Renaissance italienne égaré dans la belle société chrétienne du 13ᵉ siècle› nennt. Friedrichs Absicht soll gewesen sein, Syrien, das französische, als Anhängsel des deutschen Reiches zu behandeln. Worum es Friedrich in Wirklichkeit zu tun war, hat Gr. nicht verstanden, nämlich gegenüber der feudalen Anarchie, die im Lande herrschend geworden war, die Autorität des Königs wieder zur Geltung zu bringen. Seine Politik beurteilt Gr. 3, 302 natürlich denkbar abfällig (singulièrement artificielle, inconséquente, faite d'à-coups, d'improvisations et d'expédients, décousue et sans lendemain›). Trotzdem gesteht er ihm schließlich 3, 309 ‹un magnifique succès› zu. Kritiklos ist besonders seine Behandlung von Friedrichs Vorgehen in Cypern. Die dramatische Darstellung der Geste de Chypre bezeichnet er selbst als ‹fabliaux›, spricht sie aber trotzdem nach. Die militärische Stärke des Kaisers unterschätzt er (2–3000 Mann) im Widerspruch zu den Quellen (Wendover 2, 351). Grotesk ist 3, 320 der Vorwurf gegen Friedrich, den Streit der Guelfen und Gibellinen nach Syrien getragen zu haben. Verfehlt ist auch die Darstellung von Kantorowicz 1, 168 ff (Friedrich ‹in wahrhaft verzweifelter Lage› — davon kann nicht die Rede sein). Hauck 4, 810 schließt irrig aus dem Fehlen des Gottesdienstes nach Friedrichs Einzug in Jerusalem und aus der Selbstkrönung, Friedrich habe seine Ausschließung anerkannt. Den Gottesdienst versagte der Klerus, und Friedrich sah darüber hinweg. Daß er die Kirche betrat und gar sich selbst krönte, war Auflehnung gegen die geistliche Strafgewalt, nicht Anerkennung. Von Anschlägen der Ritterorden auf seine Person berichtet Matth. Paris 3, 178. Friedrich ist später noch weiter gegangen, hat in einem Brief an den Erzbischof von Messina 1240 dem Papst derartige Absichten zugeschrieben, Reg. Imp. 2758. Der Vertrag mit dem Sultan auszugsweise wie er dem Patriarchen mitgeteilt wurde mit dessen kritischen Glossen, Ep. sel. 1, 297, ohne diese Constit. 2, 160, vollständiger im Bericht des Patriarchen an den Papst, Ep. sel. 1, 301. Mitteilung an England, Wendover 2, 365, durch Herzog Albrecht von Sachsen an die Stadt Reval, Winkelmann, Acta 1, 493. Graf Adolf von Holstein datiert im Herbst 1229: anno quo invictissimo Romanorum imperatori Friderico Terra Sancta est reddita, Winkelmann, Jahrb. 2, 70 Anm. 5. Rühmend erwähnt den Kreuzzug des Kaisers Wilh. von Andres SS. 24, 769 (cuius malo deus in bonum utens ei ubique victoriam dedit). Den gehässigen Bericht des Patriarchen 26. März, Ep. sel. 1, 304) erwähnt Alberich SS. 23, 925. Gregor hatte schon vor Friedrichs Abfahrt gegen ihn zu wühlen begonnen und war darin später fortgefahren. Anfang Juni Warnung an Böhmen und Ungarn vor einem Feinde der Kirche, der nur Friedrich sein kann; geheime Verhandlungen mit Venedig; 6. August: Rundschreiben an alle Prälaten, klagt Friedrich der Parteinahme für die Sarazenen an; Registre Caméral (Auvray) n. ⁸ 6108/18. Am 30. November an Genua: Friedrichs Kreuzzug schade den Christen mehr als den Sarazenen, Potth. 8284. Rundschreiben an alle Herrscher vom 18. Juli 1229, an den EB. von Mailand und Suffragane, 13. Juli, Ep. sel. 309, 315. In Frankreich sollte der Kardinallegat Romanus die Handlungsweise des Kaisers anschwärzen, der servis Christi servos praefert Machometi, Wendover 2, 344. Wie das gewirkt hat, zeigt Alberich SS. 23, 921, der Friedrich hostis ecclesiae, discipulus Machometi nennt. Lösung der Eide, Ep. sel. 1, 731 (in den Salzburger Annalen SS. 9, 784 auch auf die Reichsfürsten bezogen). Friedrichs vergeblicher Versuch der Aussöhnung durch den EB. von Bari, Ep. sel. 1, 294, Winkelmann 2, 38. Seine entschuldigenden Worte in der Krönungsrede, Constit. 2, 167, über den Papst, der anders gehandelt haben würde, hätte er seine Absichten gekannt, hat Hauck 4, 810 zum Schuldbekenntnis verdreht. Grousset 3, 313 behauptet, Gregor habe den Patriarchen wegen Verhängung der Kirchensperre getadelt und ihm die Legation genommen. Die als Beleg angeführten Briefe, Ep. sel. n.⁸ 467 und 475, gehören aber ins Jahr 1232 und beziehen sich auf das Verhalten des Patriarchen nach dem Frieden von San Germano. Friedrichs Landung mit nur zwei Galeeren in Ostuni (entstellt zu Ascone) berichtet

Villani VI 18, offenbar nach einer gleichzeitigen Notiz, die Glauben verdient, da niemand den unbekannten Ort als Landungsstelle erfinden konnte. Dazu paßte die erhaltene Warnung (Wendover 2, 358), die Hafenstädte seien nicht sicher. Fr. hat sie darum zuerst gemieden und sich erst nach Brindisi begeben, wo ihn Richard, der Fortsetzer Wilhelms von Tyrus und das Chron. Siculum zuerst auftreten lassen, als er erfuhr, daß dort keine Gefahr bestand. Unrichtig Reg. imp. 1755b. Bericht des Grafen Thomas von Acerra über die Lage im Königreich bei Wendover 2, 358 ff.

S. 56 ff. Eröffnet wurde der Krieg zwischen dem Königreich und der Kirche durch den Einfall des Irslingers in die Mark, wo Parteiung und Fehde zwischen den Städten herrschte und Osimo, das Haupt der einen Gruppe, sich schon den Venetianern unterworfen hatte, s. die Aktenstücke Ep. sel. 1, 290 ff. Was vorausgegangen war, entzieht sich unserer Kenntnis; der Hergang im Ganzen läßt sich darum nur vermuten. Vgl. die zu S. 50 ff erwähnten Ausführungen von Ficker und Winkelmann. Rätselhaft bleibt das frühe Datum (21. Juni) des Mandats an Civitanuova. Wenn Reinold nicht geradezu Mißbrauch mit dem ihm anvertrauten Siegel getrieben hat, so bleibt nur die Möglichkeit, daß er im Besitz von besiegelten Blanketten war. Seine Bestrafung 1231 (Richard 174) erfolgte wegen ungenügender Rechnungslegung. Gregor verwandte sich zweimal für ihn, Ep. sel. 1, 356. 359. Maßregeln von ihm werden nachträglich bestätigt, Reg. imp. 1757/58. E. Jordan, Les origines de la domination angevine en Italie (1909) p. CIV meinte, Friedrich habe das Vorgehen des Irslingers zunächst bestätigt, es dann jedoch ‹par politique› verleugnet; ich sehe dafür keinen Beleg. Der Vertrag mit den Lombarden ist im Wortlaut nicht bekannt (er wurde nicht vom Papste selbst, sondern von seinen Beauftragten geschlossen), seinen Inhalt erfahren wir aus dem Mahnschreiben vom 26. Juni 1229 Ep. sel. 1, 313. Dazu Registre Caméral n.° 6119/22 (vom August 1228). Ausschließung des Irslingers meldet Gregor an Genua 30. November, Ep. sel. 1, 293, am 22. wird durch Rundschreiben die Aufstellung eines Heeres gegen ihn, also die formelle Eröffnung des Krieges, bekanntgemacht, l. c. 294. — Die Zehntforderung war mit den heftigsten Anschuldigungen gegen Friedrich verbunden, der nach Überwältigung der römischen Kirche leicht alle Könige und Reiche unterwerfen werde, Ep. sel. 1, 295 und Registre 2, 258 (nach Schweden gerichtet), Registre 1, 153 (an Ravenna, vermutlich Rundschreiben), Potth. 8281 (an Mailand, d. h. an die lombard. Liga, schon 22. November). Ausführliche Nachrichten aus England bieten Wendover 2, 373, Matth. Paris 3, 169 ff. 188. 288 und Hist. Angl. 2, 259 und die Ann. von Southwark, Tewkesbury, Osney, Burton und Dunstable SS. 27, 431. 507 (R. S. Ann. Mon. 1, 71. 73; 2, 112. 114; 4, 69 f), Winkelmann, Jahrb. 2, 41. Der Bote nach Skandinavien wurde in Deutschland festgehalten, Wilh. von Andres SS. 24, 767. — Den Feldzug der Päpstlichen 1228/29 behandelt Colasanti, Arch. Rom. 35, 39 ff, Winkelmann, Jahrb. 2, 47 ff. Verbot, Gefangene zu töten und zu verstümmeln, quod penitus abhorremus, Ep. sel. 1, 305. Gescheiterte Legation des Kardinals Otto in Deutschland: Kölner Chronik 260 f, Alberich SS. 23, 926 und am ausführlichsten Ann. von St. Gallen SS. 2, 180. Seine Beglaubigung und Vollmachten Registre Caméral 6133. 6137/47. Winkelmann, Mitteil. des österr. Instituts 11, 28 ff, Hauck 4, 807 f. Zeugnisse über Volksstimmung: Ann. von Worms SS. 17, 38 (dazu Winkelmann, Acta 1, 495), Burchard von Ursberg 125, Böhmer, Fontes 3, 498, Mon. Boica 29/2, 348, SS. 9, 624 f, Freidank (ed. W. Grimm) 160, 10 ff (ergreift Partei für den Kaiser: Gott und der Kaiser haben ein Grab erlöst, das aller Christen Trost ist; da er nun das Beste getan, soll man ihn aus dem Banne lassen) 162, 23 ff (der ban der hât krefte niht, der durch vientschaft geschiht. Der dem glouben schaden tuot, der ban wirdet niemer guot). Ebenso Reinmar von Zweter Spr. 127 (Roethe): Swer bannen wil un bannen sol, der hüete daz sin ban sî vleischlîches zornes vol: swâ vleischlich zorn in banne stakt, dazn' ist niht rehter gotes ban usw.). Vorwürfe an die Lombarden erhebt Gregor am 15. Mai, 26. Juni und 9. Oktober, Ep. sel. 1, 304. 313. 324. Dem widerspricht allerdings das rühmende Zeugnis in der Anklageschrift 1245, Winkelmann, Acta 2, 718, ihr magnificum suffragium habe die Eroberung der Mark durch den Irslinger verhindert. Dank an den Kronprinzen von Portugal, Ep. sel. 1, 308. Inanspruchnahme der Kirchenschätze, Richard 161. Widerstand gegen die Zehntforderung in England, Wendover 2, 373. Hilferuf an Genua, Registre n. ⁰ 6127. Bekanntmachung der erneuten Ausschließung des Kaisers und Lösung der Eide, Ep. sel. 1, 318. Einverleibung des Landes zwischen Amiterno und Furcone (7. Sept.), 1, 321: Sora, Sessa, Gaeta, Arpino, Fontana u. a. unterworfen und in Schutz genommen (29. August) 1, 321, Registre Cam. n.⁰ 6128/32. Gaeta erhielt noch am 20. Juli die Versicherung, daß der Papst es für immer behalte, Hampe, Die Aktenstücke zum Frieden von S. Germano 86. Aufgebot franzöis. Bischöfe (28./29. Sept.) 1, 323. B. von Beauvais: Vita c. 10 S. 21, Registre 1, 327. 340. Gregor entschädigte ihn durch Bestellung zum Rektor im Kirchenstaat, ebenda n.⁰ 6822. 13063. Gegen seine Verwaltung verbinden sich 1232 die Städte der Mark, worauf er verschwand 13097. 13117. Winkelmann 2, 381. Vgl. N. A. 4, 24. Alberich, SS. 23, 936. Die Weisung an Kard. Otto, betreffend Königswahl, Registre Caméral 6151, läßt schon den beginnenden Rückzug erkennen (23. Okt.).

S. 58 ff. Friedrichs rasche Erfolge im Felde und grausame Vergeltung, Matth. Paris, Hist. Angl. 2, 320 f und Richard von San Germano 161 ff; weitere Berichte, Reg. imp. 1765a. 1768. 69. 75. Siegreiche Beendigung des Krieges verkündet Friedrich am 5. Oktober (Reg. Imp. 1764), Winkelmann 2, 156. Die Friedensverhandlungen sind genau zu verfolgen an den Akten, ed. K. Hampe in der Oktavserie der M. G. 1926. Dazu die Nachrichten bei Richard. Die Vollmacht für Thomas von Capua war schon am 10. November ausgestellt, Reg. Caméral 6148; das Zögern war verursacht durch einen Einfall des Irslingers in die Mark, den Friedrich sogleich zurückrief. Das Schreiben an die Lombarden, das ihren Rat erbat mit der Versicherung, die Kirche betrachte ihre Sache als ihre eigene, 11. November, Hampe 27. Ernste Mahnung des Kardinals Thomas an den Papst ist Nr. 6. Erhängung des Bruders des Papstes berichtet Matth. Paris a. a. O. 321. Den Friedensschluß beurteilt Hauck 4, 812 nicht richtig. Di⸻.ukte, die ihm bedenklich scheinen, sind bloße Wiederholungen des Vertrags von 1223. Freiheit der Bischofswahlen gemäß den Konzilsdekreten von 1215 ist kein neuer Eingriff in das Königsrecht angesichts der Bestimmungen, die Innozenz III. 1198 erzwungen hatte (s. Band 3, 248) und Friedrich nicht mehr beseitigen konnte. Der einzige Punkt, den man bedenklich finden kann, betrifft die destructio regni, aber dieser Ausdruck kommt in der Friedensurkunde nicht mehr vor. Immerhin, gedemütigt hatte sich Friedrich, aber für einen so großen Erfolg der Kirche, wie Hauck es hinstellt, kann man darum den Frieden noch nicht halten, denn das Wichtigste blieb in ihm unberührt, die lombardische Frage. Von ihr konnte formell schwer die Rede sein, weil sie in den Gründen für die Ausschließung Friedrichs nicht erwähnt war (Winkelmanns Erörterung der Frage, 2, 310 ist wenig überzeugend). Es war mithin schon ein Erfolg des Kaisers, daß diese Frage auch beim Friedensschluß beiseite blieb: er hatte die Trennung der Gegner erreicht durch weitestgehende Fügsamkeit gegenüber den Forderungen der Kirche. Mehr als ein formeller Erfolg war das indes nicht. Fehlen von Freunden im Kardinalskolleg hält Thomas von Gaëta dem Kaiser vor, QF. 8, 22. Gregor dankt den Lombarden für ihre treuen Dienste, die nicht vergessen sein sollen, teilt ihnen die Urkunden des Friedens mit, an dem für sie der B. von Brescia (der als Unterhändler öfter erwähnte Bruder Gualo) mitgewirkt hat (vobis et pro vobis astitit fideliter), und versichert, sie hätten nichts zu fürchten, cum nec leviter possetis offendi, quin graviter nos reputaremus offensi, Ep. sel. 1, 339. Mit Unrecht erklärt Hampe den von Winkelmann, Jahrb. 2, 206 hervorgehobenen Unterschied zwischen der zugestandenen Amnestie für Teilnahme am jüngsten Krieg und solcher für Auflehnung gegen den Kaiser für spitzfindig. Er ist von entscheidender Bedeutung, da durch diese Unterscheidung der Kaiser das Recht behielt, gegen die Lombarden einzuschreiten. Damit war sein Verhältnis zur Liga tatsächlich offengelassen, und der Wortlaut des päpstlichen Beschwichtigungsschreibens, wie auch dessen spätes Datum (10. Oktober, über 2¹/₂ Monate nach dem Frieden) verraten, daß die Lombarden sich vernachlässigt gefühlt haben. Wilh. von Andres SS. 24, 769: pax ficta potius quam perfecta. Hauck 4, 813: ‹Nur dann ist ein Friede von Wert, wenn er einen Interessengegensatz beseitigt.› Das dürfte in dieser Unbedingtheit kaum richtig sein. Zeitgewinn hat bei fortdauerndem Gegensatz auch einen Wert, mitunter den größten. So hier in Friedrichs Augen: er gewann die Möglichkeit, mit dem Papst das ursprüngliche Vertrauensverhältnis wiederherzustellen. Darum sehen wir ihn in den nächsten Jahren (1231/35) andauernd bemüht, wovon Hauck, der diesen Zeitabschnitt völlig übergeht, allerdings keine Notiz nimmt. Verfehlt ist die Beurteilung bei Winkelmann 2, 189 ff, der Friedrich sich gegen die angesonnenen Zugeständnisse sträuben und nur unter dem Zwang der deutschen Fürsten nachgeben, auf diese also ‹die Schmach des Tages von San Germano zurückfallen› läßt. In Wirklichkeit hatte Friedrich sich in der Sache schon gefügt, und nicht er war es, der sich gegen den Abschluß sträubte, sondern der Papst, weil er der Erfüllung der Zusagen mißtraute. Dieses Mißtrauen durch ihre Bürgschaft zu zerstreuen, wurden die Fürsten vom Kaiser herbeigerufen, mit dem gewünschten Erfolg; auf die sachlichen Bedingungen haben sie keinen Einfluß geübt, nur ihre Erfüllung durch den Kaiser verbürgt. Auch das hat übrigens, als später der erneute Bruch eintrat, keine praktische Wirkung gehabt, der Papst hat die geleistete Bürgschaft nicht einmal angerufen. Bekanntmachung des Friedens Hampe 80, Ep. sel. 1, 338. Friedrich in Anagni: Kölner Chronik zu 1231. Auf die Ausführung des Friedens beziehen sich Ep. sel. 1, 335. 340/345. 347. Dank Gregors für Maßnahmen im Hl. Lande 1, 344; Verbot an die Templer, eigenmächtig Krieg zu beginnen 1, 345. Ausrottung der Ketzerei im Königreich Sizilien verspricht Friedrich Huillard-Br. 3, 268.

S. 63 ff. Die Konstitutionen von Melfi (Liber Augustalis) behandelt Gius. Cochiara, Federico II legislatore (1927), der p. 15 ff als Verfasser Pier della Vigna erweist. Ebenso G. M. Monti, Dai Normanni agli Aragonesi (1936) 1 ff. Das gilt von der stilistischen Redaktion; verantwortlich war als Vorsitzender des Ausschusses EB. Jakob von Capua, den Gregor IX. als solchen angreift, C. Höfler, Friedrich II. 333. Die erzürnte Abmahnung an Friedrich (persecutor et obrutor publice libertatis) Ep. sel. 1, 357. Treffend nennt Schipa 65 das Gesetzbuch ‹il primo codice apertamente informato ai dettami dell'antica sapienza romana e un monumento di civiltà e di cultura, che pose la Sicilia al di sopra di tutti gli altri Stati europei› und findet es trotz des absolutistischen Charakters in vielen Stücken moderner als seine Zeit. Höchst unglücklich ist der Einfall von Kantorowicz 1, 187, das Erwachen des Kaisergedankens bei Friedrich auf die bei der Krönung in Jerusalem empfangenen Eindrücke zurückzuführen. Mir scheint eher der Einfluß Peters della Vigna vorzuliegen, der um diese Zeit (1231 ff) nachweisbar in der höheren Reichsverwaltung hervortritt; s. Huillard-Br., Pierre de la Vigne (1865). — Lombardische und toskanische Verhältnisse: Winkelmann, Jahrb. 2, 309 ff, Davidsohn, Gesch. von Florenz II 1, 148 ff. Einzige Spur des ital. Städtetags (vom 25. April 1231) ist das Friedensgebot um den 10. Mai (Winkelmann 2, 301 A. 4), das Gregor unterstützt (erhalten an Pistoja, Reg. imp. 6851) mit der merkwürdigen Entschuldigung: cum in re tali predicto principi nequeamus imploratum auxilium denegare. Aufgebot zum Reichstag nach Ravenna: Ann. Januenses SS. 18, 177, Constit. 2, 190 (pro dispositione status imperii et dissensionibus amovendis). Gregors warnendes Schreiben mit dem Angebot der Vermittlung Ep. sel. 1, 355. Unzutreffend scheint mir Winkelmanns Darstellung 2, 303 ff, als ob man ‹im Juni 1231 schon wieder hart vor dem Bruche› gestanden wäre, den Salza verhütet habe, indem er Gregor durch Anerkennung seines Schiedsgerichts zu einer Wandlung seiner Politik vermochte. So selbständig kann Salza nicht gehandelt haben, und einer Wandlung der päpstlichen Politik bedurfte es nicht, nur der Beseitigung von Mißverständnissen, die Salza gelang. Die Kämpfe zwischen Rom und Viterbo in der Chronik dieser Stadt, Friedrichs Eingreifen zum Schutz Viterbos: Richard von San Germano 188 und Alberich (SS. 23, 948). Friedrich im Februar 1233 wiederholt herbeigerufen, Ep. sel. 1, 407 f. Die Vita Gregorii entstellt den Sachverhalt zuungunsten Friedrichs. Päpstliches Verbot an Senator und Rektoren von Rom, Gebäude der Kirchen zu zerstören (23. Juli), Ep. sel. 1, 360. Gregors Entschuldigung wegen des Einspruchs gegen die Konstitutionen (27. Juli), ebenda. Königstitel von Jerusalem, Unterstützung des mit der Verwaltung des Königreiches betrauten Marschalls Filangeri, aber mit dem bezeichnenden Ersuchen, ihn nicht als legatus oder baiulus imperii zu betiteln, als ob Jerusalem dem Kaisertum unterworfen wäre, 1, 363. Die verworrene Lage schildert der Meister der Johanniter dem König von Aragon: außer dem Krieg zwischen Filangeri und Johann von Ibelin, dem Haupt der Barone, tanta viget dissensio inter christianos et (in) tanto discrimine atque tumultu guerrarum permanet Terra Sancta, quod retro temporibus numquam recolitur fuisse in maiori. H. Finke, Nachträge zu den Acta Aragonensia (Span. Forschungen der Görres-Ges. I, 4) 427. Unterstützung Salzas bei den Lombarden (4. und 27. September) 1, 365. 367. 368. Bekräftigung der Liga und Sendung an den Papst: Ann. Placentini Guelfi SS. 18, 453 (Oktavausgabe S. 109 f). Aufnahme Veronas (12. Juli) Reg. imp. 13072. Hierher gehört wohl das Bruchstück eines kaiserlichen Schreibens (an die Städte der Liga) mit Beschwerde wegen Verona, das Verci, Storia della Marca Trevigiana (1786) 3, 237 zu 1232 setzt. Die Zweideutigkeit der päpstlichen Mahnungen an die Lombarden (s. oben) springt in die Augen aus dem Zwischensatz: quos ecclesia Romana tamquam filios speciales intendit multipliciter honorare ac eorum indempnitati diligentius precavere (Ep. 1, 368). Befremdlich, daß Winkelmann 2, 319 dies nicht erkannt hat. Ächtung der Liga Winkelmann 2, 336. Ketzergesetz Constit. 2, 195 ff.

S. 67 ff. Bestellung der zwei Legaten für die Lombardei Winkelmann, Jahrb. 2, 340. Reg. imp. 6884. Ihre Aufnahme durch die Ligisten im Bericht der Gesandten Brescias an ihren Podestà, Constit. 2, 203 ff. Die Geschichte der Verhandlungen (die Akten Constit. 2, 199 ff) ist von Winkelmann 2, 340 ff und zum Teil von diesem abweichend, von Ferd. Fehling, Kaiser Friedrich II. und die römischen Kardinäle 1227 bis 1239 (1901) nicht befriedigend geklärt. Wie Winkelmann 2, 379 behaupten kann, daß ‹der Kaiser keineswegs unerfüllbare Forderungen stellte und die Lombarden ihm sehr weit entgegenkamen›, ist unverständlich. Bei der Vorbesprechung in Bologna im März hatten die Lombarden sich mit den Legaten darauf geeinigt, ihnen solle nicht mehr zugemutet werden, als wozu sie selbst sich bereit erklärt hätten, insbesondere keinerlei Genugtuung, und Einlaß des deutschen Königs ins Land mit nicht mehr als 100 Rittern ohne Rüstung (sine armis). Darauf kam in Padua im Mai ein Kompromiß zustande, die Legaten verstanden sich dazu, einzig über Genugtuung für die Verhinderung des Reichstags von Ravenna eine Entscheidung zu fällen, während sie gegenüber allen andern Forderungen des Kaisers sich auf Vermittlung beschränken wollten. Dem unterwarfen sich am 14. Mai 1232 sowohl die Städte wie Hermann von Salza in Vertretung des Kaisers, Constit. 2, 205; Salzas Vollmacht vom 10. Mai ebenda 204. Mit Unrecht klagt Winkelmann 2, 372 f über Unklarheit der Vereinbarung und verdächtigt Salza der Überschreitung seines Auftrags, infolge deren er bei der weiteren Verhandlung durch Gebhard von Arnstein ersetzt worden sei. Beides ist unbegründet, der Text der Abmachung völlig klar und Salzas Haltung mit seiner Vollmacht durchaus im Einklang. Eine wirkliche Eigenmächtigkeit würde sich auch schwer gerächt haben, während Salza in der Folge genau wie vorher seine Rolle als besonderer Vertrauensmann spielt. Auffallend ist nur, daß die Legaten den eingeschränkten Spruch, dem die Parteien sich doch im voraus unterworfen hatten, gar nicht fällten. Als formeller Vorwand kann das Ausbleiben von Treviso und Reggio benutzt worden sein, der wirkliche Beweggrund dürfte gewesen sein, daß die Städte jede Genugtuung im voraus abgelehnt und die Legaten sich gebunden hatten, ihnen nicht mehr aufzuerlegen, als wozu sie bereit waren. Im Juni sind die Verhandlungen in Lodi aufgenommen worden mit dem gleichen Ergebnis, daß weder Schiedsgericht noch Vermittlung erfolgte. Diesmal war die Vertretung des Kaisers ausgeblieben. Fehling 29 f mißversteht die Akten, indem er dem Kaiser absichtliche Versäumnis des Termins vorwirft ‹zur großen Erbitterung der Lombarden›. Davon ist in den Quellen nichts zu finden; der Papst meldet dem Kaiser nur, die Lombarden hätten das

Ausbleiben der Gegenpartei zum Anlaß nehmen wollen, vom Schiedsgericht zurückzutreten. Darin mag Fehling recht haben, daß ihnen die Entscheidung an der Kurie weniger genehm war als durch die Legaten, deren sie ja von vornherein sicher waren. Die ganze Aktion endete vorläufig wie das Hornberger Schießen und die Fortsetzung, Vorbereitung des Schiedsgerichts des Papstes, zog sich mit dem in jener Zeit üblichen argwöhnischen Formalismus ein volles Jahr hin. — Von den Kämpfen zwischen Rom und Viterbo, der Haltung des Papstes und dem Eingreifen des Kaisers berichten die Vita Gregors und Matth. Paris 3, 394. Dazu Ep. sel. 1, 391. Gregors Hilferuf (24. Juli 1232) Ep. sel. 1, 381, seine Maßregeln im Hl. Lande 1, 376 ff. 382 f, Erwiderung des Kaisers Huillard-Br. 4, 408. Rückkehr Gregors nach Rom: Vita p. 25. Kantorowicz 365, im Anschluß an Fehling, behauptet, das Verhalten des Papstes in der lombardischen Angelegenheit habe die Kardinäle so empört, daß sie sich von ihm trennten, als er nach Rom zurückkehrte. Das ist reine Willkür. Zum Widerspruch wegen der Lombarden war kein Anlaß vor Anfang Juni, als Gregor sein Urteil fällte, während seine Rückkehr nach Rom mehr als zwei Monate früher erfolgt war. Der Grund für das Zurückbleiben einiger, keineswegs aller Kardinäle lag (nach der Vita) in den römischen Verhältnissen. Verschiebungen des Schiedsgerichts Ep. sel. 1, 379 f. 405. Gregors Schiedsspruch (Mitteilung an den Kaiser vom 5. Juni 1233) Ep. sel. 1, 427. Beschwerde der Lombarden und beruhigende Versicherung des Papstes Constit. 2, 221. Friedrich an den Papst (12. Juli): will die Rückkehr Salzas abwarten, ehe er sich entscheidet, Huillard-Br. 4, 442. Beschwerdeschreiben an den Kardinal von Ostia (als Dekan des Kollegiums, nicht als Vertrauten, zu dem der Neffe Gregors sich wenig geeignet hätte), Constit. 2, 222, dessen Antwort Huillard-Br. 4, 450 (verfaßt von Thomas von Capua, aber für den Dekan als Sprecher des Kollegiums). Annahme des Spruchs durch den Kaiser (14. August) Böhmer, Acta 266; desgleichen durch die Liga Winkelmann, Acta 2, 685. Ein Zeichen, daß Friedrich sich um den Frieden mit dem Papst bemüht, ist der Befehl zur Untersuchung und Abstellung von Beschwerden der Prälaten, der im Juli gegeben wurde und im August eine Zusammenkunft der Bischöfe und Justitiare der Terra di Lavoro zur Folge hatte, Richard 186 (vgl. Reg. imp. 13137). Antwort des Papstes auf des Kaisers Beschwerde Ep. sel. 1, 445 (12. August). Da jede Erwiderung von seiten des Kaisers fehlt, könnte man vermuten, er habe das päpstliche Schreiben nicht erhalten, sei es, daß die Absendung unterblieben war oder daß seine Umgebung (Salza?) es ihm vorenthielt. Um darüber mit mehr Sicherheit zu urteilen, müßte man den Geschäftsgang an seinem Hofe kennen, von dem wir leider nichts wissen. — Unruhen in Sizilien Winkelmann 2, 402 f. 410 ff. Verschwörung in der Mark Ep. sel. 1, 456 ff. Aufstand in Rom: Wendover 3, 100, Matth. Paris 3, 303. Die Streitigkeiten ergeben sich aus dem Friedensvertrag, Registre 2, 293 ff. Unterwerfung Viterbos bestätigt (19. Juni) Registre Caméral n.⁰ 6180. Ausschließung angedroht für Bruch des Friedens (10. August), Ep. sel. 1, 445. (Die Ausschließung traf den Senator erst im Sommer 1234, l. c. 479). Gregor bestätigt 22. März 1234 den Vergleich zwischen dem Kaiser und den unbotmäßigen Baronen des Königreichs Jerusalem und der Stadt Akka, ebenda 471. Friedrich ruft den Papst als Schiedsrichter an, Constit. 2, 225.

S. 71 ff. Das zähe Festhalten des Kaisers am Zusammengehen von Kirche und Reich erklärt sich vielleicht daraus, daß, wie er in seiner Verteidigung 1239 (Constit. 2, 293) sagt, kein anderer als Gregor selbst, damals noch Kardinal von Ostia, ihm diesen Gedanken eingegeben habe (unionem omnimodam inter nos et ecclesiam, quam dudum nobis antea iste praelatus ecclesiae generalis, cum esset episcopus Ostiensis, instanter suaserat expetendam). Friedrich meldet am 1. Juli 1234 den deutschen Fürsten seine Ankunft in Rieti auf Einladung des Papstes, Böhmer, Acta 268, in seiner Verteidigung 1239, Constit. 2, 293, sagt er das Gegenteil, was die Vita Gregorii bestätigt. Am 8. August mahnt Gregor die Barone im Hl. Lande, Frieden zu halten; der Legat EB. von Ravenna ist ermächtigt, Strafen zu verhängen, Ep. sel. 1, 481 ff. Er ist zugleich Vertreter des Kaisers, Huillard-Br. 4, 479. Aufforderung der Lombarden zum Schiedsgericht (4. Mai, 3. Juli, 27. Okt.), ebenda 472. 476. 489. Übersendung des Formulars (September), nachdem der Kaiser seine Unterwerfung unter das Schiedsgericht wiederholt hatte, Constit. 2, 226 f, Mahnung (auch an Venedig), die Truppen aus Deutschland durchzulassen, Ep. sel. 1, 473 f. 476. Entschuldigung 1, 489. Bündnis Heinrichs VII. mit der Liga (17. Dez. 1234) Winkelmann, Acta 1, 517, Constit. 2, 436. — Daß die englische Heirat des Kaisers vom Papst gestiftet war, wissen die Ann. von Tewkesbury SS. 27, 468 (RS. Ann. Mon. 1, 95.) (per voluntatem et provisionem d. pape Gregorii IX) und sagen sowohl Friedrich wie Heinrich III. (überlassen Gregor, Zeitpunkt und Mitgift zu bestimmen, Constit. 2, 231 f), Friedrich auch in der Vollmacht für Peter de Vinea (ad tractatum et ordinationem . . . p. Gregorii . . . summi pontificis, Huillard-Br. 4, 503), wie Gregor selbst in der Mitteilung an Ludwig IX. (per scripta nostra mandavimus) Huillard-Br. 4, 537. Friedrich hielt für nötig, zu erklären, daß sein Bündnis mit Frankreich trotzdem fortbestehe, ebenda 539. Die Vita Gregorii unterstreicht das Verdienst des Papstes um das Zustandekommen der Heirat allzu stark. Werbung und Verlobung schildert ausführlich Wendover 3, 108 ff. Die Mitgift betrug 30 000 Mark, wovon bis 30. Juni 1236 die Hälfte bezahlt war. Den damals erbetenen Aufschub für den Rest schlug der Kaiser ab, Huillard-Br. 4, 894; Reg. imp. 11188. Er hat also den Krieg in Italien zum guten Teil mit englischem Gelde begonnen. — Città di Castello, vor Zeiten der Kirche geschenkt, war bis 1228, wo es sich Gregor IX. unterwarf, im Besitz des Kaisers gewesen, der in Rieti 1234 vergeblich 300 Pfund (= 50 Mark) für die Herausgabe anbot, Winkelmann, Gesch. 2, 141 f, Ficker, Forsch. z. Reichsgesch. Italiens 2, 418. 435. 442 f. Wie Friedrich 1239 behauptet (Reg. imp. 2197), waren die Kardinäle einstimmig für die Herausgabe gewesen. 1239 nahm der Kaiser den Ort, der seitdem zum Verwaltungsbezirk Toskana gehörte, Ficker 2, 514. Wiederholte Forderung des debitum servitium in Spoleto und der Mark (etwa im September 1234) Huillard-Br. 4, 484. Friedrich hatte schon im September 1234 das Reichsland in der Provence dem Grafen Raimund übertragen, Huillard-Bréholles 4, 485, nachdem Ludwig IX. im März die Verwaltung im Namen der Kirche niedergelegt hatte, Winkelmann, Acta 1, 516, Ep. sel. 1, 470. Gregor lehnte die vom Kaiser beantragte Rückgabe ab und bemühte sich um fernere Treuhandverwaltung (13. Febr. 1235) Ep. sel. 1, 511. Für den kaiserlich-päpstlichen Feldzug gegen Rom sind die erzählenden Quellen oben genannt, in erster Linie die Vita Gregorii, Wendover und Matth. Paris. Diese haben ihre Nachrichten durch den B. von Winchester, der am Kampf unter Capocci als Führer neben dem Grafen von Toulouse teilnahm. Schipa 77 behauptet, die Römer unter Savelli hätten das gesamte Patrimonium für Eigentum der Stadt erklärt. Das ist nirgends bezeugt, und da es bei den Friedensverhandlungen nicht erwähnt wird, kaum richtig. Seine Heimkehr aus Gesundheitsrücksichten meldet Friedrich dem Papst, Winkelmann, Acta 1, 296 (ohne Datum). Gregors Aufgebote zum Kampf gegen Rom Ep. sel. 1, 488. 496. 498. 500 f. Abgaben der Kurialen 503 (24. Okt./9. Dez. Am 16. Jan. erhält der B. von Bamberg ein Jahr Schuldenaufschub, um dem Papst zu Hilfe kommen zu können, l. c. 510). Am 2. Januar 1235 wird in einem lobenden Erlaß an Velletri allen, die am Kampf gegen Rom pro ecclesiastica libertate teilnehmen, volle Sündenvergebung verheißen und werden gleichzeitig alle Eide gelöst, die den Römern geleistet sind, l. c. 505 f. Nach der Vita hat Gregor in Perugia selbst das Kreuz gepredigt. Am 5. März wird Viterbo seines früher (mit Genehmigung des Papstes) geleisteten Treueeides entbunden, desgleichen die Städte im römischen Toskana, l. c. 514. 517. Die Akten des Friedensschlusses Registre 2, 293 ff (Ep. sel. 1, 520 ff ist unvollständig, F. Papencordt, Geschichte der Stadt Rom im Mittelalter, herausgeg. von C. Höfler 1857, S. 293 ff fehlerhaft). Friedrich erklärt sich einverstanden, Ep. sel. 1, 520 (27. März). Der Friede ist nicht immer gehalten worden; 1241 wurden kirchenfeindliche Verfügungen auf Verlangen der Kardinäle aufgehoben, Registre 2, 311. Beisteuern aus Frankreich wurden zurückgezahlt, Ep. sel. 1, 541. Nicht viel mehr als einen Überblick der Ereignisse bietet Walter Gross, Die Revolutionen in der Stadt Rom 1219 bis 1254 (1934)).

S. 74 ff. Einschreiten gegen Heinrich VII. und seine Anhänger Ep. sel. 1, 515 f. 558. Die Vita Gregorii übertreibt hier handgreiflich. Aufforderung an die Liga, sich dem Schiedsspruch zu unterwerfen, ebenda 1, 489. Friedrichs Erklärung (an den EB. von Mainz, wohl an die Fürsten im allgemeinen), daß er im Sommer die Lombarden unterwerfen will (cum viribus Germanorum securius innitamur), Winkelmann, Acta 1, 310, unrichtig auf Mai 1235 datiert, muß später sein und gehört wahrscheinlich ins Jahr 1238. Die Berufung der lombardischen Anhänger zum Reichstag berichten die gibellinischen Ann. von Piacenza SS. 18, 471. Zweck: de tranquillo statu totius imperii nostri et omnium nostrorum fidelium et super iniuriis et offensionibus, que hactenus imperio sunt illate, quas excellentia nostra et omnes imperii principes dissimulare ulterius non debemus — ad honorem notrum et imperii promovendum et redintegrandum (so zu lesen statt reddente grandia) iura nostra in partibus Lombardie et ad confundendum totis viribus omnes et singulos ipsarum partium, qui nobis et imperio adversantur. Dem Papst wurde die Berufung des Reichstags durch den B. von Hildesheim gemeldet, de generali bono pacis et commodo totius ecclesie, Huillard-Br. 4, 729. — Päpstliche Kreuzzugspläne Ep. sel. 1, 541 (28. Juni 1235). Einen Monat später Aufforderung an die drei Ritterorden, den kaiserlichen Statthalter gegen Ibelin und Akka zu unterstützen, Bedrohung beider mit kirchlichen Strafen, ebenda 548 f. Gregor an den Reichstag (28. Juli) Ep. sel. 1, 547. Constit. 2, 239. Ultimatum des Kaisers und Beschluß des Mainzer Reichstags (24. August) Huillard-Br., Rouleaux de Cluny 95. Gregors Antwort (20. Sept.) 1, 553. Herbeirufung Salzas (22. Sept.) 1, 556. Aufforderung an die Liga (23. Sept.) 1, 557. 560. Erlaubnis für die lomb. Städte, sich zu verbünden 1, 732. Das Stück fehlt im Register, ist nur im Formelbuch des Thomas von Capua erhalten, doch sehe ich darin keinen Grund, es mit Reg. imp. 7114 für fingiert zu halten. Die Datierung auf den Juli leuchtet nicht ein; eher Ende September. Vorladung der Ligavertreter (23. Sept.) Ep. sel. 1, 557. Aufhebung von Maßregeln, die zugunsten des Kaisers in Akka getroffen waren 1, 554. 556. (22. Sept.). Vgl. 570 f. Dazu der aufschlußreiche Bericht beim Fortsetzer Wilhelms von Tyrus XXV, 25. 26. Migne PL. 201, 1024 ff. Erneuerung der Liga nach Aufnahme Ferraras (5./7. Nov.) Huillard-Br. 4, 796; Mitglieder sind Mailand, Brescia, Bologna, Lodi, Novara, Alessandria, Como, Treviso, Padua, Faenza, Ferrara. Vom Scheitern des päpstlichen Schiedsgerichts im Dezember berichtet Gregor und fordert bedingungslose Unterwerfung (precise!) und nochmalige Sendung Salzas Ep. sel. 1, 577 (21. März 1236). Befehl an Salza (27. März) 1, 579. Vorwürfe wegen der Regierung Siziliens (29. Febr.) 1, 574 (Mitteilung an andere Herrscher ergibt sich aus der Polemik in Friedrichs Rechtfertigung, Huill.-Br. 4, 873). Erwiderung des Kaisers (16. April) Huillard-Br. 4, 829. In diese Zeit muß das Schreiben fallen, in dem Thomas von Capua im Auftrag des Papstes den Kaiser mahnt, den Unruhen, die mit Berufung auf ihn in Rom unterhalten würden, entgegenzutreten, um notam infamie zu vermeiden und unionem ecclesie et imperii zu erhalten, Huillard-Bréholles 4, 870. Bekehrung der Sarazenen in Luceria, Huill.-Br. 4, 457. 831, Ep. sel. 1, 447. Friedrichs Rechtfertigung gegenüber den andern Herrschern, Huillard-Br. 4, 873. Rouleaux de Cluny 96 (Notices et extraits des manuscripts 21 b, 1865). Erhalten ist nur die Fassung an Ludwig IX.; daß auch andere Könige das Schreiben erhielten, zeigen die Antworten aus England und Ungarn, s. u. zu S. 82 ff.

S. 78 ff. Ausschreiben des Reichstages nach Piacenza (Mai 1236), Constit. 2, 267 (schlechter Text). Bezeichnend für die Auffassung des Kaisertums: Romani imperii sublimitas, quod in omnium respicientium (so zu lesen statt presidentium) oculis velut in specula (nicht speculo) collocatur — totius orbis ambitus spiritu vivit imperii etc. Vom Erfolg der Werbung in Deutschland spricht die Kölner Chronik 268 f. Wenig brauchbar, weil chronologisch verworren, ist die stark zusammengedrängte Erzählung bei Matth. Paris 3, 376 ff, obgleich sie sich auf Mitteilungen eines englischen Gesandten beruft. Die Friedensbewegung, das sogen. ‹Halleluja›, schildert höchst anschaulich Salimbene SS. 32, 70. Der Kampf um Verona, der zur dauernden Herrschaft Ezzelins unter Anschluß an den Kaiser führte, verdiente um seiner militärischen Tragweite willen eine eigene Untersuchung; die Dissertation von F. Stieve, Ezzelin von Romano (1909) läßt im Stich. Ich kann hier nur so weit darauf eingehen, wie der Papst beteiligt ist, nämlich bei der Sendung des Johannes von Vicenza (den Salimbene 72 ff recht ungünstig beurteilt). C. Sutter, Joh. von Vicenza 74 f bestreitet, daß dieser zu seiner Tätigkeit in Verona von Gregor IX. beauftragt gewesen sei, der ihn vielmehr noch am 27./28. Juni 1233, wie schon am 28./29. April, nach Florenz bestimmt habe. Aber seine Vollmachten für Verona vom 15. Juli und 5. August 1233, liegen doch vor! (Huill.-Br. 4, 446). Der Widerspruch erklärt sich, wenn man annimmt, die Weisung vom 27./28. Juni habe sich mit einem Bericht über die Lage in der Trevisanischen Mark gekreuzt, der Gregor veranlaßte, seinen Florentiner Plan fallenzulassen, statt dessen das viel wichtigere Verona ins Auge zu fassen und sofort die (vermutlich beantragten) Vollmachten zu schicken. Daß Johann sie erst erhalten habe, als er seine Tätigkeit in Verona schon aufgenommen hatte (Mitte Juli), wie Sutter meint, ist nicht zu belegen und wenig wahrscheinlich, da er dort ganz als päpstlicher Beauftragter aufgetreten ist (Verci, Marca Trevig. 1, 105). Daß hinter seiner religiösen Tätigkeit politische Absichten steckten, zeigt die Eidesformel, nach der die Parteien in Verona den Frieden zu beschwören hatten: zu gehorchen dem Bruder Johann und den Befehlen der römischen Kirche. Daß Gregor IX. in der Antwort auf die Beschwerde des Kaisers seinen Sendling verleugnete, hat auch nach Sutter 116 nichts zu bedeuten. Im einzelnen s. Gerardus Maurisii, Hist. Eccelinorum (Muratori 8, 37 ff) und die Annalen von Verona und Piacenza (Muratori 8, 626 ff und SS. 18, 473 f). Im Schutz des Kaisers, also offen auf seiner Seite, stehen die Brüder Ezzelin und Alberich seit Ende 1232, Huillard-Br. 4, 406. 408. Ezzelin II., der Vater, war schon 1221 durch Ugolin von Ostia zum Abschwören seiner Ketzerei bewogen (so sagt Gregor selbst Ep. sel. 1, 364), nachher jedoch rückfällig geworden. Das Erbieten der Söhne, dem Vater der Inquisition auszuliefern (Raynaldus 1231, 22; der Auszug Registre 1, 442 — nicht 422, wie Winkelmann, Jahrb. 2, 501 sagt, ist ungenügend), erklärt schon Raynaldus richtig mit der Sorge um ihre Erbschaft (ne avitis opibus exciderent). Ernennung eines Podestà hat Friedrich dem Papst vorgeworfen, der es ableugnet, Ep. sel. 1, 598. Das Weitere Reg imp. 13138 a. 147 a. 154 a. 157. 182 a. 202 a. Beauftragung der BB. von Reggio und Treviso mit Friedensstiftung in Verona und Bestellung des Podestà durch sie pro domino papa berichtet Maurisii, Muratori 8, 41. Sendung des B. von Ascoli, Ep. sel. 1, 578 ff; desgl. des Kardinals von Palestrina 1, 592; Ann. von Piacenza SS. 18, 473 f. Die Straße nach Verona sicherte sich der Kaiser durch Einziehung der Regalien des B. von Brixen und Kontrolle über die Verwaltung des Stiftes Trient, Huillard-Br. 4, 897. 900. Die Bedeutung des Abfalls von Piacenza zeigt der Bericht der Ann. von Genua SS. 18, 185, der die Klugheit und den Mut der Piacentiner preist. Aufruf an die BB. der Lombardei (19. August 1236) Ep. sel. 1, 594. Verzeichnis der Beschwerden, die dem Kaiser vorzulegen sind, Ep. sel. 1, 596. Antwort des Kaisers (20. Sept. 1236) Huillard-Br. 4, 906, seine Gegenbeschwerden mit Entgegnungen des Papstes Ep. sel. 1, 598. Antwortschreiben des Papstes (23. Okt.) 1, 602 ff. Friedrichs Erwiderung bei S. F. Hahn, Collectio monumentorum (1724) 1, 218 (Reg. imp. 2198; sonst allgemein übersehen). S. 82 ff. Heinrich III. an den Kaiser (30. Juni 1236) Huillard-Br. 4, 884, an Papst und Kardinäle Rymer I 1, 229. Ungarn: Rouleaux de Cluny 96. — Von dem Gesetz Ludwigs IX. zur Einschränkung der geistlichen Gerichte erfahren wir nur aus dem Einspruch Gregors IX. vom 15. Febr. 1236, Ep. sel. 1, 568. Es wird im September 1235 erlassen sein, als 28 französische Große gegen das Verhalten der Erzbischöfe von Reims und Tours und des B. von Beauvais einen Protest beim Papst beschlossen, an dem aber der König nicht teilnahm, da sein Siegel fehlt, und der nicht abgegangen sein kann, da das Original noch heute in Paris liegt, Teulet, Layettes du Trésor des Chartes 2, 298 n.° 2404. Gregor hält dem König vor das Beispiel Karls, dem die Kirche gladii spiritualis et materialis obtinens a Domino potestatem, ut alterum ipsa exerat et ut alter exeratur indicat, das Kaisertum übertragen hat, in personam ipsius continuans gratiam, quam . . . Zacharias papa Pipino patri suo fecerat, quem ad regni solium exaltarat. Anlaß zum Zwischenfall hatten (seit 1232) Zusammenstöße zwischen Krone und Klerus in Rouen, Reims und namentlich Beauvais gegeben, in denen der Papst den Klerus nicht nachdrücklich genug unterstützte, so daß die Krone das Feld behauptete. Alberich SS. 23, 93, Tillemont, St. Louis 2, 150 ff. 156 ff. 251 ff, Viollet, Bibl. de l'Ecole des Chartes 1870, 178 ff. — Die Bestellung der Legaten Rainald und Thomas erfolgte am 29. Nov. 1236, Anzeige davon an den Kaiser, der inzwischen nach Deutschland gegangen war, erst am 23. Mai 1237, Ep. sel. 1, 605. 609. Friedrich erwidert (aus Wien) Winkelmann, Acta 2, 23 f. Die Ankunft von Salza und Vinea an der Kurie im April, ihre Rückreise und die Sendung der beiden Kardinäle im Mai meldet Richard. Aufgebot der oberitalischen Städte zur Verhandlung nach Mantua 1, 610 (ex officio nostro auf Verlangen des Kaisers, dem deesse in suo iure non possumus). Die Legaten werden angewiesen, strengstens für den Frieden unter den Städten zu sorgen (districtius inhibere). Fehling 54 ff führt die Sendung auf den Einfluß der Kardinäle zurück und meint, es habe sich nicht um Schiedsgericht, nur noch um Vermittlung gehandelt. Jenes ist freie Vermutung, dieses nicht richtig. Wohl handelte es sich zunächst darum, den Boden für das um die Jahreswende gescheiterte Schiedsgericht zu schaffen, dieses aber blieb das Ziel, wenigstens für den Papst, der am 23. Mai 1237 erklärt hatte, den Rücktritt vom Schiedsgericht nicht dulden zu wollen, Ep. sel. 1, 610. Ob Friedrich noch darauf eingehen würde, ist nicht so sicher. Fehling übertreibt durchweg die Kaiserfreundlichkeit und den Einfluß der Kardinäle auf die Schritte Gregors. — Verhandlungen in Firenzuola, Annal. Placent. SS. 18, 476, Huillard-Br. 5, 88. Auch hier hat Fehling den Sachverhalt entstellt durch die Behauptung, die Legaten hätten zugunsten des Kaisers ihre Vollmachten überschritten und dafür später — 1. Juli 1239, Ep. sel. 652 — eine Rüge erhalten. Er hat die angeführte Stelle mißverstanden, die richtig übersetzt, ihn vollständig widerlegt. Gregor schreibt: als wir die beiden Legaten zu Herstellung des Friedens iuxta formam acceptatam (also Schiedsgericht!) absandten und sie bereit waren, seine (des Kaisers) Forderungen und noch mehr zu erfüllen (petita et ampliora adimplere paratis), enttäuschte er sie und uns (dictis legatis . . . et delusis nobis) durch Ablehnung. Salza an die Kardinäle Reg. imp. 2264. Friedrichs Erscheinen in Verona SS. 18, 476, Reg. imp. 2280 a. Zu den Rüstungen dieses Jahres (1237 zum März vermerkt Richard 193 eine generalis collectio per totum regnum) gehört wohl die undatierte Steuerforderung, Huillard-Br. 4, 930, in der Friedrich den Vorsatz ausspricht, wenn nicht im laufenden, so im nächsten Jahr congregatis undique viribus die Auflehnung ein für alle Male (simul et semel) zu unterdrücken ad obtinendum Romani imperii monarchiam. Von Sizilien verlangt er nur Geld, die Truppen stelle Deutschland. Winkelmann, Gesch. 2, 32 nennt das Heer ‹verhältnismäßig klein›, Kantorowicz 392 sogar ‹selbst für damalige Verhältnisse ungewöhnlich gering›. Friedrich selbst (Huillard-Br. 4, 809) hatte seine Ankunft mit starkem Heer angekündigt, wenn es 1000 Ritter (d. h. gegen 10 000 Mann ohne das Fußvolk und die Artillerie) waren, die durch Zuzug in Italien auf 3000 Ritter anschwollen, wie Winkelmann selbst sagt, so war das eine sehr beträchtliche Macht.

S. 84 ff. Römer zum Reichstag von Piacenza aufgeboten, Richard 192. Angelo Malabranca ‹Romanus legatus ad imperatorem›, Huillard-Br. 5, 1226. Aufstände des Frangipani und Cenci: Vita Gregorii c. 24 und 27. S. 27 u. 28. Richard 192, Gregorovius 5, 186 ff. Friedrich an die Römer Winkelmann, Acta 2, 28, Huillard-Br. 5, 761 (die Datierung auf 1240 ist willkürlich und gewiß nicht richtig. Aber auch Winkelmann, Forschungen z. Deutschen Gesch. 12, 287 kann mit 1239 nicht recht haben, denn nach seiner Ausschließung konnte Friedrich so nicht mehr schreiben. Gegen Ficker, Reg. imp. 2199, der sich für 1236 Oktober entscheidet, spricht 2192 vom September; daß zwei Schreiben gleichen Inhalts so rasch nacheinander abgegangen seien, ist schwer zu glauben. Die Namen der Geladenen setzen einen Frieden zwischen den Parteien

295

voraus, was auf Juli/Oktober 1237 passen würde, als Joh. von Poli durch Cenci zum Rücktritt genötigt war. Kantorowicz 2, 283 ff macht März/April 1238 wahrscheinlich, was auch anginge). Colonnas Gesinnung im Schreiben des Kaisers an ihn (1241) Huillard-Br. 5, 1156. Thomas von Capuas Warnung Winkelmann Acta 2, 686. Gregors Rückkehr nach Rom, Vita c. 27 S. 28 f. Colonna an Otto von St. Nikolaus (in England) Matth. Paris 3, 445. Die Nachrichten über ihn hat Wenck Q. F. 18, 118 gesammelt. Berichte des Kaisers über Cortenuova, Matth. Paris 3, 442. Die angebliche Mitteilung an den Papst ist nach dem verbesserten Text (Forsch. z. deutschen Gesch. 19, 80) nur an die Kardinäle zur Mitteilung an den Papst gerichtet. Bericht eines Ungenannten ebenda 137. 147. Friedrichs Heer scheint nach den Angaben von Richard und Matth. Paris 12 500 Ritter, 10 000 Sarazenen, doppelt so stark wie im Vorjahre gewesen zu sein. Verhandlungen nach der Schlacht Ann. von Piacenza SS. 18, 478, Thomas von Arezzo (Tuscus), Böhmer, Fontes 4, 645, Matth. Paris 3, 495. Am bestimmtesten Ann. S. Justinae SS. 19, 156: Cum Mediolanenses pacem habere cum imperatore conditionaliter postularent, noluit eos recipere nisi omni conditione remota. Friedrichs eigene Darstellung, Const. 2, 347 f bestätigt das mittelbar, da sie wohl die Angebote der Mailänder, aber nicht seine Gegenforderungen noch den Grund des Scheiterns angibt. Schirrmacher 3, 25 f, der die Forderung bedingungsloser Unterwerfung bestreitet, überzeugt nicht. Rüstungen für 1238: Richard 196 f. Aufgebote an Ungarn, Kastilien, Dauphiné und Provence ad consummationem negotii Lombardie Constit. 2, 277 ff. Am Feldzug nahm England mit Truppen teil, Matth. Paris 3, 485. 491. Der Mailänder Carroccio in Rom, Huillard-Br. 5, 163, Annal. Plac. SS. 18, 478. Vgl. Gregorovius 5, 186. Riccobaldi von Ferrara (Muratori 9, 129). Thomas von Arezzo, Böhmer, Fontes 4, 644 f. Kölner Chronik 272. Richard 196. Salimbene SS. 32, 95 spricht von Zerstörung des Carroccio durch die Römer in vituperium imperatoris, gibt aber den Zeitpunkt nicht an.

S. 87 f. Gregors Beschwerden über Grenzverletzung, Gefangennahme des Boten aus England Ep. sel. 1, 620. 629; Winkelmann, Acta 1, 523, vgl. 312 und Ann. von Dunstable (Ann. Mon. 3) 148; Behinderung des Legaten Palestrina Winkelmann, Acta 2, 25. Drohung wegen Durchmarsches der Kreuzfahrer nach Konstantinopel (17. März 1238) Ep. sel. 1, 622/3. Vermittlung des Bruders Elias: Salimbene SS. 32, 99. Kaiserliche Gesandtschaft (August 1238) Richard 197, Feldzug des Kaisers 1238 Richard 198, Ann. Marbac S. 100. Reg. 2369 a ff. Umschwung in Rom Richard 192.

S. 89 ff. Sendung Montelongos (6. August 1238) Reg. imp. 7211; die spätere Legatenvollmacht erwähnt Friedrich gegenüber Heinrich III., Matth. Paris 3, 631 ff. Montelongos Feldzüge behandelt ausführlich Marchetti-Longhi, Arch. Rom. 36. 37. Bericht der Bischöfe von Würzburg, Worms, Vercelli und Parma über Vorlage der Anschuldigungen Matth. Paris 3, 551 ff. Das Datum (Oktober) nach dem vatikanischen Urkundenverzeichnis Muratori, Antiquitates 6, 87. Verbreitung in Deutschland: Kölner Chronik 273. Gesandtschaft an die Kurie: Richard 198. Ächtung Genuas Reg. imp. 2375. Daß es nicht gelang, diese Stadt zu gewinnen, war für den Kaiser ein empfindlicher Mißerfolg. Nach den Ann. von Genua SS. 18, 189 war es der Podestà, ein Mailänder, der in der Volksversammlung den ablehnenden Beschluß herbeiführte durch den Hinweis, qualiter dom. Imperator tractaverat et tractabat homines de regno et alios omnes, qui sub ipso erant. Drängen der Lombarden erwähnt Constit. 2, 318. Widerspruch der meisten Kardinäle behauptet Friedrich, Constit. 2, 296, während Gregor stets consilio fratrum zu handeln versichert. Beides kann richtig sein, wenn Gregor sich an die Minderheit hielt. Fehlings breiter Exkurs ergibt nichts Sicheres. Von Gregors angeblichem letztem Angebot spricht Friedrich Constit. 2, 298.

S. 93 ff. Sendung des EB. von Palermo und Thaddaeus' von Sessa Constit. 2, 296. Friedrichs Schreiben (Appell) an die Kardinäle Constit. 2, 289. Fehling 63 übersieht, daß dieser Appell seine Adresse nicht erreichte, da die Gesandten verhaftet wurden. Salzas Tod am 20. März, nach dem Ordenskalender, der zu diesem Tag seine Gedächtnisfeier verzeichnet, J. Voigt, Geschichte Preußens 2 (1827) 653. Gregors Rundschreiben über die Ausschließung des Kaisers Ep. sel. 1, 637. 640, Matth. Paris 3, 533. Auf Sardinien beziehen sich Gregors Erlasse Ep. sel. 1, 624. 629. Frühere (1228/29) 1, 187 und Registre 1, 167 ff. Ferrara: J. Ficker, Forschungen 2, 316 ff, Liber Censuum 1, 341. 479 (von 1215. 1221). Die Beschwerde wegen Ferraras fehlt im Sündenregister von Oktober; die Einziehung durch den Kaiser bestand in der Huldigung des Stadtherrn Salinguerra, der sich dadurch gegen die Este zu decken suchte, Salimbene SS. 32, 93. 165. 26. Die Massa Lunensis diocesis kann ich nicht erklären. Fickers Beziehung auf Massa Marittima (bei Follonia am Tyrrhenischen Meer) Forschungen 2, 310. 446, die Rodenberg, Ep. sel. 1, 637 übernimmt, kann nicht zutreffen, da dieser Ort, selbst Bischofssitz, nicht in der Diözese Luni, nicht einmal in der Nähe liegt. Des Kaisers Erwiderung unter Berufung an ein Konzil Const. 2, 290. Gregors Antwort (2. Mai/1. Juli) Ep. sel. 1, 646.

S. 97 f. Kaiserfreunde unter den Predigerbrüdern: E. Jordan, Origines de la domination angevine (1909) CXXXIX (ohne Belege). Einige Fingerzeige geben Huillard-Br. 5, 1146 und 6, 426, und die von Winkelmann 1865 veröffentlichte Epistola de correctione ecclesiae fr. Arnoldi O. Praed. Sturz des Minoritengenerals Elias: Salimbene SS. 32, 96. 157 ff, Richard 204. Über Verbreitung und Nachwirkung der Rechtfertigung des Kaisers s. die Notizen Constit. 2, 290. Fingierte Nachahmung Winkelmann, Acta 1, 314. Erster Eindruck in England Matth. Paris 3, 608. Umschlagen der Stimmung 3, 520. Friedrichs kirchliche Maßnahmen im Königreich (Mai 1239): Richard 200, Winkelmann, Acta 1, 663. 697. Ausweisung der Bettelmönche Ende 1240, ebenda 318. Unterwerfung von Benevent April 1241, ebenda und Richard 208. Monte Cassino Matth. 3, 538. 639 (Einnahme des Klosters durch die Kaiserlichen). Huillard-Br. 3, 51 (fälschlich zu 1227). Kriegssteuern vom Klerus in Oberitalien gefordert, das Bischofsgut in Volterra, kirchliche Einkünfte in Umbrien beschlagnahmt, die Kirchenschätze im Königreich in Anspruch genommen Reg. imp. 3167. 3170. 3173. 3215 und Richard 210. 211. Das Schaukeln einzelner BB. zwischen Papst und Kaiser beleuchten Ep. sel. 2 n. *780, Registre n. *5241. 5255.

S. 99 ff. Lage und Stimmung in England s. oben S. 46 f. Vergebliche Bitte Heinrichs III. um einen Legaten (1236) Shirley, Royal letters 2, 13, Raynaldus 1236, 39. Sendung und Wirken Ottos von Monferrat: Theiner, Mon. Hiberniae 14; Matth. Paris 3, 395. 402 ff. 412. 414 ff. 473. Seine vorsichtigen Reformen 3, 403. 414. 473. Edmund von Canterbury 4, 10. 14. 32. 72. Zurückgenommene Abberufung des Legaten 3, 525. Abreise (1241) 4, 84 (Hist. Angl. 2, 444). Synoden 1239/40, Matth. 3, 616. Ann. von Burton (RS. Ann. Mon.) 1, 265 (fälschlich zu 1244). Unruhen in Oxford und London, Matth. 3, 481, Ann. von Burton 253 f, Tewkesbury 107. 111, Osney (Ann. Mon. 4) 84. Vorwürfe gegen Heinrich III. Matth. Paris Chr. 4, 4. 16. Loskauf von Kreuzzugsgelübden Matth. 4, 9. 133 (Hist. Angl. 2, 431). Kampf um die Abgaben ebenda 4, 35 ff (im Volk herrscht desperatio nimis deplorada) 55. 60. 73. 137. 161. 316 f. (Hist. Angl. 431. 451.) Die Geldsammlung in England erregte Aufsehen auch im Ausland, Kölner Chronik zu 1239. Auftreten des Karthäusers 4, 32. Vergeblicher Appell des Kaisers 4, 4 f. 16. 19, Huillard-Br. 5, 464. 467. — Kastilien: Reg. imp. 3146. 3378 a, Ep. sel. 1, 660 ff, der Infant Friedrich blieb bis 1245 am Kaiserhof, Reg. imp. 3491 Aragon Reg. imp. 13253. Portugal: Registre n. *4319. 4994/97, 5001/03. A. E. Reuter, Königtum und Episkopat in Portugal im 13. Jahrhundert (1928) S. 27 f. Ungarn: Registre 5000.

S. 102 f. Gregor an Ludwig IX. (26. Mai 1238): Sic autem regnum ipsum Dominus stabilivit et in devotione Rom. ecclesie . . . adeo radicavit, quod semper in ea . . . permansit . . . Ep. sel. 1, 627. Frankreich der Köcher, dem Gott die Pfeile entnimmt, um die Welt zu unterwerfen, Raynaldus 1237, 79. Gregor IX. stand in dem dauernden Konflikt zwischen England und Frankreich zu Anfang auf der englischen Seite. Der Dispens zur Verheiratung der Erbin der Bretagne (einer Urenkelin Roberts von Dreux, Bruders Ludwigs VII. von Frankreich) mit dem jüngeren Bruder Ludwigs IX., Karl von Anjou, wurde 1227 verweigert; 1232 dagegen hatte Gregor die Haltung gewechselt (unter dem Einfluß des in Frankreich wirkenden Kardinallegaten Romanus?); denn jetzt verweigerte er Heinrich III. (und ebenso Thibaud von der Champagne) den gleichen Dispens, Registre 87/88. 789. Pocquet de Haut-Jussé, Les papes et les ducs de Bretagne 1 (1928), 113 ff. Gegen den eigenen Legaten, der der Regierung weit entgegengekommen war, hatte Gregor (1227) für die von ihm gemaßregelten Domkapitel in auffallend scharfer Form Partei ergriffen: Cum enim ecclesia gallicana post apost. sedem sit quoddam totius christianitatis speculum et immotum fidei firmamentum, tu eam . . . quasi hereticam . . . exponere presumpsisti, Registre 1, 67. 71. Im April 1230 scheint der Wind umgeschlagen zu sein, der König und sein Haus erhalten den apostolischen Schutz gegen aufrührerische Große, Registre 1, 271. Wie wenig Gregor seitdem die Regierung, die in diesen Jahren noch ganz in den Händen der Königin-Mutter Blanca lag, in ihrer wenig rücksichtsvollen Behandlung kirchlicher Angelegenheiten störte, s. oben zu S. 82 ff. Auch die Beschwerde, die Gregor 1234 wegen des Vorgehens der Beamten im Languedoc erhob, ließ jeden Nachdruck vermissen. Die Bischöfe von Béziers und Agde waren zu dem eidlichen Versprechen genötigt worden, bei Streitigkeiten mit den Beamten sich dem königlichen Gericht zu unterwerfen, so daß die Regierung zugleich Richter und Beklagter war, Gregor aber begnügte sich mit einer bloßen Bitte, die Sache durch einen Vertreter der Krone zusammen mit dem EB. von Vienne prüfen zu lassen, Tillemont 2, 188. Gregor an Ludwig IX. und Blanca (21. Okt. 1239) Teulet, Layettes 2, 416 ff (n. ° 2835/36), Huillard-Br. 5, 457 ff. Nach Matth. 3, 624 ff wurde die Kaiserkrone dem Bruder des Königs, Robert von Artois, mündlich coram toto baronagio angeboten. Alberich SS. 23, 949 (zu 1241) weiß, daß die Kaiserkrone erst Abel von Dänemark, dann Otto von Braunschweig angeboten war, ehe man an Artois herantrat, und daß die Ablehnung auf Blancas Rat erfolgte. Das ist schwer zu glauben. Vom Angebot der Kaiserkrone spricht auch die Kölner Chronik 273. In Deutschland war das Gerücht verbreitet, der Doge von Venedig sei zum Kaiser ausersehen, Reinmar von Zweter Spruch 145. Wie man dabei mit dem Wahlrecht der deutschen Fürsten fertig geworden wäre, ist nicht erkennbar. Das ist wohl auch der Grund, warum Winkelmann, Reg. imp. 7267 a an die sizilische Königskrone denkt. Von einem Angebot der Kaiserkrone an verschiedene Könige spricht Friedrich Constit. 2, 312. Mousquet V. 30713 weiß nur, daß Gregor die Kriegserklärung Frankreichs gegen Friedrich wünschte und sich für die Weigerung dadurch rächte, daß er dem (unehelichen) Oheim des Königs das Bistum Noyon vorenthielt. In der Tat wurde dessen Wahl am 5. Juli 1240 kassiert, indessen schon am 23. Januar 1241 auf Bitten Ludwigs, Blancas, Roberts von Artois und des Kardinallegaten Palestrina doch genehmigt, Registre 3, 280 ff. 345 (n. ° 5246/49. 5348). Ludwig IX. verweist 1241 gegenüber Friedrich darauf, daß er Penestrinum episcopum et alios legatos ecclesiae in praeiudicium vestrum volentes subsidium implorare manifestissime repulimus nec in regno nostro contra maiestatem vestram potuerunt aliquid obtinere, Raynaldus 1241, 77 (Epistolae Petri de Vinea I, 12). Auf die Geldsammlung kann sich das nicht beziehen, denn der geforderte Zwanzigste wurde in Frankreich bewilligt und mit großem Erfolg erhoben. Tillemont 2, 372 hat also recht, es auf die von Gregor gewünschte und von Ludwig verweigerte bewaffnete Hilfe zu deuten. In demselben Schreiben sagt Ludwig: etiamsi summus pontifex fuisset ad aliqua alia minus debite processurus. Erfolg hatte Palestrina beim Grafen der Provence, der sich zum Krieg gegen den Kaiser gewinnen ließ (sein Dienstvertrag Huillard-Br. 5, 488) und dafür ein Viertel aller päpstlichen Einnahmen aus der Provence und dem Dauphiné nebst den gesamten Loskaufsummen von Kreuzgelübden zugewiesen erhielt (10./12. Nov. 1240), Winkelmann, Acta 1, 528. Mit Geld wurden auch der EB. und die Stadt Arles zum Kampf gegen den Kaiser unterstützt, Ep. sel. 1, 664 (10. Jan. 1240). Der Krieg richtete sich gegen Raimund von Toulouse als Anhänger des Kaisers, der am 15. Juli 1240 exkommuniziert wurde, l. c. 530. Am 1. März 1241 unterwarf er sich dem Legaten und verpflichtete sich, der Kirche beizustehen, Huillard-Br. 5, 1101.

S. 103 ff. Über die Vorgänge in Deutschland sind wir gut unterrichtet durch das Briefbuch Behaims, herausg. von C. Höfler 1847. Sein Auftrag, zusammen mit dem B. Philipp von Assisi, vom 23./24. November 1239, S. 7 f. Der Kardinallegat, der von Frankreich aus zu wirken versuchte, wurde durch strenge Bewachung der Straßen gehindert, Gesta Treverorum SS. 24, 403, Matth. Paris 3, 621. Der B. von Freising soll geäußert haben, nos (scil. Gregor IX.) nil iuris habere in Alemannia, Behaim, S. 5. Auf weitere Einzelheiten seiner Tätigkeit erspare ich mir die Hinweise; s. vor allem seine Berichte an den Papst vom August und 5. Sept. 1240, S. 14 ff. 19 f. Reichstag in Eger, Höfler, S. 5 f. Vgl. Hauck 4, 827 ff. Die Ablehnung des Gegenkönigtums durch Otto von Braunschweig meldet Alberich (oben zu S. 102 f). Erfolg hatte Behaim in Schwaben bei den Grafen von Urach und Neufen, die sich damit die Lösung von der Exkommunikation (wegen Teilnahme am Aufstand Heinrichs VII.?) erkauften, Blätter f. württemb. Kirchengesch. N. F. 43 (1939), 8. Besitzstreit zwischen Mainz und Baiern: Quellen und Erört. z. bair. und deutschen Gesch. 5, 67. Ebenda 66 päpstlicher Schutzbrief für Baiern (9. Febr. 1239). Städtische Kriegssteuer Constit. 3, 1 ff. Einfluß des Deutschen Ordens C. Höfler, Behaim 14 f (quorum consilio imperium nunc gubernatur). Gregors Drohung Ep. sel. 1, 645. Friedrichs Aufruf an die Fürsten, ihre Erklärungen, Constit. 2, 308. 313. Ficker, Mitteil. des öst. Instituts 3, 337 zeigt, unter Zurücknahme eigener Bemerkung, Reg. imp. 3124 c, daß das Vorgehen der Fürsten vom Kaiser veranlaßt war. Neben oder vor Behaim sollte der Kardinallegat Palestrina von Frankreich aus in Deutschland gegen den Kaiser arbeiten, doch wurden seine Boten und Briefe alle abgefangen, Gesta Treverorum 24, 403. Stimming, Hist. Zeitschr. 120, 324 im Anschluß an das ungenaue Regest Reg. imp. 11367 a mißdeutet das Schreiben der Bischöfe, als ob sie sich den Übertritt auf die Seite des Papstes offengehalten hätten, falls ihre Vermittlung vergeblich wäre. Es heißt dort vielmehr: wäre der Kaiser nicht für den Frieden zu gewinnen, so müßten wir als Verehrer der römischen Kirche ihre Partei ergreifen; da indes der Kaiser erklärt, er wolle sich einem Gerichtsverfahren unterwerfen, so bitten wir den Papst, unsern Gesandten zu hören. Mit andern Worten: wir wissen, daß der Kaiser zu gerechtem Frieden bereit ist, darum bitten wir den Papst, ihm nicht zu widerstreben. Stimming überschätzt die vom Schreiben der weltlichen Fürsten abweichende Fassung; daß Bischöfe zum Papst anders sprechen als Laien, versteht sich von selbst. Die Beteiligung der niederländischen Fürsten wurde durch Schutzversprechen und Erlaß von Diensten in Italien erkauft, Huillard-Br. 5, 1116, dessen Echtheit Ficker, SB. Wien 69, 288 gegen Böhmer erwiesen hat. Aus allem geht hervor, daß die Stimmung der Fürsten nicht einheitlich und im Ganzen lau war, der soeben gewählte Kölner hatte sich heimlich die Bestätigung selbst in Rom geholt (Kölner Chronik 274), was indes über seine Denkweise noch nichts besagt. Den Beschluß, die Ausschließung des Kaisers nicht zu verkündigen, meldet der Ann. von Stade SS. 16, 365 (papa archiepiscopos et episcopos ad denuntiationem imperatoris sollicitavit, sed modicum profecit nisi in Francia et Dacia). Vgl. ferner Reg. imp. 4404. Daß der EB. von Bremen die Exkommunikation verkündigt habe, wie Stimming 222 sagt, ist nicht richtig. An der angeführten Stelle (Höfler 12) steht das Gegenteil, und die Nachricht, er führe den Befehl aus ‹wie ein Löwe› (S. 14 ff), muß falsch sein. Behaims Berichterstattung rechtfertigt überhaupt das Urteil des EB. von Salzburg, er sei ein Schwindler (nebulo et turbator) S. 24. Daß manche den Kaiser für einen Ketzer hielten, bemerkt der Annalist von Stade p. 368 erst zu 1243. Schon bei der ersten Steuerforderung im Königreich (1236/37) zur Niederwerfung des lombardischen Widerstands (Huillard-Br. 4, 930) erklärt Friedrich fast entschuldigend, daß er keine Truppen fordere: die stelle Deutschland. – Bündnis des Papstes mit den führenden Städten der Liga (7. Sept. 1239) Winkelmann, Acta 2, 692.

S. 105 f. Die militärischen Operationen 1239 ff behandelt am eingehendsten Marchetti-Longhi, La legazione di Gregorio di Monte Longo in Lombardia, Arch. Rom. 36. 37. Wegnahme von Como und Treviso, Abfall von Ravenna: Kölner Chronik 274. Este:

Salimbene 165. Sinibald Fieschi 1239 und 1240 Rektor der Mark, Ep. sel. 1, 655. 666. Im Dezember 1240 durch den B. von Arezzo abgelöst, der vom Kaiser vertrieben wird, Registre n. ⁹ 5322. 5325, Ep. sel. 1, n. ⁹ 788, 794. Die Verträge mit Genua und Venedig zur Eroberung Siziliens Winkelmann, Acta 2, 689. Verhandlungen erwähnt der amtliche Annalist von Genua SS. 18, 189, Zweck und Abschluß verschweigt er; wenn absichtlich, versteht man, daß der Kaiser davon nichts erfahren hat. Sein vergeblicher Angriff auf Bologna Salimbene SS. 32, 165, Huillard-Br. 5, 1126. Vorstoß gegen Mailand, Vita Gregorii 34 ff. Zurücknahme der Schenkung von Spoleto und der Mark Reg. imp. 2468 a. — Einrücken Enzos und des Kaisers selbst Vita c. 44 S. 34. Eroberung des römischen Toskana ebenda. Reg. imp. 2833.

S. 106 ff. Vorwurfsvolles Schreiben an die Römer: Ep. Petri de Vinea I, 7, Huillard-Br. 5, 307, Matth. Paris 3, 546. Sendung Malabrancas oben zu S. 84 ff. Die Anleihen bei römischen Kaufleuten behandelt Winkelmann, De regni Siculi administratione (Diss. Berl. 1859), 31 f, Reg. imp. 2515. 26. 33. 2605. 06. 53. 93. 94. 2700. 31. 39. 59. 99. 2895. Dazu Davidsohn, Florenz II 1, 258. Umschlag in Rom, als persönlichen Erfolg Gregors und Höhepunkt in seinem Leben schildert dramatisch die Vita c. 46 S. 35. Rundschreiben Reg. imp. 7285/86. Friedrichs ruhmredige Kundgebung Huillard-Br. 5, 840. 846. Neuordnung der Verwaltung im Königreich und Rüstungen: Reg. imp. 2836 ff. 2959 a ff. 3060 a ff. Verhandlungen in Ceprano Matth. Paris 4, 58. 68 f. Ann. von Dunstable 154, Friedrichs Berichte Reg. imp. 3124 c. 25. 26. 29., Constit. 2, 318. Huillard-Br. 5, 1003 ff. 1014. Seine Zuversicht in der Steuerforderung, Huillard-Br. 5, 1058. Schreiben an Colonna oben zu S. 84 ff. Kampf um Ferrara: Matth. Paris 3, 574, Salimbene SS. 32, 165. Rolandin von Padua SS. 19, 75 f. Höfler, Behaim 17. Canale, Arch. Stor. Ital. 8 (1845) 368 ff. Palestrina als Legat in Frankreich Matth. Paris 4, 58, Ep. sel. 1, 693. Colonnas Zusammenstoß mit Gregor, Matth. 4, 59. Ascoli, Fermo: Richard 206. Ravenna: Salimbene 166, Kölner Chronik 277, Ann. Placent. SS. 18, 484.

S. 109 ff. Einberufung des Konzils, Ep. sel. 1, 679 ff. 684. Friedrichs Ablehnung, Verbot und Ächtung der Besucher, Constit. 2, 318 ff, Huillard-Br. 5, 1028. 1038. 1075. 1077 ff. 1089. Eine (erfundene oder rekonstruierte) Rede des Kaisers gegen das Konzil hat Matth. Paris 4, 95. Gregors wiederholte Einladung Ep. sel. 1, 688, Matth. 4, 96. Ungarn wegen Verhinderung des Besuchs gescholten, erhält die gewagte Versicherung, die Straßen seien frei, Ep. sel. 1, 708. Vertrag mit Genua 1, 685. 697 ff, Ann. Januenses SS. 18, 192. 194 ff. Belagerung und Einnahme Faenzas Rolandin 78, Canale I 97, Kölner Chronik 277. 279, Huillard-Br. 5, 1029, Richard 207. Gregor hatte jede Unterstützung des Kaisers den Städten der Lombardei, Romagna und Toskana verboten, Davidsohn II 1, 264. Montecristo: Berichte vom Kaiser Huillard-Br. 5, 1123. 1126. Kölner Chronik 279, von Genua Ep. sel. 1, 714, der Geretteten 1, 713, der Spanier Huillard-Br. 5, 1120, vom Dominikaner Bartholomäus Huillard-Br. 5, 1146, Matth. 4, 125 ff, Wilh. von Nangis SS. 26, 635 f. Vgl. Davidsohn II 1, 274. Venetianische Plünderungsfahrt an der apulischen Küste, Richard 207 (zum Sept. 1240), Canale I 98 ff, Matth. 4, 106. Festhaltung der gefangenen Prälaten Matth. 4, 129 f (nach dem kläglichen Bericht eines von ihnen, also gewiß übertrieben). Bericht der gefangenen Äbte von Cîteaux, Cluny und Pitiédieu über ihre und ihrer Genossen Schicksale, Chron. de Mailros 1, 205, Huillard-Br. 5, 1121. Die Ann. von Genua 202 tun, als wäre ihre Flotte überlegen, man erkennt indes, daß sie nicht auszulaufen wagt. Ludwigs Beschwerde und Friedrichs ablehnende Antwort Epist. Petri de Vinea I 12. 13. Nangis 636, dem die französischen Darsteller folgen, spricht von wiederholter drohender und erfolgreicher Beschwerde, was unwahrscheinlich ist und der Tatsache nicht entspricht, daß erst 1243 die meisten Gefangenen frei wurden (s. u. S. 122 ff). Irrig sind die Bemerkungen von E. Berger, Registre d'Innocent IV. 1, IV. Gregors Trostbriefe Ep. sel. 1, 716. 720. 726. Auf Verstärkung der Flotte hatte er am 15. März vergeblich gedrungen 1, 710. Genua zu weiteren Anstrengungen getrieben 1, 724. 727. Beherrschung der Stadt ergibt sich daraus, daß Anfang März ein kirchenfeindliches

Statut aufgehoben wird, Registre 2, 311. Friedrich vor Rom, Richard 210; Matth. Paris 4, 16 (Gregor suae causae diffidens in abyssum desperationis demersus. Kardinäle verlassen ihn, quem suo solo impetu videbant plus efferri quam freno regi rationis et consilii). Senator M. Rosso: Richard 210. Friedrichs Friedenszuversicht zeigt das Schreiben Vignas: Huillard-Br. 5, 1158. Optimistische Erwartungen in toskanischen Städten: Davidsohn, Florenz II 1, 274 und Forsch. 2, 51. Um die Gunst der Predigerbrüder bewirbt sich Friedrich 27. Febr. 1241, Huillard-Br. 5, 1098. Colonnas Übergang zum Kaiser: Richard 210, vgl. sein Schreiben oben zu S. 84 ff. Richard von Cornwall bei Gregor, Matthäus 4, 148; Gregors Schreiben vom 1., 14. und 31. Juli Potthast 11043, Ep. sel. 1, 723. 726. Daß der Kaiser den Marsch auf Rom Juli 1241 auf Anraten Colonnas antrat, weiß Richard 210 und bestätigt das Schreiben des Kaisers, Huillard-Br. 5, 1156. Gregors hartnäckiger Widerstand (Huillard-Br. 5, 1138, Ep. sel. 1, 725 und 1, 727) und Tod: Calvi, Vita Innoc. IV. c. 5. Verlust der Burg Montefortino als Todesursache berichtet Matth. 4, 162 f. Entgang der gewohnten Badekur in Viterbo, ebenda, ist Mißverständnis oder Verwechslung, Gregor ist in den Sommermonaten der letzten Jahre nicht in Viterbo gewesen. Daß sein Tod durch das Entbehren der gewohnten Sommerfrische (in Anagni) herbeigeführt sei, behauptet die Anklage in Lyon 1245, Winkelmann, Acta 2, 719 f.

S. 113 f. Der französisch-englische Kreuzzug von 1239 war seit 1234 in Vorbereitung und als allgemeiner gedacht. Aufruf vom 17. Nov. 1224, Ep. sel. 1, 491/495. Seine Wirkung in Frankreich und England, Alberich SS. 23, 937, Matth. Paris 3, 287, Ann. von Tewkesbury (RS) 95. Befehl zur Kreuzpredigt in Deutschland und Oberitalien, Erhebung einer Kopfsteuer von 1 Denar wöchentlich, Ep. sel. 1, 495. 532. 541. Verhandlungen mit dem Sultan von Ikonium, der sich erbietet, den Christen zu ihrem Besitzstand wie vor Saladins Zeit zu verhelfen, und an den Kaiser verwiesen wird, ebenda 518, Vita Gregorii 26. Aufbruch für 24. Juni 1238 geplant (früherer vereinzelter verboten), auf Veranlassung Friedrichs um ein Jahr verschoben, Ep. sel. 1, 561. 613. 615, Matth. Paris 3, 471. Die Ablenkung auf Konstantinopel will Gregor (an Friedrich, Raynaldus 1238, 25) erst beschlossen haben, nachdem Unionsverhandlungen mit den Griechen (Matth. Paris 3, 445. 455. 466) gescheitert waren, was Matth. 3, 469 wiederholt. Indes war der Aufruf zur Unterstützung der Lateiner in Konstantinopel (in ipsius conservatione imperii specialiter Terrae Sanctae subsidium noscitur promoveri) unter Vertauschung der Gelübde und Loskaufgelder schon seit dem 6. Dezember 1236 ergangen, Raynaldus 1236, 69; 1237, 68; 1238, 22. Ein Dreißigster wird drei Jahre lang für denselben Zweck in Frankreich und England gefordert, l. c. 1238, 23 ff. Teilung der Kräfte, Potth. 10065. 10080. 10272. Verhandlungen Friedrichs mit Vatatzes Mousquès v. 29883 ff. Ebenda v. 30550 ff: die Franzosen fahren von Marseille ab aus Mißtrauen gegen den Kaiser (Quar en l'empereor de Roume, C'on mescreant adonques noume, N'osoient de rien fier, Qu'il traïssoit sans desfier). V. 30578: der Graf von Bar fährt mit besonderer Erlaubnis des Kaisers über Bari. Nach Matth. 3, 627 hatte Friedrich den Kreuzzug für 1239 als Zersplitterung der Kräfte widerraten und Aufschub gewünscht, bis er selbst ihn anführen könne. Da dem nicht stattgegeben wurde, ließ er die Zufuhr aus Apulien und Cypern sperren (wenig glaubwürdig). Umgekehrt 3, 620: die englischen Kreuzfahrer, am 11. Nov. in Northampton versammelt, verschwören sich unter Führung Richards von Cornwall, nicht in diesem Jahr aufzubrechen, ne per cavillationes Romanae ecclesiae honestum votum eorum impediretur nec ad effusionem sanguinis christiani vel in Graeciam vel in Italiam, prout instillatum in auribus eorum fuerat, distorquerentur. Infolgedessen kam der Aufbruch der Engländer erst 1240 zustande (Richard mit 800 Rittern), zu Lande durch Bulgarien, nachdem die Franzosen im Sommer 1239 über Marseille vorausgefahren waren, Alberich SS. 23, 947 f. Unwille der Franzosen über Bevorzugung Konstantinopels vor Jerusalem, wogegen Gregor sich verwahrt (recedit a vero, quod Crucifixi negotium a tergo ponamus), Raynaldus 1239, 79. Aufbietung Ungarns gegen Bulgarien, Raynaldus 1237, 69 f. 1238, 7 ff. 12 ff; wiederholt 1240, 51. Vgl. W. Norden.

Papsttum und Byzanz (1903) 307 ff. Nachrichten über den Kreuzzug haben die Kölner Chronik 276 f und die Erfurter Annalen S. 97. Die Ereignisse 1240/41 berichten Matth. Paris 4, 26. Sanudo III 11, 15 f. Friedrich an Heinrich III. über die Niederlage bei Askalon, beschuldigt den Papst, Huillard-Br. 5, 921.

S. 115 ff. Den Mongolenschreck schildern die Kölner Chronik 280 f und die Annalen von Scheftlarn SS. 12, 341. Die Kreuzpredigt der deutschen Bischöfe Gesta Trevero-rum IV 7, SS. 24, 404. Gregor tröstet Ungarn, Raynaldus 1241, 18 (16. Juni), 28 (1. Juli), Ep. sel. 1, 721. 725, predigt das Kreuz gegen die Mongolen 1, 721. Beschul-digungen gegen den Kaiser, Höfler, Behaim 28, Matth. Paris 4, 119, Mousquès V. 30967 (fut par le monde retrait). Friedrichs Rundschreiben Huillard-Br. 5, 1139. 1143. 1148, Matth. Paris 4, 112, Richard 209 f. Friedrichs Reue über seine italische Politik Salimbene SS. 32, 303. Vollmacht des Nuntius in Ungarn zur Umwandlung der Kreuz-gelübde: attendentes quod tanto salubrius est apost. sedi in hoc necessitatis articulo subvenire, quanto ipsa mater et caput fidei in gravius christianitatis periculum im-pugnatur, Ep. sel. 1, 707. Der Kirchenstaat Zeichen für Herrschaft über den ganzen Westen, Ep. sel. 1, 604.

S. 119 f. Gregors Kriegsausgaben Vita c. 10 S. 22; c. 15 S. 23. Anleihe in Frankreich Ep. sel. 1, 693. Schuldenerlaß am Ende der Regierung: A. Gottlob, Kreuzzugssteuern (1892) 80, Hist. Jahrbuch 20, 675. Verschuldung der Kirchen erkennbar in Florenz und Nachbarschaft, Davidsohn, Florenz II 1, 266 und Forsch. 4, 284 f. 287.

S. 121. Kreuzzug gegen die Stedinger: Annal. Stadens. SS. 16, 360; MG. Deutsche Chroniken 2, 250; Kölner Chronik 265. Päpstliche Schreiben: Reg. imp. 6862. 6921 (Ep. sel. 1, 393). 6932.

S. 122 ff. Friedrich über den Tod Gregors (Rundschreiben) Huillard-Br. 5, 1166. Die städtischen Wahlen als Vorbild des Konklaves: Wenck, QF. 18, 107. Die Vorgänge berichten Nikolaus de Carbio (Curbio ist Lesefehler; es ist Calvi dell'Umbria unweit Narni nördl. Rom), Vita Innocentii IV (Muratori III 1 und besser Pagnotti, Arch. Rom. 21 [1898]). Matth. Paris 4, 164 f. 170. 172. 194. 239 f. 249, Richard von San Germano 211, die Ann. von Piacenza SS. 18, 485, und in Kürze die Chroniken von Köln 281 f. 285 und von Erfurt (Holder-Egger) 236 f. 238. Eine Stelle aus verlorener Chronik Salimbenes bei Blondus hat P. Scheffer-Boichorst, Zur Gesch. des 12./13. Jahrh. 284 hervorgezogen. Dazu kommen die Schreiben des Kaisers Huillard-Br. 6, 35. 59. 70. 87. 90. 93. 95, Winkelmann, Acta 1, 330. Die Lage der Eingeschlossenen schildert das Schreiben der Kardinäle SB. Heidelberg 1913, 1 (Hampe). Coelestin IV. war Neffe Urbans III., s. J. H. Sbaralea, Ann. ord. Minorum (1805) 1, 48. Wencks Versuch a. a. O. nachzuweisen, daß Humbert von Romans einmal die Mehrheit der Stimmen erhalten habe, widerlegt B. Sütterlin, Die Politik Friedrichs II. und die röm. Kardinäle 1239/50 (1929) 133 ff. Die Worte von Thomas von Cantimpré, Bonum universale de apibus 585: adeo Rom. curiae gratiosus et carus fuit, ut eum plures cardinales in papam eligerent, besagen nur, daß mehrere Kardinäle für ihn gestimmt haben. Ablehnend auch Hofmeister, Hist. Zeitschr. 137, 144; Fr. Heintkes Wider-spruch, Humbert von Romans (1933) S. 33 ff kommt dagegen nicht auf. Daß übrigens die Verwaltung während des Konklaves weiterlief, beweisen das Schreiben der Kar-dinäle an Ungarn, Reg. imp. 7382, und der Erlaß in einem englischen Pfründenstreit, Matth. 4, 250 (1243; es unterzeichnen ihrer 7, Colonna allein fehlt). Von der fran-zösischen Drohung de sibi eligendo summo pontifice citra montes spricht Matth. Paris 4, 249. Palestrinas Schreiben an die Kardinäle (Juni 1242) bei P. M. Campi, Hist. eccl. di Piacenza 2 (1651) 397 f. Reg. imp. 7379. Im März/Juni 1242 erscheint Rom mit Narni, Perugia, Alatri, Rieti verbündet zum Angriff auf den Kaiser, der bei Tivoli steht, Winkelmann, Acta 1, 541. Damals wird es gewesen sein, daß Friedrich die Grenze des Königreichs gegen den Kirchenstaat sperren ließ, ebenda 1, 369. Im Juli verwüstete er das römische Gebiet und ließ Rieti und Narni angreifen, Richard 210. Im Mai 1243 bereitet er den Gesamtangriff auf Rom vor (die Ann. von Piacenza sprechen von 10 000 deutschen Rittern in der Lombardei und Toskana) und verwüstet das Land bis vor die Tore der Stadt, Kölner Chronik 283. Er erwartet damals eine günstige Papstwahl, da der ihm feindliche Kardinal von Porto (Romanus) gestorben ist, Huillard-Br. 6, 87. H. Weber, Friedrich II. und Innozenz IV. (1900) 5 ff meint, Friedrich habe Palestrina freigelassen, um die öffentliche Meinung zu gewinnen, die ihm die Schuld an der verlängerten Vakanz gab, und den Angriff auf Rom auf die Vorstellungen der Kardinäle, daß durch ihn ein Zusammentreten der Kardinäle unmöglich gemacht sei, aufgegeben. Wahrscheinlich ist indes, daß das Scheitern des Angriffs und das Herannahen der Malariazeit zum Rückzug nötigten, während gleichzeitig durch den Tod des Kard. Romanus die Aussichten für die Wahl sich gebessert hatten. Daß der Kaiser mit den Kardinälen über den zu Wählenden übereingekommen sei, ist aus seiner Erklärung Reg. imp. 3363 nicht zu schließen und praktisch kaum möglich. Am weitesten geht in dieser Richtung, bis zu freier Phantastik, H. Wallon, Histoire de Saint Louis (1875) 1, 197 (son protégé — das soll Fieschi gewesen sein — ne lui cacha point que, s'il était élu, il deviendrait son ennemi. Mais Frédéric ne voulait point croire à ses déclarations, et Sinibald fut élu. Da hätte der große Kaiser also gehandelt wie ein rechter Tor!) Sein angeblicher Ausspruch, er habe durch die Wahl Fieschis einen Freund verloren, da ein Papst niemals Gibelline sein könne, findet sich erst bei dem Mailänder Chronisten Galvaneus Flamma, Muratori 11, 680, und verrät seine Unechtheit schon durch den Ausdruck «Gibelline», der in dieser Bedeutung damals noch nicht bekannt war. Mit der Genealogie der Fieschi von Lavagno beschäftigt sich eingehend Natalie Schöpp, Hadrian V. (1916) 4 ff, irrt aber betreffs Innozenz IV. Dessen Vater (S. 10) kann der 1157 bezeugte Hugo unmöglich gewesen sein, eher wohl sein Großvater, und der älteste der Brüder war schwerlich der jung zum Geistlichen bestimmte Sinibald, ebensowenig wie die beiden Brüder gleichen Standes, sondern Tedisius, der 1234 die Truppen Genuas befehligte. Über Sinibalds Geburtsjahr fehlen bestimmte Annahmen, doch kann er so jung nicht gewesen sein, wie ihn Winkelmann in der Einleitung zu den Reg. imp., Päpste S. 1261, macht. Da er schon 1218/19 Auditor eines Kardinallegaten war, 1226 Auditor des Papstes und 1227 Vizekanzler wurde, kann er nicht erst um 1207 geboren sein. Wenn damals sein Studium und vermutlich auch eine, wenn auch nur kürzere Lehrtätigkeit in Bologna hinter ihm lag, so muß er um 1220 schon mindestens etwa 30 Jahre alt, also vor 1190 geboren, als Fünfziger Papst geworden und als Sechziger gestorben sein. Seine Beziehungen zu Parma berichtet Salimbene SS. 32, 61 f. 175. 177. Über seinen Kommentar zu den Dekretalen s. J. Fr. v. Schulte, Quellen u. Lit. der kanon. Rechts 2, 91 ff. Ein Verzeichnis seiner Schriften, vermutlich aus Salimbenes verlorener Chronik, gibt Blondus, Dec. XI. 7. Die hier genannte Entgegnung auf Petrus de Vinea De autoritate imperii wird nichts anderes sein als die große Enzyklika Reg. imp. 7584 zur Rechtfertigung der Absetzung des Kaisers (1245).

S. 124 ff. Die zur Schau getragene Genugtuung des Kaisers in den Schreiben Constit. 2, 328, Huillard-Br. 6, 97. 101. 104, Richard 217 hat man viel zu ernst genommen, am meisten Berger in der Einleitung Registre 2, VIII f. Ohne jeden Beleg behauptet Jordan, Origines de la domination etc. CXXII, die Römer seien im Begriff gewesen, Innozenz ‹sur sa réputation impérialiste› die Tore zu schließen, hätten sich jedoch eines bessern belehren lassen und ihm einen glänzenden Empfang bereitet. Auch die spätere possibilistische Behandlung der Personen und politischen Gegensätze sei einem Erwachen der alten Vorliebe pour le personnel du parti impérialiste zuzuschreiben (p. 40). Was nicht noch! Den Tag der Ankunft in Rom gibt Calvi unrichtig an (17. kal. Dec., nach dem Aufbruch von Anagni 17. kal. Nov.). Innozenz datiert schon am 22. Okt. aus dem Lateran Potth. 11, 164. Es ist nach Pagnotti 44 der einzige chronologische Irrtum dieses Autors, also vermutlich Schreibfehler oder falsche Interpretation. Die bedrängte Finanzlage schildert Calvi 83 (vgl. Gottlob, Hist. Jahrb. 20, 674) und beklagt Innozenz selbst am 13. Juli gegenüber dem Klerus des Ostens, Registre 1, n. 22 (der apost. Stuhl mobilibus bonis pene exhausta und tief verschuldet). Über die Verhandlungen zwischen Papst und Kaiser im August/Sept. 1243

unterrichten Calvi c. 7 und die Aktenstücke Constit. 2, 328 f, Huillard-Br. 6, 208 f.
112. 118. 123. Ep. sel. 2, 7. 9. 16. 18. Nach dem Abbruch wurde der Faden wieder
angeknüpft durch Vermittlung von Frankreich und Kastilien, vertreten durch den EB.
von Rouen und Abt von St. Facund, neben Wilhelm von Modena. Nachdem auch sie
nichts erreicht hatten, gesteht der Papst am 23. Sept., Ep. 2, 18, daß er auf erneute
Verhandlung nur eingegangen sei, damit der Kaiser ihn nicht als unversöhnlich ver-
leumden könne. Rodenberg, Die Friedensverhandlungen zwischen Friedrich II. und
Innozenz IV. 1243/44 (Festschr. für G. Meyer v. Knonau 1913, 165 ff) läßt Innozenz
den Frieden ehrlich und ohne Hintergedanken erstreben und die Nachgiebigkeit des
Kaisers überschätzen. Mir scheint im Gegenteil auf der Hand zu liegen, daß am
Zustandekommen des Friedens, d. h. der Aussöhnung mit der Kirche, dem Kaiser
mehr gelegen war als dem Papst. Friedrich war es, der die Initiative ergriffen hatte
und in Zugeständnisse willigte, während der Papst nur verhandelte, ohne das gering-
ste nachzugeben. Auch war es Friedrich und nicht Innozenz, der die Versöhnlichkeit
des Gegners überschätzte. — Viterbo war in der Hand des Kaisers seit dem Februar
1240, der Abfall erfolgte am 9. Sept. 1243. Daß Innozenz in den Plan eingeweiht
war, ist nach dem ausführlichen Bericht Winkelmann, Acta 1, 553 nicht zweifelhaft.
Erst als die Ausführung auf Schwierigkeiten stieß, widersprach er, wurde aber durch
die vollendete Tatsache wieder umgestimmt, schickte das nötige Geld (2500 Unzen)
zur Besoldung der Truppen und bot die römische Miliz zur Unterstützung auf (s.
seine Mitteilung an die Viterbesen vom 7. Oktober unter starker Ermutigung, Ep. sel.
2, 24. 26). Kein Zweifel, daß ohne sein Eingreifen die Stadt sich nicht hätte halten
können; doch fand man in Viterbo wohl mit Recht, er hätte mehr tun können. Die
Abberufung der römischen Hilfstruppen hat dem Kaiser den Rückzug möglich gemacht, der sonst zur Katastrophe hätte führen können. So nach dem eben erwähnten
Bericht; ein anderer in der Chronik von Viterbo, Böhmer, Fontes 4, 708 und F. Bussi,
Istoria della città di Viterbo (1742) 128. Hilferuf der im Kastell eingeschlossenen
kaiserlichen Besatzung, Huillard-Br. 6, 123. Über Capocci s. Davidsohn, Florenz II 1,
147. 283. Pinzi, Storia di Viterbo 1, 331, Signorelli, Storia di Viterbo 1, 203 ff. Wenig
nütze ist die Heidelb. Diss. von F. Reh 1933. Die Verteidigung des Kirchenstaats, soviel ihm davon noch übrig war, hatte Innozenz sogleich aufgenommen, Ep. sel. 2,
11 ff auch mit Anhängern in der Ferne Verbindung gesucht 2, 21. Wie sehr der Mißerfolg vor Viterbo dem Kaiser geschadet hat, zeigt Matth. 4, 268 ff (quasi fugam
iniit. Denigrata est fama ipsius et sinistrorum susurro divulgatum etc.). Von den
Verhandlungen, die März 1244 zum falschen Frieden führten, zeugen die Akten
Huillard-Br. 6, 146. 168. 197. 212. 218. Constit. 2, 329 ff, Ep. sel. 2, 31. 35. Raimund VII. verdiente längst eine Darstellung, die seiner Bedeutung gerecht würde.
Von den Schriften R. Sternfelds, die sich mit ihm beschäftigten (Das Verhältnis des
Arelats zu Kaiser und Reich 1881, und Karl von Anjou als Graf der Provence, 1888),
kann man das nicht sagen; sie geben zu vielfachen Bedenken Anlaß. Von der endgültigen Aussöhnung Raimunds mit der Kirche zugleich mit der Rückgabe seines Anteils an der Provence (Venaissin) macht Innozenz am 1. Januar 1244 Mitteilung an
Ludwig IX., Ep. sel. 2, 35. Ende März endeten die Albigenserkriege, als die Reste der
bewaffneten Ketzer bei Montségur vernichtet wurden. Bei der Vermittlung Raimunds
VII. zwischen Papst und Kaiser muß Frankreich die Hand im Spiel gehabt haben, wie
das Schreiben des Papstes an Ludwig IX. vom 12. Dezember (Teulet, Layettes 2, 524)
verrät. Einladung der Liga zur Teilnahme an den Verhandlungen, 3. Januar, Reg.
imp. 7436, gerichtet an Bologna, aber jedenfalls für alle verbündeten Städte bestimmt.
England war vom Kaiser herbeigerufen, Huillard-Br. 6, 146. Die Akten des Friedensschlusses hat Matth. Paris 4, 331 ff, Constit. 2, 334 ff, Huillard-Br. 6, 172. Den Vorgang der Eidesleistung beschreiben übereinstimmend Calvi 84 und Innozenz, Ep. sel.
2, 46 (30. April), auch im Absetzungsspruch, ebenda 2, 89. Calvi 86 zählt die Orte
des Kirchenstaats auf, die der Kaiser noch nicht genommen hat (Ancona, Assisi, Narni,
Rieti, Sangemini, Stroncone, Perugia, Orvieto, Radicofani und Monte Asula in Sa-

bina; Viterbo ist nicht ausdrücklich genannt, auch Città Castellana fehlt). Friedrich verkündet den geschlossenen Frieden Huillard-Br. 6, 176. Das Schreiben an Bergamo, wohl Ende Mai, ebenda 193. Schon im April hatte es den ersten Zusammenstoß gegeben, als Friedrich sich von den Frangipani ihre Burg am Kolosseum abtreten ließ und Innozenz den Vertrag (am 16.) kassierte, Huillard-Br. 6, 187, Theiner, Cod dipl. dominii temp. 1, 118. Innoc. für Mainz Reg. imp. 7441. 53. 57. 63. 68, und Köln ebenda 7432. 38. 43. 46.; Andeutung, daß Thüringen als Gegenkönig ins Auge gefaßt: ebenda 4865 b. 7454. 55. 56. 64. In der Beurteilung der Handlungsweise von Papst und Kaiser beim Abschluß des Friedens kann ich weder Böhmer, der sich die Auffassung des Papstes ganz zu eigen macht, noch Ficker anschließen, der ihm (zu Reg. imp. 3418 a. 3423 a. 24 a und Einleitung p. XIV) widerspricht, indem er findet, Friedrich habe die Ausführung des Vertrags wünschen müssen, während der Papst ihr auszuweichen suchte. Warum Friedrich dann aber den Vertrag abschloß, dessen Wortlaut so wenig Bürgschaft für die Ausführung bot, kann F. nicht sagen. Seine Annahme, über den Zeitpunkt der Räumung des Kirchenstaats sei ein besonderes Abkommen getroffen worden, das wir nicht kennen, auf das aber im Artikel 1 hingewiesen werde (inventa est forma ... scilicet quod usw.), beruht auf falscher Deutung des Wortlauts: Die ‹forma› ist nichts anderes als der Art. 1 selbst, der die restitutio in statum quo ante vorschreibt. Kantorowicz 539 ist auf die Streitfrage nicht näher eingegangen, seine Wiedergabe der Friedensbedingungen läßt die Schwierigkeiten nicht erkennen. Seiner Ansicht, nicht die lombardische Frage sei Grundlage der vom Papst erhobenen Beschuldigung des Vertragsbruchs gewesen, sondern die Weigerung des Kaisers, den Kirchenstaat zu räumen, geht an der Hauptsache vorbei. Gewiß war es die verweigerte Herausgabe seines Staates, die Innozenz zum Anlaß nahm, den Vertrag für gebrochen zu erklären; aber warum hatte Friedrich ihm diese Handhabe geboten, und hatte er dazu nicht ein Recht? Und war denn nicht die Unterwerfung der lombardischen Städte von ihm so oft und so deutlich als sein letztes Ziel bezeichnet worden, daß niemand darüber im Zweifel sein konnte? Wenn also der Papst diesen Punkt offenließ, so wußte er, daß der Friede kein Friede war. Kein Zweifel, daß der Kaiser, wenn es ihm ernstlich um den Frieden zu tun war, einen Fehler gemacht hat, indem er Bedingungen beschwören ließ, die ihn nicht sicherten, worauf es ihm vor allem ankam. Wie sein Verhalten auf Fernerstehende wirkte, zeigt Matth. Paris, dem es bis dahin nicht an Sympathie für ihn gefehlt hatte. Er schreibt 4, 337, wo er auf das erneute Aufleben des Kampfes zu sprechen kommt: Furia invectus imperator, illo instigante qui primus superbivit, a forma iurata et humilitate satisfactionis compromissae superbiendo poenitens infeliciter resilivit. 4, 353 hält er für wahr, daß Friedrich den Papst habe fangen wollen: calcaneo papali insidias tetendit et laqueos absconditos. Nach der Flucht des Papstes, als der Kaiser die Straßen bewachen ließ, um dem Papst kein Geld zukommen zu lassen, heißt es 4, 356: iam acclamabatur dom. imperator manifestus ecclesiae persecutor ... Denigrata enim est fama sua non mediocriter, et dicebatur, quod iam non firmo gressu in lege Domini ambuleret, Sarracenis confoederatus, Sarracenicas meretriculas sibi retinens concubinas et alia, quae relatu sunt indigna et morosa.

S. 129 ff. Den Vorwurf des Wortbruchs erhebt Innozenz zuerst 30. April 1244, Ep. sel. 2, 46. Die Verhandlungen im Mai/Juni, Huillard-Br. 6, 205 (Bericht des Kaisers). Die Vollmacht des Kardinals Otto, Huillard-Br. 6, 199, steht nach Registre 1, 125 nicht an der Stelle, wo sie nach dem Verzeichnis La Portes stehen müßte. Somit ist das Datum 1. Juni für die Wiederaufnahme der Verhandlungen, Reg. imp. 3431 a, nicht gesichert, zumal auch das Schreiben des Kaisers 3432 undatiert ist. Ernennung der Kardinäle 29. Mai, Matth. Paris 4, 354. (Matth. spricht nur von 10 Kardinälen; die Zahl 12 bei Calvi Vita c. 12.) Colonna war am 9. Februar gestorben, Matth. Paris 4, 287. Die Vorbereitungen zur Flucht des Papstes und ihre Ausführung erzählen ausführlich Calvi p. 86 ff c. 13 ff und die Ann. von Genua SS. 18, 213 ff. Ihren letzten Grund, die Geldnot! nicht die Furcht vor Gefangennahme, gesteht Matth. 4, 354.

Friedrichs Äußerung Matth. 4, 356 und SS. 18, 215. Auflösung der Kurie Calvi, Vita
c 13. Kundgebung des Kaisers Huillard-Br. 6, 203 (nach Ungarn gerichtet), Constit.
2, 341 ff. 352. Abgelehntes Gesuch des Papstes um Aufnahme in Frankreich: Matth.
Paris 4, 392 (auch Flores hist. 2, 282 f. R. S., von Berger, Registre 2. XIX verworfen,
bestätigt durch Aussage des Domkapitels von Lyon 1283: Werner Meyer, Ludwig IX.
und Innozenz IV. (1915) S. 12). Ludwigs IX. kirchliche Gesinnung bezeugt Wilhelm
von Chartres (Bouquet 20, 33): negotia ecclesiae plus quam proprias reputans, ea
totis affectibus promovere curabat. Capoccis Legation (28. Juni) Ep. sel. 2, 561. Die
Reise von Genua nach Lyon Matth. 4, 395. Monferrat und Saluzzo waren schon seit
dem Januar 1243 für die Kirche gewonnen, Mon. Hist. Patriae 16, 1394. Einberufung
des Konzils Ep. sel. 2, 56.
S. 131 f. Über die Ereignisse in Palästina liegen ausführliche Berichte vor bei Matth.
Paris 4, 288. 291. 300. 307. 337. 433. 501 und Salimbene 177. Ann. von Burton 257.
Innozenz erhielt die Nachricht im Dezember, Kölner Chronik 268. Vgl. R. Röhricht,
Gesch. der Kreuzzüge (1898) 237 f.
S. 132 f. Friedrichs Ablehnung des Urteils der Geistlichen Constit. 2, 320. Seine
öffentliche Rechtfertigung Constit. 2, 341 ff. Die Anklageschrift des Papstes Winkel-
mann, Acta 2, 709, Huillard-Br. 6, 285, Höfler, Behaim 73 ff. Die Äußerung des
Pariser Pfarrers Matth. Paris 4, 406. Von der vergeblichen Friedensvermittlung des
Patriarchen von Antiochien (Albert Roberti aus Reggio d'Emilia, früher B. von Brescia) kurz vor der Eröffnung des Konzils handeln die Akten Reg. imp. 3466 f, Winkelmann, Acta 2, 43; 1, 565 f, Constit. 2, 353 f, Huillard-Br. 6, 271. Inn. IV, Registre 27.
28. Dazu Höfler, Behaim 67, Calvi c. 18 S. 93. Rodenberg, Kaiser Friedrich und die
römische Kirche (Aufsätze G. Waitz gewidmet 1886) 246 hält die Verhandlungen
seitens des Papstes nicht für ernst gemeint. A. Folz, Friedrich II. und Innozenz IV.
(1905) S. 16 spricht von einer ‹Friedenspartei› unter den Kardinälen (wozu die Quellen nicht ausreichen), vergißt aber bei der Aufzählung ihrer Mitglieder den Kard.
Otto, der als Vermittler während der ganzen Zeit am meisten hervortritt. S. 32 ff
läßt er, wie Ficker, Reg. imp. 3466 a, den Papst zwischen dem 30. April und 6. Mai
umgestimmt werden durch die Anerbietungen des Deutschordensmeisters. Das Schreiben vom 6. Mai zeigt aber nur wenig Entgegenkommen pro forma und ist nicht zu
überschätzen. Kantorowicz 541 f steigert den Irrtum durch falsche Exegese. Friedrich
hat durch den Patriarchen keineswegs angeboten, ‹die Lombardensache ganz dem
Spruch des Papstes zu unterstellen›. Innozenz schreibt darüber Ep. sel. 2, 78 nur:
‹ad compromittendum super negotio Lombardorum in nos et quosdam alios arbitros
idem princeps obtulit se paratum excepitque pacem Constantie›. Falsch ist auch die
anschließende Angabe, Innozenz habe am 6. Mai dem Patriarchen den Auftrag zur
Lösung des Kaisers vom Bann gegeben, wenn er die Bedingungen erfülle, Ep. sel.
2, 82 steht das keineswegs.
S. 133 f. Über das Konzil berichten eingehender eine halbamtliche kuriale (Brevis
nota, Constit. 2, 513) und eine amtliche englische Aufzeichnung bei H. Cole, Documents illustrative of English history in the 13 th and 14 th century (1844) p. 315 f,
am ausführlichsten Matth. Paris 4, 430 ff. 437. 440. 456 ff. 478 f. 555, kurz die Ann.
von Genua SS. 18, 216, Canale I 115 ff, die Kölner Chronik 287 u. a. (Dem Verf. haben
nicht mehr vorgelegen die Untersuchungen von St. Kuttner, L'édition Romaine des
conciles généraux et les actes du 1er concile de Lyon [Miscell. hist. pont. univ. Gregor
III 5, 1940] und Die Konstitutionen des 1. allgem. Konzils von Lyon 1245 [Studia et
docum. hist. et jur. 6, 1940]). Wertlos ist die Satire Pavo(Mitteil. des öst. Instituts 40).
Bei den Geschenken für den Papst und seinem Geldbedürfnis verweilt Matth. mit
Behagen. 4, 417 versteigt er sich bis zum Verdacht der Brandstiftung. Für Zahl und
Namen der Besucher könnte der sogen. Rotulus Cluniacensis (ed. Huillard-Br. Notices
et extraits 21, 2; 1865), d. h. die Transsumte der päpstlichen Urkunden, die der Papst
von den Prälaten unterzeichnen und besiegeln ließ, den sichersten Anhalt bieten, wenn
feststände, daß dabei alle Erschienenen noch anwesend waren und zugezogen wurden.

Das kann indes nicht ganz der Fall sein, da die BB. von London und Carinola als anwesend erwähnt werden, ihre Siegel jedoch fehlen. Immerhin werden kaum viele übergangen sein, und es ergeben sich als anwesend – die eben Genannten mitgezählt – außer den drei Patriarchen von Antiochia, Konstantinopel und Aquileja 18 Erzbischöfe, 16 Bischöfe, die Äbte von Cluny, Cîteaux und Clairvaux und die Generäle der Prediger- und Minderbrüder. Davon hatte Frankreich 13, die Iberische Halbinsel 6, England 5, Schottland und Irland je 1, Italien 5, Deutschland 2, und das Königreich Sizilien den Erzbischof von Bari gesandt. Fr. Münter, Beiträge 1, 109 läßt – ohne Beleg und wohl irrig – einige dänische Bischöfe teilnehmen, von denen keine Spur zu entdecken ist; unsicher ist mindestens der EB. von Ragusa, den Tarlati, Illyricum Sacrum 6, 101 erwähnt. Mainz und Köln vor dem Konzil in Lyon, Reg. imp. 7517. 7528 b, Ausbleiben von York trotz versagter Erlaubnis, Matth. 4, 414, Rymer 1, 259. Von weltlichen Mächten waren vertreten Frankreich, England, Genua, Venedig, persönlich anwesend Provence, Konstantinopel und Toulouse. Die Deutschen und italischen Dynasten fehlten ganz. Woher E. Berger, Blanche de Castille 354 ff die Nachricht hat, weder Ludwig noch Blanca seien vertreten gewesen, weiß ich nicht. Die Ann. von Scheftlarn SS. 17, 342 sprechen von einem Konzil des Papstes cum episcopis Galliarum; Richer von Senones SS. 25, 304 sagt regionum circumadiacentium, das Breve chronicum summorum pontificum SS. 26, 439 episcoporum qui erant citra montes, Wilh. von Puylaurens, Bouquet 20, 770 cum prelatis cisalpinis et ceteris de regno Francie et Hyspanis. Klage des Patriarchen von Konstantinopel Matth. 4, 431 f. Aquileja war mit Vertretung des Kaisers beauftragt (Cole 351), doch ist nicht zu erkennen, wie er sie geführt hat. Bei der Pfründenjagd der päpstlichen Verwandten verweilt Matth. 4, 418 mit Behagen, den Konzilswächter schildert er 4, 425 f, die Verletzung des Türhüters 4, 418.

S. 134 ff. L. Dehio, Innozenz IV. und England (1914). Von Bonifaz von Canterbury entwirft Matth. 4, 415; 5, 119 ff ein dunkel gehaltenes Bild; ein wesentlich günstigeres zeichnen Gibbs and Lang, Bishops and Reform 1215–1272 (1934) 19 ff, doch scheinen mir hier die benutzten Quellen nicht unbedingt beweiskräftig. Vgl. E. Berger, Registre d'Innocent IV. (1881/1920) 1, XXIII ff. J. L. Wurstemberger, Peter II. von Savoyen (1856/58) 2, 21 ff. 116 ff. Innozenz stützte sich in England auf die savoyischen Brüder. Die Postulation Bonifaz' bestätigte er am 17. Sept. 1243. Näheres Matth. 4, 259. Streitige Bistümer sind Chichester, Lichfield, Bath, Norwich, Elphin, St. Asaph; Matth. 4, 401. 441. 442, Rymer I 1, 262. Der Fall Winchester, Matth. 4, 263 ff. 285. 294. 347. 349. 359. Innozenz schreibt (22. Febr. 1244) 4, 347: apostolicae sedis auctoritas in ecclesiis universis liberam habeat potestatem a dei providentia, eine Minderung der Freiheit der Kirche werde er nicht zulassen, keine praeiudicialem iniuriam hinnehmen. Die mündliche Äußerung Matth. 4, 425 f. 441. Empfehlung einer Beisteuer für den König (29. Juli 1244) 4, 362, Wales 4, 398. 400, Matth. 4, 311. 316. 323. – Die ersten Anzeichen der Erhebung zeigten sich auf dem Parlament um die Wende von 1244/1245, als die Lords eine Steuerbewilligung von der Einsetzung von Conservatoren der Magna Charta und Erwählung von Oberrichter und Kanzler durch die Gesamtheit abhängig zu machen suchten, Matth. 4, 362/372. Sendung des Königs an die Kurie 4, 412. Beilegung der Bistumsstreitigkeiten Cole, Documents 357. Die Beschwerden über Provisionen ziehen sich durch die Erzählung des Matth. wie ein roter Faden. Die große Eingabe des Königs und der Stände Matth. 4, 314. Nuntius Martin Matth. 4, 284 (wiederholt 4, 376). Hier die Versorgung des jungen Papstneffen. Ist der Fall 4, 414 derselbe, der zum Tode des Abtes von Edmundsbury geführt haben soll? Die 60 000 Mark jährlicher Einkünfte ausländischer Pfründeninhaber, die noch auf dem Konzil auftreten, sind vielleicht nicht so aus der Luft gegriffen, wie sie klingen. Zwischen 1250/1260 belief sich das Jahreseinkommen der Krone (ohne die frangen. zösischen Besitzungen) auf durchschnittlich gegen 39 000 Pfund, J. H. Ramsay of Bamff, A hist., of the revenue of the kings of England 1 (1925), 310 ff, also, die Mark zu zwei Drittel Pfund gerechnet, nicht ganz so viel wie 60 000 Mark. Steuerforderung

(10 000 M.) des Papstes, Eingabe der Prälaten und Ankunft der kaiserlichen Gesandtschaft Matth. 4, 398. Verbot von Steuerbewilligungen und Provisionen Cole 538.
Matth. 4, 374 ff. Einspruch des Papstes (10. April 1245) Rymer 1, 256. Bestätigung
der Vorrechte des Königs (7./8. April sicut rite illa possides; 21. Juli salva sedis
apost. auctoritate) Cole 357, Rymer 1, 253. 261. Zurücknahme der Verfügung betr.
Wales, Rymer 1, 255. Ausweisung des Nuntius Matth. 4, 419 f. Gesandtschaft zum
Konzil Cole 358. Beschwerde Matth. 4, 419, Abwarten verlangt Rymer 1, 160. Weisung an die Prälaten auf dem Konzil Cole 358. Schreiben an den Kaiser (Gesandte
zum Konzil, qui ad vestrum honorem super pacis reformatione ... laudabiliter
laborabunt ... qui utinam nostro desiderio conveniens honoris imperialis augmen-
tum procurent) Rymer 1, 260.

S. 138 ff. Das Pamphlet, als dessen Verfasser Hampe, Histor. Vierteljahrsschr. 11,
297 ff, Rainer Capocci vermutet, Winkelmann, Acta 2, 709, ist das Gehässigste, was
gegen Friedrich geschrieben wurde. Daß es an den lateinischen Kaiser und Patriarchen
gerichtet sei, wie Hampe meint, leuchtet mir nicht ein, ebensowenig, daß die zweite Anklageschrift, a. a. O. 717 (Höfler, Behaim 73, Huillard-Br. 6, 285), vom gleichen Verfasser herrühren soll. Gedankengang und Diktion scheinen mir zu verschieden. Die
Dissertation von F. Gräfe, Die Publizistik in der letzten Epoche Friedrichs II. (1909),
bringt nichts Neues. — Die Äußerung des Kaisers, in der er dem Konzil die Befugnis,
über ihn zu richten, bestritten haben sollte, berichtet Matthaeus 4, 437. Sie widerspricht seinem tatsächlichen Verhalten. Die Gerechtigkeit des Urteils hat er geleugnet,
wegen Feindseligkeit und unzulänglicher Besetzung der Versammlung, dem Gericht
der Kirche hat er sich gestellt. Die Worte sind also, wenn nicht einfach erfunden,
mindestens entstellt. — Der Erlaß über den Kreuzzug nebst der Steuer (drei Zwanzigste usw.) bei Matth. Paris 4, 456 ff, mit der Randbemerkung Offendiculum suspec-
tum, idcirco contradictum est. Vom erfolglosen Widerstand der Engländer berichtet
Matth. 4, 440 ff. 444 f vgl. Rymer 1, 262, Cole 351 f. Die Anekdote bei Matth. 4, 422,
Innozenz habe nach Anhören des englischen Gesandten von Versöhnung mit dem
Kaiser gesprochen, um mit den widerspenstigen Königen fertigzuwerden (Contrito
enim vel pacificato dracone cito serpentuli conculcabuntur), scheint keinen Glauben
zu verdienen. Über Friedrichs letzte Sendung an das Konzil s. Hampe, Hist. Zeitschr.
101, 376 f (Die Differenz der Handschriften, ob die Rückkehr der Gesandten 20 oder
12 Tage abzuwarten war, ist nur scheinbar, je nachdem, ob man vom 28. Juni oder
5. Juli ab rechnet.) Der Protest des Thaddaeus Constit. 2, 508 (über das Unterbleiben
förmlicher Ladung s. Ep. sel. 2, 57 n. 1, Reg. imp. 7528 c, Kehr, Hist. Zeitschr. 74,
98). Der authentische Wortlaut des Absetzungsspruchs Constit. 2, 508, nach dem
Orig. im Vatik. Archiv und Ep. sel. 2, 88 aus dem Register. Die Brevis nota hat in der
HS. des Kanzleibuches (vom Ende des 13. Jahrh.) einen Zusatz, der von Besiegelung
der Urkunde durch 150 Bischöfe spricht, in den andern 3 HSS aber fehlt. Es kann sich
nur um eine Interpolation handeln, da das Orig. keine Siegelspuren trägt. Woher auch
sollten bei dem dürftigen Besuch der Versammlung 150 Siegler kommen? Von Besiegelung, die doch nicht unbeachtet bleiben konnte, sprechen sonst nur Matthaeus und
die Ann. von Genua (SS. 18, 216), deren Bericht auch sonst flüchtig und ungenau ist
(Ladung des Kaisers!). Es wird sich um eine Verwechslung mit der Besiegelung der
Privilegien der römischen Kirche handeln.

S. 144 ff. Matth. Paris 4, 440. 444 f. 478 f stellt es so dar, als hätten die Engländer
auf dem Konzil mit ihren Beschwerden nichts erreicht. Persönliche Vergünstigungen
Rymer I 1, 263. Außerdem widerlegt er es selbst 4, 519 ff, vgl. Rymer 1, 262, durch
Wiedergabe der von Innozenz bewilligten Zusicherungen, die aber, wie er behauptet,
nicht gehalten und durch die Klausel non obstante praktisch unwirksam gemacht
wurden. Daraufhin wurden die Beschwerden auf dem Parlament im Februar wiederholt, Cole 353. Bewilligung der 10 000 Mark Matth. 4, 479. Die 7jährige Annate für
Canterbury 4, 507. 509 f. Die Venetianer äußern bei Canale I 117: nos fumes au
Concile et somes molt crociés de ce que est fait, que nos veons apertement la mort

et la destrucion de tote la crestienté. Vgl. H. Kretschmayr, Geschichte von Venedig 2 (1920) 42 f. Was Jordan, Origines LXII, über die Gründe für den Abfall Venedigs vom Bündnis mit der Kirche sagt, scheint mir unhaltbar. Einzelbefragung der Prälaten berichtet die Brevis nota MG. Constit. 2, 516. Innozenz an das Kapitel der Zisterzienser Matth. 4, 480. Praesente concilio oder In concilio lautet die Formel in den Verordnungen des Lyoner Konzils im Liber Sextus Decretal. Die portugiesische Angelegenheit erwähnt Calvi 96, Raynaldus 1245, 5 ff. 67 ff, Berger, Reg. I n. 995, Tillemont, Saint Louis 3, 96, A. E. Reuter, Königtum und Episkopat in Portugal im 13. Jahrhundert (1928).

S. 147 ff. Friedrichs Verhalten nach der Absetzung Matth. 4, 474. Glaubensprüfung und Innozenz' Antwort Ep. sel. 2, 141 (Berger, Registre 2, CLXXII urteilt darüber mit der bei französischen Forschern üblichen Parteilichkeit für den Papst). In Deutschland machte Innozenz dies erst am 18. April 1248 zugleich mit dem erneuten Ausschluß bekannt l. c. 379. Seinen Entschluß, Friedrich niemals als Kaiser oder König anzuerkennen, hat er am 28. Januar 1247 den B. und die Stadt Straßburg wissen lassen, Ep. sel. 2, 208. Am 29. März versichert er den schwäbischen Großen, daß auch Friedrichs Erben von jeder Nachfolge ausgeschlossen seien (ebenda). F. Graefe, Die Publizistik in der letzten Epoche Friedrichs II. (Diss. Heidelberg 1909) behandelt die Schriften beider Parteien, ohne mehr als eine Paraphrase ihres Inhalts zu bieten. Friedrichs Rundschreiben vom 31. Juli, Constit. 2, 361 (Matth. 4, 538, Ep. Petri de Vinea I 3), das Schreiben an Ludwig IX. Winkelmann, Acta 2, 44, und das Manifest an alle Herrscher ebenda 2, 49 (auch Vinea I 2), Höfler, Behaim 79, Matth. 4, 475, Huillard-Bréholles 6, 391). Innozenz' Antwort Huillard-Bréholles 6, 396. Eine zweite, Winkelmann, Acta 2, 696 und Höfler 86, scheint mir von zweifelhafter Authentizität, eher Pamphlet als amtliches Aktenstück, bestenfalls ein nicht ausgefertigtes Konzept; vgl. meine Abhandlungen S. 317. Das Datum 18. Juli indict. 13 in obsidione Aesculi (bei Aventin, Ann. Boici VII 541. 552) paßt zu 1240, während der Inhalt auf die Zeit nach der Absetzung weist, wo es auch Matth. 4, 475 bringt. Aventins Datum ist also willkürlich, wohl von dem echten Stück dieses Tages Reg. imp. 3129, übernommen. Matth. nennt es epistolam nimis reprehensibilem. Von der sektiererischen Bewegung in Schwäbisch-Hall (waldensisch mit joachitischem Einschlag) wissen die Ann. von Stade SS. 16, 371 f. Aus diesem Kreise sind hervorgegangen die Epistola fratris Arnoldi ordinis Praedicatorum de correctione ecclesiae, ed. Winkelmann 1865 und die ihr angehängte Schrift, die Innozenz für den Antichrist erklärt und ausrechnet, daß der Zahlenwert der Buchstaben Innocentius papa die Summe 666 ergibt, die in der Apokalypse 13, 18 den Antichrist bezeichnet. Dazu gehört die Invektive gegen die heuchlerischen und lasterhaften Pfaffen, Winkelmann, Acta 2, 52. Völter, Zeitschr. f. Kirchengesch. 4, 360 (schwach), G. Bossert, Württembergische Kirchengeschichte (1893) 179 ff, K. Weller, Württemb. Kirchengesch. (1936) 354 ff. — Daß die Absetzung Friedrichs in Frankreich nicht anerkannt wurde, beweist der Auftrag des Papstes nach dem Tode des Kaisers, die Königin-Mutter deswegen loszusprechen, Ep. sel. 3, 79. Ob Blanca darum gebeten hat, ist nicht zu erkennen.

S. 150 ff. Gut dargestellt ist das Verhältnis Innozenz IV. zu Frankreich in der Einleitung von Berger zum Registre, besonders p. XXX f. Bezeichnend n. ° 255 (1, 45), 511 (cum personam tuam inter reges alios sinceriori prosequamur affectu . . . Ludwig soll nur bitten: Proponimus enim firmiter se assidue inter principes ceteros specialis privilegio gratie attolere ac favoris). Bezeichnend die demütige Bitte um Verleihung der Regalien im Falle von Châlons Teulet 2, 3122, Registre n. ° 316. 1360. Vollmachten des königlichen Beichtvaters Potthast n. 11189. 195. 400. Wenig brauchbar ist die Marburger Diss. von Werner Meyer, Ludwig IX. und Innozenz IV. (1915). — Lossprechung Raimunds VII. 1243 Dez. 2/1244 Jan. 1: Ep. sel. 2, 31. 35. 50. — Mäßigende Anweisungen für die Inquisition in Südfrankreich Registre n. ° 31. 317. 491. 697. Hauréau, Not. et extr. XXIV 2, 1 ff, Guiraud, Hist. de l'Inquisition 2, 222. 224 ff, Berger, XLVIII ff. Seit 1229 schon wanderten die Ketzer scharenweis nach Italien,

l. c. 2, 245 ff. Unbrauchbar ist die Jenaer Diss. von Rud. Grieser, Das Arelat in der europ. Politik (1925). Die provençalische Erbschaftsfrage behandelt Berger, Registre 2, C. ff. Anleihe durch päpstliche Vermittlung Registre 375. Schutzbrief für Raimund VII.: Teulet 2, 566. Bekanntmachung seiner Lossprechung Registre 360. 364. 415. Befreiung von allen Kirchenstrafen auf 5 Jahre 491 und Lösung seiner Ehe Teulet 2, 574. 578. 585 (1245 Juli 13/Sept. 25). Von der Begegnung in Cluny berichtet Matth. 4, 484 und 523 f (hier wenig glaubhaft, was Meyer 26 f. 30 ff ernster nimmt, als es verdient). Bibl. Cluniacensis S. 1666. Daß Ludwig damals für den Kaiser eingetreten ist, kann wohl sein, aber ohne Erfolg und wohl auch ohne Nachdruck. Vermuten mag man, daß das Eingehen des Papstes auf den Heiratsplan und das Fallenlassen Raimunds VII. in der Frage der provençalischen Erbschaft der Lohn dafür war, doch fehlen alle sichern Nachrichten. Berger, Registre 2, CXVIII ff verwischt den auffälligen Stellungswechsel des Papstes, so als ob Innozenz von Anfang an gegen Raimund gewesen wäre, dem er wegen seiner früheren Beziehungen zum Kaiser mißtraut habe. Das widerspricht den Tatsachen. Den Heiratsdispens für Karl bringt Sternfeld, Karl von Anjou als Graf der Provence 266.

S. 153 ff. Den Streit um die Abgaben von England berichtet ausführlich Matth. 4, 504 (Innozenz, über den Widerstand der Engländer erbittert, soll in Cluny Frankreich zum Krieg gedrängt haben; kaum glaublich). 526 ff. 529 ff. 536 f. 547 (Innozenz beim Anblick der goldverbrämten Kleidung der Engländer: Vere hortus noster deliciarum est Anglia, vere puteus inexhaustus est et ubi multa abundant, de multis multa possunt extorqueri). 550 f. 554. 558 ff. 577 f. 580 ff. 590. 594 ff. 598. 599. 601 f. 604. 618 f. 621. 622; 6, 133. 144 f. Bewilligungen, durch die Richard gewonnen wurde 6, 91. 118. 135 ff. Mansi 23, 624 f. Ann. Burton. (RS. p. 277). Matth. 6, 133. 144 f. Rymer 1, 264 (Einziehung der halben Einkünfte von Nichtresidenten drei Jahre lang imperii Romani subsidio). Zu den Maßregeln, mit denen Innozenz die Engländer zu beschwichtigen wußte, gehörte die Heiligsprechung Edmunds von Canterbury, Matth. 4, 586. Hakon von Norwegen: Matth. 5, 201 (die Äußerung steht unter 1251, muß aber 1245/47 gefallen sein, als Matth. in Norwegen war).

S. 155 ff. Vorrechte der geistlichen Fürsten (1220), Verzicht auf Beeinflussung der Wahlen (1213) Constit. 2, 86. 58. Bündnis von Mainz und Köln gegen den Kaiser Reg. imp. 11367. Die Anfänge des Abfalls vom Kaiser stellt Stimming, Hist. Zeitschr. 120 (1919), insofern unrichtig dar, als er die Führung dem Kölner zuweist, während der Mainzer sie hatte. Des Kölners heimliche Reise nach Rom im Frühjahr 1239, noch bevor der Ausschluß über den Kaiser verkündigt war, hatte nur die Bestätigung zum Zweck; die Heimlichkeit galt den örtlichen Gegnern, nicht dem Kaiser. (Die Darstellung bei H. Cardauns, Konrad von Hostaden, 1880, läßt den wahren Sachverhalt nicht erkennen. Konrad hatte besondere Gründe, seine Bestätigung persönlich zu betreiben, s. R. Knipping, Regesten der EBB. von Köln 907.) Den Mainzer hält Friedrich für seinen Hauptgegner, da er seine Verleugnung zur Bedingung der Aussöhnung mit dem Papste macht. Verkündigung des Ausschlusses durch Mainz und Köln 1241 meldet die Kölner Chronik 282. Mainz knüpfte mit Innozenz sofort an (26. August 1243, Ep. sel. 2, 10), ist vor allem Werkzeug des Papstes, wie der Auftrag zur Visitation und Reform der Provinzen Trier und Magdeburg neben seiner eigenen beweist (27./29. April 1244, Ep. sel. 2, 45). Die Kölner Vorrechte Registre n. [8] 341. 353/356. 410, Ep. sel. 2, 39. 48, Berger 1, 60. 70, sind sachlich weniger bedeutsam. Steuer erhalten beide und Speyer, Ep. sel. 2, 47 f. 56. Den Anschluß von Trier melden die Gesta Trevirorum V 4, SS. 24, 410. Noch im gleichen Jahr trat Metz hinzu, dann folgten Speyer, Würzburg, Eichstädt, Verden, Lüttich, Münster [?], wahrscheinlich auch Verdun und Naumburg, Hauck 4, 860 f. Heinrich Raspe, seit dem Tode seines Neffen 1242 Januar Landgraf von Thüringen, noch im gleichen Jahr vom Kaiser zum Reichsverweser (procurator regni) bestellt, trat spätestens Anfang 1244 zum Papst über, der ihm am 12. April nachträglichen Dispens für seine schon 1241 geschlossene Ehe erteilte, 13./30. April seine Kirchenlehen bestätigte, einen Schutzbrief gegen Exkommunikation verlieh und ihn am 30. April wissen ließ, der Kaiser habe den soeben geschlossenen Frieden mit der Kirche gebrochen. Ep. sel. 2, 41 f. Diese Urkunden liefern den schlagenden Beweis für das Doppelspiel des Papstes, der öffentlich die Beziehungen zum Kaiser aufrechterhielt, während er im geheimen schon mit dem künftigen Gegenkönig anknüpfte. Beweggrund für Heinrichs Abfall war, daß der Kaiser dem Markgrafen von Meißen am 30. Juni 1243 die Eventualbelehnung mit Thüringen für den Fall des erbenlosen Todes des Landgrafen erteilt hatte. Auf die Erzählung, die Matth. zweimal bringt (4, 269. 357), Friedrich habe den Landgrafen zunächst in persönlicher Unterredung für sich gewonnen, ist nichts zu geben. Philipp Fontana als Legat zu Raspe gesandt, der ihn, aspirans ad regnum, freundlich empfängt, Kölner Chronik 288. Im September 1245 warnt der Kaiser vor ihm, Reg. imp. 3514. Über ihn Salimbene 396 ff. 429 f. Seine Aufträge Ep. sel. 2, 153 ff. Befehl des Papstes zur Königswahl, ebenda 120 ff. Die Anweisung eines Zehnten von den Kirchen der Provinz Bremen an den zu wählenden Gegenkönig vom 1. August 1245, ebenda 94, kann nicht ausgeliefert sein, da das Original ins Archiv zu Ravenna kam, Tarlazzi, Appendice ai monumenti Ravennati dei secoli di mezzo del conte Fantuzzi (1869) 1, 179. Rodenberg, Fr. II. und die deutsche Kirche 11 ff sucht nachzuweisen, Innozenz habe bis etwa zum Mai 1247 Konrad IV. geschont. Wie konnte er dann eine Königswahl betreiben? Dazu seine Erklärung 1251, Ep. sel. 3, 59, Konrad sei von der Kirche nie anerkannt worden (cum numquam rex exstiterit) und die Versicherung an die italischen Bundesgenossen, Ep. sel. 2, 251, weder Friedrich noch Konrad werde jemals als Kaiser oder König anerkannt werden. Der Hinweis auf das Ladungsschreiben an Friedrich, angeblich von 1247, das Pertz, Archiv 7, 30 aus dem Vatik. Archiv erwähnt, geht irre. Pertz hat es nur aus einem alten Verzeichnis ausgeschrieben, diese Kataloge sind oft ungenau. Das Stück wird zu 1245 gehören und dann beweisen, daß man damals an eine Vorladung (zum Konzil) gedacht, sie aber nicht ausgeführt hat. Heinrichs Wahl und Sieg bei Frankfurt, Reg. imp. 4865 d. 4510 b. Innozenz jubelt, Winkelmann, Acta 2, 721 (an Heinrich III.). Vom Verrat Wirtembergs und Grüningens spricht Matth. 4, 545. 495 f. Ihre Bestechung bekennt Innozenz selbst Ep. sel. 2, n. ° 432 (27. Sept. 1247): cum cl. mem. H. rex Romanor. pro negotio regni Alamannie promovendo promiserit quibusdam nobilibus de Suevia a fidelitate F. quondam imperatoris recedentibus certam pecunie quantitatem. Im gleichen Sinne, Ep. sel. 2, 320. Vermittler war Mainz nach Küchmeister, Casus S. Galli (Mittel. zur vaterländ. Geschichte 18, 1881) S. 17. Abrechnung eines Agenten über Bestechungsgelder: Neues Archiv 1, 197. Einzelheiten Reg. imp. 4879/80. O. Redlich, Rudolf von Habsburg 38. Triers u. a. Beitritt zu Heinrich Reg. imp. 4868. Protest der Fürsten: Ann. Stadenses SS. 16, 367 (quidam principes cum multis aliis reclamabant, dicentes ad papam non pertinere imperatorem eis vel constituere vel destituere, sed tantum electum a principibus coronare). Widerspruch von Salzburg, Regensburg und Freising, Vorladungen u. a. Maßregelungen, Höfler, Behaim, 60, 121 f. Der Abt von Ellwangen ließ sich absetzen, St. Gallen erklärt 9. November seinen Übertritt und den Verkauf von Gütern: cogente necessitate non tantum Romane, verum etiam universalis ecclesie per malitiam Friderici multipliciter conquassate. St. Gallen UB. 3 n. ° 897, Reichenau zögerte, Reg. imp. 7809. 7874. 8003. 10179. Der Bischof von Augsburg wurde 1247 zur Abdankung genötigt, 7789. 7798. 7872. Konstanz ist schon bald übergetreten, Ep. sel. 2, n. ° 262. Die Äußerung des Baiern berichtet Behaim bei Höfler S. 14 ff. – Absetzung Konrads IV. als Herzog von Schwaben auf dem Reichstag Heinrich Raspes 25. Juli 1246, wiederholt durch Wilhelm von Holland 1252, was Innozenz, der schon im März 1251 die Staufer als Fürsten für alle Zeit des Herzogtums verlustig behandelt hatte, am 8. Februar 1253 bestätigte. Reg. imp. 8369. Rodenberg, Innozenz IV. und das Königreich Sizilien S. 22. Unerfindlich ist mir, wie Weller, Württemb. Vierteljahrshefte 1897, S. 121 A. 1. hier den Beweis finden kann, daß die Initiative nicht beim Papst, sondern bei den schwäbischen Großen gelegen habe, die doch von den päpstlichen Legaten gelenkt wurden. Richtig ist nur, daß Urach und

Neuffen schon 1239 durch Albert Behaim gewonnen waren; damals wurden sie vom Ausschluß befreit, dem sie (wegen Teilnahme am Aufstand Heinrichs?) verfallen waren. Württemberg. Viertelj. H. N. F. 43 (1939), 8 Bestellung Peter Capoccis zum Legaten mit weiten Vollmachten und Empfehlungen und der Befugnis, seines Amts von der Provinz Reims aus zu walten, Registre 2964/94, Ep. sel. 2, 274 ff (14. März). In Frankreich hatte der EB. von Rouen Auftrag, gegen den Kaiser predigen zu lassen. Potth. 12402. 12412. Die deutschen Prälaten werden aufgefordert, Pfründen nach der Weisung des Legaten zu vergeben und ihm ihre Güter zu verpfänden, Ep. sel. 2, 234 f. Wilhelms Wahl Reg. imp. 4885. 4888. O. Hintze, Das Königtum Wilhelms von Holland (1885). Innozenz lobt die Wähler, schärft den Deutschen Gehorsam gegen Wilhelm ein, wirbt für ihn und gibt ihm Dispens zur Heirat (November 19./26.) Ep. sel. 2, 331. 333 ff. Werbung für Wilhelm 3, 51. Im Bericht über die Schlacht auf Walcheren (4. Juli 1253) Matth. 6, 252 f wird Wilhelm kurzweg als Kreatur des Papstes dargestellt (quem nuper papa promovit in regem Alemanniae). Am 18. Dezember 1248 heißt Capocci nicht mehr Legat, l. c. 443. Siegfried von Mainz, der an seine Stelle trat, Ep. sel. 2, 474 ff, starb schon am 9. März 1249, worauf Konrad von Köln am 30. April den Auftrag erhielt, mit erweiterter Vollmacht vom 14. Mai: Ep. sel. 2, 521. 533. Er fand starken Widerstand, Höfler, Behaim 60, vgl. Gesta Treverorum V 4 (SS. 24, 410), wurde im Frühjahr 1250 durch den B. von Albano (Peter von Collemezzo) ersetzt, Reg. 8209. Befehl zur öffentlichen Predigt gegen Friedrich usw. 4. Juni 1247, Ep. sel. 2, 280. Ein Beispiel für die Ausführung in den Erfurter Annalen zu 1248 (ed. Holder-Egger S. 104). Matth. 5, 60 ff bringt einen Bericht Rainer Capoccis an den Papst über Friedrichs Schandtaten, der als Flugschrift verbreitet worden sein muß, da die Erfurter Annalen eine Tatsache daraus erwähnen. Befehl zur Kreuzpredigt (Friedrich heißt membrum diaboli, Sathanae minister, prenuntius Antichristi) wiederholt 18. März und 19. Nov. 1247, 2. Januar 1249. Ep. sel. 2, 150. 235. 328. 448 (plus expedit et acceptius est deo der Kampf gegen Friedrich und für Wilhelm als für das Hl. Land, 2, 328). W. Köster, Der Kreuzablaß im Kampf mit Fr. II. Diss. Münster 1913. Vom Auftreten des Legaten am Niederrhein, der die Kreuznahme von Prälaten und Geistlichen erzwang, berichtet die Kölner Chronik 291. 292. Im Dezember 1248 befiehlt Innozenz selbst dem EB. von Mainz, alle, die vom Papst oder dem Legaten irgendwelche Gnaden empfangen haben, zum Dienst Wilhelms anzuhalten, Ep. sel. 2, 439, Registre 2935. Nachrichten über die Kreuzpredigt bringen das Chron. Bavaricum SS. 24, 224, die Ann. von St. Georgen SS. 17, 297, Ellenhard SS. 17, 102. Befehl, die Predigt fürs Hl. Land in Deutschland einzustellen, Ep. sel. 2, 261. Die Umwandlung der Gelübde (s. besonders Ep. sel. 2, 329. 332) und entsprechende Verwendung der Gelder behandelt ausführlich Berger, Registre 2, CLXIII. CLXV ff, betreffend die Friesen (die Aachen für Wilhelm eroberten), Ep. sel. 2, 326. 330. 374. 409. Im allgemeinen Rodenberg, Friedrich II. und die deutsche Kirche (Aufsätze zum Andenken an G. Waitz 1886) 228 ff. Franzosen als Kreuzträger in Deutschland kämpfend Berger 4060, Potth. 12935/37. 13053, Ep. sel. 2, 424. Befehl an den EB. von Mainz, die Kreuzzugsgelder von ganz Deutschland zur Verfügung des Papstes zu halten (9. Dezember 1248), Ep. sel. 2, 438. Auslieferung an Wilhelm, ebenda 531. 533, Huillard-Br. 6, 682, Berger 4510. 4525. 4538. Calvi nennt 15 000 Mark, Matth. 50 000, die Erfurter Chronik 25 000. Abgefangene Geldsendung Matth. 4, 624.

S. 160 ff. Die Maßregeln, mit denen Innozenz der staufischen Partei Abbruch zu tun, die eigene zu stärken suchte, nehmen in den Ep. sel. einen beträchtlichen Raum ein, daß ich mich auf Anführung von besonders eindrucksvollen Beispielen beschränken muß. Mit Ehedispensen wurde schon 1244 begonnen (2, 48 ff, 24. Mai bis 13. Dezember): Sachsen-Braunschweig, Österreich-Baiern, Böhmen-Österreich, Meißen-Böhmen, Teck-Everstein. 1245/46 folgen (2, 76. 83. 99. 123. 165) Brabant-Thüringen, Eberstall-Neuffen, Burgau-Urach, Bechlingen, Wassenberg-Cleve. 1247: Lichtenberg im Elsaß (204), Raugraf-Wildgraf (210), Österreich-Henneberg (242), Calw, Eichheim-Reisensburg (261). 1248: Freiburg-Zollern (396). 1249: Jülich (385), Oldenburg-Hoya

(530). 21. Januar 1248 soll der Legat die Heirat Wilhelms von Holland mit Gertrud von Österreich fördern (2, 341), Eintreten für Gertrud 342 ff. Der Propst von Basel erhält die Propstei St. Amarin, weil seine Neffen das Kreuz genommen haben, 2, 478. (24. Febr. 1249). Ulrich von Kärnten und Agnes von Österreich erhalten Dispens, wenn sie Bürgschaft stellen, daß sie der Kirche gegen Friedrich beistehen werden 2, 446. Völlig nackt stellt sich das Verfahren dar im Erlaß an den Legaten 13. Mai 1247 (2, 267): wer eine Würde oder Pfründe erhalten hat, verliert sie ‹wegen Undanks›, wenn der, auf dessen Verwendung die Verleihung erfolgte, dem Kaiser anhängt; die Stelle ist einem andern zu geben, dessen Vettern und Freunde das zur Zeit betriebene Geschäft (negotium quod pre manibus agitur, die Wahl Wilhelms von Holland) unterstützen wollen und können. Anwartschaften auf Prälaturen sind Ep. sel. 2, 112. 197. 267. 283. 308. 443. 459. 467. 509. 526; 3, 21. Fünfjährigen Bezug der doppelten Annate von den Pfründen seiner Diözese erhält der EB. von Mainz 2, 338, vgl. Cron. S. Petri Erfordensis (ed. Holder-Egger) p. 242, dasselbe der B. von Lüttich mit Dispens von der Weihe, Ep. sel. 2, 441. 325. (Diesen Bischof, Heinrich von Geldern, hat Gregor X., sein früherer Archidiakon, 1273 abgesetzt, Potthast 20777 mit Sünden-register.) Der B. von Straßburg darf Bestechungsgelder zurückfordern, wenn die ver-sprochenen Dienste nicht geleistet werden 3, 33. Zisterzienser, die im Kriege Fleisch gegessen haben, erhalten Dispens 3, 36. Ausschluß und Sperre wurden Baiern am 5. Mai 1248 angedroht, verhängt erst am 6. Februar 1249: 2, 469. Dem Kampf um die Bistümer und Reichsabteien haben Rodenberg, Friedrich II. und die deutsche Kirche (Aufsätze zum Andenken an Waitz) 246 ff, Hauck 4, 860 ff und Weller, Württemberg. Vierteljahrshefte 1897, 113 ff verdiente Beachtung geschenkt. Befehl an den Legaten, keine Wahlen ohne päpstliche Genehmigung (sine consilio et assensu) zuzulassen, 9. Sept. 1246, wiederholt 15. März 1247 und 1. März 1249, hier: ‹ohne besondere Erlaubnis› (absque nostra speciali licentia) 2, 281. 330. 475. Daß dabei nach politischer Nützlichkeit verfahren wurde, sagen bei der Bestätigung des zwiespältig gewählten Trierers die Gesta Treverorum V 2 (SS. 24, 407) ausdrücklich: propter amicorum po-tentiam, que tunc contra imperium oportuna erat. In St. Trond wurde auf Wunsch Wil-helms ein Abt bestätigt, der erst vor acht Tagen Profeß getan hat 2, 524 (SS. 16, 396). Gegen ihren Bischof wehrte sich die Stadt Regensburg 2, 392. Verkehr mit den Gegnern wird gestattet 2, 348. 456. Großer Nachsicht erfreuten sich die weltlichen Fürsten. Die Ehe des Markgrafen von Meißen mit der Kaisertochter, vom Legaten verboten, wurde geschlossen, ohne daß der Papst einschritt (Ep. sel. 2, 258 f), Sach-sen, Braunschweig, Meißen und Brandenburg haben Wilhelm bis 1252 nicht aner-kannt, ohne dem Ausschluß zu verfallen, Rodenberg S. 29. Raub an staufischem Be-sitz gutgeheißen 2, 372, das Zölibat in Holland gelockert 2, 448. Verleihung der Hoheitsrechte an den B. von Verdun 2, 117 f. Einziehung von Lehen 2, 314. Bestäti-gung von Stadtrechten 2, 367 ff. Richter und Unterkämmerer von Mainz auf sechs Jahre für unabsetzbar erklärt 3, 32, Österreich dem Gemahl Gertruds bestätigt 2, 417. Der zu wählende Gegenkönig soll den bisherigen Kanzler behalten 2, 311. Domini-kaner in Schwaben 2, 317. Ein Konverse in Wettingen Anhänger der Kirche im Ge-gensatz zur Umgebung 2, 428. — Wahlanzeigen der Gegenkönige und Verfügungen Wilhelms in Italien Reg. imp. 4866. 72. 78. 86. 87. 4926. 86. 87. 5002. 03. 34 ff. 86 ff. 5213. Zusammenfassend über die Plünderung von staufischem und Reichsgut O. Redlich, Rudolf von Habsburg (1903) S. 41 ff.

S. 162 ff. Das geflügelte Wort von Amboß und Hammer Const. 2, 368. Einziehung eines Drittels der kirchlichen Einkünfte und allgemeine Vereidigung ebenda. Rüstun-gen Reg. imp. 3468 f, 3475a. Vergeblicher Feldzug gegen Mailand Reg. imp. 3514b ff. Bemühungen um Rom Reg. imp. 3532. Flugschrift gegen Friedrich, Winkelmann, Acta 2, 575. Unterwerfung von Florenz Reg. imp. 3540. Verwaltung Reichsitaliens s. vor allem Jul. Ficker, Forschungen zur Reichs- und Rechtsgeschichte Italiens (1868/74), besonders 1, 367 ff. 2, 156 ff. 472 ff. 492 ff. 539 ff. 3, 173 ff. Kurze Charakteristik Jor-dan, Origenes L ff. Daß die vorzugsweise Ausübung der kaiserlichen Hoheit durch

Sizilianer Ursache des Widerstands gewesen sei, ist kaum richtig; eher könnte man sagen, bei der Unzuverlässigkeit der Städte und ihren unaufhörlichen Streitigkeiten sei das System des Kaisers das beste, wenn nicht das einzige Mittel gewesen, sich der Herrschaft zu versichern. Überdies ist das Gesetz, das die Wahl des Podestà von der Genehmigung des Kaisers abhängig machte, erst 1241 erlassen.

S. 164 ff. Über Bernado Rossi s. Salimbene SS. 32, 199. 201. Davidsohn II 1, 291, der ihn irrtümlich zum Neffen statt Schwager des Papstes macht. Vom Anschlag auf das Leben des Kaisers berichten Friedrichs eigene Briefe an Enzo und an Heinrich III. von England, Winkelmann, Acta 2, 54 (Huillard-Bréholles 6, 407) und Matth. 4, 570 (Huillard-Br. 6, 402), beide ohne Zweifel zur Veröffentlichung bestimmt; dazu die Kölner Chronik 288, ein Genannter an den Grafen von Toulouse, Winkelmann, Acta 1, 570, und Thomas Tuscus, Böhmer, Fontes 4, 646 (fälschlich zu 1239). Das Ende der Verschwörer berichtet Walter von Ocra an Heinrich III. Matth. 4, 575. Friedrichs öffentliche Anklage gegen den Papst, Huillard-Br. 6, 514. Rodenberg 42 f sucht Innozenz von Anstiftung wie Mitwisserschaft freizusprechen, was Hampe, SB. Heidelberg 1923, 8, widerlegt. Innozenz' nachträgliches Verhalten, Winkelmann, Acta 1, 572, Ep. sel. 2, 223. 124/135. Entsendung der Legaten Reg. imp. 7620. Rainer Capocci bei Spello zurückgeschlagen (31. März) Reg. imp. 13570a. Angeblicher Mordplan gegen den Papst Matth. 4, 585. 605. Rückkehr nach Oberitalien kündigt Friedrich im Januar 1247 an. Reg. imp. 3604. Geplanter Zug nach Deutschland 3617. 3619; Huillard-Br. 6, 556 ff. Unterwerfung Viterbos Reg. imp. 3603, Ann. Januenses SS. 18, 220. Innozenz' Versicherung, nur noch mit Worten kämpfen zu wollen (von Hauck 4, 879 geglaubt!), Huillard-Br. 6, 347. Aussendung Ubaldinis Ep. sel. 2, 220 f. 237. 240, Registre 3001/24. 3049. Arch. Rom. 14, 272. Dante, Inferno 10, 120 (bezeichnend, daß der Name nicht genannt ist: jedermann wußte, wer ‹der Kardinal› war, der die Fortdauer nach dem Tode leugnete). Sperrung des Marsches durch Savoyen Matth. 4, 624. Wie empfindlich der Papst durch sie getroffen wurde, verrät die Forderung von Buße und Schadenersatz, als Savoyen 1251 übergeht, Ep. sel. 3, 90. Die savoyische Heirat, 21. April/8. Mai, Reg. imp. 3626. Marsch auf Lyon und Aufgebot zum Reichstag nach Chambéry, Huillard-Br. 6, 528. 556 ff, Vita Inn. c. 23. Kölner Chronik 290, Matth. 4, 637, Ann. von Genua und Piacenza SS. 18, 221 und 493 f. Delphin von Vienne für den Kaiser, Berger, Registre 2, CCL.

S. 167 ff. Von der Verschwörung der französischen Großen berichtet Matth. 4, 577 ff. Die Urkunde ebenda 590 f. Teulet, Layettes du Trésor des Chartes 2, 645 n.° 3569, Huillard-Br. 6, 468. Weitere Drucke, z. B. Preuves des libertez de l'Eglise gallicane (1651) 1, 89, nennt Berger 2, CLXXVI. Matth. bemerkt dazu: Nec credebant iam multi ipsam potestatem caelitus concessam . . . optinere, qui penitus b. Petro dissimilis probabatur. Er nennt die Urkunde ein scriptum execrabile contra clerum und bemerkt 4, 592: der Schlußsatz, der mit dem offenen Brief des Kaisers — den man für den Anstifter hielt — übereinstimmt, habe viele abgeschreckt. Die Namen der Verschworenen sind nicht bekannt, da ihre Siegel fehlen. Nach der Beschreibung bei Teulet waren 19 Siegel an der Urkunde angebracht. Beteiligung des Königs ist kaum anzunehmen, ungeachtet der Aussage — ut dicitur — des EB. Bonifaz von Canterbury, Matth. 6, 132. Inhalt und Form der Urkunde lassen sie nicht zu. Die Gründe freilich, die Berger, Registres 2, CLXXVI, geltend macht, passen besser zur Denkweise des modernen Autors als des Königs, dessen persönliche Gesinnung keineswegs so ultramontan war, wie man gewöhnlich annimmt. Auch bedeutete damals Blanca in der Regierung ebensoviel, wenn nicht mehr als ihr Sohn. Innozenz an den König N. A. 24, 516 (mit anfechtbarem Kommentar von Hampe), an die französischen Prälaten Huillard-Br. 6, 483. Potth. 12385, Ep. sel. 2, 201. Weisung an den Legaten ebenda 203. Aufgebot von Truppen der französischen Prälaten Potth. 12538 (nicht im Register). Die beschwerdeführende Gesandtschaft von König und Prälaten Matth. 6, 99 ff. 131. Die Rede für gefälscht zu halten, wie Saltet, Bulletin de littérature ecclésiastique publié par l'Institut cath. de Toulouse 1913, 4/5 und früher Gérin, Revue du monde cath. 1870, 25. August (mir beide unbekannt) getan haben sollen, sehe ich nicht den mindesten Grund. Vgl. Berger, Saint Louis et Innocent IV. p. 270. Die Vermutungen, die W. Meyer, Inn. IV. und Ludwig IX. S. 77 ff daran knüpft, scheinen mir unhaltbar, die nachgesandte Botschaft mißverstanden zu sein: diese bezog sich nur auf Besteuerung der Zisterzienserinnen. Es muß sich im Juni 1247 mehr abgespielt haben, als wir aus den Berichten erfahren, wie das Schreiben des Papstes vom 2. Juli an den Kardinalvikar von Rom zeigt (Huillard-Br. 6, 551, Winkelmann, Acta 2, 723), das von französischen Rüstungen zur Unterstützung der Wahl eines Gegenkönigs in Deutschland handelt. Gerüchte über Mailands Kriegsmüdigkeit Matth. 4, 609. 6, 131 ff. Dankschreiben des Papstes an Ludwig IX. Ep. sel. 2, 288, desgl. an den Kämmerer Joh. von Beaumont Ep. sel. 2, 291. Mitteilungen an die Kardinalvikare in Italien Winkelmann, Acta 2, 723. 1252 erneuern Barone und Edelleute der Pariser Diözese die Liga von 1246, wogegen der Papst den B. von Orleans aufs schärfste einzuschreiten beauftragt, Bulaeus, Hist. universitatis Paris. 1, 210 f. Beschlüsse gegen die Aufsässigkeit des Adels werden gefaßt auf den Provinzialsynoden von Narbonne, Tours und Bordeaux 1247, 1255, 1258, 1268, Mansi 23, 694. 837. 983. 990. 1261. 1253 ist eine Beschwerde des gesamten französischen Klerus beim Papst eingelaufen, daß seit der Abwesenheit des Königs die Freiheit der Kirche leide. Innozenz antwortet mit dem Befehl, die Schuldigen auszuschließen und die Gesetze Honorius' III. (1220; Reg. imp. 6426. Ep. sel. 1, 112) bekanntzumachen, muß aber auf Einspruch der Regierung ihre Anwendung gegen königliche Beamte untersagen (13. Januar 1254), Rayn. 1254, 22 f. Im Dauphiné hatte sich eine Verschwörung von ausgeschlossenen Laien gebildet, die die ausschließenden Priester förmlich boykottierten, was eine Synode in Valence im Dezember 1248 als quasi haereticum verdammt, Mansi 23, 774 f, Tillemont 3, 124.

S. 171 ff. Der Abfall Parmas und der nachfolgende Kampf um die Stadt spielt in allen Quellen eine Rolle, so in den Annalen von Parma, bei Rolandin von Padua SS. 18, 671; 19, 86; bei Matth. 4, 648; 5, 13; 6, 146; in der Kölner Chronik 290. 295; bei Salimbene 178. 188 ff. 331. Beschönigendes Manifest des Kaisers, Winkelmann, Acta 1, 345. Gedichte auf den Sieg der Parmesen SS. 18, 792. 799. Höfler, Behaim 123 ff. Innozenz' Glückwunsch zum Sieg über den princeps impiorum, H. Bärwald, Baumgartenberger Formelbuch (Fontes rer. Austriac. II 25) 169. Kundgebungen des Kaisers über seine Erfolge Reg. imp. 3682, Winkelmann, Acta 1, 346. 710. Seine Verlegenheiten im Sommer 1248, Davidsohn II 1, 342 f. Verpfändung der Silbergruben von Volterra für 12 000 l. auf unbestimmte Zeit bis zum Ertrag von 21 750 l. (= 80 %) bedeutete eine Anleihe zu Wucherpreisen. Lucca ebenda. Ein französischer Versuch der Vermittlung hatte schon im November 1246 gespielt, Ep. sel. 2, 192, Registres 2948. Für die Wiederholung 1248 sind wir, abgesehen von dem immer übertreibend dramatisierenden Matth. 5, 23, angewiesen auf die Äußerungen des Kaisers (Huillard-Br. 4, 645) und des Papstes (ebenda 641. 644), die einander gegenseitig die Schuld am Mißerfolg geben. Immerhin bekennt Innozenz, auf Absetzung des Kaisers und Verzicht seiner Erben bestanden zu haben. Ludwigs Antwort an den Kaiser mit Dank für die Unterstützung des Kreuzzugs (diese betreffend s. Reg. imp. 3784/85. 3788, Huillard-Br. 6, 465 f) Huillard-Br. 6, 501. Savoyische Vermittlung Winkelmann, Acta 1, 352. Berger, Registres 2, CCL. Sie wurde erkauft durch Ernennung Thomas' von Savoyen zum Reichsvikar westlich von Pavia, Winkelmann 1, 355, und beträchtliche Verleihungen, Reg. imp. 3732–43. Aufforderungen des Papstes an die Einwohner des Königreichs zum Aufstand, Ep. sel. 2, 413. Wie Jordan, Orig. IX im Angriff auf das Königreich nur eine Diversion gegenüber dem geplanten Marsch des Kaisers auf Lyon sehen kann, verstehe ich nicht. Peter Capocci Legat zur Eroberung, Ep. sel. 2, 487/505. Neben ihm wirken mit besonderem Auftrag von Bologna aus in Toskana der Erzpriester von Florenz und B. von Volterra, ebenda 325 n. 2, Davidsohn II, 1, 340 f. Verfügungen des Papstes im Königreich Ep. sel. 2, 512. 519. 520. 526. 530. 538. 539. 541. 542. 544. 556; 3, 2. 3. 23 (April 1249 bis Januar 1250). Die militärischen Ereignisse sind an Hand der Reg. imp. zu verfolgen. Verlust von Como und Modena, mühsame Behauptung von Reggio Reg. imp. 3784a. 93a. Abfall von Pontremoli Reg. imp. 3785. Das Ende Pieros della Vigna (Reg. imp. 3767/68) hat die Zeitgenossen lebhaft beschäftigt, Matth. 5, 68, Ann. von Piacenza SS. 18, 498, Salimbene p. 200 mit Holder-Eggers Kommentar. Bedeutsam die ausführliche und nachdrückliche Verteidigung bei Dante, Inferno XIII 55 ff. Als Anstifter des Kaisers wurde Vigna angesehen. Dies ist der Sinn des ‹aguzzetta›, das Davidsohn II 1, 322 sonderbarerweise für einen Amtstitel hält (aguzzare = anstiften, aufhetzen, wörtlich: zuspitzen). Gefangennahme Enzos Reg. imp. 3775a. Erfolge in der Mark Reg. imp. 3812. 22a. 23a ff, Matth. 5, 99 (wie immer übertreibend, dem Gerücht folgend). Pallavicinis Sieg Matth. 5, 144. Einnahme von Fermo und Ravenna SS. 18, 499, Kölner Chronik 277. Umschlag in Florenz Davidsohn II, 1, 361. Übertreibende Kundgebungen des Kaisers, Reg. imp. 3810/11, 3814/15, Winkelmann, Acta 1, 365 (Ankündigung des Feldzugs, den Mund voller nehmend als je; Reg. imp. 3823. 3826 (handgreifliche Übertreibungen, durch die sich Ficker hat täuschen lassen). Friedrichs Zuversicht wurde durch seine nicht zu leugnenden Erfolge nur zum Teil gerechtfertigt, denn noch waren die Verluste der beiden letzten Jahre nicht wettgemacht, Parma, Modena, Como in Feindeshand, Mailand, Bologna, Brescia, Piacenza nicht einmal angegriffen. Die Plätze im Kirchenstaat, die bei Friedrichs Tode kaiserlich waren — im Patrimonium Viterbo, im Herzogtum Foligno, Gubbio, vielleicht Terni, in der Mark Osimo, Cingoli, Matelica, Fabriano, Fermo, Sant' Elpidio, Macerata, Ascoli —, sind zerstreut, meist klein und im Grunde keiner sicher. Jordan, Origines 230 f, der richtig erkennt, wie stark Friedrich gegenüber dem verbündeten Kaiser Vatatzes übertreibt. Vgl. auch F. Tenckhoff, Der Kampf der Hohenstaufen um die Mark Ancona und das Herzogtum Spoleto (1893). Die optimistische Beurteilung seiner Lage, wie sie etwa K. Hampe, Kaiserzeit² (1912) 279 (abgeschwächt in der 7. Auflage [1937] 305 f) ausspricht, wird durch die Tatsachen nicht gerechtfertigt. Des Kaisers Lage hatte sich gebessert, aber mehr nicht, und was das nächste Jahr bringen werde, konnte und kann niemand sagen.

S. 174 ff. Über den Kreuzzug Ludwigs IX. gibt neben Joinville, Vie de St. Louis, Matth. 4, 488 ff fortlaufend Nachrichten. Berichte des Kardinallegaten an den Papst d'Achéry, Spicilegium 7, 222 f, eines Johanniters Matth. 6, 191 ff. Andere ebenda 153. 155. 162 f. 168 (falsche Siegesmeldung an den Papst), Ann. von Burton (RS). 285 ff. Ausführliche Nachrichten bei Sanudo II. Darstellungen: Tillemont, St. Louis 3, Berger, Registres 2, CXXL ff und Blanche de Castille (1895), 366 ff, Grousset 3, H. Wallon, Histoire de St. Louis 2, 490 ff. Bergers Zweifel an der ‹bonne volonté› des Kaisers (p. CCXXVI) befremden, da er gleichzeitig (p. CCXXVII ff) die Tatsachen richtig mitteilt. Friedrich hat Landung und Verproviantierung in den sizilischen Häfen gestattet, obgleich die Schiffe von dem ihm feindlichen Genua gestellt waren. Das war angesichts seines Bündnisses mit Ägypten mehr als sich mit strenger Neutralität vertrug. Daß Franzosen und Araber ihm heimliche Unterstützung der Ägypter nachsagten, wie Joinville berichtet, ist natürlich, wird aber auch von Berger, Blanche 388 verworfen. Immerhin zeigten die Kaiserfreunde (Gibellinen) in Florenz ihre Freude über das Unglück der Franzosen durch festliche Beleuchtung, Villani VI 35. Nach den Ann. von Genua SS. 18, 224 hätte Friedrich gefürchtet, die Kreuzflotte könnte Sizilien angreifen. Friedrichs Anklage Reg. imp. 3819. Kreuznahme in England Matth. 5, 102. 134. Eindruck an der Kurie Matth. 5, 172. Vorwürfe der französischen Prinzen ebenda 175. 188 f. Frieden mit dem Kaiser um Jerusalems willen hatte der armenische Patriarch schon 1246/47 gefordert, Ep. sel. 2, 199. Mögliche Übersiedlung des Papstes nach Bordeaux Matth. 5, 188. Angebot an Richard von Cornwall ebenda 5, 347. 111. Nach Matth. 5, 190 wäre der Tod des Kaisers etwa 14 Tage verheimlicht worden, was man angesichts der schwierigen Nachfolge wohl kaum glauben kann. Längere Geheimhaltung bestreitet Davidsohn, Forsch. z. Gesch. von Florenz 4, 98 ff, den zu widerlegen Fedor Schneider, QF. 13 (1910) 255 ff sich bemüht, ohne recht zu überzeugen.

S. 179 f. Dante, Inferno X. 119. Salimbene SS. 32, 341 ff. A. De Stefano, L'idea imperiale di Federico II. (1927) konstruiert mehr, als daß er den Zeugnissen folgte, und unterstellt Friedrich Gedanken, die erst bei Heinrich VII. und Dante zu belegen sind. Dabei widerfährt ihm das Mißgeschick, den Sprachgebrauch der Zeit nicht zu kennen der unter Italia nicht die Halbinsel, sondern das alte regnum Italiae, gleichbedeutend mit imperium, verstand. Wie er p. 106 leugnen kann, daß Friedrich nach der Herrschaft über den Kirchenstaat und die oberitalischen Städte gestrebt habe, ist mir unbegreiflich. Nessun documento ci autorizza a credere — sind Handlungen wie die Wiedereinverleibung des Herzogtums Spoleto und der Mark Ancona ins Kaiserreich keine Beweise? Und worum hat Friedrich denn gekämpft, wenn nicht um die Unterwerfung der oberitalischen Städte? Woran scheiterte nach Cortenuova der Friede, wenn nicht an der Forderung bedingungsloser Unterwerfung? Eine recht verfehlte Abhandlung!

S. 181. K. Hampe, Urban IV. und Manfred (1905) S. 2, bestreitet, daß der Kampf mit dem Tode Friedrichs II. entschieden gewesen sei; er gehe vielmehr noch 20 Jahre weiter ‹mit den günstigsten Aussichten› für die Staufer, um bloßes Nachspiel handle es sich also nicht — dieselbe Ansicht, die Ficker vertreten hat. Ich stimme dem so weit zu, daß auch ich die Bezeichnung ‹Nachspiel› nicht für passend halte, aber für so günstig kann ich die Aussichten doch nicht einschätzen. Abgesehen davon, daß die Kirche ihre letzte und stärkste Reserve, die Macht Frankreichs, noch nicht eingesetzt hatte — worum hatte es sich für Friedrich gehandelt? Um die Beherrschung Italiens durch Wiederherstellung der kaiserlichen Regierung im Reichsgebiet. Sie war gescheitert, und die Aussichten, daß sie den Nachfolgern gelingen werde, waren wirklich nicht ‹die besten›. In Oberitalien standen Savoyen, Pallavicini und Ezzelin der Partei der Kirche gegenüber, zwar im Namen des Reichs, aber mit der unverhohlenen Tendenz zur Bildung eigener Landesherrschaften, in Mittelitalien bestand ein lockerer Bund von Städten, die zu beherrschen schon Friedrich nur unvollkommen vermocht hatte. Aus diesem brüchigen Material ließ sich kein fester staatlicher Neubau errichten. Die Entscheidung war also mit des Kaisers Tode gefallen, sie war nicht mehr rückgängig zu machen und die folgenden 18 Jahre haben das bestätigt. Was noch nicht entschieden war, war das Schicksal Siziliens.

S. 182 ff. Innozenz an die Liga (undatiert) S. Tengnagel, Vetera monumenta (1612) 452 (fehlt bei Potthast und in den Reg. imp.), an die kaisertreuen Städte, die Bewohner des Königreichs und die Legaten Ep. sel. 3, 40. 24 ff, an deutsche Fürsten, auch Städte 3, 46 f. 50 ff. 58 f. 62. 66. Versicherungen an die Universitas nobilium Sueviae 3, 80 (vertreten durch Wirtemberg). Noch 1253 erhielt Brabant ähnliche Versicherungen, Ep. sel. 3, 161 f. Damals wurde die Kreuzpredigt gegen Konrad erneuert, ebenda 156. 229. Maßnahmen für erneuten Kreuzzug Potth. 14038. 14053. Registres 4926/30. 5154/55, Ep. sel. 3, 16, Matth. 5, 171. Vom Aufstand der Pastorellen sind alle Chroniken voll, anschaulich Salimbene 444 f. Ausführliche Darstellung: Berger, Blanche 392 ff. Abgelehnter Empfang Blancas und Heinrichs III. Ep. sel. 3, 75. 83. Rodenberg 89, der darin das Zeichen eines Zerwürfnisses zwischen dem Papst und Frankreich sieht, hat sich nicht gefragt, ob die Anmeldung des Besuches für ein bestehendes Zerwürfnis spricht, und ob auch mit England ein solches vorlag? Empfang Wilhelms und Abreise des Papstes Gesta Treverorum SS. 24, 412, Calvi, Vita c. 30. Die Reise schildern die Vita Innocentii, Arch. Rom. 21, S. 103 ff. c. 30. 32—34, und die Ann. von Genua SS. 18, 229.

S. 184 ff. Die ersten Jahre nach Friedrichs II. Tode behandelt Rodenberg, Innozenz IV. und das Königreich Sizilien 1245—1254 (1892) (nicht immer zutreffend), daneben E. Jordan, Origines de la domination angevine 1909. Manfred schildert Salimbene SS. 32, 470 ff. Wenig glücklich ist Döberl, Berthold von Hohenburg (Deutsche Zeitschrift f. Geschichtswiss. 12, 1894—1895), recht schwach die Diss. von A. Karst, Manfred 1250—1258 (1897). Sicherste Führung bieten immer die Reg. imp., daneben auch B. Capasso, Historia diplomatica regni Siciliae 1250—66 (1874). Im Gegensatz zu fast der gesamten Literatur, die seit Raynaldus von der Vorstellung beherrscht ist, Manfred habe schon im Anfang seiner Regentschaft den Versuch gemacht, König zu werden — die Abhandlung von De Cesare, die anders urteilen soll, kenne ich leider nicht —, ergibt eine vorurteilsfreie Benutzung der Quellen, daß weder Manfred noch Hohenburg noch die Lancia 1251 verräterische Verhandlungen mit dem Papst zum Schaden Konrads IV. geführt haben. Manfred hat lediglich einen Versuch gemacht, als Regent im Namen Konrads von der Kirche anerkannt zu werden, natürlich unter den rechtmäßigen Bedingungen (Huldigung, Zins u. a.). Der Versuch kam über die Anfänge nicht hinaus, weil Innozenz die Auslieferung des Königreichs und Freilassung aller Gefangenen forderte, wogegen er, aber auch erst nach Verständigung mit den Empörern, den Grafen von Acerra und Caserta, und den Städten Neapel und Capua, Belehnung Manfreds mit dem Fürstentum Tarent und Hohenburgs mit der Grafschaft Andria anbot, Ep. sel. 3, 99. Innozenz hat also vergeblich versucht, Manfred zum Verrat zu verleiten, und das zu einem lächerlich billigen Preise; man sieht, was er sich damals, gleich nach seiner Ankunft in Italien, herausnehmen zu können glaubte. Ganz irrig ist hier die Darstellung von Karst. Toskana: Davidsohn II, 1. 386 ff. Vertrag der Kirche mit Thomas von Savoyen Reg. imp. 8402; Ep. sel. 3, 10. Pallavicini noch von Friedrich zum Reichsvikar bestellt, sagt Konrad IV. Reg. imp. 4592. Vgl. Ficker, Forsch. 2, 505; 3, 353 f. Innozenz' Maßregeln im Königreich Reg. imp. 8288 ff. 8347. 50. 55 ff. 76 ff. 97 ff. 8400. 12. 34. 35. 39. 54. Konrads IV. Aufbruch und Ankunft in Italien Reg. imp. 4563a ff. Seine Verhandlungen mit dem Papst kennt Matth. 5, 284, gibt aber für ihr Scheitern eine falsche Erklärung (Versuch, Konrad zu vergiften, den dieser dem Papst schuld gibt). Nach Nicolaus von Calvi war es Innozenz, der ablehnte, aber er hatte die Gesandten doch empfangen. In Deutschland weckte die Verhandlung Argwohn, so daß der Papst seine Anhänger zu beruhigen für nötig hielt. Ep. sel. 3, 161 ff. Um dieselbe Zeit wurde dort die Kreuzpredigt gegen Konrad erneuert, ebenda 156. 229. Verfehlt ist die Darstellung von Rodenberg 124, von einem Friedensbedürfnis der Kurie ist nichts zu bemerken. Päpstliche Verfügungen im Königreich Reg. imp. 8520. 40. Aufhebung der kirchenfeindlichen Gesetze Friedrichs, Raynaldus 1252, 1, Capasso 33. Für den Papst traten damals die Dinge in Oberitalien zurück, gegen den Abfall von Piacenza und die Gefahr für Parma war er machtlos, der Legat Ubaldini erhielt keine Unterstützung und wurde fallengelassen. Näheres bei Levi. Arch. Rom. 14, 244. 271.

S. 186 ff. Über Brancaleone und die Vorgänge, die der Rückkehr des Papstes nach Rom vorausgingen, berichtet neben Nik. von Calvi nur Matth. 5, 358. 417 f. Zieht man von seiner Erzählung die übliche dramatische Zuspitzung ab, so ergibt sich als glaubhafter Kern, daß der Senator die Rückkehr des Papstes gefordert und erreicht hat, indem er mit Anschluß an Konrad IV. drohte. Dessen Verhandlungen mit der Stadt Reg. imp. 4602/03, Capasso 48. Daß Brancaleone nicht Anhänger Friedrichs gewesen war, wie Calvi behauptet, erweist Jordan, Orig. 237 f. Innozenz gegen den Versuch, Terracina Rom zu unterwerfen, Potth. 14958/60. 14964, Gregorovius 5, 264. Die Angabe Calvis, Brancaleone habe die Rückkehr des Papstes zu hindern gesucht, ist unglaublich, auch ohne das entgegenstehende Zeugnis des Matth. Wenn er sie hindern wollte, so konnte er es auch. Rodenberg 151 sieht völlig abwegig in der Rückkehr nach Rom den Beginn freundlicher Beziehungen zu Konrad. — Unterwerfung Neapels unter Konrad (10. Okt. 1253) Capasso 52, Boehmer, Acta n. 350 (Mitteilung nach Deutschland). Den Zerfall Konrads mit Manfred erzählt Jamsilla (Muratori 8, 505 f), ohne Chronologie, aber einleuchtend. Anhaltspunkt ist die Anzeige der Verurteilung der Lancia an die staufischen Städte Oberitaliens im Februar/März 1253. Es handelte sich nicht etwa um eine späte, bis dahin aus Klugheit vertagte Rache oder Bestrafung für den angeblichen Verrat, der nie stattgefunden hatte (s. oben), sondern um die Antwort auf den offenen Abfall des Familienhauptes Manfred Lancia, der sich in eifersüchtiger Gegnerschaft gegen Pallavicini Ende 1252 in Mailand zum Podestà hatte wählen lassen (Jordan 49 ff, der den Zusammenhang umgekehrt sieht, dürfte kaum recht haben). Daß davon auch Manfred getroffen wurde, war nur natürlich, wie leicht hätte der 21jährige Jüngling im Besitz eines autonomen Fürstentums zum Werkzeug der Rache für seine Oheime werden können! Weitere, ebenso natürliche Folge war, daß in Konrads Testament nicht Manfred, sondern Hohenburg zum Regenten bestellt wurde. Karsts Darstellung 7 f. 171 ff ist zu verwerfen als völlig undurchdacht. Hätte Konrad dem Stiefbruder Verrat vorzuwerfen gehabt oder vorwerfen zu müssen geglaubt, so wäre die ‹Bestrafung› wohl nachdrücklicher ausgefallen. — Fühler bei der Kurie durch Sendung des Provinzials der Minderbrüder von Apulien, Capasso 58, Reg. imp. 4607. Vorladung erwähnt in der Antwort Konrads Reg. imp. 4625. Die Verlängerung der Frist durch Vermittlung Thomas von Savoyen (Ep. sel. 3, 218) deute ich als Zeichen, daß es dem Papst darum zu tun war, Zeit für die Verhandlung mit England zu gewinnen, an der der Savoyer beteiligt war: er wollte sich für den Fall des Scheiterns einen zweiten Weg zur Verfolgung seiner selbstsüchtigen Zwecke offenhalten. Für die Auffassung des Papstes ist daraus nichts zu schließen. Was Matth. 5, 300 f von angeblichen Friedensabsichten des Papstes erzählt, ist interessant als Zeugnis für die umlaufenden Gerüchte und die herrschende Stimmung (papam multorum gratiam constat amisisse . . . Et ita papa pater noster, qui potius Constantini quam Petri vestigia sequebatur, mundo multas aerumnas suscitavit), hat aber sonst keinen Wert. Rodenberg 161 f findet es ‹unbegreiflich›, daß Konrad sich so lange hat hinhalten lassen. Friedrich II. hat das oft noch viel länger getan. Konrads Rechtfertigung Matth. 6, 299. Verkündigung des Ausschlusses Vita c. 36. Konrad kündigt sein Erscheinen mit starker Macht den lombardischen Anhängern an, gerichtet an Cremona, Ep. Petri de Vinea III 78; desgl. an Pallavicini, daß er sich, nachdem der Widerstand im Königreich gebrochen ist, der Reichssachen in Italien annehmen will, Martène, Ampliss. Coll. 2, 1251, beide von Capasso 40. 36 zeitlich falsch eingereiht. Bestellung eines Generalvikars Reg. imp. 4630/31. Konrads Erkrankung und Tod berichten Jamsilla, Muratori 8, 506 f und Saba Malaspina I 4, ebenda 791. Matth. 5, 460 und 5, 300 läßt ihn, wie Malaspina und andere, an Gift sterben.

S. 189 f. Die Vollmacht für den Notar Albert von Parma zum Abschluß mit Richard von Cornwall ist vom 3. August 1252, Rymer I 1, 284, vom gleichen Tage die Aufforderung an Ludwig IX. und Alfons von Poitiers, Karl von Anjou zur Annahme des Antrags zu bestimmen, Teulet, Layettes 3 n. 4020. Beide Urkunden sind übergeben worden, da die Originale in den Archiven der Empfänger liegen. Daß Albert zuerst in England verhandelte, hat Ficker, Mitteil. des österr. Instituts 4, 355 gezeigt. Recht unüberlegt sind die Einwände von Sternfeld, Karl von Anjou 83 f. Daß Albert erst im November in England eintraf (Matth. 5, 361. 457), bedeutet nichts; Nuntien brachen oft mit Verzögerung auf und reisten langsam; und daß Ludwig zu jener Zeit in Palästina weilte, besagt erst recht nichts, ist in der Adresse nur der Form wegen genannt, der eigentliche Adressat ist Alfons von Poitiers, der Regent. Gleichzeitige Überreichung in Frankreich und England ist vollends undenkbar; wie sollte sie vor sich gehen? Sollte Albert etwa zu gleicher Stunde in Paris und London seine Briefe vorlegen oder der Papst sie durch die Post befördert haben? Und wie hätte Innozenz dagestanden, wenn man in England erfuhr, daß der schmeichelhafte Antrag zugleich an Frankreich — den Erbfeind! — ergangen war? So hilflos kann ein kritisch geschulter Historiker des 19. Jahrhunderts der Aufgabe gegenüberstehen, Vorgänge des Lebens aus den Akten zu rekonstruieren. Die Gründe der Ablehnung hat Matth. 5, 346 (vgl. 458, wo die übrige Erzählung indes unbrauchbar ist) von Richard selbst erfahren. Immerhin hatte dieser sich recht lange besonnen, denn der Nuntius verließ England erst im März 1253 (Matth. 5, 361), nachdem er tüchtig Pfründen und Geschenke gesammelt hatte. Erst im letzten Augenblick kann Richard sich für Ablehnung entschieden haben, da Innozenz noch am 11. April die Vollmacht zur Übertragung des Königreichs ausstellte (Ep. sel. 3, 406), die der Nuntius nicht mehr in England erhielt. Es folgte vertraulicher Austausch zwischen Karl und der Kurie, der bis zum Juni dauerte (ein

Domherr von Bayeux ist als Gesandter Karls an der Kurie: Winkelmann, Acta 1, 581, Ep. sel. 3, 175). Vom 7./12. Juni 1253 sind die Aktenstücke, die zeigen, wie weit die Einigung gediehen war, Ep. sel. 3, 173 ff. 189, Registres 6807/8. 6812/19, Winkelmann Acta 1, 580. Gegenüber diesen Quellen, die den Gang des Geschäfts vollkommen klar erkennen lassen, kommen die Erzähler, etwa Descriptio victoriae Caroli (MG. SS. 26, 560 ff), Annalen von Worms SS. 17, 76, Hist. Sicula (Muratori 8, 780) kaum in Betracht. Auch Nik. von Calvi gibt den Verlauf nur in ganz großen Zügen wieder. Seine Angabe, Karl habe sich auf die Nachricht vom Scheitern der Verhandlung mit Richard als Bewerber gemeldet, ist nicht nachzuprüfen und an sich unwahrscheinlich, da er von Anfang neben Richard vom Papst in Aussicht genommen war. Daß es die Hoffnung auf Erwerb des Hennegaus war, was Karl bewog, von dem bereits so gut wie fertigen Handel zurückzutreten, leuchtet ein, wenn man die Daten vergleicht. Am 7./12. Juni sind die Urkunden für den Abschluß in der päpstlichen Kanzlei zur Ausfertigung bereit, Anfang oder Mitte Juli müssen sie an ihre Bestimmung gelangt sein; am 4. Juli wurde die französische Armee, die für das Haus Avesnes, die französische Partei, Flandern erobern sollte, durch Floris von Holland, den Beschützer der Gegenpartei, den Dampierre, in der Schlacht bei Westcappel auf Walcheren vernichtet, mit der Folge, daß Margarete bei Karl von Anjou gegen Überlassung des Hennegaus Hilfe sucht. Damit verträgt sich aufs beste die Angabe Calvis, Karl habe collateralium suorum devictus consilio verzichtet. Rodenbergs Darstellung der Dinge scheint mir keineswegs gelungen. Daß die Bedingungen, die Karl gemacht hatte, ‹für den Papst schmerzlich› gewesen seien, kann ich nicht finden. Schwierigkeiten machte nur der Punkt betreffend Gerichtsstand und Besteuerung der Geistlichkeit, worin Karl Zugeständnisse gefordert hatte, die Innozenz ablehnte. An der Höhe des Jahreszinses sollte das Geschäft nicht scheitern, und die große Anleihe kostete den Papst nichts, sie wurde von der Kirche Frankreichs getragen. Die Verhandlung scheint sich bis Ende September hingezogen zu haben: am 27. des Monats erhält Karl geistliche Gnaden, Registres 7024, wie sie beim Ende einer Gesandtschaft verliehen zu werden pflegen. Daß Innozenz den Vertrag für abgeschlossen hielt, verrät er durch die Mitteilung an seine Anhänger im Königreich, Capasso n. 84. Man begreift ihre Enttäuschung über das schließliche Scheitern, die noch aus den Worten des Biographen – malignorum interveniente consilio – spricht. Über die erneute Verhandlung mit England 1253/54 liegt der beschworene Bericht vor, den der Legat Albert von Parma im Oktober 1256 erstattet hat, um die Behauptung (der Engländer?) zu widerlegen, die Übertragung des Königreichs auf Edmund sei schon 1254 vollzogen worden, Ep. sel. 3, 405. Daß Heinrich III., der sich seit dem August in der Gascogne befand (s. Nat. Schöpp, Hadrian V S. 37.), sich nicht aus eigenem Antrieb gemeldet haben kann, würde man annehmen auch ohne das Zeugnis Calvis, es sei geschehen procurante aliquo de ipsius summi pontificis genere. Das kann nur der Kardinal Ottobuono Fieschi, der spätere Hadrian V. sein, dem Thomas von Savoyen zur Seite gestanden haben wird. Die Größe von dessen Anteil verrät sich in der Belohnung: am 31. Mai bestätigt ihm der Papst (Reg. imp. 8753), am 3. Oktober Heinrich III. das Fürstentum Capua, Rymer I 1, 308. Wurstemberger, Peter von Savoyen 4, 181. 184. Die Initiative lag jedenfalls bei der Kurie, da Innozenz schon am 11. April 1253, also zu der Zeit, wo er noch auf Richard von Cornwall rechnete, dem Notar Albert die Vollmacht gab, Heinrich III. oder einem seiner Söhne das Königreich zu übertragen, Ep. sel. 3, 406. Der Plan trat zurück, als sich Aussicht eröffnete, Karl von Anjou zu gewinnen, und wurde, als dieser abgelehnt hatte, alsbald wieder aufgenommen; am 20. Dezember erhält Albert erneute Vollmacht, jetzt auf die Person Edmunds bezogen, Ep. sel. 3, 406. Der weitere Verlauf ist an der Hand von Alberts erwähntem Bericht und den Aktenstücken Ep. sel. 3, 407/411 und Rymer I 1, 301/304 zu verfolgen. 12. Februar 1254 erklärt Heinrich III. sich zur Annahme bereit, 6. März zeigt Albert die Übertragung an unter Vorbehalt päpstlicher Bestätigung, die Innozenz am 14./22. Mai ausstellt, unter Drängen zu schleunigstem Beginn des Feldzugs und Ermahnung zur Sparsamkeit. Am 23. Mai wird Heinrich III. mitgeteilt, daß 50 000 Pfund Turnosen, die Hälfte der versprochenen Anleihe, für ihn auf Lyon angewiesen sind, und die andere Hälfte auf Verlangen folgen wird. Am gleichen Tage erhalten die BB. von Norwich und Chichester und der Abt von Westminster Auftrag, über den früher bewilligten dreijährigen Zehnten noch zwei weitere Jahre in England zu erheben und zur Verfügung des Papstes sicherzustellen; ebenso der Kollektor in Schottland für den dortigen Zwanzigsten. Am 31. Mai wird Heinrichs III. Gesuch um Befreiung vom Kreuzgelübde abgeschlagen, da der Kreuzzug durch die Eroberung Siziliens erleichtert ist, die seit dem Tode Konrads (gestorben 25. Mai 1254) keine Schwierigkeiten machen wird. Warum ist nun die förmliche Übertragung des Königreichs auf Edmund unterblieben? Daß Innozenz durch den Tod Konrads andern Sinnes geworden sei, ist wohl möglich, obwohl er dann gegenüber Heinrich ein starkes Doppelspiel mit dem Schreiben vom 9. Juni (Rymer I 1, 304) getrieben haben müßte, wo er ihm versichert, entgegen der Ansicht von manchen, daß nun das Geschäft mit England fallenzulassen sei, wolle er es um so lieber fortsetzen und den eigenen Vorteil zurückstellen, da er erkannt habe, daß nach Beseitigung des Hindernisses (Konrad) der König zu schneller Beförderung der Sache fähiger sei. Ob Albert zugleich einen Geheimbefehl oder geheime Ermächtigung erhalten hat, die Übertragung zu unterlassen, wenn keine Aussicht auf baldiges Handeln der Engländer bestehe, kann ich ebensowenig mit Rodenberg, Innozenz IV. und Sizilien 179 f wie das Gegenteil mit Jordan, Origines p. XI für ausgemacht halten.

S. 190 ff. Den bei weitem besten Bericht gibt Jamsilla, Muratori 8, 493 ff, in dem der Augenzeuge — er muß zu Manfreds Umgebung gehört haben — nicht zu verkennen ist. Daneben Calvi, Malaspina und die Ann. von Genua und Piacenza. Die Akten verzeichnen Reg. imp. und Capasso. Die Darstellungen von Rodenberg und noch mehr Karst und Döberl leiden an erheblichen Fehlern infolge des obenerwähnten Vorurteils, das in Manfred von Anfang an dem verräterischen Prätendenten sehen will. Ich verzichte auf Auseinandersetzung im einzelnen, die zu weit führen würde. Manfred und Friedrich von Antiochia an der Kurie Reg. imp. 4643g. 44. Vorladung Manfreds, Hohenburgs u. a. (15. August) auf den 8. September, Reg. imp. 8775a. Aussendung des Legaten 3. September (Ep. sel. 3, 277 ff, erweiterte Befugnisse in spirit. et temporalibus 285). Meldung an Wilhelm von Holland, daß Manfred und Genossen am 8. September ausgeschlossen und ihre Lehen verwirkt sind, Ep. sel. 3, 283. Bekanntmachung, daß Konradin seine Rechte ungeschmälert bleiben sollen, nämlich das Königreich Jerusalem, das Herzogtum Schwaben et alia iura sua, ubicumque sive in regno Siciliae sive alibi habuerit (also nicht das Königreich selbst), und daß bei Huldigungen sein Recht auf die Krone vorbehalten werden darf, Ep. sel. 3, 290. Der Vertrag vom 27. September ebenda 287 ff, Wiedereinsetzung Galvano Lancias in die ihm von Konrad IV. entzogenen Besitzungen 291. Für unmittelbares Eigentum der Kirche wurden am 20. Oktober Sizilien und Kalabrien, am 23. Melfi, Potenza, Alife, Ravello, Traetto u. a. erklärt und Amalfi und Atrani dem Kirchenstaat einverleibt. Ep. sel. 298. 300. 312, Reg. imp. 8829 f. 8863. Triumphierende Bekanntmachung des Papstes Reg. imp. 8819 (nur bei S. F. Hahn, Vetera Monumenta 1, 186): ita ut ad dei gloriam dici possit cum exultatione spiritus, quod eiusdem status ecclesie magis, quam umquam fuerit, est hodie gloriosus. Manifeste Manfreds über seine Verhandlungen mit dem Papst und deren Abbruch Forschungen zur deutschen Gesch. 13, 382 und Reg. imp. 4644, mit strittiger Datierung. Er tritt auch hier durchaus nur als Sachwalter seines Neffen auf. Die Eingriffe des Papstes in die Verwaltung des Königreiches hatten schon im August (Ep. sel. 3, 270. 275) begonnen und mehrten sich seit dem 27. September, ebenda 293. 295 f. 299. 301. 303 ff. 311. Vom 3. November sind die Urkunden, in denen der Papst Berthold von Hohenburg, der sich der Kirche unterworfen hat, begnadigt (am 12. September hatte er die Einziehung seiner Lehen in Deutschland befohlen, Ep. sel. 3, 283, Winkelmann, Acta 1, 582.), ihn als Großseneschall und Grafen von Montescaglioso bestätigt und ihm aus den Zöllen von

Barletta, Trani und Bari und der sicla von Bari 1500 Unzen (75 000 fl.) jährlich anweist. Gleichzeitig erhielt Bertholds Bruder Ludwig die Grafschaft Cotrone im Austausch für andere Baronien, Capasso 84. Die Originale Rymer I 1, 311 f. 314 f. 319 kamen nach England, also hat Hohenburg die Anerkennung seiner Rechte durch Edmund erstrebt. Wie man angesichts dieses Verhaltens in ihm etwas anderes als einen Abenteurer von nackter Selbstsucht sehen kann, ist mir unbegreiflich. Dennoch hat es Döberl fertiggebracht, ihn zum treuen Verfechter der Rechte Konradins gegenüber dem Verräter Manfred zu machen. Besonderer Gunst erfreute sich neben andern Würdenträgern des Königreichs dessen Großkämmerer Johannes Morus, Reg. imp. 8846. 8860. 8875/76. Päpstlicher Hilferuf nach England Reg. imp. 15558 (17. Nov.). Manfreds Siegesmeldungen, Ep. Petri de Vinea II 45 f. Innozenz' Aufenthalt in Neapel, Huillard-Bréholles, Pierre de la Vigne 63. Den Papst Peters della Vigna hatte dessen Schwester und Erbin mit andern Gütern dem Kardinal Ottobuono Fieschi ‹geschenkt›, was Alexander IV. gleich nach seiner Erhebung (21. Dezember 1254) zu bestätigen sich beeilte, Ep. sel. 3, 314. Vgl. Capasso 90.

S. 194 f. Stümperhafte Verse zum Preise von Innozenz' IV. N. A. 32, 592 ff. Die Grabschrift (stravit inimicum Christi, colubrem Fredericum) Berger, Blanche 388. Gregorovius-Hülsen, Grabmäler der Päpste. Zu weit geht der Panegyrikus Bergers, Registres 2, CCXC f, der übersieht, daß der Kampf gegen die Staufer in Sizilien noch nicht entschieden war und ungünstiger als früher stand, als Innozenz starb. Seine reuevollen Worte auf dem Todbette berichtet der Monachus Patavinus, Muratori 8, 689. — Innozenz hat den Kreuzzug Ludwigs IX. unterstützt durch allgemeinen Aufruf, Registres 3661 (23. Februar 1248), Entsendung eines Legaten (Odo von Châteauroux), dessen Predigt jedoch außerhalb Frankreichs keine Wirkung hatte, und Erteilung weitgehender Vorrechte für die Teilnehmer. Darüber Berger, Registres 2, CXXIX f. Zahlreiche Erlasse sollten dem König den Weg bahnen, s. Registres 3965 f. 4662 ff. 4680. 3975 f. 4120. Er übernahm auch den Schutz Frankreichs gegen englischen Angriff, Matth. 5, 23. 51. 346. Dennoch ist kein Zweifel, daß ihm der Kreuzzug ursprünglich störend war, weil er dem Kampf gegen den Kaiser Kräfte entzog, wovon sich ein Widerhall in der Erfurter Chronik erhalten hat. (ed. Holder-Egger S. 239. 451. 659). Er hat ja auch einen Versuch nicht verschmäht, ihn unnötig zu machen, indem er den Sultan von Ägypten zu einem Vertrag zu gewinnen suchte, der natürlich nichts anderes enthalten konnte, als die zeitweilige Abtretung Palästinas. Der Versuch scheiterte an der Loyalität des Sultans, der als Verbündeter Friedrichs ohne diesen nicht verhandeln wollte; worauf der Papst den Kaiser beschuldigte, die Antwort veranlaßt zu haben, Ep. sel. 2, 86 (3. Juni 1245), womit der Bericht Matth. 4, 567 f sich deckt. Weisungen an den Patriarchen u. a. gegen Friedrich Ep. sel. 2, 399 ff (25. Mai 1248), an Zypern 218. 244. 299. (März/Juli 1247). Schreiben des armenischen Patriarchen 2, 199. Ohne alle Wirkung blieben sogar in Frankreich die Schritte, die der Papst nach dem Scheitern des Kreuzzugs zu seiner Wiederholung unternahm. Hier trat die Störung durch den Krieg in Italien deutlich zu Tage, für den Blanca die Werbung verbot. — Von den Verhandlungen mit dem griechischen Kaiser bei Lebzeiten Friedrichs berichtet Calvi. Die Anknüpfung ging von Innozenz aus durch Sendung (1249) des Minoritengenerals Johannes von Parma, (näheres Arch. f. Lit. u. Kirchengesch. 2, 268 f), in der Absicht, die Verbindung des Vatatzes mit Friedrich zu lösen. Dieser, obgleich eingeweiht (F. Miklosich und J. Müller, Acta et diplomata Graeca medii aevi 1860 ff. 3 n. ° 18), empfand schon die kirchliche Annäherung störend und hielt die griechischen Gesandten an den Papst fest, so daß sie Innozenz erst in Perugia, also 1251/52 verließen. Eine zweite Gesandtschaft, bei der sich Vertreter der griechischen Kirche befanden, wurde ebenfalls mehrere Monate in Apulien festgehalten, erschien in Rom (1253/54) und begleitete die Kurie nach Assisi und Anagni, also während des Mai bis September 1254, um erst dann mit der Antwort des Papstes heimzukehren. Über den Inhalt ihrer Verhandlung und die weitgehenden Absichten des Papstes geben die Aktenstücke Auskunft, die Schillmann in der Röm. Quartalschrift 22 (1908), 102 ff aus dem Konzeptbuch des päpstlichen Sekretärs Berard von Neapel herausgegeben hat. Dazu der Bericht des Georgios Akropolites (Bonner Corpus Script. hist. Byz.) p. 148.

S. 196 ff. Am häufigsten und schärfsten hört man Innozenz in England tadeln. Die Chronik des Matth. Paris wimmelt von solchen Äußerungen z. B. 4, 365. 546. 552. 589. 639; 5, 96. 237. 472. 491. Der Chronist von Osney (R. S. 192) wirft ihm vor, die Kurie verderbt zu haben. Ein Gesamturteil über die Moral der Kurie, das auf die Zeiten Alexanders VI. passen würde, soll Hugo von Cher nach Matth. 5, 237 beim Abschied von Lyon gefällt haben: ‹Als wir kamen, gab es drei oder vier prostibula, jetzt, da wir gehen, ist Lyon ein einziges von Osttor bis zum Westtor.› Seine Verwandtenliebe Salimbene 61 f (Syon in sanguinibus edificavit). Ubaldini, Montelongo, Fontana, ebenda 384 ff. 387 ff. vgl. Davidsohn II 1, 327. 549 f. Levi, Arch. Rom. 14 (1891) 231 ff. Bevorzugung der Minoriten Salimbene 61. 210. Den Reichtum der Kurie heben mit fast den gleichen Worten hervor die Erfurter Minoritenchronik S. 660 (inter omnes apostolicos a S. Petro primo papa ditior fuit ut fertur, et opulentior in pecunia et thesauris) und Ann. von Melk (SS. 9, 537 ditior papa a S. Petro apostolo nunquam fuit). Vgl. Berger 2, CLIX ff. Die eigentlichen Kreuzzugssteuern (Zwanzigste, Zehnte) harren noch einer erschöpfenden Untersuchung; was A. Gottlob unter diesem Titel 1892 vorgelegt hat, genügt nicht entfernt. Für England liegt die Darstellung bei L. Dehio, Innozenz IV. und England 46 ff vor, die mir jedoch nicht in allen Punkten zutreffend scheint. Alles in allem dürfte das Urteil gerechtfertigt sein, daß von dem Lyoner Zwanzigsten die weltlichen Herrscher mehr Nutzen gezogen haben als die Kirche. Den Loskaufgeldern und Legaten hat Berger 2, CXLIII ff besondere Aufmerksamkeit gewidmet. Matth. 5, 196: Papa et tota curia, eo quod crucesignati venduntur et absoluti pro pecunia absolvuntur ... gratiam tam cleri quam populi diatim amiserunt. Der hohe Ertrag aus Irland wäre nicht zu glauben ohne das Zeugnis bei Bliss, Calendar of ... papal registres 1, 277, 8. (Die Mark Sterlinge wird 1257 zu 13 sol. 4 den. gerechnet, Registres.d'Alexandre IV. 2, 716 n. 2327). Die mißtrauische Frage nach der Verwendung Matth. 4, 134. Ebenda 4, 489 der Fall des Abtes von Cluny, dem, wie der Chronist witzig bemerkt, der Papst gestattet, sich aus der eigenen Haut einen breiten Riemen zu schneiden. Krönung Haakons von Norwegen ebenda 4, 651. Der Krönungslegat erhebt von den Kirchen des Landes außer reichen Geschenken 500 Mark, vermutlich Verpflegungsgelder. Derselbe Legat vereinnahmt unterwegs bei dreimonatigem Aufenthalt in England von den Prälaten 4000 Mark, ebenda 626. Daß sogar die Kuriere ihren Auftrag finanziell auszubeuten suchten, zeigt die Warnung Rayn. 1243, 9: Die Überbringer der Wahlanzeige Innozenz' IV. sollen außer Verpflegung nichts erhalten. Fälle von Prälaten, die den päpstlichen Hofbankiers verschuldet sind (wegen des Servitiums), stellt Berger LXXX f zusammen. Scharfe Besteuerung der toskanischen Kirchen, Davidsohn II 1, 323. In Oberitalien war Mailand schon 1243 so belastet, daß der Papst eine von Montelongo ausgeschriebene Steuer aufzuheben genötigt war. Triest war tief verschuldet, Aquileja so erschöpft, daß Montelongo beim Antritt des Patriarchats 2000 Mark jährlicher Beisteuer für die Dauer des Krieges aus Ungarn (dem von den Mongolen verheerten!) erhalten und Anleihen aufnehmen mußte. Levi, Arch. Rom. 14, 269. 256, Ep. sel. 3, 3. Von allen italienischen Klerikern forderte Innozenz am 6. Mai 1247 ein Viertel bis zur Hälfte ihrer ausländischen Pfründeneinkünfte, Reg. imp. 7788. Auch in Polen war 1248 eine hohe Steuer — der Fünfte von zwei Jahren — ausgeschrieben, von der dem EB. von Gnesen am 18. Juni wegen Verarmung die Hälfte zurückerstattet werden soll. Aus Verdun hören wir die Klage (Gesta episcoporum Virdunensium, SS. 10, 525): Innocentius ... exactionibus inauditis et importunis cepit omnem ecclesiam et monasteria enormiter exhaurire, ita quod vicenariam, deinde denariam partem omnium reddituum et decimarum in donativis militie sibi dari ab omni ecclesia et monasteriis compelleret. Die Zahlung sei durch Ausschluß erzwungen worden, Cardinales vero hinc, summus pontifex inde tam in vicenario quam in denario, tam in pensionibus quam in procurationibus et

subventionibus in mille libras ecclesiam nostram gravaverunt. Das Verhalten und die Äußerung Odos von Châteauroux berichtet Joinville, Vie de St. Louis c. 120. Interdikt wegen Verhaftung von Bankangestellten, Berger LXXXI. Der Buonsignori (ebenda) muß Emigrant gewesen sein, da seine Vaterstadt kaiserlich war. Die Anleihen Capoccis bei kaiserlichen Kaufleuten, Winkelmann, Acta 1, 549. Die Bemerkung Alexanders IV. Matth. 5, 492. Der englische Klerus befreit sich durch Zahlung an den Papst von der Visitation durch den Primas, Matth. 5, 346, Grossetête gewinnt desgleichen gegen sein Kapitel, ebenda 4, 497. Es kam vor, daß Prozeßbefehle des Papstes verkauft oder zu Erpressungen benutzt wurden; Innozenz ermächtigt (14. Juni 1246) den B. von Cambrai, dagegen einzuschreiten, Ep. sel. 2, 147. Absicht, der Kurie feste Pfründeneinkünfte anzuweisen, Ann. von Dunstable (RS.) 167. H. Baier, Päpstl. Provisionen (1905) 33 f, vgl. Dehio 62, der u. a. feststellt, daß von den etwa 100 italienischen Pfründnern in England 30 auf Gregor IX., die übrigen, also mehr als das Doppelte, auf Innozenz entfallen. Eingehende Darstellung Berger CCI ff. Der Versuch Dehios, die Unglaubwürdigkeit der Angaben der Chronisten über die Häufigkeit der Provisionen durch Vergleichen mit dem Register zu erweisen, kann nicht zum Ziele führen, weil die Eintragungen unregelmäßig waren, die Exspektanzen, die die meisten Beschwerden hervorriefen, wohl nur ausnahmsweise und namentlich die Verleihungen der Legaten gar nicht registriert wurden. Edmundsbury Matth. 5, 40. Grossetêtes Untersuchung Matth. 5, 355. Die Engländer hatten sich beschwert, italienische Geistliche zögen aus englischen Pfründen jährlich 40 000 Mark. Darauf antwortete Innozenz, ohne die Zahl zu beanstanden, Kymer I 1, 281: es sollten künftig nur 8000 Mark ausgeführt werden, die übrigen Pfründeninhaber zur Residenz gezwungen sein. Konstanz: T. Neugart, Episcopatus Constantiensis 2, 625. Rodenberg 8 f, der diesen Fall anführt, sieht die Dinge zu wenig im Zusammenhang der allgemeinen Entwicklung, wenn er urteilt, Innozenz habe dem kirchlichen Leben ‹eine Richtung auf das Materielle gegeben›. Die Richtung war längst da, aber Innozenz verstärkte sie außerordentlich. Die Verfügung für Mainz Ep. sel. 3, 133. Loskauf von päpstlicher Verleihung durch Überlassung einer Rente kommt schon zu Zeiten Alexanders III. vor unter den Briefen Gilbert Foliots n. ° 187 (ed. J. A. Giles 1846. 1, 258). Dispens zur Pfründenhäufung Dehio 60, Berger CCIV, angeboten Rymer I 1, 262, Matth. 4, 520. Ludwig IX.: Gottfr. von Beaulieu (Bouquet 20, 12) c. 20. Raub von Gut der Kirchenfeinde bestätigt, Ep. sel. 3, 101. 126, Ascoli 3, 140, Ezzelin 3, 93. Handelsverbot gegen Pisa, Davidsohn II 1, 289. Ähnlich hatte schon Gregor IX. (1239) Bezahlung von Schulden an Sanesen ohne päpstlichen Befehl verboten: Ep. sel. 1 n. 744. Erlaubnis für Venedig zum Handel mit den Sarazenen 3, 172. Mainzer Schuldenerlaß 3, 132. Seit Juni 1253 erhalten Trier, Straßburg, Augsburg, Metz, Magdeburg, Utrecht, Konstanz, Hildesheim, Eichstädt, Halberstadt, Freising 3 Jahre Annaten ihrer Diözesen, Ep. sel. 3, 170. 184. 190. 193. 210. 217. 219 f. 233. 257. 265. 274.
S. 200 ff. Erlaß vom 23. Mai 1252. Ep. sel. 3, 123 (vom Herausgeber mißverstanden; die Wendung mandavimus provideri läßt keinen Zweifel, daß es sich um Anwartschaften handelt). Eine frühere Verfügung um die Provisionen einzuschränken bei Matth. 4, 519 f. Das große Schuldbekenntnis (23. November 1253) Ep. sel. 3, 200, Registres 7072, Matth. 6, 260 ff und Ann. von Burton (RS. Ann. Monast. 1) 314, wo auch die Vorgeschichte p. 311 ff. Andere Drucke verzeichnet Potth. 15162. Text und Datum nicht einheitlich. Der Versorgungsbefehl für den Papstneffen (23. Februar 1253) Epistolae Roberti de Grosseteste (RS.) 436 mit der Überschrift littera papalis deo odibilis et hominibus. Grossetêtes Protest unter dessen Briefen p. 432, bei Matth. 5, 389 und in den Ann. von Burton 311. Den Kern bildet die Erklärung: Apostolicae sedis sanctitas non potest nisi quae in aedificationem sunt et non in destructionem. Haec enim est potestatis plenitudo omnia posse in aedificationem. Hae autem quas vocant provisiones non sunt in aedificationem, sed in manifestissimam destructionem. Den weiteren Verlauf erzählt Matth. 5, 393 ff ausführlich in seiner Weise, die Erscheinung vor dem sterbenden Papst 470. Anwartschaften des Speyerer Elekten und

des Kölner Propstes (9. Januar 1253) Ep. sel. 3, 151, wiederholt 13. November 1253:
3, 203. Erzählungen über Innozenz' Tod Monachus Patavinus bei Muratori 8, 689,
Matth. 5, 470 ff. 491. Aus Deutschland verdient das Urteil Freidanks (Dietrichs von
Plieningen?) Erwähnung. Von Rome (ed. Bezzenberger 1872) 152, 12: Als der babest
rîches gert, So verderbent beidiu swert (Dieweil der Papst das Reich begehrt, Verdirbt
das ein und andere Schwert). Denselben Gedanken führt Dante, Purgatorio 16, 109 ff
aus, er muß also verbreitet gewesen sein seit den Tagen Innozenz' IV.

S. 203. Alexanders IV. Register ed. Bourel de la Roncière und andere (1902 ff).
F Tenckhoff, Alexander IV. (1907). Wahl: Salimbene 453. 604 (vgl. Scheffer-Boichorst,
Zur Geschichte des 12./13. Jahrh., 287 f) Malaspina I 5 (Muratori 8, 794), Matth. Paris
5, 472. Nic. von Calvi (Arch. Rom. 21) 120 (mit abweichenden Daten). Herm. von
Altaich SS. 17, 396. Die Wahlanzeige (s. u.) faßt sich kurz. F. Tenckhoff 23 führt die
Wahl des friedliebenden Rainald auf den Widerspruch der Kardinäle gegen die sizilische Kriegspolitik zurück. Das ist irrig, Alexander hat gerade diese Politik unentwegt
fortgeführt. Ganz willkürlich ist J. Maubach, Die Kardinäle und ihre Politik 1243 bis
1268 (1902) 57. Die Bestätigung der Schenkung von Petro della Vignas Grundbesitz
an Kardinal Ottobuono Fieschi, den Neffen Innozenz' IV. (Huillard-Bréholles, Pierre
de la Vigne 64. 318, vgl. oben zu S. 190 ff), wird der Preis für die Stimmen des Kardinals und seines Anhangs gewesen sein. — Über Alexanders Herkunft s. meine Abhandlungen z. Gesch. des Mittelalters 273 ff. Unrichtig spricht Maubach 58 von hohem
Alter des Gewählten. Über seinen Charakter sind alle Berichte einig; am ausführlichsten Joh. Longus SS. 25, 848: vir placidus, sanguineus, carnosus, humilis, iocundus,
visibilis, affabilis und benignus. Wahlanzeige Registre n. 1 (Raynaldus 1254, 2), Ep. sel.
3, 315, Rymer I 312, abweichend Bärwald, Baumgartenberger Formelbuch (aus der
Kanzlei Rudolfs von Habsburg) 178 und Ann. von Burton (R. S. Ann. monastici 1)
333 ff. Ihr Eindruck Matth. Paris 5, 472.

S. 204. Die Erlasse vom 5. April 1255 (Registre n. 997; Ep. sel. 3, 349 ff) behandelt
ausführlich Barraclough, Engl. Hist. Review 49 (1934) 193 ff gegen Tenckhoff 264.
Seine Ansicht, seit 1257 seien sie überflüssig, ihr Zweck erfüllt gewesen, wird jedoch
durch die von ihm selbst angeführten Tatsachen widerlegt. Hinzu kommt am 18. August 1255 die Aufhebung aller von Innozenz verliehenen Privilegien de non inter-
dicendo, suspendendo vel excommunicando, Reg. 1006, Ep. sel. 3, 367, wiederholt
30. März 1256 in anderer Fassung (Könige und Prinzen ausgenommen) Reg. 1327.
Verbot an die Almosensammler, Feiertage und Feste anzusetzen (26. März) und Re-
gelung der Ansprüche von Legaten und Nuntien (29. April 1256). Registre 1322 f.
Ermordung des italienischen Anwärters Ann. von Dunstable (RS. Ann. monast.) 314.
Von Nepotismus war Alexander nicht ganz frei, wie auch der Unfug von Blankovoll-
machten für seine Boten vorkam, Reg. 1329. 1300 und Matth. Paris 5, 559. Ebenda
544 seine gewöhnliche Ausrede, wenn über Beeinflussung geklagt wurde: Nolumus
his diebus principes offendere . . . Oportet multa dissimulare et conniventibus oculis,
licet laedant, pertransire.

S. 205. Vom sizilischen Krieg und den Verhandlungen mit England berichten die
englischen Geschichtsschreiber, am ausführlichsten Matthaeus und die Ann. von Burton (R. S. Ann. Monastici I). Die Akten bei Rymer und in den Reg. imp. England
hielt in den nächsten Jahren einen ständigen Geschäftsträger an der Kurie; s. das
undatierte Schreiben des Kardinals Joh. von Toledo (vgl. Winkelmann, Acta 1, 588)
bei Shirley, Royal and other letters 2, 144. Unzulänglich ist Tenckhoff 202 ff, unselb-
ständig Karst 105 f (Alexanders angeblich sehnlicher Wunsch nach einem «gütlichen
Abkommen» S. 99 — wie Tenckhoff 28 — wird durch das Datum des Vertrags mit
England widerlegt, ebenso durch das Aufgebot zum Befreiungskampf vom 28. Januar,
Capasso 97). Wachtel, Deutsches Archiv 4 (1941) 98 bringt wenig Neues und urteilt
mitunter schief. Rhodes, Engl. Hist. Rev. 10 (1895) 19 ff ist trockene Kompilation.
Der Lehnsvertrag Rymer I 1, 306, Capasso 102. Die hier gebrauchte Bezeichnung
regnum Siciliae et tota terra, quae est citra Farum (ebenso gegenüber Karl von Anjou,

Ep. sel. 3, 510, 639) entspricht der Entstehung des Reiches aus der Vereinigung des ursprünglichen Königreiches Rogers II., d. h. der Insel, mit den festländischen Territorien Apulien, Basilikata, Abruzzen und Prinzipat (Capua-Salerno). Übertragung des dreijährigen Kreuzzugszehnten und seine Erstreckung auf zwei weitere Jahre, Registre 384 (P. 15768 ist irreführend). Schottland: Rymer I 1, 322. Schadlosigkeit und neue Vorteile für die Hohenburger schon seit dem Januar, Rymer I, 1, 311 f, Registre 62/64. 224/230, Ep. sel. 3, 324 ff. Verurteilung Manfreds und seiner Anhänger: Winkelmann, Acta 2, 728. Die Anknüpfung mit Baiern (Quellen und Erörterungen z. bair. und deutschen Gesch. 5, 133) erfolgt unverkennbar auf Betreiben Hohenburgs, der sich unter dem Vorwand für Konradin einzutreten, seine Vorteile sichern will. Die Doppelzüngigkeit des Papstes erhellt daraus, daß er gleich darauf (4. Februar) die Großen Schwabens mahnt, Alfons von Kastilien zum Besitz des Herzogtums zu verhelfen (Ep. sel. 3, 336), und mit England verhandelt, ohne die Antwort aus Baiern abzuwarten. Manfreds Bestellung zum Regenten für Konradin (20. April): Böhmer, Acta 677, Capasso 104. Hampe, Konradin 9 ff bemüht sich unnötig um Erklärung, der Zweck der Intrige ist handgreiflich. Alexander, dem es darauf ankommt, sich des Hohenburgers mit seinen wertvollen deutschen Truppen zu versichern, steckt für den Fall, daß der Vertrag mit England scheitert, einen zweiten Pfeil in den Köcher. Daß Döberl und Karst das nicht erkannt haben, ist schwer zu verstehen. Manfreds Persönlichkeit: Salimbene SS. 32, 470. 472 (eine ausführliche Charakteristik in einer verlorenen Schrift Salimbenes), Saba Malaspina (Muratori 8) I 5. III 13 (übereinstimmend damit Dante, Purgatorio III 107, vgl. Colasanti, Arch. Rom. 47, 45 ff) Philosophische Studien F. W. Schirrmacher, Die letzten Hohenstaufen (1871) 622. 624.

S. 206. Umwandlung der Kreuzzugsgelübde in solche zum Kampf gegen Manfred: Rymer I 1, 319 f (3./7. Mai 1255), Norwegen: 1, 320. Den Tagessold der Kreuzfahrer (stipendia) nennt Malaspina I 5 (Muratori 8, 794). Feldzug: Jamsilla, Saba Malaspina; wenig zu brauchen ist Matth. Paris 5, 474. 497. Hohenburgs Verrat behauptet der Papst (18. Sept.) Rymer I, 328, was Urban IV. Ep. sel. 3, 534 wiederholt. Angezeigt wurde er nach Jamsilla 577 durch Konrad von Wasserburg, der die Intrige vom Jahr vorher aufgedeckt haben wird, die unter dem Deckmantel der Interessen Konradins dem Papst das Reich in die Hände gespielt haben würde. Päpstliche Regierungshandlungen im Königreich Ep. sel. 3, 369 (Palermo). 386 (Barletta). 402. 403. 423. 424 (Bari, Otranto, Monopoli). Registre 855 (Brindisi, vgl. Capasso 114). 896 (Aversa u. a.): 1002 (allgemein), 1043 (Barletta). 1044 (Canae). Thomas von Savoyen: Matthäus Paris 5, 565 vgl. G. Caro, Genua 1, 45 (mit verwirrter Chronologie). Die Gefangennahme erfolgte am 23. November 1255 und dauerte bis zum 27. November 1256 bzw. 18. Febr. 1257. Wurstemberger, Peter von Savoyen 4, 204 ff. 210. 217. 224. 230. 257, Reg. imp. 9035. 14017. Verhandlungen in England Matth. 5, 515. 520 ff. 532.

S. 207 ff. Die Verhandlungen wegen der englischen Zahlungen, das Mahnen und Feilschen im einzelnen zu verfolgen, habe ich mit Absicht vermieden. Darüber berichtet ausführlich, aber weder vollständig noch klar, Matth. Paris. Einiges in den Annalen von Burton, Dunstable und Tewkesbury (R. S. Ann. monastici 1 und 3). Die Akten bei Rymer und in den Reg. imp. Die Drohung des Papstes (5. Febr. 1256) Rymer I 1, 336. Die angeführten Einzelfälle Rymer I 1, 343. 368. 371 und Matth. 5, 581 (Litterae papales miserabiles). Widerstand Matthäus 5, 653. Ann. von Burton (Ann. Monast. 1) 360 ff. 387 ff. Ann. von Tewkesbury (Ann. Monast. 1) 163. Ann. von Waverley (Ann. Mon. 2) 348. Zahlungen Matthäus 5, 584. 634. 637. Ann. von Osney (Ann. Mon. 4) 111. Fristverlängerung vom 6. Okt. (10. Nov.) 1256 Ep. sel. 3, 404, Rymer 1, 350. Das Verbot der Zahlung an seine Gläubiger erwähnt der Papst (3. Juni 1257) Rymer I 1, 356. Reichstag zu Ostern 1257 Matth. 5, 623. 637, Ann. von Dunstable 199 f. Gesandtschaft an die Kurie Rymer I 1, 358 ff (26./28. Juni 1257). Vgl. Shirley 2, 126. Alexanders Antwort Ep. sel. 3, 434. Päpstliche Gesandtschaft (1258) Matth. 5, 673, Ann. v. Tewkesbury (Ann. monast. 1) 162 f, Wachtel, Deutsches Archiv 4, 157. Sendung an die Kurie 1258 Rymer I 1, 368 f. Matth. 5, 716 und 6, 400;

Antwort 6, 410 und Rymer I 1, 393 vgl. 368 f. Der Plan gescheitert Matth. 5, 666. — Manfreds Erfolge bei Jamsilla, Malaspina (Muratori 8, 580. 790) und Barthol. von Nicastro (Muratori 13, 1019). Den sizil. Städtebund erwähnt Alexander (23. Jan. 1255) Reg. imp. 8923, Capasso 96.

S. 211 ff. Strafen gegen die Teilnehmer an Manfreds Krönung Reg. imp. 9191. Sizilischer Aufstand Malaspina 2, 5 (Muratori 8, 805). Verträge mit Genua und Venedig Capasso 130/133, vgl. 139. Genua hatte für seine Parteinahme für die Kirche von Innozenz IV. Abgabenfreiheit u. a. im Königreich erhalten, was Alexander sogleich bestätigte (8. Januar 1255), Ep. sel. 3, 321. Spoleto und die Mark: Tenckhoff 70 ff. Derselbe, Der Kampf der Hohenstaufen um die Mark Ancona und das Herzogtum Spoleto (1893). Perugia in Auflehnung: Arch. Stor. Ital. 16/2, 483 ff. Toskana: Jordan, Origines 152 f, Davidsohn 2/1, 386 ff. Eingreifen Innozenz' IV. in Florenz Ep. sel. 3, 135 ff. Oberitalien: Jordan 57 ff. Recht falsch ist hier (p. 93) das Urteil, der Kreuzzug gegen Ezzelin sei ‹une vraie guerre de religion› gewesen. Das Entgegenkommen, das Innozenz drei Jahre lang zeigte (Ep. sel. 3, 93. 125. 242. P. 15429), beweist das Gegenteil. Fontana Kreuzzugslegat Ep. sel. 3, 378. — Manfreds Reichsvikare Reg. imp. 4680 a, Winkelmann, Acta 1, 415. Unterwerfungen unter ihn Reg. imp. 14074. 78 ff. Capasso 290 (Fermo im Oktober 1258) 292 f (Jesi, gleichzeitig) 296 und weiter. Camerino als letzte Stadt der Mark, Malaspina II 3. Schutz für Siena, Ernennung eines Podestà (4. Okt. 1259) Capasso 312. 323. 326. Aufforderung Innozenz' an Wilhelm zum Romzug: Reg. imp. 8755 (P. 14195. 15475), Jordan 287. Alfons' Bemühungen bei Pisa um die Kaiserwahl (18. März) müssen bei Lebzeiten Wilhelms begonnen haben († 28. Januar 1256). Sie hatte praktische Zwecke nur für Italien und das Mittelmeer, an Deutschland wurde nicht gedacht, während schon auf den Fall Bezug genommen ist, daß Alfons das Königreich Sizilien in Besitz nehme. Constit. 2, 495. Merkwürdig ist die Begründung mit dem doppelten Erbanspruch Alfons' als Enkel Philipps von Schwaben und Nachkomme Kaiser Manuels, Constit. 2, 491. Über die Doppelwahl 1257 berichten ausführlich Gesta Treverorum SS. 24, 412, A. Busson, Doppelwahl 1257 (1866), Otto, Mitteil. des österr. Instituts 19, 75 ff, dem Tenckhoff folgt. Wichtigste Auskunft über die widerspruchsvolle Haltung des Papstes gibt der kastilische Bericht an Clemens IV. (1267), ebenda 6, 101. Hier leugnet Alexander jede Parteinahme für Richard; Bärwald, Formelbuch 119. 124 (dazu Reg. imp. 5349 und Matth. Paris 5, 746) beweisen das Gegenteil. Alexander hatte für nötig gehalten, die Wahl Konradins zu verbieten, Ep. sel. 3, 398.

S. 214. Ezzelins Ende und was ihm vorausging, ist in den Reg. imp. 14060 a. 072 a. 087 a. 105 b. 108 a. 109. 111 a. zu verfolgen. Das Bündnis, dem er erlag, n.⁰ 14096. F. Stieve, Ezzelin von Romano (1909) befriedigt nicht. Jordan 99 nennt dieses Ende richtig ‹die brennendste Demütigung des hl. Stuhles›, lehnt aber mit Unrecht p. 125 Salimbenes Zeugnis ab, wonach Alexander schon mit Ezzelin angeknüpft und seine Aussöhnung ins Auge gefaßt habe. So etwas läßt sich nicht erfinden, es hat hier auch alle Wahrscheinlichkeit. Unterwerfung Mailands und Piacenzas unter Pallavicini Reg. imp. 14114 a. 14153 a, Alexanders vergebliches Eingreifen 9251. 9252. — Toskana: Jordan 204 ff, Davidsohn 2/1, 450 ff. Bei Montaperti kämpften die Florentiner als Exkommunizierte wegen Verletzung der kirchlichen Freiheiten, die Sanesen als Kreuzfahrer. Erst nach der Schlacht mußte Alexander seine Politik der Neutralität aufgeben. Reg. imp. 9247 ff. Jordan 222. Sein gescheiterter Bündnisplan, Pinzi, Storia di Viterbo 2, 79 ff, Jordan 269 f.

S. 215 f. Brancaleones Ende und was darauf folgte bei Wilhelm von Nangis (Bouquet 20, 410) und Matth. Paris, Chron. 5, 547. 563. 573. 662 ff. 709. 723. nebst Hist. Angl. 3, 131, 324, Ep. sel. 3, 361, Reg. imp. 9200. P. 17579. 17822/25. 17852/53, Pinzi 2, 56 f. 73 ff, Jordan, Origines 236 ff. 240 ff, Davidsohn 2/1, 459, Gregorovius, Geschichte der Stadt Rom im Mittelalter 5 (4. Aufl. 1892) 304 ff.

S. 216 f. Bemühungen für Syrien: Rayn. 1255, 60 ff. Genua und Venedig: Rayn. 1258, 30 ff, Andrea Dandolo (Muratori 12, 366 f), Ann. S. Justinae SS. 19, 171, Contin.

Belli sacri (Migne. P. L. 201, 1043 ff). Sanudo III 12, 5 (Hist. Hierosol. ed. Bongars, Gesta Dei II).

S. 217 f. Verhandlung mit Konstantinopel (vgl. oben zu S. 194 f), Schillmann, Röm. Quartalschr. 22, 108 ff, Georgios Akropol. (Bonner Corpus Script. hist. Byzant.) 148, Nikeph. Gregoras 55 ff (ebenda). Rayn. 1256, 48; 1260, 53 ff. Bestimmend für Alexanders Haltung in dieser Frage war der Wechsel in der Stellung Manfreds zu Konstantinopel, der 1258/59 eingetreten war, als Michael Palaelogos unter Verdrängung des Johannes Laskaris und der Familie des Vatatzes den Thron bestieg (1. Januar 1259). Im gleichen Jahr heiratet Manfred die Tochter des Fürsten von Epirus und deren Schwester den Villehardouin von Achaja, der Dreibund gegen Konstantinopel ist geschlossen, Hopf bei Ersch und Gruber 85, 282. 260. — Mongolen: Rayn. 1259, 33 ff, Ann. von Burton 495. Kongreß: Rymer I 1, 403, Potth. 17964, N. A. 24, 510. Rayn. 1261, 6. Pinzi, Viterbo 2, 86. — Livland, Polen, Litauen, Galizien: Rayn. 1255, 57 ff. 61 ff. 1256, 14 ff. Reg. 1290/91. — Portugal Rayn. 1255, 48. Böhmen SS. 9, 600, Reg. imp. 11886. Salzburg Ep. sel. 3, 464. SS. 17, 397 ff. F. Tenckhoff 175 ff. Köln Tenckhoff 168 ff.

S. 219. Geistliche Vorrechte der französischen Könige Rayn. 1255, 42 ff, Reg. 422 ff. 826. A. Tardif, Coll. de Doc. inédits I, 113 (1855) S. 8 ff. Streit um die Gerichtsbarkeit (von Tenckhoff willkürlich mit den Exemtionen Innozenz' IV. in Zusammenhang gebracht) Rayn. 1257, 54, Reg. 2068. 2524. Geringe Teilnahme am Friedensschluß Frankreichs mit England, Tenckhoff 197 f, vgl. Ann. von Burton 461 ff. Shirley 2, 143. Nichteinladung zum Mongolenkongreß Hampe, Urban IV. und Manfred 82. Gesamturteil Matth. Paris, Chron. 5, 535. 536.

S. 220 f. Eine Hauptquelle für Urban IV. ist das panegyrische Gedicht Thierrys von Vaucouleurs, Muratori III 2, 406 f. Das Register, herausg. von Guiraud (1901 ff). K. Hampe, Urban IV. und Manfred (1905). Das Vorleben behandelt breit Sievert, Röm. Quartalschr. 11, 12. Nachrichten zur Wahl bei Saba Malaspina II 5 (Muratori 8, 803), in den Ann. S. Justinae (SS. 19, 181) und bei Shirley, Royal letters 2, 188. Die Enzyklika bietet nichts. Kombinationen über den Hergang bei der Wahl scheinen mir gewagt und müßig. Wir wissen eben nichts darüber. Was Maubach 84 ff darüber sagt, ist bloße Vermutung, ebenso wie 112 die Sonderung der Parteien im Kardinalskolleg. H. Grauert, SB. München 1901, 132. Derselbe, Die päpstl. Kurie im 13. Jahrhundert 1912. Olga Joëlson, Die Papstwahlen des 13. Jahrhunderts (1928) 55 ff. Jordan, Origines 291 f hebt auch hier wie früher die angebliche Führung der Parteien durch Joh. von Toledo und Ubaldini hervor, vergißt jedoch, daß Ubaldini an der Wahl nicht teilnahm. Die Legende bei Villani VI. 88. U.s Austreten: QF. 15, 50 (Verbesserung von Davidsohn ebenda 17, 82 ff). Über den Neffen oder Sohn ereifert sich Salimbene SS. 32, 170.

S. 221 f. Bemühungen für Syrien Rayn. 1263, 2. 13; 1264, 68. Konstantinopel: G. Caro, Genua und die Mächte am Mittelmeer (1895/99) 1, 132 ff. Kriegerische Maßnahmen Rayn. 1262, 34. 39. 43; 1263, 19. 16. 21, Guiraud, Reg. 187. 421. 577/579. 719/721. Flores Hist. (RS) 2, 478 f. Akten der Unionsverhandlungen: Rayn. 1264, 57 ff. Eine zusammenfassende Darstellung geben die Kardinäle 1270 bei Martène, Ampl. Coll. 7, 209. L. Wadding. Ann. ord. Minorum 4, 175. 181. 202. 210. 225. 233, Guiraud 748. (Rayn. 1263, 23). Urbans Antwort Potth. 18399 (Wadding 4, 181, ohne Datum) ist nicht im Register, nur im Konzeptbuch des Berard von Neapel überliefert und wird weder von Urban selbst im nächsten Schreiben gleichen Inhalts, aber anderer Fassung, Guiraud 295, noch von Michael erwähnt, ist also nicht abgesandt, sondern durch Guiraud 295 ersetzt worden. Der Grund des Zögerns wird die Nachricht vom Gang des Krieges Michaels gegen die Lateiner gewesen sein. Erst Michaels zweites Anklopfen veranlaßt Guiraud 295.

S. 223. Haltung der sizil. Bischöfe: Hel. Arndt, Studien zur inneren Regierungsgeschichte Manfreds (1911) 42 f. Eine Erhebung auf Sardinien erwähnt Ep. sel. 3, 528. Ohne augenblicklichen Nutzen war für Manfred die Verheiratung seiner Tochter Konstanze mit dem Kronprinzen Peter von Aragon, seit 1260 verhandelt, von Urban natürlich bekämpft, 1262 April/Juni geschlossen. König Jakob, um den französischen Kronprinzen zum Schwiegersohn zu bekommen, gab die Versicherung, Manfred nicht zu unterstützen, und hat Wort gehalten. O. Cartellieri, Peter von Aragon und die Sizil. Vesper (1904) 6 f. Urbans französische Gesinnung empfanden die englischen Gesandten sogleich, deren Berichte den Kampf der Kardinalsgruppen zeigen. Shirley, Royal letters 2, 204. 208. 188. Urban und Ludwig IX. Rayn. 1261, 19 ff. 26. Nov. 1261: quem prae cunctis orbis regibus et principibus cariorem nimium ap. sedes habet ... prae nimia dilectione quam ad te gerimus ... Die franz. Könige speciales defensores fidei et ecclesiasticae libertatis ... Nos qui natalis soli non immemores quadam materiali (naturali?) necessitudine noch mehr verpflichtet. Andererseits war auch Ludwig mit seinem Glückwunsch der Anzeige der Thronbesteigung zuvorgekommen, indem er den Papst ersuchte, das Königreich als sein zu betrachten, Martène, Thesaurus 2, 125 f. Fr. Bünger, Beziehungen Ludwigs IX. zur Kurie. Diss. Berlin 1896 (Teildruck), ist nur als Stoffsammlung nützlich. Von den neuen Kardinälen waren Raoul Grosparmi und Simon von Brion französische Kanzler, Gui Legros königl. Rat gewesen. Ob auch Heinrich von Susa, obwohl Ludwig zuliebe erhoben, als französisch gelten kann? R. Sternfeld, Kardinal J. G. Orsini (1905) 20 hat übersehen, daß er von England benutzt wird. Über die Verhandlungen mit Frankreich sind wir ausnahmsweise gut unterrichtet, da wir neben den registrierten Akten auch die Korrespondenz im Konzeptbuch des Notars Berard von Neapel, Martène, Thesaurus 2, haben. Danach hat Hampe den Verlauf im ganzen richtig festgestellt. Nur das Schreiben Urbans an Ludwig IX. S. 87 gehört ins Frühjahr 1262, nicht 1263. So konnte der Papst nur zu Anfang schreiben. Wenig glücklich F. Schneider, QF. 15, 17 ff, den Davidsohn ebenda 17, 82 widerlegt. Von Manfreds großem Angebot berichtet der englische Gesandte am 6. Februar 1262, Shirley 2, 206. Um Vermittlung bemühte sich außer Ludwig IX. auch Jakob von Aragon, Ep. sel. 3, 483. Angebot Siziliens an einen Sohn Ludwigs IX. Reg. imp. 9426 b. Karls Lage 1262: Sternfeld, Karl von Anjou als Graf der Provence 167 ff. Karl und Königin Margarete: Boutaric, Revue des questions hist. 3, 422. Wie Ludwig IX. von der Kurie bearbeitet wurde, verrät das Schreiben eines Kardinals bei Hampe, N. A. 22, 30: warum es Ott. Fieschi sein soll, sehe ich nicht, und das Datum 1263/64 scheint mir zu spät. Auch auf Karl hielt man für nötig, durch seinen Bruder Alfons zu wirken E. Boutaric, Alphonse de Poitiers (1870) 114. Über die Verhandlung mit Manfred im November 1262 Saba Malaspina II 7 (Muratori 8, 806). Eingreifen Balduins II. Martène 2, 23 ff, Ep. sel. 3, 494. Auflösung des Vertrags mit England Rymer I 2, 80, Ep. sel. 3, 533 f. 537. Lösung Heinrichs III. vom Eid auf die Statuten Rymer I 2, 62 ff, Shirley 2, 208 ff.

S. 227. Bedingungen für Karl (23. März 1262) Muratori, Antiquit. 6, 105; (17./26. Juni 1263) Ep. sel. 510. 519. 523.

S. 228 f. Die Höhe der vorgefundenen Schulden gibt Thierry von Vaucouleurs an. Einziehungen verschleuderten Besitzes, Hampe 37 ff. Auch die nächsten Verwandten des Vorgängers blieben davon nicht verschont: Theiner, Cod. dipl. 1, 166. Eintreibung ausstehender Abgaben Ep. sel. 3, 475. 477 ff. Plan, Spanien stärker heranzuziehen, Guiraud, Reg. caméral n. 455/473. Die Abgabe von den Kirchen im Lodesischen (Merkel, Mem. di Torino N. S. 41, 202 nach Vignati, Cod. dipl. Laudense 352) wird wohl auch von andern, wenn nicht von allen gefordert worden sein. Die auffallend große Zahl der Provisionen im ersten Regierungsjahr kann nicht mit Rodenberg Ep. sel. 3, XI, durch sorgfältigere Registrierung erklärt werden; die Bewerbungen waren im Anfang der Regierung stets häufiger, aber Urban im Bewilligen auch freigebiger. Kämpfe im Spoletinischen und der Mark Reg. imp. 14182. 14203. Martène 2, 90 f, Ep. sel. 3, 625, Hampe 43 ff. Es ergibt sich, daß Manfred die Verhandlungen ernst nahm und, solange sie schwebten, die Waffen ruhen ließ, was der Papst zu erfolgreichem Angriff benutzte. Aufforderung an die deutschen Söldner Ep. sel. 3, 525, Werbung in ganz Italien 3, 529. An Konradin 3, 620 f. Die finanziellen Kampfmaßnahmen behandelt Jordan, Origines 336 ff. Lehrreiche Beispiele Guiraud, Reg. cam.

N. 161/164, Ep. sel. 3, 492 (zeigt, um was für Summen es sich handelt), 617 (Behandlung von Übertretenden, vgl. Davidsohn, Florenz II, 1, 553 ff und Forschungen 3, 15), 542 (Ausdehnung auf Frankreich und Provence). Winkelmann, Acta 2, 730.

S. 230. Auf die Wahl Karls zum Senator von Rom beziehen sich Urbans Schreiben vom 11. August, 25. Dezember 1263 und 25. April 1264, Martène 2, 26. 28. 30. 32. 49, Ep. sel. 3, 590. Saba Malaspina II 9 verrät, daß die lebenslängliche Herrschaft Karls Anstoß gab. Die Wahlurkunde bei St. Priest, Conquête du royaume de Nâples 2, 330, deren Echtheit Sternfeld; Karl von Anjou 184 erwiesen hat, spricht nur von einjähriger Dauer des Amtes vom 1. Nov. an und fordert persönliches Erscheinen am Tage der Jungfrau (womit nur der 8. Dezember gemeint sein kann, nicht der 8. September, wie Sternfeld meint). Die Lebenslänglichkeit kann erst nachträglich ins Auge gefaßt sein, vermutlich von Karl selbst. Die abweichende Erzählung bei Thierry von Vaucouleurs verdient keinen Glauben. Daß Manfred noch bis Ende 1263 eine Partei in der Stadt hatte, zeigt Ep. sel. 3, 558. In der Deutung der Quellen scheint mir Hampe 33 f der Wahrheit am nächsten zu kommen. Sternfeld, Karl von Anjou 182 ff verwickelt sich in Widersprüche, und Jordan, Origines 459 (à l'insu du pape, à l'insu de Ch. d'Anjou lui-meme, weil keine Quelle etwas davon sage) ist allzu naiv. Malaspina nennt als Urheber Richard Annibaldi, der aber nicht ganz von sich aus gehandelt haben kann. Vielleicht war er es, der als Werkzeug Karls die Forderung der Lebenslänglichkeit aufbrachte. Die Schnelligkeit, mit der Urban sich auch damit abfand, verrät Mitwisserschaft. Auf vorausgehende geheime Verhandlungen, die man ohnehin annehmen muß, deutet auch der ungewöhnliche Zeitpunkt der Wahl (Anfang August). — Verhandlung mit Karl wegen der Bedingungen für die Übertragung Siziliens: Martène Thes. 2, 33 ff. 43. Drei Jahreszehnten aus Frankreich, Provence und Burgund fordert Urban am 3. Mai 1264, Guiraud n. 804. Als Manfreds Verschulden wird sein Liebäugeln mit den Sarazenen betont, deren Ritus er angenommen habe; außerdem hindere er die Wiedereroberung Konstantinopels und Palästinas. Ep. sel. 586.

S. 231 f. Karls Vertrag mit Montferrat, während mit Saluzzo noch verhandelt wird, ist vom 15. Mai 1264. Wurstemberger, Peter von Savoyen 4, 324. Gaucelm war nicht der erste Vertreter Karls in Rom, ein Franzose war vorausgegangen, aber bald gestorben. Malaspina II 11. Von den Verhandlungen mit Karl melden die Vertreter von Treviso im Juni 1263, Reg. imp. 14203. Der Kardinallegat erhält Weisung und Vollmachten am 25. April/3. Mai 1264, Ep. sel. 3, 583 ff. 590. Manfred hatte in Karl schon früh den künftigen Feind erkannt und darum das aufständische Marseille durch Schiffe unterstützt. O. Cartellieri, Sizil. Vesper 10. Manfreds Beschwerde beim Papst Reg. imp. 4754. Seine Rüstungen beginnen gleichzeitig mit der Entsendung des Legaten nach Frankreich, der Ankündigung des Kreuzzugs (21. Mai, Rayn. 1264, 16; in Rom war die Kreuzpredigt schon am 27. März angeordnet worden, Ep. sel. 3, 578) und dem Eintreffen von Karls Vikar im Rom. Am 24. April ergeht das Aufgebot der Vasallen, Capasso 2, 253. Über Peter von Vico und seine Bekämpfung ausführlich Pinzi, Viterbo 2, 60 ff. 92. 94 ff. Dazu und zu den Kämpfen in Toskana Thierry von Vaucouleurs 414 f. 417 f. Hampe 56 ff beurteilt Manfreds Handeln nicht gerecht, indem er sich einer nachträglichen, von einem Feinde stammenden und übertreibenden Äußerung (SS. 31, 221) ohne Vorbehalt anschließt. Der Plan — konzentrischer Angriff von drei Seiten auf Orviето — war nicht zu tadeln: Rom anzugreifen, wie Hampe fordert, bot keinerlei Aussichten. Rom zu nehmen, ist in diesen Zeiten niemand gelungen. Manfreds Plan zerbrach an der Stärke der Verteidigung und an mangelnder Gleichzeitigkeit der Angriffe, der natürlichen Schwäche jeder Strategie, die auf getrenntem Marschieren beruht. Malaspina II 12 hält den Tod Dorias für entscheidend. Auch daß Manfred sich nicht selbst an die Spitze einer Kolonne stellte, war kein Fehler. Ob er stärkere Kräfte aufbieten konnte, wer will das entscheiden? Jedenfalls hat sein Angriff den Papst in größte Gefahr und Besorgnis versetzt, wie die Briefe Martène 2, 85. Ep. sel. 3, 600. 616, Rayn. 1264, 13 und der Abzug nach Perugia zeigen. Übrigens berechnet Hampe 55 die Stärke der Päpstlichen mit ‹annähernd 3000 Mann› viel zu niedrig, weil er, wie fast alle Neueren, die Ritter einfach zählt, während man nach den Abmachungen mit Karl und anderen Angaben 1 Ritter = 3–4 Mann zu rechnen hat. Urban nennt selbst 2000 Ritter und 200 Armbruster, die Fußtruppen, die in der Regel ein Mehrfaches der Ritter ausmachen, erwähnt er gar nicht. Das ergibt schon wenigstens 6200, wozu noch einige abgezweigte Abteilungen kommen. Ich schätze darum die Gesamtstärke auf 10–12 000, verteilt auf römisch Toskana, Spoleto, Mark und Campagna, nach Bedarf zusammenzuziehen. Viel ist das auch für damals nicht. Es kommen aber noch die Ritter Gaucelms hinzu, mindestens einige 100 Mann erster Güte. Die Ausgaben berechnet Urban am 17. Juli, Martène 2, 82, auf 200 000 Pfund (= 400 000 Gulden). Seit dem 27. März hatte er das lever en masse angeordnet durch Kreuzpredigt in Rom und dem Patrimonium, Ep. sel. 3, 578, mit dem Erfolg, daß Manfreds Angriff im Süden scheiterte. Thierry von Vaucouleurs 243. Tod des Doria (ebenda und Schreiben des Papstes Martène 2, 82) Malaspina (Muratori 8, 810). Spaltungen und Gegensätze unter den Verbündeten Manfreds: Davidsohn, Florenz II 1, 534 f. — Tätigkeit des Kardinals Simon in Frankreich, Einigung mit Karl, Bewilligung des Zehnten, Winkelmann, Acta 2, 734 f. Urbans Dank Martène 87. Aufforderung zur Zehntzahlung 3. Mai (nicht März, wie Potth. hat), Ep. sel. 3, 586.

S. 233 ff. Neben dem Register, ed. Jordan (1893 ff) haben wir, wie für Urban IV., auch für Clemens IV. die reichhaltige Korrespondenz, die Martène und Durand im 2. Band des Thesaurus anecdot. zusammengebracht haben. Die Verschiedenheit des Stils und manche Einzelzüge deuten auf starke persönliche Anteilnahme an der Abfassung. Dagegen sind in die Sammlungen Martènes nur ein paar Stücke aus dem Konzeptbuch Berards von Neapel übergegangen (Ampl. Coll. 2, 1267 ff; 7, 199 ff; vgl. Delisle in Notices et Extraits 27, 2, S. 87 ff und Kaltenbrunner in Mitteil. des österr. Instituts 7, 21 ff und 555 ff). Den Einfluß des Notars Berard überschätzt Fr. Bock, Reichsidee und Nationalstaaten (1943) 18, gewaltig, wenn er ihm das Verdienst zuschreibt, die Einheit der Politik bei den häufigen Wechsel der Päpste festgehalten zu haben. Über das Konklave geben Aufschluß neben den Erzählern wie Salimbene u. a. die Briefe, die Hampe, N. A. 22, 367. 406 f mitgeteilt hat, darunter vor allem das Schreiben des Papstes an den EB. von Kalocsa, das wohl nicht nur an ihn allein gerichtet wurde. Urbans letztes Schreiben an Karl 3. Mai, Ep. sel. 3, 590, hatte die Bitte enthalten, die römische Senatur nicht auf Lebenszeit zu übernehmen, ut noster et dictorum fratrum animi, qui propter hoc multipliciter fluctuant, tranquillentur. Die richtige Chronologie ergibt das Schreiben vom 5. Januar an Karl von Anjou, Martène Thes. 2, 97, vor der förmlichen Wahl (5. Februar), aber schon in Kenntnis von ihr. Wenn der Eilbote von Perugia bis Paris etwa 8 Tage brauchte, so müssen die Kardinäle ihren Beschluß vor dem 25. Dezember gefaßt haben, und die Wehklage Fieschis über die schon länger als drei Monate ergebnislosen Verhandlungen war übertrieben. Das Kollegium zählte damals 21 Mitglieder, 11 Italiener, 8 Franzosen, von denen 2 abwesend waren, und je 1 Engländer und Ungarn. Der Gewählte war seit dem 22. November 1263 als Legat nach England beauftragt, aber noch am 13. Februar 1264 in Orvieto, Fontes rer. Austr. II 33, 67. Mitteilung der Bestimmungen, nach denen mit Karl abgeschlossen werden soll, Winkelmann, Acta 2, 732, fälschlich als Weisung des Kardinallegaten bezeichnet, s. Sternfeld 223 f. Die Reise nach Perugia in Verkleidung Chron. Jordani, Muratori, Antiquit. 4, 1001. Vorleben Memoriale potestatum Regiensium, Muratori SS. 8, 1124, Jordan, Orig. 300 ff, J. Heidemann, Clemens IV. vor seiner Erhebung zum Papst (1903). Wilh. Durand nennt Clemens speculator et lumen iuris. Überschwenglich preist den Juristen Roger Bacon SS. 28, 511. Abbildung des Kopfes bei Bock, Reichsidee und Nationalstaaten (1943) 16. Generelle Reservation aller in curia erledigten Pfründen im Liber Sextus Decretal. III 4, 2 ‹Licet›. Zurückhaltung in Provisionen, Martène 357. 291 (den französischen Kirchen ita deferimus . . . ut ad eorum beneficia obtinenda iuxta praedecessorum nostrororum consuetudinem minime procedamus). Immerhin erhält 1267 der Legat nach Frankreich Vollmacht, seine Begleiter mit Pfründen zu versorgen, Jordan, Reg. n. 489. 200 M. Sterl. Pen-

sion auf französische Klöster angewiesen einem Kardinal, ebenda 440. An Clemens'
Gewohnheit, stets die Kardinäle zu hören, erinnert Katherina von Siena nach mehr als
hundert Jahren Gregor XI. Alessandrini, Arch. Rom. 56/57, 90. Befragung sogar eines
Abwesenden Martène 389. Alfons von Poitou wird die Besteuerung seiner Landeskirche viermal abgeschlagen, Martène 291. 313. 385. 427, und dem Klerus der Provinz
auch die Versicherung gegeben, daß er nach Entrichtung des dreijährigen Zehnten
für den Kreuzzug des Königs zehn Jahre lang nicht besteuert werden soll, Jordan
Reg. 508. Strenge Ablehnung von Dispensen zur Pfründenhäufung Ann. von Osney
(RS. Ann. Monast.) 220: rem memorabilem ad posterorum memoriam transmittere
dignum duxi, quod, dum ... pontificio fungebatur, nec prece nec pretio per quoscun-
que flecti potuit, ut cuiquam de mundo dispensationem de pluribus beneficiis obtinen-
dis concedere dignaretur. Seine Härte heben die Ann. von Piacenza SS. 18, 517 hervor
mit Worten, die sie dem Manifest Konradins, ebenda 523, entlehnen: papa Clemens,
cuius nomen ab effectu non modice distat. Wie Boüard, Bibl. des Ecoles fançaises
118, 32, Clemens einen ‹caractère hésitant et timoré› und ‹imprudent optimisme›
zuschreiben kann, verstehe ich nicht. Das Schreiben an Karl vor der förmlichen Wahl
Martène 97. Dank und Tadel nach dem Siege Rayn. 1266, § 17. Beschwerde bei Ludwig IX. wegen Narbonne Potth. 19504, gegen den Prévôt von Paris Jordan, Reg. 835,
bei Karl wegen Asti Martène 2, 105. Im allgemeinen war Clemens genau so französisch wie Urban IV. und frühere Päpste. Erneuerung der Privilegien des Königs Jordan
Reg. 412. 419. A. Tardif, Privilèges accordés à la couronne de France par le Saint
Siège (Coll. de docum. inéd. I 113. 1855) S. 31 ff. Vorrang Frankreichs und seiner
Könige Jordan Reg. 835: eminet enim qualiter ecclesia gallicana ipsorum (regum)
potissime munificentiis pre ceteris quasi mundi ecclesiis ampliata et libertatum premu-
nita privilegiis illis opulenta pace premineat ipsasque multarum immunitatum prero-
gativa precellat; Ludwig übertreffe darin seine Vorfahren. Verwendung bei Karl abgelehnt (28. Mai 1266) Martène Thes. 2, 334.

S. 236. Karl ernannte die Führer seines Heeres im April 1265 in Paris, Villani VII 3,
während der Vertrag erst gegen Ende des Monats in Aix unterzeichnet wurde, Ep. sel.
3, 640. Bestätigung am 4. November, Martène 220. Bestätigung am 2. April 1266
Registre 411, Ep. sel. 3, 659. Die Unterhändler waren am 27. März abgesandt, am
12. April von Genua abgereist, Martène 116. 123. Am 26. Februar erging an den
Kardinallegaten Simon der Befehl, sich sofort in die Provence zu begeben, wo ihn
die demnächst abzuschickenden Boten treffen sollten, damit das Geschäft, ‹das unser
Herz mit angstvoller Sorge hart bedrückt und schmerzlich zerreißt›, abgeschlossen
werde, Martène Thes. 2, 101. Vom 27./30. März sind die Weisungen an den Legaten,
Karl nach Annahme des Vertrags Gelder aus dem Zehnten zu überlassen, zugleich
Ludwig IX., wenn er Karl unterstützt, den ganzen Zehnten zu verpfänden, l. c. 116 ff.
Die ‹großen Vorteile›, die Karl nach Sternfeld 226 durch seine schlaue Politik erzielt
haben soll, schrumpfen bei näherem Zusehen auf Streichung der Beschwörung des
Vertrags durch die Untertanen und Herabsetzung des Jahreszinses um 2000 Unzen
(nicht ‹Goldgulden›! Die Unze ist = 5 fl.) zusammen. Das erste war ein unerhörter
Anspruch der Kirche, der nicht aufrechterhalten werden konnte, das zweite hatte der
Papst von Anfang an ins Auge gefaßt. Der von Sternfeld behauptete teilweise Erlaß
der Lehnsmutung von 50 000 fl. ist ein Irrtum. Karl hat zwar geglaubt, die Streichung
des Postens sei ihm versprochen worden, und hat diese seine Auffassung später geltend gemacht, aber ohne Erfolg, Martène 324 f. Erst Bonifaz VIII. hat die Schuld
gestrichen. — Bericht von Karls Vertreter in Rom (10. April) Sternfeld 229 ff. Den
mißlungenen Handstreich schildert Malaspina II 13. Clemens' Unzufriedenheit Martène S. 132 (spricht von indispositus adventus comitis, hofft auf meliorem exitum
principii debilis). Seine Notlage schildert er in düsteren Farben im April gegenüber
Alfons von Poitou, den er bewegen will, anstatt des schon gelobten Kreuzzugs sich
Karl anzuschließen, Jordan, Registre 817. Vom römischen Adel standen die Annibaldi
im gegnerischen Lager, Martène 134; Jordan Reg. 227 (22. Juni) gehen sie zum Papst

über. Karls abenteuerliche Überfahrt schildern am genauesten die Ann. von Genua (SS. 18, 252), wo man in strenger Neutralität — um deren Aufgabe der Papst sich vergebens bemühte — die Vorgänge aufmerksam zu beobachten allen Grund hatte (Caro, Genua 1, 172); ferner Andreas Ungarus SS. 26, 564; Villani VII 3, Merkel, Mem. dell'Acad. di Torino II 41, 241. Der Bericht der Lucchesen, Martène 130, 143, dem Sternfeld 245 zu sehr vertraut, spricht von insgesamt 80 Schiffen. Das wäre mehr als Friedrich II. 1241 hatte, und scheint mir darum unglaubhaft. Clemens' Unzufriedenheit mit den Vorbereitungen (propter indispositum comitis adventum), Martène 132. Pisas verräterisches Verhalten, Davidsohn II 1, 564 f, erklärt sich durch das Lob, das Clemens der Stadt am 2. März erteilt; sie wir im Begriff abzufallen, die Verhandlungen liefen bis in den Dezember, Martène 106. 249. Glückwunsch und Begrüßung durch Kardinäle, Jordan Reg. 819 ff. Belehnung 28. Juni, Reg. imp. 9537 a (beurkundet 4. Nov. Ep. sel. 3, 639). Acht Tage vorher, 21. Juni, hatte Karl die Verpflichtung beschworen, das Amt des Senators spätestens drei Jahre nach vollendeter Eroberung des Königreichs niederzulegen, Ep. sel. 3, 641. 660 (in der Bestätigung durch Clemens vom 2. April 1266). Anweisungen für die Kreuzpredigt in Frankreich, 7./21. März, Ep. sel. 3, 513, Jordan Reg. 216 f, Martène 114. Sie sollte, als das Heer aufmarschierte, eingestellt werden, wurde aber am 14. September aufs neue befohlen, Capasso 489. Wiederholter Befehl im November Reg. imp. 9600, Martène 240, Jordan Reg. 240, Rayn. 1265, 26.

S. 237 ff. In der Beurteilung Manfreds haben die neueren Darsteller es sich allzu bequem gemacht: sie werfen ihm Untätigkeit vor, wo ‹seine Ehre gebot, dem Häuflein in Rom, dessen klägliche Lage ihm nicht unbekannt war [?], den Garaus zu machen› (Sternfeld 234). Anders urteilt der gleichzeitige und sachverständige Beobachter auf der Gegenseite Ungarus SS. 26, 565. Manfredus ... nullatenus dormitabat. Er gibt auch ein Bild von den Anstrengungen, die Manfred im Sommer (Juni bis August) machte, um Karl in Rom einzuschließen (vgl. unten zu S. 242), nachdem es nicht gelungen war, seine Landung zu verhindern. Versucht wurde es, die überlegene sizilische Flotte, übereinstimmend auf 60 Einheiten geschätzt, kreuzte im Tyrrhenischen Meer. Die nächstliegende Erklärung für das Mißlingen ist wohl die Ungunst der Elemente; vielleicht war auch hier der Verrat der Pisaner wirksam, auf deren Eingreifen gerechnet war. Anstatt ohne Prüfung über Saumseligkeit zu schelten, wird man mehr mit den Grenzen des Möglichen und mit unvorhersehbaren Ereignissen rechnen müssen, die im Kriege so oft eine Rolle spielen. Die Legende vom Ruf des Engels bei der Schenkung Konstantins (vgl. Dante, Purg. XXXII 127) muß in einer Vita S. Silvestri gestanden haben, aus der sie Johann von Paris (Goldast, Monarchia 2, 140) zitiert. Walther von der Vogelweide kennt sie schon. Manfreds Bemühung um Frieden ergibt sich aus der Antwort des Papstes (Mai 1265) Martène 274. Der Protontin von Barletta und Monopoli erhält am 20. März vom Papst Bestätigung seines Besitzes, Jordan Reg. 213. 215. Die Schwierigkeiten in Toskana, die sich aus den einander kreuzenden Interessen der Städte ergaben, zeigen sich bei Fedor Schneider, Toskan. Studien (QF. 13) 20 ff. Übrigens hatte auch Karl mit Schwierigkeiten und Widerständen zu kämpfen. Von den Städten der Umgebung Roms wurde er keineswegs willkommen geheißen, geforderte Unterstützung abgelehnt und Viterbo, durch Anwendung der Inquisition empört, schloß die Tore, Martène 163. 190, Pinzi 2, 169 f. — Manfreds Manifest an die Römer Constit. 2, 559 ff, Stücke davon erhalten in der Chronik des F. Pipin (Muratori 9, 681). Der Text bedarf auch nach den Verbesserungen von Weiland und von Hampe N. A. 36, 226 ff der Emendation. Siegesgewisses Aufgebot an Pisa (vermutlich an alle Städte der toskanischen Liga) nach Karls Ankunft sine gente, sine pecunia et sine viribus quasi peregrinus, Winkelmann, Acta 1, 420; desgleichen an den Generalstatthalter von Toskana (Karl gefangen wie der Vogel im Käfig) Böhmer, Acta 684.

S. 239 f. Karls und Clemens' Verlegenheiten bilden das Thema der meisten Briefe des Papstes aus dieser Zeit (Martène, Thes. 2), von denen viele sich mit der Geldfrage beschäftigen. Die angeführten Stellen· Martène N. 107. 105. 118 f. 138. 149. 157. 159. 173. 176. 178. 186 f. 189. 214. 241 f. 244. 260. 274 und sonst. Dazu Jordan Reg. 158. 180. 195. 224. Verpfändung der römischen Kirchengüter auch Davidsohn, Forschungen 3, 23. Beschwerden über Karls Übergriffe Martène 107. 141. 264. 267. 205/7; Pinzi 2, 181 f. Die Summen der Anleihen nach Cl. J. de Cherrier, Hist. de la lutte des papes et des empereurs (1858/9) 3, 176. Pinzi 2, 162. Clemens übertrieb gelegentlich. Durch Verpfändung der Kirchengüter wollte er noch keine 30 000 l. erhalten haben, während die Urkunden bei G. Del Giudice, Cod. dipl. del regno di Carlo I e II d'Angio (1863 ff) 1, 57 ff, obgleich nicht einmal vollständig, schon 34 200 l. ausweisen. Nach der Berechnung von Jordan, Orig. 555, die mich aber nicht überzeugt, wären die erhofften 100 000 l. schließlich doch zusammengekommen. Diese Summe, aufgebracht auf die genannte Art (aber nicht notwendig die ganze so), erhielt Karl am 1. September gegen Verpfändung seiner sämtlichen Länder in Frankreich und Italien. Minieri-Riccio, Alcuni fatti riguardanti Carlo I di Angiò (1874) 6. Zu gesicherten Zahlen kommt man auf diesem Felde schwerlich. Den Jahreszehnten der französischen Kirchen berechnet Ch.-V. Langlois, Philippe le Hardi 354 nach einer mir nicht zugänglichen Arbeit von Gerbaux (Positions de thèses de l'Ecole des Chartes 1881) auf 182 552 l. Dazu kamen die Zehnten aus den mitbesteuerten Nachbargebieten des Kaiserreichs — Burgund, Provence, Flandern und Hennegau —, so daß 1264/67 die Gesamtsumme in jedem Jahr mindestens 200 000 betragen haben müßte. Indessen kann ich diese Schätzung für 1264/67 nicht für zutreffend halten, wenn der Ertrag des ersten Halbjahres nur 26 432 l. war, während er nach Langlois-Gerbaux 91 276 l. hätte sein müssen. Gewiß werden viele Schuldner im Rückstand geblieben sein (male respondent heißt es Martène 240; Weigerung der Zisterzienser und Templer, Martène 109. 118. 304; noch 1274 wurde nach Rückständen gefahndet, Jordan Orig. 539), aber das kann doch nicht fast drei Viertel der Gesamtschuld ausgemacht haben, auch kommt es hier auf den wirklichen Ertrag an, nicht auf das Soll, und jener blieb so weit hinter den Erwartungen zurück, daß Clemens den Bericht des Legaten nicht einmal allen Kardinälen mitzuteilen wagte, Martène 178. Endlich ist zu beachten, daß damals die Schätzung der Pfründen, die erst Gregor X. 1274 veranlaßte, noch nicht vorlag. Wie es bei der Erhebung zuging, schildert die Chronik von Limoges, Bouquet 21, 778, auf die Sternfeld, Orsini 334 verweist. 22 März 1266 wird der Legat angewiesen, das Geld zur Tilgung der Anleihen, wenn der Zehnte nicht ausreicht, bei Prälaten und sogar bei Wucherern aufzunehmen, Martène 295. — Manfreds gescheiterter Angriff auf Rom im Sommer 1265, sehr verständig behandelt von Freidhof, Die Städte Tusziens zur Zeit Manfreds 2, (1880) 17 f, nach den Briefen des Papstes, Martène 161. 163 f (Karl animosior quam vellemus) 178. 190, Andreas Ungarus 565 f, Böhmer, Acta 684. Wenn er bei Aufnahme des Planes noch nicht vom bevorstehenden französischen Kreuzzug wußte oder an die Nähe und Größe dieser Gefahr nicht glaubte, so ist sein Handeln durchaus verständlich. Die Nachricht, die ihn nach Clemens (Martène 190) zum Abbrechen des Feldzugs und eiliger Heimkehr veranlaßte, mag wohl nichts anderes gewesen sein, als die überraschende Gewißheit, daß das Kreuzheer in unerwarteter Stärke sich bereits versammelte. Jetzt erkannte er, daß das, was ihm in Rom gegenüberstand, nur ein Vortrupp war und der Hauptkampf binnen kurzem gegen eine viel stärkere Macht zu führen sein werde. Absolution römischer Edelleute, die zum Papst übergegangen sind, Jordan Reg. 227 (22. Juni). Der stärkste unter ihnen, Peter von Vico, erhält seinen Preis am 25. September, Reg. imp. 9588.

S. 242 ff. Ludwig IX. als Kreuzprediger (praedicator) für Karl: Martène 153. Aufmarsch und Anrücken des Heeres Reg. imp. 14272a, wo die Quellen genannt sind, am besten Andreas Ungarus, Wilhelm von Nangis, Primat (diese drei SS. 26), die Ann. von Genua und Piacenza (beide SS. 18.), auch Villani VII 4. Daß der Aufmarsch sich verzögert habe, ist nicht richtig, er vollzog sich sogar überraschend schnell. Ende Juni hatte die Kreuzzugspredigt beginnen können, der Aufbruch erfolgte nach Andreas zwei (lies drei) Monate später, im Oktober (die andere Angabe — nach dem Ende der

Regenzeit — ist ersichtlich falsch). Auch der Anmarschweg hatte von Anfang an festgestanden; an einen Marsch über Genua und längs der Küste hat außer Clemens (Martène 246. 254) kaum jemand gedacht, weil Genua neutral war und die Küstenstraße die Entfaltung größerer Massen nicht erlaubte, während Überschreitung des Apennin große Schwierigkeiten bot und der Paß von Pontremoli in der Hand des Gegners war. Auch die andern Angaben des Regests sind nicht alle richtig. Die Heeresstärke geben die Ann. von Genua wohl am zutreffendsten an. Karls vorbereitendes Fußfassen in Oberitalien: C. Merkel, La dominazione di Carlo d'Angiò etc. 228. Verträge mit Monferrat und Saluzzo 15. Mai und 4. November 1264: Muratori 23, 390, Reg. imp. 14221. 236. Sternfeld 208. Der Vertrag mit Mailand (23. Januar 1265, Reg. imp. 14239) enthielt schon die Verpflichtung, einen Feldzug causa conquirendi regnum Sicilie et Apulie zu unterstützen. Die Anschlüsse der übrigen Städte Reg. imp. 14241, Merkel 227. — Entsendung des Legaten und Aufträge zur Kreuzpredigt 17./18. Oktober ff. Ep. sel. 3, 632 ff, Jordan Reg. 160 ff., dazu Davidsohn II 1, 574. Pallavicinis Untätigkeit — die Prahlerei gegenüber Ludwig IX. berichtet Andreas (SS. 26, 568) — erklärt sich aus seiner Lage und Karls zahlenmäßiger Überlegenheit. Bei Boso von Doara, den Dante, Inf. 32, 116 als Verräter mit Bocca degli Abbati auf eine Stufe stellt, dürften Pipin (Muratori 9, 709) und Villani VII 4 höchstens insoweit recht haben, daß er von Manfred das Geld für die Rüstung genommen, aber nichts getan hatte. Die beste Darstellung, in den Annal. Parm. SS. 18, 679, weiß nichts davon. Erfolgreich konnte ein Widerstand in Oberitalien nur sein, wenn Manfred selbst mit starker Macht dort erschien und die Leitung übernahm. Ob er das konnte, ist für uns nicht zu entscheiden, doch scheint es *.-*. als hätte er den Fehler gemacht, seine Kräfte zu zersplittern, nachdem er sie, über die Absichten des Gegners im unklaren, auf die erforderliche Stärke zu bringen unterlassen hatte. Über den Marsch von Bologna bis Rom fehlen genauere Nachrichten. Es muß ein Eilmarsch gewesen sein, also auf dem kürzesten und bequemsten Wege, von Ancona über Jesi, Fabriano, Foligno, Spoleto, Terni und Narni nach Orte.

S. 244 ff. Karls Krönung in Rom Martène 251, Rayn. 1266, 4, Jordan Reg. 241 f. Schon längst hatte Karl im Königreich Regierungshandlungen vorgenommen, am 15. Juli Bevollmächtigte in den Abruzzen ernannt, Verkehrsrechte an Kaufleute von Siena, Rom und Florenz erteilt, Minieri-Riccio, Alcuni fatti 4 f. Zustand der Truppe beim Abmarsch von Rom Jamsilla (Muratori 8, 600), Malaspina III 3 ff (Mur. 8, 819). Begleitung durch Ubaldini Martène 251 f. Manfreds Maßnahmen zur Abwehr Reg. imp. 4768. Malaspina (Muratori 8, 880), Ann. S. Justinae (SS. 19, 188). — Manfreds Landtag in Benevent (Muratori 8, 816) von Capasso fälschlich in den Juni verlegt, wo die Defensive noch gar nicht gedacht wurde, und unsichere Stimmung der Barone ebenda II 20/22 Muratori 8, 816 ff. Clemens beauftragte den Legaten für das Königreich am 15. Februar, ohne zu wissen, daß die Entscheidung schon gefallen war, Jordan Reg. 298/99. Er war in Perugia ohne unmittelbare Fühlung mit dem, was sich zutrug, und erfuhr es zu spät, während Karl eilte, da ihm das Geld ausging (Malaspina). Ganz verspätet erging die Anfrage an den Legaten in Paris am 21. Februar wegen der Verurteilung Manfreds, Martène 279. Clemens rechnete offenbar mit einem Feldzug von längerer Dauer; so wenig war er über die Strategie Karls im klaren, die er nicht verstand, daher sein Besserwissen l. c. 160 ff. — Die Zeitgenossen haben, wie es scheint, allgemein geglaubt, der Paß von Ceprano sei durch Verrat gefallen (Dante, Inf. 27, 16), und den Oberbefehlshaber Grafen von Caserta beschuldigt, was Villani VII 5 in seiner gewohnten anekdotischen Manier ausmalt. Daß man an Verrat zu denken nicht nötig hat, zeigt in gründlicher Untersuchung von Überlieferung und Topographie Colasanti, Il passo di Ceprano sotto gli Hohenstaufen, Arch. Rom. 35, 74 ff und zusammenfassend 47, 51. Danach hat Manfred auf Verteidigung des Passes verzichtet, der durch das Tal des Liri umgangen werden konnte, seit das von Friedrich II. auf dem linken Ufer erbaute Civitas nova, heute Opri, (Reg. imp. 3228b. 3302a) verschwunden, vermutlich von den Päpstlichen 1254/56 zerstört war. Rocca d'Arce bietet nur gegen Norden Schutz. Die von Manfred angelegte Sperre sollte nur aufhalten, um Zeit zu gewinnen; sie wurde von den Franzosen überrannt, und der Graf von Caserta handelte durchaus richtig, wenn er die eigentliche Verteidigung dorthin verlegte, wo Liri und Rapido sich vereinigen, nämlich nach San Germano (heute Cassino). Über die anschließenden Kämpfe berichtet Karl selbst in Kürze noch am 27. Februar dem Papst, der den Bericht am 5./8. März durch Rundschreiben an Legaten und Erzbischöfe weitergibt, Martène 283. 286 f. Ausführlich Malaspina III 8 und vor allem Andreas (M. G. SS. 26, 560 ff), bei dem — ein ziemlich einzig dastehender Fall — der Bericht eines mitkämpfenden höheren Offiziers, Hugo des Baux, vorliegt. Dieser gibt ein höchst anschauliches Bild, besonders von der Schlacht bei Benevent. Daß Ubaldini Karl bis an die Grenze begleitete, bezeugt die Inschrift bei Del Giudice, Cod. dipl. 1, 95, wogegen die von Sternfeld, Orsini 316 geltend gemachten Einwände nicht aufkommen. Schilderung der Schlacht bei San Germano bei Del Giudice 105, wonach Karl in Stadt und Umgebung 2000 Unzen (10 000 fl.) Steuern erhob und unter seine Truppen verteilte, qui plurimum indigebant. Die Schlacht bedeutete mehr, und das von Richard von Caserta geführte sizilische Heer war stärker, als die neueren Darstellungen erkennen lassen. Außer Malaspina III 3, und der Chronik von Sessa s. vor allem auch hier Andreas Ungarus (SS. 26, 560 f), Wenn dieser die auf sizilischer Seite Gefallenen mit 1500 richtig angibt, so wird die Chronik von Sessa, die das Heer auf 4000 Ritter und 6000 Sarazenen schätzt, im Recht sein gegen Malaspina, der von nur 1000 Rittern und 2000 Sarazenen spricht. Hier schon zeigte sich die große Überlegenheit der französischen Armbruster über Manfreds Sarazenen, die die Flucht ergriffen, Malaspina III 5, Capasso 509. Clemens stellt wohl mit Recht den Sieg bei San Germano dem bei Benevent gleichwertig an die Seite. Die Führung von Manfreds Heer wird auch bei Benevent der Graf von Caserta gehabt haben, nicht der König selbst, der ja kein Soldat, noch weniger ein Feldherr war. Daß es ihm an Schneid nicht fehlte, hatte er schon in seinen Anfängen bewiesen, jetzt besiegelte es sein tapferer Soldatentod. Man sollte endlich aufhören, ihn nach dem verärgerten Ausruf eines deutschen Troupiers zu beurteilen, den Ottokars Reimchronik (MG. Deutsche Chroniken V) v. 360 ff, 664 ff aufbewahrt hat. Für ihn spricht neben dem Zeugnis Dantes (Purg. 3, 107 ff), das sich mit dem Malaspinas (Muratori 8, 1004) — worauf Colasanti, Arch. Rom. 47 (1924) 48 aufmerksam macht — auffallend deckt, nicht weniger laut eine Stimme aus dem Lager des Feindes. Adam de la Halle, der (nach Jordan, Origin. 412) bei Karl etwa die Stelle eines Hofdichters einnahm, feiert Manfred mit den Worten ‹ein schöner Rittersmann, tapfer und klug, geschmückt mit allen Vorzügen und vornehm, nichts fehlte ihm als allein der Glaube›. Angeführt von C. Merkel, L'Opinione dei contemporanei nell'impresa di Carlo d'Angiò (Mem. della R. Accad. dei Lincei 1888) 27. Die Auffindung der Leiche und ihre Verscharrung (Malaspina III 13) am Tage nach der Schlacht meldet Karl dem Papst am 1. März, Capasso 517, Reg. imp. 14287. Spätere Bestattung: Villani VII 9, Wilh. von Nangis SS. 26, 654 (Bouquet 20, 426) (ne eius cadaver cum ceteris bestiis et avibus exponeretur, prope urbem Beneventi iuxta viam publicam sub acerbo lapidum voluit sepeliri). Nur die Ann. von Genua SS. 18, 256 wissen von ehrenvollem Begräbnis, die Leiche sei in ein goldenes Tuch gewickelt worden (kaum glaubhaft). Colasanti (La sepoltura di Manfredi, im Arch. Rom. 47) hat zu beweisen versucht, die endgültige Bestattung sei bei Ceprano erfolgt, wo man 1614 den Sarg gefunden haben will. Aber könnte der Fundbericht nicht wie so mancher andere erfunden sein? Mehr Glauben verdient die Aussage Dantes Purg. 3, 130 ff, der von Bestattung ohne Sarg auf freiem Felde spricht, was Colasanti nicht bemerkt zu haben scheint. Zu Dantes Zeit, nur ein Menschenalter nach dem Ereignis, kann die Wahrheit nicht unbekannt gewesen sein.

S. 246 f. Die Unterwerfung des Königreichs schildert Clemens dem Legaten in England, Martène 301. 319, Andreas Ungarus 579 f. Bescheinigung für Karl, Ep. sel. 3, 663, Jordan Reg. 116 f, Martène 368. Hinrichtung eines falschen Manfred berichtet Salimbene 174. Triumphierende Äußerungen Martène 377. 395. 398., Jordan Reg

718 ff. Römische Senatur Martène 324. 353. Die Darstellung der Vorgänge in Rom bei Gregorovius V⁴ 385 f, übernommen von Del Giudice, Cod. dipl. 2, 53 ist nicht richtig. Nach Malaspina III 19 (Muratori 8, 834) handelt es sich bei der Erhebung Angelo Capoccis nicht um einen Aufstand der Guelfen, sondern des Volkes (popolo), das durch seinen Capitano die Macht an sich riß. Vergeblich gesuchte Verständigung mit ihm Martène 489. — Benevent ebenda 298. 306. 315. Vorstellungen und Vorwürfe an Karl 368. 406. 443. 464. 505. 524, Jordan Reg. 847. 857. Karls Beschwerde über Milde des Papstes Martène 340. 356. 482, Cherrier 4, 524.

S. 248 ff. Lombardei Reg. imp. 9680. 9686. 9758. 14294c. 14306a. 14311a. 14317a. 14341b. 14344, Ann. von Piacenza und Genua SS. 18, 516. 295. Pisas Unterwerfung und Begnadigung Reg. imp. 14294d, Martène 441. Toskana im allgemeinen und Florenz im besonderen Davidsohn II 1, 584 ff, Registre 413 f. Der Auftrag an die frati godenti, die Stadt im Namen des Papstes zu regieren, 12. Mai 1266, Martène 321. — Anknüpfung der Emigranten mit Konradin Reg. imp. 4803a, Malaspina III 17 (Muratori 8, 832). Barthol. von Nicastro (Muratori 13, 1021). Tagung in Augsburg Reg. imp. 4808a. K. Hampe, Gesch. Konradins (1894, 2. Aufl. 1940) 95 ff. Die Antwort des Papstes ist die Drohung mit Entziehung des Königstitels von Jerusalem, 18. November, Ep. sel. 3, 666, Reg. imp. 9740. Hier ist das Verbot der Königswahl vom 18. September eingerückt. — Karl Podestà in Lucca, Pistoja, Prato, Florenz: Martène n.⁸ 283. 345. 409/13. 421. 427. 448. 464. 471. Clemens an die Legaten in England und Frankreich Martène 466. 472. Aufforderung an Karl, Truppen nach Toskana zu schikken, 18. Januar 1267, Martène 440. Ablehnung gegenüber Pisa 457 (vgl. 454), Davidsohn II 1, 610 ff. Interdikt über San Miniato und Poggibonsi Reg. imp. 9804. 54. 90. Karl als paciarius angekündigt, 10. April, Martène Thes. 2, 456. Ernennung Reg. imp. 9785. Daß Konradin nur Vorwand war, zeigt Rodenberg, Mitteil. des österr. Inst. 16, 15 gegen Hampe. Die Absicht, Karl zum Herrn in Toskana zu machen, äußert Clemens schon am 23. November 1266; sein Ziel war der Erwerb des Landes für die Kirche, Rodenberg 18 f.

S. 251 ff. Aufruf an den französischen Adel 28. Mai 1266, Aufträge zur Kreuzpredigt 30. Juli, 13. August, 25. Oktober, 31. Dezember, Eintreibung von Rückständen: Martène 335. 337. 379. 396. 419 ff. 434. 382 f. 387. 392. Unterstützung an Flandern, Geldern, Luxemburg, Jülich, Houfalize, Bretagne, Navarra, Poitou 381. 386 ff. 490. 494. 529. Die Summen schwanken zwischen 1000 und 20 000 l. Schiffe von Venedig und Pisa gefordert 439. 442. Aufbruch im März 1267 mit Karl geplant 419. 426, gegen Ägypten 439. Mahnungen an Frankreich, Navarra, Poitou, deutsche Fürsten und Polen Jordan Reg. 838. 841 ff. Kreuznahme Ludwigs IX. meldet Clemens dem Legaten in Sizilien 464. Mahnung an Aragon 468. Dank an den Mongolenkhan für seinen Glückwunsch zum Sieg über Manfred und für angebotene Hilfe 517. Dreijahreszehnt in Frankreich Jordan Reg. 463 ff. Auftrag zur Werbung und Einsammlung Martène 472. 557. Zurückweisung des Protestes 522 und Jordan Reg. 595. Dem Kreuzzug galten auch die Bemühungen um den Frieden zwischen Venedig und Genua, Jordan Reg. 849, vgl. SS. 18, 260. — Aufnahme der Politik gegen Konstantinopel verrät Karl durch Ernennung eines Befehlshabers in Korfu — es ist der Sohn von Manfreds Statthalter — am 16. Januar 1267 (G. Del Giudice, La famiglia di re Manfredi [1896] 99. 109 ff), ferner durch Empfang des Fürsten von Achaja um dieselbe Zeit und Abschluß eines Freundschaftsvertrags mit ihm, 17. Februar, Minieri-Riccio, Alcuni fatti riguardanti Carlo I. di Angiò (1874). — Die päpstliche Sendung nach Konstantinopel erwähnt Clemens in seiner Antwort an Kaiser Michael 4. März 1267, L. Wadding, Ann. ordinis Minorum 4, 270 (fehlt in der Darstellung Rayn. 1267, 72 ff): Michael habe seit drei Jahren nichts hören lassen nec per nostros apocrisiarios . . . novissime ad te missos, qui apud te moram diutius contraxerunt, nobis misisti aliquid verbo vel scripto. Der Zeitpunkt ist unbekannt. Am 4. März antwortet Clemens auf eine Gesandtschaft Michaels, für die Karl am 21. März das Geleit zur Rückreise zu stellen befiehlt, Del Giudice, Cod. dipl. 1, 299. Es wurde zunächst nicht benutzt, der Gesandte wartete an der Kurie die Abreise von päpstlichen Vertretern ab, um die sich Clemens am 10. Juni beim General der Prediger erkundigt, Rayn. 1267, 81. Inzwischen überbrachte eine zweite griechische Gesandtschaft die Bereitwilligkeit des Kaisers zur Unterstützung der päpstlichen Pläne in Syrien, worauf Clemens am 17. Mai antwortet. Auf den Ton dieser Antwort mag gewirkt haben, daß Karl seit Anfang Mai an der Kurie war (am 10. ist er dort erwähnt, Martène 466, am 15. April war er noch in Aquila, Del Giudice 2, 25). — Vertrag Balduins II. mit Karl bei Del Giudice 2, 30 ff aus Du Cange, Hist. de l'empire de Constantinople, Preuves 17. Im März 1268, d. h. 1269, tritt Balduin dem König von Navarra (Grafen der Champagne) ein Viertel seines Anteils an dem zu erobernden griechischen Reichsgebiet ab, l. c. 22. Erneuert wurde der Vertrag nach Balduins Tode mit seinem Sohn Philipp, 4. Oktober 1274, l. c. 24. Beschwerde des Papstes über Karl gegenüber Kardinal Simon, 23. Mai, Martène 472.

S. 254 ff. Karl in Toskana Ann. von Piacenza SS. 18, 524 ff, auch weiterhin Hauptquelle; dazu die Briefe Martène 514 ff, die den Eifer zeigen, mit dem Clemens den König unterstützt. Belagerung von Poggibonsi Reg. Imp. 14351 c. 366a. Konradins Erscheinen und weitere Bewegungen sind in den Reg. imp. 4838 ff und Clemens' Briefen a. a. O., besonders 543 vom 23. November 1267, zu verfolgen. Schlachtruf ‹König Konrad›, 20. Juni, Ann. von Piacenza 522, Reg. imp. 14349a. Im allgemeinen K. Hampe, Konradin (1894). Den Ausschluß verhängte Clemens nach wiederholten Verboten und Vorladungen (14. April, 26. Mai) am 18. November, Ep. sel. 3, 673. 683. Die Landung auf Sizilien meldet Clemens an Karl unter scharfen Vorwürfen, 22. September, Martène 524. Zur Rückkehr ins Königreich drängt er 546. — Heinrich von Kastilien: Del Giudice, Don Arrigo, infante di Castiglia (1875). Am 26. Juli 1267 schreibt Clemens ihm als Urbis senatori, am 30. verbietet er, ihm in der Sabina und im römischen Toskana zu gehorchen, Martène 513. 519, trotzdem noch 19. und 28. Dezember und 9. Februar Vorwürfe und Warnungen 548. 555 f. 575. Erst am 3. April wird er als ausgeschlossen behandelt, St. Priest, Hist. de la conquête du royaume de Naples par Charles d'Anjou (2. Aufl. 1849) 3, 386. Del Giudice, Cod. dipl. 2, 142. Lancias Einzug in Rom Ep. sel. 3, 700. Als Haupt der Feinde Karls ist Heinrich erkannt bei Primat SS. 26, 655. Bündnis der Stadt Rom mit den toskanischen Gibellinen Del Giudice 2, 95.

S. 256 ff. Über Konradins Marsch auf Rom berichten die Ann. von Piacenza und von S. Justina SS. 18, 527; SS. 19, 190, ferner Clemens, Martène 562. 567. 577. 581. Strategische Ratschläge 562. 574. Danach außer Hampe 254 ff vor allem C. Merkel, Dominaz. di Carlo 285 ff, Del Giudice 2, 103. Karl in Viterbo Martène 584. 589. Seine Geldnot Del Giudice 2, 120. 122. 125 ff. 136. 212, Minieri-Riccio, Alcuni fatti 26 ff. Erlaubnis zur Übernahme der Senatur 3. April, Reg. imp. 9889, Del Giudice 2, 142, Reichsvikariat Martène 587 f. Kreuzzug und Ausschluß Reg. imp. 9890. 94, Pisa vgl. Potthast 20748 (Wiederherstellung durch Gregor X.). Mißlungener Handstreich auf Rom 23./24. April, Ann. von Piacenza SS. 18, 527. Befehl zur Kreuzpredigt gegen die Sarazenen von Lucera schon am 12. Februar, Martène 575. Bericht eines Augenzeugen über die Landung der Anhänger Konradins auf Ischia Del Giudice 2, 170. Ausfälle der Sarazenen, Abfall in Aversa ebenda 175. 178. Aufstand in der Mark, Martène 609. Sentenzen gegen Konradin und Anhänger Ep. sel. 3, 666 ff. 723. Clemens über Konradin in Pisa Martène 602. Weissagung seines Untergangs Jacobus de Varagine (als Ohrenzeuge) Muratori 9, 50. — Konradins Manifest über den Sieg bei Ponte a Valle in den Ann. von Piacenza SS. 18, 527, die auch hier die besten Nachrichten haben. Vgl. Del Giudice 2, 157. Aufenthalt in Siena und weiter, Reg. imp. 4854b ff, Hampe 257. Clemens' Mitleid: Tolomeo von Lucca, Hist. ecclesiastica (Muratori 11, 1160). Dichtungen für und wider: Guido Manzoni, Crestomatia, D'Áncona e Comparetti, Le antiche rime volgari (1881 ff).

S. 259 ff. Die Schlacht bei Tagliacozzo und was ihr vorausging und folgte, ist durch die Untersuchungen von Ficker, Mitteil. des österr. Inst. 2 (1881) 513 und

Busson, Deutsche Zeitschr. f. Geschichtswiss. 4 (1890) 275 so weit aufgeklärt, wie es bei dem Zustand der Überlieferung möglich ist. Die Hauptquellen sind Berichte Karls an den Papst, Martène 624, und an Padua (wohl Rundschreiben an die guelfischen Städte), Del Giudice 2, 190, Malaspina IV 8 ff und Primat SS. 26, 657. Die Darstellung Hampes 277 ff wird wohl nicht in allen Einzelheiten allgemeine Zustimmung finden, in den Umrissen dürfte sie zutreffen. Als Sieger galt nach Dante, Inf. 28. 18, der die allgemeine Ansicht wiedergeben wird, nicht Karl selbst, sondern Erard von Valéry, der ihn im entscheidenden Augenblick beriet, und dessen Anwesenheit Primat hervorhebt. Mit demselben Recht könnte man als Sieger von Hohenfriedberg nicht Friedrich den Großen, sondern den Marquis Valory nennen. Stiftung des Klosters bei Scurcola Del Giudice 2, 335. Clemens muß die Siegesnachricht sofort erhalten haben, da er sie schon drei Tage später, am 26. August, an Malatesta weitergibt und denen von Rieti Vorwürfe wegen Aufnahme flüchtiger Feinde macht, Martène 626 f. — Die Verurteilung der Gefangenen zum Tode meldet Karl im Manifest vom 12. September, an Lucca, aber sicher Rundschreiben. St. Priest 3, 388. Daß dies sich nur auf die beiden Lancia, Vater und Sohn, beziehe, die sofort hingerichtet wurden, ist wenig wahrscheinlich. Konradins Ende behandelte Del Giudice, Atti dell'Academia Pontaniana 12 (1878) in sorgfältiger Untersuchung. Seitdem hat G. M. Monti, Da Carlo I a Roberto d'Angiò (1936) 1 ff gezeigt, daß mit Beratung der vom König dazu berufenen Juristen eine Versammlung von Vertretern der Gemeinden Campaniens stattgefunden hat, die gegen Konradin die Anklage auf Hochverrat erhoben, worauf er für schuldig erklärt und nach einem Gesetz Friedrichs II. hingerichtet wurde. Die Darstellung Malaspinas sowohl wie die Erzählung Riccobalds von Ferrara, Muratori 9, 137, vom Widerspruch des Rechtsgelehrten Guido von Suzzara hatte Del Giudice a. a. O. bereits verworfen. Von verbreiteter Mißbilligung spricht Primat 6657: fast ganz Deutschland sei dadurch gegen Karl aufgebracht und dauernd feindlich geworden. Die Erbitterung dauerte fort. 1313 gibt König Robert von Neapel in einer Denkschrift für Papst Clemens als Grund für den Romzug Heinrichs VII. an, dieser habe Rache für Konradin nehmen wollen, M. G. Constit. IV 2, 1363. 64. Dazu Johannes von Victring, Liber certarum historiarum IV 8 (ed. Fed. Schneider, Mon. Germ., 1909 f II S. 57). Die Bemerkung von Hampe, Konradin 325 f, in Deutschland sei die Teilnahme gering gewesen, ist also nicht richtig. Die Gefühle der italienischen Gibellinen sprechen die Ann. von Piacenza 529 aus: Heu quis sustinere potest tantam malitiam et tantam iniquitatem factam per Karulum! Deus sit vindex in iram. Hans Hirsch, Festschrift für Srbik (Gesamtdeutsche Vergangenheit 1938) 33 ff hat nachzuweisen gesucht, Karl habe das Leben der Gefangenen zu schonen versprochen, aber sein Wort nicht gehalten. Zuzutrauen wäre es ihm, aber der Beweis steht auf so schwachen Füßen und die Zeugnisse sind so spät und so vereinzelt, daß man kein Recht hat ihre Behauptung als Tatsache zu behandeln, wie St. Priest 4, 150 f getan hat. Das Verhalten Clemens' IV. zur Hinrichtung Konradins erörtert Del Giudice a. a. O. Ohne Beleg behauptet Pinzi, Storia di Viterbo 2, 239: Si sa per le sue epistole, che egli lo riprovò. In Clemens' Briefen findet sich davon kein Wort. So geneigt, wie er sich sonst immer zeigt, Karl zu tadeln, würde er auch hier nicht geschwiegen haben, wenn er nicht einverstanden war.

S. 262 f. Die Niederwerfung des Aufstands berichten mit manchen Einzelheiten die Ann. von Piacenza SS. 18, 533. 536 f und die von Genua 264 f. Schwere Niederlage der Sarazenen meldet 28. November 1268 Martène 633. Aus dem Lager von Lucera datiert Karl vom 20. Mai bis 27. August 1269, aus Lucera selbst am 29. August und 4. September, Terlizzi, Documenti delle relazioni di Carlo d'Angiò e la Toscana I (1914), 48 ff, Minieri-Riccio, Alcuni fatti 54. Also hat die Kapitulation am 28. August stattgefunden. Ausgerottet, wie man oft behauptet findet, wurden die Sarazenen damals keineswegs; (nach den Ann. von Genua SS. 18, 264 wurden nur die Christen und die Führer der Sarazenen enthauptet); noch 1283 zogen ihrer 1000 im Heere Karls gegen Sizilien, Malaspina IX 1, aber sie müssen, wie schon diese Zahl verrät, damals bereits sehr zusammengeschmolzen sein. Ihre Reste wurden 1311 in einem großen Blutbad vernichtet. Wadding 6, 416. Befreiung Konrads von Antiochien Del Giudice, Cod. dipl. 2, 200, das Schicksal Heinrichs von Kastilien und das von Manfreds Kindern ebenda 2, 285 ff und 1, 123 ff, dazu H. Finke, Acta Aragonensia 1, 244 ff, Busson, Mitteil. des österr. Instituts 13, 521. Daß Manfreds Söhne keine Bastarde waren, wie Ficker, Mitteil. des österr. Inst. 4, 1 ff beweisen wollte, hat Davidsohn, QF. 17, 106 f gezeigt. Für ihre Vollbürtigkeit spricht auch, daß Roger von Loria 1284 nach dem Sieg bei Ischia nur die Freilassung der Tochter erzwang, während von den Söhnen keine Rede war. Frei geworden, wären sie als nächste Erben der Krone von Sizilien dem Königtum Peters von Aragon gefährlich gewesen, als Bastarde hätte er sie nicht zu fürchten gehabt. Erst 1299 wurde ihre Freilassung angeordnet, M. Amari, Vespro Siciliano 3, 405 f. — Konradins Unternehmen mußte, wie es bei Tagliacozzo geschah, unter allen Umständen am Fehlen überlegener, einheitlicher Führung scheitern. Er selbst hatte sie nicht und konnte sie nicht haben. Wie sehr er auch Außenstehenden als bloßes Werkzeug oder Aushängeschild gegolten hat, lehrt die Erzählung, ob wahr oder nicht, bei Malaspina IV 7, schon in Rom hätte sich Heinrich von Kastilien, Galvano Lancia und andere geeinigt, nach Besiegung Karls sowohl Konradin wie Friedrich von Österreich und die übrigen deutschen Führer umzubringen und Heinrich zum König zu machen.

S. 263. Über das Grabmal Clemens' IV. s. Gregorovius-Hülsen, Le tombe dei Papi. Abbildung bei Fr. Bock, Reichsidee und Nationalstaaten (1943) S. 16. Der Legat nach England erhielt seinen Auftrag am 4. Mai 1265, Jordan Reg. 40. 76/78, und am 19. Juli den Befehl, die erste Gelegenheit zur Überfahrt zu benutzen, Martène 164. Am 23. März hatte Clemens in Erinnerung an seine eigenen Erfahrungen noch mit der Sendung warten wollen. Weisungen zu Kreuzpredigt und strengstem Vorgehen auch nach dem Sieg Martène 115. 200 (keine Gnade!). 240. Jordan Reg. 115/122. 228/38. 483. Dem Eifer und der Schärfe, womit Clemens den Kampf gegen Simon von Montfort, den vir pestilens, und Anhänger betreibt, merkt man die persönliche Rachsucht an. Ludwig IX. wird die Unterstützung des Legaten zur Gewissenspflicht (in remissionem peccatorum) gemacht, er bekommt ernste Vorwürfe, weil er duldet, daß seine Untertanen die Erben Simons beim Bemühen um ihr Erbe unterstützen. Die Bitte um kirchliches Begräbnis für Simon wird nicht ohne weiteres genehmigt, Jordan Reg. 425 f. 452. Heinrich III. erhält einen dreijährigen Zehnten und daraus 60 000 Pfund Vorschuß, Jordan Reg. 320/24. 484. Die Bedingungen des Friedens werden nachträglich verschärft, ebenda 569. Über die Tätigkeit des Legaten Ann. von Dunstable (RS) 240. 247. Näheres bei Natalie Schöpp, Hadrian V. (1916) 131 ff.

S. 265. K. Hampe, Urban IV. und Manfred (1905) S. 1 stellt den Kampf Friedrichs II. mit den Päpsten in Gegensatz zu dem seines Großvaters. In diesem habe es sich um ‹den uralten Machtstreit zwischen Königtum und Priestertum› gehandelt, in jenem nur um die ‹politische Beherrschung Italiens›. Das ist nicht richtig. Auch Friedrich I. hat wie sein Enkel um die Herrschaft über Italien gekämpft, wofür das Schlagwort restitutio imperii der prägnante Ausdruck ist, das beide gebrauchen, Friedrich I. sogar noch öfter und nachdrücklicher als Friedrich II. Dagegen hat dieser die Freiheit des Staates von priesterlicher Herrschsucht, wovon sein Großvater nichts weiß, ausdrücklich als Gegenstand des Streites bekannt, indem er die andern Herrscher zu seiner Unterstützung aufrief. — Welche Summen von beiden Seiten aufgewendet worden sind, entzieht sich jeder Schätzung. Die Angabe der Vita Innocentii IV. c. 29, dieser Papst habe in 7 Jahren 200 000 Mark im Kriege gegen den Kaiser ausgegeben, gibt keinen genügenden Anhalt, ebensowenig wie die Abrechnung über die direkte Steuer (collecta) im festländischen Teil des Königreichs für 1248, Winkelmann, Acta 1, 712. Sie lautet auf 129 300 Unzen (646 500 Gulden); was die Insel geleistet, was aus andern Quellen, indirekten Abgaben, Konfiskationen, Steuern im Imperium usw. geflossen sein mag, ist unberechenbar.

S. 266 ff. Wie man sieht, bin ich anderer Ansicht als Jordan, der seine inhaltreiche und geistvolle Übersicht der Gesamtlage Italiens, Origines CLII, mit der Feststellung schließt, die großen Ideen von Kirche und Kaisertum hätten keiner Partei viel Nutzen gebracht. Ähnlich urteilte schon Ficker in der Einleitung zu den Reg. imp. XXXII: nicht religiöse Gesinnung habe der Kirche den Sieg gebracht, sondern vor allem die materielle Macht (das Geld) der Hierarchie, die dem Papst gehorchte. Mag es für Italien zutreffen, daß die religiöse Idee des Papsttums den Sieg nicht entschieden, vielleicht im Kampf überhaupt keine große Rolle gespielt hat, so scheint mir doch unleugbar, daß ohne sie die Unterstützung des Auslands, die Neutralität der Staaten, das Geld der Kirchen und schließlich das Eingreifen Frankreichs nicht zu erlangen gewesen wäre, während umgekehrt den Staufern und Gibellinen der Kaisergedanke keinen Nutzen gebracht hat. Falsch ist die Bemerkung von Hampe, Konradin 326, über das Ende der Kaiserpolitik: ‹Die erwachenden Nationalitäten ertrugen nicht mehr das sie umspannende Band›. Die Hälfte der italienischen Nation hat Konradin als Wiederhersteller des Kaisertums begrüßt, das auch weiterhin für Italien als nationale Idee gegenüber der französischen Fremdherrschaft gelten darf. Nicht die Nationalitäten haben das Kaisertum zerstört, sondern die Kirche. Gottfried von Viterbo SS. 22, 21.

S. 268 f. Unter den Kardinälen nach 1250 rühmt Tolomeo von Lucca als heiligmäßig Annibaldo Annibaldi (1262—72) und Latino Malabranca († 1294). Annales ed. B. Schmeidler (1930) 142. 185. Wie die Kreuzpredigt gegen Feinde des Papstes allmählich in Übung kommt, zeigt W. Koester, Der Kreuzablaß im Kampfe der Kurie mit Friedrich II. Diss. Münster 1913. Innozenz III. stellt den Kämpfern gegen Markwart von Annweiler den gleichen Lohn wie denen im Orient in Aussicht, doch kam es nicht zur Ausführung, Reg. I 558. Zum erstenmal scheint Gregor von Montelongo 1239 in Mailand das Kreuzzeichen (eigenmächtig?) seinen Truppen verliehen zu haben, Ann. Placentini SS. 18, 481. Der erste nachweisbare Fall öffentlicher Kreuzpredigt ist 1240 in Rom gegen den Angriff Friedrichs, Huillard-Bréholles 5, 776. Es folgt 1241 in Ungarn die Umwandlung der Kreuzfahrt in Kampf gegen Friedrich, ebenda 5, 1095. Im gleichen Jahr erhalten die Teilnehmer an der Fahrt zum Konzil den Ablaß der Kreuzfahrer, Ann. von Genua SS. 18, 192. In Übung kommt die öffentliche und feierliche Kreuzpredigt gegen Friedrich II. unter Innozenz IV. Seitdem wird sie zur Gewohnheit gegen alle jeweiligen Gegner der Päpste. Äußerungen des Unwillens hierüber, in Wort und Tat, bei Köster 58 f: Regensburg duldet keine Kreuzprediger, Zürich weist sie aus u. ä. Über Rom und den päpstlichen Hof urteilt vernichtend der sonst strenggläubige Philippe Mouskès ed. Reiffenberg 2, 528: Rome ki de tous maus est flève et somme, Ni ne cièsent par convoitise d'acquerre avoir ki les atise . . . Quar a Roume sont tot limat. Der genuesische Troubadour ist Calega Panzàn (1268), Schultz-Gorra, Mitteil. des österr. Inst. 24, 617.

S. 270 ff. Über Anfänge und Schicksale der Spiritualen: Karl Müller, Die Anfänge des Minoritenordens (1885), P. Gratien, Histoire de la fondation de l'Ordre des Frères Mineurs (1928). Ehrle, Archiv für Lit. u. Kirchengesch. 1, 509 ff; 2, 670 ff; 3, 553 ff; 4, 1 ff, H. Grundmann, Religiöse Bewegungen im Mittelalter (1935). Eindringen des Joachimismus in den Orden: E. Benz, Ecclesia spiritualis (1934) 175, Grundmann, Deutsches Dante-Jahrbuch N. F. 5 (1932) 227. Hauptzeuge ist Salimbene (passim, s. Register), daneben Matth. Paris, Chron. 6, 335 ff. Gerhard von Borgo San Donnino und das Evangelium aeternum: Benz 244 ff. Die Vorrechte des Ordens und die Geschichte der Besitzfrage am besten bei Ehrle, Archiv 3, 553 ff. Entscheidend für die Wendung war die Verordnung des Generals Hugo von Faversham (1240), die die Laienbrüder von den Ordensämtern ausschloß. Damit war der Orden zu einem gelehrten Klerikerorden gemacht nach dem Vorbild der Prediger und das Ideal des Stifters nicht etwa in anderer Form verwirklicht, sondern verleugnet, was Ehrle nicht erkennen läßt. Seine Darstellung läuft auf eine äußerst geschickte, ja bestechende Apologie dessen hinaus, was er für eine durch die Umstände, vor allem das rasche Anwachsen des Ordens gebotene Entwicklung hält, während es in Wirklichkeit eine Verwandlung ins Gegenteil, also Verleugnung des Ideals war, unter dem

Einfluß von Dingen, die von außen hineingetragen wurden, mit der Absicht, den Orden zum Werkzeug der Hierarchie zu machen, was Franziskus gewiß nicht gebilligt hätte. Seit 1250 muß eine apokalyptische Stimmung verbreitet gewesen sein, die sich in den apokryphen Schriften Joachims niederschlug. Auch der Predigerorden nahm solche Gedanken auf, s. die gemeinsame Enzyklika der beiden Ordensgeneräle, bei Wadding, Ann. ord. Minorum 3, 380, Mamachi, Ann. ord. Praedic. I App. 264, Acta Sanctorum August 1, 551. Daß der Rücktritt des Ordensgenerals Joh. von Parma (1257; für ihn begeistert sich Salimbene 301 ff) vom Papst erzwungen war, berichtet Pellegrino von Bologna, der in dieser Sache zwischen dem General und dem Kapitel vermittelte, nach dem eigenen Zeugnis des Generals: ipse (papa) praecepit ei in secreto, quod ipse renuntiaret officio et nullo modo consentiret, si ministri eum vellent in officio confirmare. Angeführt bei P. Gratien, a. a. O., 245 f. Der Generalskatalog SS. 32, 663 und Salimbene 309 beschönigen. Über Wilhelm von St. Amour und den Streit an der Universität, den Denifle in seiner Geschichte der Pariser Universität hatte darstellen wollen (vgl. Archiv für Lit. u. Kirchengesch. 1, 84), die Arbeiten von F. X. Seppelt, Kampf der Bettelorden an der Universität Paris (1905. 06) und M. Bierbaum, Bettelorden und Weltgeistlichkeit an der Univ. Paris (1920). Ganz auf die Seite der Gegner der Bettelorden und der Universität stellt sich Jean de Meung im Roman de la Rose LXIII v. 12033 ff. Die Erwartungen der Spiritualen behandelt F. Baethgen, Der Engelpapst (1943). In der Schätzung der Kräfte, die sich damals gegen Hierarchie und Scholastik auflehnten, geht wohl zu weit E. Renan, Nouvelles études d'histoire religieuse 221, der sich wundert, daß nicht schon damals eine religiöse Umwälzung wie im 16. Jahrhundert eingetreten sei. Das Ewige Evangelium sei nur ein Versuch unter mehreren gewesen, eine neue religiöse und soziale Ordnung an die Stelle der auf die Autorität der Kirche gegründeten zu setzen. Knapp zusammenfassend Baeumker, Kirchenlexikon 12, 580 ff.

S. 274 f. Der erste deutsche Kardinal seit 1229, wenn man von einem vom Gegenpapst 1328 erhobenen, ganz unbekannten Abt Franz, desgleichen vom Tschechen Jan Ocko von Prag (1378) absieht, war Matthäus von Krakau 1408. Hermann von Salza hat sein politisches Glaubensbekenntnis abgelegt im Bericht über Friedrichs II. Krönung in Jerusalem, als er den Kaiser von der Absicht, die Messe zelebrieren zu lassen, abbrachte, sicut ille qui honorem ecclesie et imperii diligit et utriusque exaltationem intendit, Constitutiones 2, 167. Kantorowicz, Friedrich II. 1, 85 beurteilt ihn falsch, wenn er von der ‹Not, beiden Herren die Treue zu wahren›, spricht, die Salza gezwungen habe, den Vermittler zu spielen. Es war ihm Überzeugung und Bedürfnis. E. Caspar, Herm. von Salza (1924) hat dieser Seite seines Helden keine Beachtung geschenkt. Es ist aber nicht nur die interessanteste an ihm, sondern die einzige, die wir kennen, während wir von der Gründung des Ordensstaates in Preußen, die Caspar zum Thema nimmt, nicht einmal wissen, ob überhaupt und wie weit Salza an ihr beteiligt war. Ein Seitenstück zu ihm ist Berard von Palermo (früher Bari), der, obwohl immer kirchentreu, doch bis zuletzt trotz Ausschluß und Absetzung fest zu Friedrich hielt und ihm die Sterbesakramente reichte. Kantorowicz 134 f. In der Theorie bekannte man sich in Rom auch weiterhin zum Grundsatz der Eintracht von Kirche und Kaisertum. So Urban IV. gegenüber Richard, 31. August 1263, Rayn. 1263, 46. Aber man dachte nicht mehr an Anwendung der Lehre auf die Praxis. Gerade Urban hat das seine dazu getan, durch Verschleppung des Entscheids über die Doppelwahl von 1257 das Kaisertum absterben zu lassen.

VERZEICHNIS DER PÄPSTE

zwischen 1216 und 1268

Honorius III 1216–1227
Gregorius IX 1227–1241
Coelestinus IV 1241

Innocentius IV 1243–1254
Alexander IV 1254–1261
Urbanus IV 1261–1264

Clemens IV 1265–1268

DIE PFORTE

Zeitschrift für Kultur

Herausgegeben von Kurt Port

dient, weltanschaulich und politisch unabhängig, überzeitlich und aktuell unterrichtend, der lebensanschaulichen Erneuerung Deutschlands und Europas. Sie will der durch Scheinwissenschaft und äußerlichen religiösen Betrieb übertünchten Leere unserer Zeit und ihrer Sehnsucht nach Tiefe einen wertidealistischen Inhalt geben. Es ist ihre Besonderheit, dabei die Philosophie des Geistes klar, ohne Geheimsprache und lebendig vorzutragen und damit allen Wahrheitssuchern zugänglich zu machen.

Die Pforte bietet in Erstbeiträgen das Neueste aus Philosophie, Geistes- und Naturwissenschaft und kritische Übersichten über die gesellschaftliche, politische und literarische Kulturlage. Sehr geschätzt ist ihr Symposion, in dem grundsätzlich auch die Meinungen Andersdenkender ungekürzt aufgenommen und durch philosophische Stellungnahmen zu begründeter Erwiderung veranlaßt werden.

Die Pforte erscheint vierteljährlich und hat in 15 Jahrgängen das 130. Heft erreicht. Alle früheren Hefte sind lieferbar.

Bitte verlangen Sie ein Probeheft und das Gesamtverzeichnis! Jedes Heft DM 4.–; bei Dauerbezug DM 3.60.

Port Verlag Esslingen

Johannes Haller

DAS PAPSTTUM

Idee und Wirklichkeit

Mit seinen berühmten Standardwerken, den «Epochen der deutschen Geschichte», wie der hier vorgelegten umfassenden Darstellung des Papsttums, gehört Johannes Haller neben Ranke, Mommsen und Burckhardt zu den großen deutschen Historikern. Diese in vier Jahrzehnten an der Universität Tübingen entstandene Lebensarbeit will nicht individuelle Porträts der Päpste geben, sondern die Idee des Papsttums durch die Jahrhunderte als historische Wirklichkeit und mächtigste Schöpfung der abendländischen Völker sehen. Das Werk hat durch die Diskussionen des Konzils und den leidenschaftlichen Streit um die politische Haltung Pius' XII. höchste Aktualität.

I

Die Grundlagen [Bis 795]
[rowohlts deutsche enzyklopädie Band 221/222]

II

Der Aufbau [Von 795 bis 1124]
[rowohlts deutsche enzyklopädie Band 223/224]

III

Die Vollendung [Von 1124 bis 1216]
[rowohlts deutsche enzyklopädie Band 225/226]

IV

Die Krönung [Von 1216 bis 1268]
[rowohlts deutsche enzyklopädie 227/228 Juli 65]

V

Der Einsturz [Von 1268 bis 1316]
[rowohlts deutsche enzyklopädie Band 229/230 September 65]

— insgesamt über 2000 Seiten —

Die fünfbändige, ungekürzte Taschenbuchausgabe enthält sämtliche Nachweise und Erläuterungen des Autors, das Nachwort von Heinrich Dannenbauer und ein enzyklopädisches Stichwort von Professor Siegfried Reicke.

aktuell rororo

Freimut Duve, Kap ohne Hoffnung
oder Die Politik der Apartheid. rororo 780

Fred J. Cook, Die rechtsradikalen Mächte
in den USA und Goldwater. rororo 733

Präsident L. B. Johnson, Ziele für Amerika
oder Der Weg der Vernunft. rororo 732

Ulrich Sonnemann
Die Einübung des Ungehorsams in Deutschland
rororo 687

Michael Serafian, Der Pilger
oder Konzil und Kirche vor der Entscheidung. rororo 686

Heinz D. Stuckmann, Es ist so schön, Soldat zu sein
oder Staatsbürger in Uniform. rororo 685

Thomas G. Buchanan, Das Rätsel von Dallas
oder Auf den Spuren der Mörder. rororo 684

Robert Havemann, Dialektik ohne Dogma?
Naturwissenschaft und Weltanschauung. rororo 683

Information
oder Herrschen die Souffleure?
17 Untersuchungen. Hg. von Paul Hübner. rororo 682

Sind wir noch das Volk der Dichter und Denker?
14 Antworten. Hg. von Gert Kalow. rororo 681

James Baldwin
Hundert Jahre Freiheit ohne Gleichberechtigung
oder The Fire Next Time / Eine Warnung an die Weißen
rororo 634

Edward Crankshaw, Moskau – Peking
oder Der neue Kalte Krieg. rororo 633

Summa iniuria
oder Durfte der Papst schweigen? Hochhuths «Stellvertreter»
in der öffentlichen Kritik. Hg. von Fritz J. Raddatz. rororo 591

Carl Amery, Die Kapitulation
oder Deutscher Katholizismus heute
Mit einem Nachwort von Heinrich Böll. rororo 589

Erich Kuby, Im Fibag-Wahn
oder Sein Freund, der Herr Minister. rororo 554

Gesamtauflage über 800 000 Exemplare

Literatur
Kolumne
der
Prominenz

**jede
Woche
im
SPIEGEL**

Über die wichtigen Neuerscheinungen in Deutschland
schrieben seit Januar 1964 im SPIEGEL:

		Gregor v. Rezzori
Friedrich Sieburg	Golo Mann	Fritz Schäffer
Carlo Schmid	Wolfgang Stammberger	Helmut Gollwitzer
Reinhard Baumgart	Herbert Ihering	Walter Marlimont
Rudolf Augstein	Michael Freund	Karl Theodor Reichsfreiherr
Arno Schmidt	Heinrich Böll	von und zu Guttenberg
Ulrich Sonnemann	Senfton Delmer	Fabian von Schlabrendorff
Carl Amery	Hans Magnus Enzensberger	Theodor W. Adorno
Robert Neumann	Peter Rühmkorf	Paul Pörtner

Rowohlt
Paperback

SAUL FRIEDLÄNDER

Pius XII. und das Dritte Reich

Eine Dokumentation

Mit einem Nachwort von Alfred Grosser
Rowohlt Paperback Band 43. 180 Seiten

Diese Dokumentation aus Archiven des Dritten Reiches – ergänzt durch Texte aus amerikanischen und israelitischen Quellen –, die über die Beziehungen zwischen dem Vatikan und dem national-sozialistischen Deutschland Auskunft geben, sind von bestürzender Aktualität; denn sie werfen ein neues Licht auf Fragen, die in jüngster Zeit – ausgelöst vor allem durch Rolf Hochhuths «Stell-vertreter» – zu leidenschaftlichen Auseinandersetzungen führten.

ROLF HOCHHUTH

Der Stellvertreter

Schauspiel

Mit einem Vorwort von Erwin Piscator
Rowohlt Paperback Band 20. 225. Tausend. 276 Seiten

Golo Mann / Basler Nachrichten: «Wieviel einfühlsame Menschen-kenntnis, Phantasie und Mitleid, Kummer, tiefer Ekel und Zorn werden hier unter den Bann der Kunst gezwungen! Das ist die eigentlichste Leistung. Sie erklärt, warum das deutsche Publikum sich von dem Drama hat ansprechen lassen wie noch von keinem Prozeß in Nürnberg und Jerusalem, keiner noch so gründlichen Studie des ‹Institutes für Zeitgeschichte›. Für sie müssen wir dem Dichter dankbar sein.»

Thomas Luckmann

Das Problem der Religion in der modernen Gesellschaft

Freiburg: Rombach 1963.
92 Seiten, kartoniert 8,80 DM.
Verlags-Nr. 502

Inhalt: Zum Thema – Religion und kirchliche Institution – Kirchlichkeit am Rand der modernen Gesellschaft – Die gesellschaftlichen Formen der Religion – Religion und Person in der modernen Gesellschaft.

Dieter Oberndörfer

Von der Einsamkeit des Menschen in der modernen amerikanischen Gesellschaft

Zweite, veränderte und erweiterte Auflage. Freiburg: Rombach 1961. 224 Seiten, Leinen 22,– DM. Verlags-Nr. 001

»Oberndörfer hat ein Modellbild des Menschen der Gegenwart entworfen, den es in seinem Lebensnerv trifft. Das Buch ist unnachgiebig und beunruhigend, weil es die Kernfragen anpackt.«
AACHENER NACHRICHTEN

Verlag Rombach Freiburg

Umschlagentwurf Werner Rebhuhn
Gesetzt in der engen Aldus-Antiqua
und der Palatino (D. Stempel AG)
Gesamtherstellung Clausen & Bosse, Leck/Schleswig